教育部人文社会
科学重点研究基地资助

河南大学学科建设和
学位点建设基金资助

逻辑与文化

Luoji Yu Wenhua

——中国近代时期西方逻辑传播研究

郭 桥 ◎ 著

西方逻辑传播是中国近代时期（1840—1949）东西文化交汇中的重要内容。本书主要运用历史的方法、逻辑的方法以及传播学的方法，对这一内容从传播背景、传播历程以及对中国文化之影响三个方面进行梳理和分析。

人民出版社

序

本书是郭桥博士研究"逻辑与文化"问题的一部专著。讨论的基本问题是：近代以来随"西学东渐"进入中国的西方逻辑学（包括传统逻辑与现代逻辑）的传播情况，以及这种传播对中国社会的发展、特别是中国文化的发展所带来的影响。也可以说，上述问题涉及的是，从一个侧面对 1840 年后中西文化交汇进程中的中国思想与文化所做的考察和分析。

今天，坚持改革开放基本国策的中国，需要与所有的人类文明平等对话，寻求互补互利，以建设新文化。在这种背景下，提出并讨论上述问题，至少可以给我们这样的启示：对文化的研究与建设应给予逻辑的关注。

逻辑属于思维方式方面的问题。从逻辑的角度剖析文化，可以使我们接触到文化发展中较为深层的因素；可以帮助我们从逻辑思维方法的运用角度，对不同民族文化间的差异及其原因给出较具体的解释。

同时，只有包含逻辑在内的思维方式的发展，才能使文化的发展成为可能。在中国，这一点尤应引起我们的注意。张岱年先生曾指出："中国传统中，没有创造出欧几里得几何学那样完整的体系，也没有创造出亚里士多德的形式逻辑的严密体系；到了近古时代，也没有出现西方十六、十七世纪盛行的形而上学思维方法，更没有伽利略所开创的实证科学方法。应该承认，这是中国传统思想方法的重大缺陷。……在今日建设社会主义文化的新时代，必须做到思维方式的现代化。既要发挥辩证思维的优良传统，更要学会缜密分析、进行科学实验的方法。中国新文化的灿烂未来，有待于思维方式的更新。"① 这告诉我们，中国进行的新文化建设需要变革与发展传统思维方式，需要逻辑的关注。

近代以来，基于不同思维方式的中西文化之间既冲撞又交融的情形，较突出地表现于西方逻辑学在中国的传播及其对中国文化的影响之中。如果我们能够透过这种影响，很好地认识并把握中西文化之间排斥与包容兼有的复杂情况和原因，应当会有助于我们更为自觉地面对文化上的对外开放，真正做到既博采各民族文化之长，为我所用，又光大中华文化的精华，不失民族精神的根基。

本书是以郭桥的博士学位论文为基础修改而成的。几位资深的中国逻辑史方面的专家曾参加了郭桥的博士学位论文答辩。他们对论文给出的评价是：

> 论文对中国近代时期西方逻辑传播的文化背景、历史进程，特别是西方逻辑传入对中国哲学、史学、教育、科学的影响给予了分析。这是一项目前学术界还缺少专门、系统研究的工作。其成果不仅填补了中国逻辑史研究的空白，有重要学术价值，而且有重要现实意义；其开拓性、先进性自不待言。

> 论文立足于中国近代文化发展的宏观背景，从逻辑学与其他文化成分间互动关系所作的研究，为中国逻辑，尤其是中国近代逻辑史研究展现了一个全新视角。

> 论文综合运用了历史的方法、逻辑的方法和传播学的方法进行梳理研究，给人以思维清晰、耳目一新的感觉。

> 全文论及诸多方面的问题，每一问题又从各个层面去进行阐释，内容完备，史料翔实，分析中肯，评判精当，每有独到之处，反映出了近代时期西方逻辑在中国传播的基本面

---

① 张岱年：《文化与哲学》，教育科学出版社 1988 年版，第 208 页。

貌，是一部带有总结性的力作。

同时，专家们也提出了供论文作者参考的建议。如对西方逻辑在中国传播历程所做分期的根据，可进一步思考；一些章节应有进一步的综合与概括等。

上述评议较之我个人的看法更有价值。故我将专家评议借引于此，以为序，并与读者分享。

中国逻辑学会副会长
国家教委哲学学科教学指导委员会委员
博士生导师
南开大学哲学系教授　崔清田
2006 年 1 月

目　　录

3

第一章 导 论

第一节 研究的对象及基本内容

一、研究对象

本书的研究对象，是中国近代时期西方逻辑传播及对文化所产生的影响。这里的西方逻辑，包括传统逻辑和现代逻辑。前者系指由古希腊亚里士多德首创，经中世纪和近代发展，19 世纪中叶数理逻辑产生以前的西方逻辑学说。其主要内容涉及：概念理论、词项逻辑（中心内容是三段论）、古典命题逻辑和古典归纳逻辑。后者即数理逻辑，亦称符号逻辑，包括一阶逻辑、模型论、公理化集合论、递归论和证明论等内容。中国近代时期传播的现代逻辑，主要是一阶逻辑。

近代时期西方逻辑的传播，就时间界域而言，包括 1840 年鸦片战争以后至 1949 年以前的历史时期；从空间界域来看，主要是中国本土，此外还涉及异域范围，如日本。

关于文化，到目前为止国内外学术界仍无公认定义。梁启超在《什么是文化》中指出："文化者，人类心能所开释出来之有价值的共业也。"[①] "共业"包摄诸多领域，如认识的（语言、哲学、科学、教育）、规范的（道德、法律、信仰）、艺术的（文

---

① 梁启超：《什么是文化》，《学灯》，1922 年 12 月 9 日。

学、美术、音乐、舞蹈、戏剧)、器用的(生产工具、日用器皿以及制造它们的技术)和社会的(制度、组织、风俗习惯)等等。英国文化学家泰罗(E. B. Tylor)曾经给文化下过两个定义[①]:1. 文化是一个复杂总体,包括知识、艺术、宗教、神话、法律、风俗以及其他社会现象。2. 文化是一个复杂总体,包括知识、信仰、艺术、道德、法律、风俗,以及人类在社会里所得到的一切能力与习惯。我们认为,文化可以划分为广义和狭义两类:前者着眼于人类与一般动物、人类社会与自然界的本质区别,着眼于人类卓立于自然的独特生存方式,其涵盖面非常广泛,如物质、制度、精神等不同层面;后者排除人类社会——历史生活中关于物质创造活动及其结果的部分,专注于精神创造活动及其结果。[②] 本书名称即"逻辑与文化——中国近代时期西方逻辑传播研究"中的"文化",是就狭义文化而言的,具体涉及哲学、史学、科学和教育。

二、基本内容

本书研究的基本内容包括:中国近代时期西方逻辑传播的背景、历程及对文化的影响。其中,逻辑传播的背景包括清代实学思潮之发展、西方逻辑在中土的早期传播。逻辑传播的历程划分为三个阶段:早期传播、中期传播和晚期传播。逻辑传播对文化的影响,涉及哲学、史学、科学以及教育四个领域所受的影响。

[①] 参见李宗桂:《中国文化概论》,中山大学出版社1988年版,第6—7页。

[②] 参见张岱年、方克立主编:《中国文化概论》,北京师范大学出版社1994年版,第4—8页。

第二节 研究的意义

近代时期是西方逻辑在中国开始系统传播的历史阶段。其间既有传统形式逻辑的输入，又有现代形式逻辑之引介。对这一时期的西方逻辑传播情况进行研究，具有一定的现实意义和理论价值。

一、总结历史经验，推动逻辑科学发展

任何科学的发展均离不开对其历史进行研究，以总结经验教训。逻辑同样如此。当代中国的逻辑学状况是近代时期逻辑状况的直接延续和发展。有关后者的研究可以为现实的逻辑教学、逻辑研究提供历史经验乃至反面教训，如注重对西方学者研究成果的学习和借鉴，加强传统逻辑传播的同时重视现代逻辑研究，逻辑哲学领域的探索不可忽视，等等。挖掘、整理这些历史经验，可以使现实的逻辑教学与研究获得相应的发展动力。同时，近代时期的西方逻辑传播研究亦可以为当代中国的逻辑传播提供更为切近的"前车之鉴"。如"辩证逻辑"在近代时期传入中国以后，由于我们文化传统中形式逻辑意识的缺乏和受苏联学术界主张的影响，结果发生了 20 世纪上半叶对形式逻辑的错误批判。那场批判，为今天我国逻辑科学的发展提供了如下深刻教训：中国传统思维方式中存在着阻碍逻辑在中国顺利发展的一面；外来学术理论中的一些反逻辑思想构成了逻辑在中国传播的干扰因素。

3

二、深化和拓宽中国近代逻辑史研究

中国逻辑史研究是目前我国逻辑学研究中的薄弱领域，而近代逻辑史研究又属于薄弱领域中的薄弱环节。已有的中国逻辑史研究论著，大多集中在先秦时期，而近代时期西方逻辑学的存在

情形，又直接和当代我国逻辑学发展状况密切关联。因此，中国近代逻辑史的研究亟须加强。本书的研究内容属于中国近代逻辑史范畴，同时，和其他有关学术成果相比较它又有不同之处：1. 以西方逻辑的存在为研究对象，运用传播学方法对其予以刻画。中国近代时期是西方逻辑、印度因明和中国名辩（名学与辩学）并存、交融的历史时期。其间，西方逻辑的传播居于主导地位。从目前已开展的学术研究来看，研究者或者着力于这一时期逻辑状况（包括三支逻辑）的整体阐述，如李匡武先生主编的《中国逻辑史》（近代卷）、《中国逻辑史》（现代卷）；或者着力于三支逻辑的比较分析，如曾祥云博士所著的《中国近代比较逻辑思想研究》；或者着力于先秦名辩学在这一时期研究状况的回顾与总结，如周山先生所著的《绝学复苏——近现代的先秦名家研究》、崔清田先生所著的《显学重光——近现代的先秦墨家研究》、张斌峰博士所著的《近代〈墨辩〉复兴之路》。以西方逻辑传播为切入点，这种研究视角目前尚属鲜见。因此，本书的探索会对中国近代逻辑史的研究起到一定深化、拓宽作用。2. 中国近代时期西方逻辑传播所引发的文化效应，是本书关注的一个重点。逻辑学既是一门理论学科，以思维的逻辑形式及其规律为研究对象，又是一门工具性学科，人们的思维、认识和言语交际都要借助于逻辑理论和逻辑方法，以其为必要工具。从理论性和工具性两个方面展开研究，构成了逻辑学发展中的应有内容。1974 年联合国教科文组织公布的学科分类目录，把逻辑学列入相对于技术科学的基础科学，其中包括逻辑的应用、演绎逻辑、一般逻辑、归纳逻辑以及方法论等。在中国近代学术发展史上，西方逻辑之所以能够引起诸多学人关注，亦正是因为其工具属性吸引了人们的注意力。严复称逻辑为"一切法之法、一切学之学"，孙中山先生解释逻辑为"思想之门径"、"诸学之规则"，郭斌和则指出中国逻辑学"素不发达，思想笼统，成为心习"。因此，从

4

对中国文化发展所起影响的角度切入西方逻辑研究，一方面和逻辑学本身有着内在关联，另一方面亦是把握近代时期西方逻辑在中国实际存在状况的现实需要。这一新的研究思路，客观上会深化和拓宽中国近代逻辑史研究，有利于全面认识西方逻辑输入中国后的实际状况，进而为今天的逻辑学发展、文化建设中逻辑理性之继续引入提供史鉴。

第三节　研究的方法

一、历史的方法

历史的方法是科学研究的基本方法，主要内容是：按照历史发展的自然过程，通过对一定时期或阶段上具体人物或事件发生、存在和发展的基本事实进行考察，揭示其产生的原因、发展的基本特征，以及体现这些特征的内在规律。在科学研究中运用历史的方法，要立足于现有历史材料，追溯过去，叙述被研究对象从产生到完成的具体过程，寻求其间的本质联系。

就本书的研究而言，运用历史的方法进行研究是指：再现西方逻辑在中国近代时期传播的历史背景、传播历程；对西方逻辑传播所引发的文化效应进行分析时，既要考察中国近代时期具有代表性的人物其学术思想所受逻辑之影响，又要考察不同历史发展阶段文化发展与逻辑传播的关系。

二、逻辑的方法

逻辑的方法是指，以概念、判断、推理等思维形式所构成的逻辑体系，去揭示被研究对象的本质和发展趋势。它是对历史的描述进行抽象和概括。运用这一方法，首先要求通过典型材料去说明被研究对象的本质，然后再形成一个逐步展开的严密逻辑结

5

构。

　　本书中逻辑方法之运用，首先是依据三个基本范畴即"传播背景"、"传播历程"、"传播的文化效应"[①] 来架构整体研究思路；其次对"传播的文化效应"这一范畴展开具体分析，分别从西方逻辑传播对中国近代哲学、史学、科学、教育所产生的实际影响来予以阐释。其中，每一方面的阐释又涉及学术观念、学术方法或具体内容等若干层面。

三、传播学的方法

　　传播与英文中的"communication"一词相对应，指人们通过有意义的符号和通道[②]，来表达与理解某种事实、观点、态度或情感，输出与接收某种信息的社会互动过程。传播学是以社会的传播现象为研究对象之科学，形成于 20 世纪 20—40 年代。拉斯韦尔、卢因、拉查斯费尔德和霍夫兰是这一研究领域的四大先驱。根据目前传播学研究所集中的领域，大体上可以把传播划分为四种基本类型——自我传播、人际传播、组织传播和大众传播。传播学的基本理论包括：传播结构分析及诸要素构成理论；传播制度分析及社会类型理论；传播过程分析及"两级传播"理论；发信者信息处理过程分析及"守门人"理论；受信者信息处理过程分析及"差异"、"选择性"、"使用—满足"理论；效果分析及效果类型理论；等等。

　　本书对传播学方法的运用，主要涉及传播结构分析及诸要素构成理论。传播结构是传播关系之总和，包括传播过程诸要素之间所构成的各种关系。至于传播过程之要素，学术界意见不一。

---

　　① "传播的文化效应"一词，是对西方逻辑传播对中国近代哲学、史学、科学、教育发生的影响等具体内容的抽象概括。
　　② "通道"指传送信息的工具。

1948年，拉斯韦尔提出了一个著名命题："描述传播行为的一个方便的方法，是回答下列五个问题：

谁

说了什么

通过什么渠道

对谁

取得了什么效果？"

此即"拉斯韦尔公式"。该公式揭示出传播过程的基本要素包括：传播者、讯息、媒介、接收者和效果。"拉斯韦尔公式"具有几种不同用途，"最主要的是用于组织和构造关于传播的讨论"。后来，布雷多克在拉斯韦尔公式的基础上，又增加关于传播行为的两个方面即传递讯息的具体环境和传播者发送讯息的意图。[1]"逻辑与文化——中国近代时期西方逻辑传播研究"这一选题，主要涉及传播者、讯息、媒介、效果诸因素及其相互关系。其中，讯息又涉及传递讯息之具体环境和传播者发送讯息之意图两个不同方面。

---

① 参见〔英〕丹尼斯·麦奎尔、〔瑞典〕斯文·温德尔著，祝建华、武伟译：《大众传播模式论》，上海译文出版社1987年版，第10—17页。

第二章 西方逻辑传播背景

西方逻辑传播是鸦片战争后"西学东渐"的重要内容之一，贯穿于整个中国近代文化的发展过程。除了"西学东渐"的直接原因之外，这一时期的逻辑传播还和清代实学思潮之发展、明末西方逻辑的早期引介有着密切联系——前者为逻辑传播创造了心理基础和语言前提，后者在客观上为逻辑传播起到了逻辑意识之历史积淀作用。

第一节 清代实学思潮的发展

明末清初，学术界出现一股以讲求实行、实证、实效为主要特征的实学思潮，徐光启、李时珍、王征、宋应星、徐霞客、王锡阐和梅文鼎等，是这一思潮中的代表人物。实学思潮的出现，在一定意义上表明延续宋、元、明三朝的理学传统开始动摇，学术上一种新的嬗变逐渐萌生。

在实学思潮的影响下，清代学术界在以下两个方面取得了显著成绩：第一，从实证出发，对众多中国古代典籍进行整理、考订。阎若璩、全祖望、惠栋、江声、王鸣盛、钱大昕、戴震、纪昀、王昶、毕沅、段玉裁、洪亮吉、王引之等清代学者，为中国古代典籍的整理倾注了大量心血。他们的辨伪、释义、训诂和集解，范围涉及经、史、子、集，考订对象从人到书，由事至物。第二，从实效出发，对天文、数学等学科开展研究。除了王锡阐、梅文鼎之外，薛风祚、方中通、揭暄、江永、焦循、阮元、项名达、徐有壬、戴昫和李善兰等一批通晓天文、数学的科学家纷纷出现。他们第一个方面的研究对象是人文典籍，第二个方面则属于自然科学。其中，有些学人兼通两个领域，例如江永、戴震、钱大昕、焦循和阮元。

一、重证据、讲逻辑的根本特点

清代实学思潮的根本特点是"重证据、讲逻辑"。"无论是对经史子集的考订，还是对天文、数学的研究，均遵循这两条原则。"[①] 实学思潮的这一特点，通过乾嘉学派得以充分展示。

乾嘉学派系清朝乾隆、嘉庆年间讲究训诂考据的经学派系，导源于明末清初顾炎武。该学派分为以戴震为首的"皖派"和以惠栋为首的"吴派"。关于两派之特点，章太炎先生曾有评议。其中，吴派"学好博而尊闻"，"笃于尊信，缀次古义，鲜下己见"。皖派乃"综刑名，任裁断"，"分析条理，参密严瑮，上溯古义，而断以己之律令"[②]。相比较而论，皖派的影响要超过吴派。关于皖派，其为学的基本方法从学脉传承来看源自戴震，且后学有所发展。

戴震（1723—1777），字慎修，又东原，安徽休宁人，清代著名思想家和汉学家，毕生以治经为宗。1755 年，他所作《与姚孝廉姬传书》可显示其治学方法之特点。当时，戴震"学高天下"，姚鼐欲拜其为师，戴故作此文。文中提出"十分之见与未至十分之见"的问题。其论道："然寻求而获，有十分之见，有未至十分之见。所谓十分之见，必征之古而靡不条贯，合诸道而不留余议，巨细毕究，本末兼察。若夫依于传闻以拟其是，择于众说以裁其优，出于空言以定其论，据于孤证以信其通。虽溯流

---

①　熊月之：《西学东渐与晚清社会》，上海人民出版社 1994 年版，第 78 页。

②　参见章炳麟著，刘凌、孔繁荣编校：《检论》卷四《清儒》，《章太炎学术论著》，浙江人民出版社 1998 年版，第 117—118 页。

9

可以知源，不目睹源泉所导，循根可以达杪，不手披枝肆所歧，皆未至十分之见也。"① 所谓"未至十分之见"与"十分之见"固然有内容方面的问题，但戴震在这里所强调的亦即文章之中心，乃属于逻辑手段的运用问题。其中有几点值得注意："1. 所谓未至十分之见，都有其逻辑上的缺陷。依传闻以拟其是，据孤证以信其通——说的是归纳上轻率概括的毛病。出空言以定其论——说的是缺乏论据的论证。择众说以裁其优——即列举别人的意见而没有自己的逻辑分析就做出裁断。溯流而不目睹源泉所导——满足于初步分析所得的假定而未最后探讨其内部联系。循根而不手披枝肆所歧——只看到事物开始时的状态而忽略发展分化过程中产生的种种差异。2. 肯定有所谓十分之见，就是充分相信逻辑的作用。只要充分运用各种逻辑手段去探究事物，就能巨细毕究，本末兼具，条贯严密，不留余议，从而达到完全的认识。"②

10

作为清代考据学界的中流砥柱，戴震承继了顾炎武、惠栋的优良学术传统并加以充实、发展，倡导一种更加科学、更加严谨的学风，从而保证了其后的考据实践能够得以健康发展。戴震之后的汉学家，大多能够保持着开明的学风，即一方面对经、史、子、集同等重视，另一方面丰富和发展了包括逻辑方法在内的考据方法。

在长达三个世纪的学术历程中，乾嘉诸子积累了丰富的治学方法。择其要者，包括以下几个方面：

第一，重佐证、示古训、戒妄牵。

① 戴震著，汤志钧点校：《与姚孝廉姬传书》，《戴震集》，上海古籍出版社1980年版，第185页。
② 杨芾荪主编：《中国逻辑思想史教程》，甘肃人民出版社1988年版，第367—368页。

第二，不以孤证定结论。不仅讲究以经证经，而且注意广为搜寻旁证，不隐匿反证。用梁启超的话说就是"从正面旁面反面博求证据，证据备则涣为定说，遇有力之反证则弃之"[①]。

第三，注意寻求训诂校勘之通例。"既注意于一事项，则凡与此事项同类者或相关者，皆罗列比较以研究之"[②]，推求出它们的共同含义，此即"以经解经"。"以经解经"这种方法显然就是归纳法，它是乾嘉考据学的根本方法。[③]

乾嘉学派开创了中国近代学术研究的新范式，其精于音韵、训诂、文字以及校勘诸项，看似微观研究，但不以先见之理强行断之；在根本目的上，是为了弄清"事理原委隐曲"。就总体而言，这是对中国古代学术研究方法的继承和发展。其中，讲究立论有据，无征不信，这就使得先前学术研究上的直观感悟、经典演绎式传统受到某种程度的冲击。

乾嘉学派的学术研究方法曾经风靡长达几个世纪之久，作为一种新的研究范式，它影响了那个时代的整体学术态势。梁启超在《中国近三百年学术史》中曾经这样指出，一时间学术界呈现一种"古典考证学独盛"的局面，其"几乎独占学界势力"[④]。

乾嘉学派是清代实学思潮中的一座重镇，它在学术实践中所表现出来的"重证据、讲逻辑"这一根本特点，反映着实学思潮的共同本质，在客观上为西方逻辑在中国近代时期的传播奠定了认识、心理基础，因为，由方法的运用、讲究到对方法予以归纳、总结的科学之接受乃一自然过程。

11

---

①② 梁启超：《清代学术概论》，东方出版社 1996 年版，第 57、56 页。

③ 参见张斌峰：《近代〈墨辩〉复兴之路》，山西教育出版社 1999 年版，第 24—25 页。

④ 参见梁启超：《中国近三百年学术史》，东方出版社 1996 年版，第 23—29 页。

二、子学复兴

在清代实学思潮的发展过程中，随着对中国古代文化典籍之整理、考订，子学逐渐引起了人们的重视。这就使得长期遭到忽视的荀、墨、名诸家作品开始受到学术界注意，"素号难读"的《墨经》亦基本上能够被读懂了。有了这些学术成就作为基础，后学就有可能对中国古代的逻辑思想进行开掘、整理和发扬，并进而为西方逻辑在鸦片战争后的传播构造良好的文化心理氛围——文化平等心理[①]。在近代中国的特定社会条件下，这是包括逻辑学在内的其他西学能够顺利传播的重要因素。此外，亦是更主要的，古籍整理工作为西方逻辑在中国的有效传播提供了语言运作前提，包括传播者和受传者两个方面。

12

首开诸子学研究先河的是明末清初的著名学者傅山。他系统研究了周秦百家学，尤其是对一些重要的名辩著作做了批注、解释。傅山之后，汪中是倡导诸子学的代表人物。在他的著作《述学》中，涉及子学的作品包括《荀卿子通论》、《老子考异》、《吕氏春秋序》、《墨子序》、《墨子后序》等。在《荀卿子通论》中，汪中认为："荀卿之学，出于孔氏，而尤有功于诸经。"[②] 这里，他一反传统的孔孟相承说，视荀子为孔学正统，给其以应有的历史地位。在《墨子序》中，汪中则更喊出了反对孔学独尊、研究子学的时代强音："传曰'世之学老子者则绌儒学，儒学亦绌老子。'唯儒墨则亦然，儒之绌墨子者孟氏、荀氏。……后之君子，日习孟子之说，而未睹墨子之本书，众口交攻，抑又甚焉。世莫

不以其诬孔子为墨子罪。虽然，自儒者言之，孔子之尊，固生民以来所未有矣。自墨者言之，则孔子鲁之大夫也，而墨子宋之大夫也，其位相垺，其年又相近，其操术不同，而立言务以求胜。此在诸子百家，莫不如是。是故墨子之诬孔子，犹老子之绌儒学也，归于不相为谋而已矣。"[1] 汪中的呐喊，使得正在抬头的清代诸子学研究迅速蔚然成风，一批学者开始致力于整理和研究诸子典籍的事业之中。其中，影响较大的包括卢文弨、毕沅、王念孙、孙星衍、辛从益、张惠言、陈澧、俞樾、王先谦和孙诒让等。在上述这些学人当中，俞樾值得特别注意。俞樾是汪中倡导下的乾嘉诸子学的中坚人物，《诸子平议》是其一部重要著作。关于《诸子平议》之成书，《序目》中曰："诸子之书，文词奥衍，且多古文叚借字，注家不能尽通，而儒者又屏置弗道，传写尚且，莫或订正，颠倒错乱，读者难之。樾治经之暇，旁及诸子，不揣鄙陋，用《群经平议》之例，为《诸子平议》，亦三十五卷。"[2] 有关俞樾对诸子学的整理、研究情况，于此可略见一二。《清儒学案·曲园学案》中曾对俞樾的子学研究予以评议："曲园为学，以高邮王氏为宗，发明故训，是正文字而务为广博，旁及百家。著述闳富，同光之间，蔚然为东南大师。"[3]

清代学者整理、校刊的子书较多，其中与中国古代逻辑有关的主要包括如下几种：

《公孙龙子》：辛从益著《公孙龙子注》一卷，陈澧著《公孙龙子注》一册，俞樾著《读公孙龙子》和《公孙龙子平议补录》，孙诒让著《公孙龙子札记》。在上述诸种注释中，以辛从益注最

---

① 汪中撰，戴庆钰、涂小马校点：《述学·墨子序》，辽宁教育出版社2000年版，第43页。

② 俞樾：《诸子平议·序目》，中华书局1954年版，第2页。

③ 徐世昌：《曲园学案》，《清儒学案》卷183，李匡武主编：《中国逻辑史资料选》（近代卷），甘肃人民出版社1991年版，第213页。

为完善。

《荀子》：王念孙著《读荀子杂志》，俞樾著《荀子平议》，王先谦著《荀子集解》。此外，卢文弨和谢墉的合校本《荀子》，系咸丰、同治年间以前上乘之作。

《墨子》：清代学者对该书的整理成绩比较显著。汪中曾将明陆稳叙所刻《墨子》本粗加整理、校刊，并搜集古书之涉于《墨子》者别为《表微》一卷，可惜现均已失传。卢文弨、孙星衍、毕沅亦治《墨子》，毕沅汇集其成果成为十六卷《墨子注》。此外，王念孙作《读墨子杂志》六卷、俞樾作《墨子平议》三卷。光绪年间，孙诒让历时近 30 年，集诸家之说，撰《墨子间诂》。光绪二十年（1894 年）以聚珍版印成 300 部，二十三年（1897年）终成定本。

14

在诸子学复兴的早期阶段，人们往往比较重视子书的校刊、训诂工作。关于这种工作的价值，戴震在 1777 年致段玉裁的信中曾经有所评议："宋儒讥训诂之学，轻语言文字，是欲渡江河而弃舟楫，欲登高而无阶梯也。"[①] 梁启超则更加明确地指出："吾辈向觉难解难读之古书，自此可以读可以解。"[②]

总之，清代实学思潮中诸子学研究的兴起，在客观上既为鸦片战争后西方逻辑在中国传播过程中中国学者文化平衡心理之出现提供了可能，又为西方逻辑传播本身提供了良好的语言文化环境——包含有丰富逻辑思想的先秦诸子之名辩学著作"可以读可以解"，这就使得中国近代时期的西方逻辑传播较之明末李之藻等人的工作，拥有明显有利的语言工具。

---

① 段玉裁：《戴东原先生年谱》，参见戴震著，赵玉新点校：《戴震文集》，中华书局 1980 年版，第 217 页。

② 梁启超：《清代学术概论》，东方出版社 1996 年版，第 44 页。

第二节　西方逻辑在中土的早期传播

1851 年，意大利传教士利玛窦（Matthoeus Ricci，1552—1610）"泛海八万里"来到中国，其肩负的使命是宣传耶稣会教义，拓展精神统治领域。以利玛窦为代表的西方传教士在传教的同时亦带来了天文、地理、数学等中土之士前所未闻的科学书籍，这就开启了西学输入中国之早期途程。这一时期西学输入的代表性事件，是《几何原本》和《名理探》之翻译。通过徐光启、利玛窦翻译《几何原本》和李之藻、傅汎际翻译《名理探》，"古希腊的欧几里得几何学与亚里士多德的逻辑学被介绍到我国，一种全新的演绎思想展现在中国人的面前"①。这反映出当时先进的中国知识分子对于西方科学方法、科学思维的渴望与追求。

一、徐光启、利玛窦和《几何原本》

徐光启（1562—1633），字子先，万历三十二年（1604 年）进士，任翰林院庶吉士。崇祯五年（1632 年）升任礼部尚书兼东阁大学士。次年，兼任文渊阁大学士。万历三十一年（1603 年），他从传教士罗如望（P. Toannes de Rocha，1566—1623）领洗入教，这在客观上为其进一步学习西方科学，翻译几何学等书籍创造了有利条件。

《几何原本》系古希腊数学家欧几里得著的几何学教本，共十三卷。其中，一卷至六卷属于平面几何学，七卷至十卷属于数论，十一卷至十三卷属于立体几何学。与中国古代的应用数学不

①　温公颐、崔清田主编：《中国逻辑史教程》（修订本），南开大学出版社 2001 年版，第 269 页。

同,《几何原本》不仅有由整套新异的名词术语所组成的一系列命题,而且具有完整的演绎推理之逻辑体系。《利玛窦中国札记》一书中记述了当时中国士人对该书的选择情况:"中国人最喜欢的莫过于关于欧几里得的《几何原本》一书。原因或许是没有人比中国人更重视数学了,虽则他们的教学方法与我们的不同;他们提出了各种各样的命题,却都没有证明。这样一种体系的结果是任何人都可以在数学上随意驰骋自己最狂诞的想像力而不必提供确切的证明。欧几里得则与之相反,其中承认某种不同的东西;亦即命题是依序提出的,而且如此确切地加以证明,即使最固执的人也无法否认他们。"①

《几何原本》一书的翻译,大致开始于1605年冬或者1606年春,由利玛窦口译、徐光启笔记。1607年,该书前六卷以清晰而优美的中文体裁雕版印行。

16　　徐光启为《几何原本》前六卷的出版曾经写过两篇序言——《译几何原本引》(以利玛窦名义撰写)、《刻几何原本序》。其中,《刻几何原本序》被传教士们认为是"对欧洲的科学和学术文艺写了一篇真正出色的赞颂"②。在这篇序言中,徐光启对于几何学的性质做了说明:"《几何原本》者度数之宗,所以穷方圆平直之情,尽规矩准绳之用也。""盖不用为用,众用所基,真可谓万象之形囿,百家之学海"③。《几何原本》从公理、公设这些基本的数学理论出发进行演绎推理,方式虽然简单,但却逻辑严密;不以现实世界中的具体事物为研究对象,而实际上却包罗万象,是分析具体事物之基础理论。"不用为用,众用所基",徐光启言

① [意]利玛窦、金尼阁著,何高济、王遵仲、李申译:《利玛窦中国札记》,中华书局1983年版,第517页。

② 参见许苏民:《比较文化研究史》,云南人民出版社1992年版,第457页。

③ 徐光启撰,王重民辑校:《刻〈几何原本〉序》,《徐光启集》,上海古籍出版社1984年版,第75页。

简意赅地揭示了几何学作为一门基础理论科学的本质特点。在
《几何原本杂议》这篇文章中，徐光启对几何学"众用所基"的
道理做了进一步的阐释："此书（《几何原本》——引注）为益，
能令学理者袪其浮气，练其精心；学事者资其定法，发其巧思，
故举世无一人不当学。"① 这里的观点比较明确：研习《几何原
本》能够提高人们的理论兴趣，锻炼思维能力。关于《几何原
本》，徐光启提出了"四不必"的原则，即"不必疑，不必揣，
不必试，不必改"。关于该书严密的逻辑性，他认为："欲脱之不
可得，欲驳之不可得，欲减之不可得，欲前后更置之不可
得。"②

　　在历史上，徐光启第一次将一种全新的演绎思维方法介绍到
中国知识界。他强调指出，几何学方法无论学事者、学理者均要
学，即天下无一人不当习之，这表明"他并未把几何学方法看做
纯属自然科学的方法，而是要用它来改变全体中国人的中世纪思
维方法"③。关于这一点，徐光启在《几何原本》一书翻译后曾
经有明确的说明："昔人云：'鸳鸯绣出从君看，不把金针度与
人'，吾辈言几何之学，政与此异。因反其语曰：'金针度去从君
用，未把鸳鸯绣与人'，若此书者、又非止金针度与而已，直是
教人开矿冶铁，抽线造计；又是教人植桑饲蚕，缫丝染缕。有能
此者、其绣出鸳鸯，直是等闲细事。然则何故不与绣出鸳鸯？
曰：能造金针者能绣鸳鸯，方便得鸳鸯者谁肯造金针？又恐不解
造金针者，菟丝棘刺，聊且作鸳鸯也！其要欲使人人真能自绣鸳
鸯而已。"④

　　①②④　徐光启撰，王重民辑校：《〈几何原本〉杂议》，《徐光启集》，上海古籍
出版社 1984 年版，第 76、77 页。
　　③　许苏民：《比较文化研究史》，云南人民出版社 1992 年版，第 462 页。

二、李之藻、傅汎际和《名理探》

李之藻（1569—1630），初字振之，后字我存，万历二十二年（1594年）举人，二十六年（1598年）进士。历任南京太仆寺少卿、福建学政、北京光禄寺少卿等职，晚年曾退居杭州专事著译。

作为中国17世纪的早期启蒙者，李之藻以满腔热情投身于传播西方科学文化的事业之中。他一生译著颇丰，如自著《天学初函》五十二卷，与利玛窦合译《浑盖通宪图说》二卷、《圜容较义》一卷、《同文算指》前编、通编、别编十一卷以及《乾坤体义》等。从1613年到1631年，中国出版的五十余种西方译著均经过李之藻之手，其中涉及天文、数学、哲学等多种学科。

18

在对中西方自然科学进行比较研究的过程中，李之藻深感以中国传统文化中缺乏类似西方文化那种演绎思维的本质为憾，并决心将专门讲究演绎思维特点及其规律的亚里士多德逻辑介绍给当时的学术界。晚年，他与波兰籍传教士傅汎际（Franciscus Furtado，1578—1653）"结庐湖上"，"矢佐翻译"《名理探》。至《名理探》一书译出，已是五易寒暑，李之藻一目亦因之失明。该书是李之藻一生最后的一部译著。

《名理探》系17世纪初葡萄牙高因盘利大学耶稣会会士的逻辑讲义，原名《亚里士多德辩证法概论》，1611年在德国印行。全书分上、下两编共二十五卷。上编为"五公"论，"十伦"论；下编分两部分：1. 各名家有关逻辑问题的论述、解释。2. 亚氏学说中命题、三段论等内容之阐明。1623—1629年，李之藻和傅汎际合译此书。除了下编各名家的有关诠解内容之外，全书均已译出。译本分五端，每端五卷。首端五卷亦于1631年先行刻印，第二端五卷亦于1631年后不久付刻。后三端15卷终未见其刻本，但据考证亦被译出。①

在《名理探》一书中，李之藻多次申述了逻辑的作用。"盖名理乃人所赖以通贯众学之具，故须先熟此学。"② "无其具，犹可得其为，然而用其具，更易于得其为，是为便于有之须。如欲行路，虽走亦可，然而得车马，则更易也。"③ "学之真，由其论之确，而其推论规则，皆名理探所设也。赖有此具，以得贯通诸学，实信其确，真识从此开焉。"④逻辑是人们获取真知的必要条件，为研习其他各门学科所不可或缺。可以看出，李之藻对于逻辑学的工具性质有着清楚的认识。

关于形式逻辑之体系，《名理探》中亦有说明："名理探三门，论明悟之首用，次用，三用；非先发直通（概念），不能得断通（判断）；非先发断通，不能得推通（推理）；三者相因，故三门相须为用，自有相先之序。"⑤逻辑学主要研究三种思维形式——概念、判断、推理。它们的关系是：先有概念，无概念就无法进行判断；而无判断亦就难以进行推理。概念、判断、推理三者彼此联系、相互依赖进而发挥作用，它们的秩序是由其性质所决定的。

"五公"、"十伦"是《名理探》原书上编部分的内容。李之藻认为，要想掌握推论方法，必须先以"五公"、"十伦"为预备知识，有了这些方能推论名理。所谓"五公"、"十伦"，实际上即五类概念和 10 个范畴。"五公"，用现代术语表示分别为"类"、"种"、"种差"、"特有性"和"偶有性"。"十伦"，用现代术语表示分别为"实体"、"数量"、"性质"、"关系"、"地点"或

19

---

① 参见杨蒂荪主编：《中国逻辑思想史教程》，甘肃人民出版社 1988 年版，第 288 页。

②③④⑤ 傅汎际译义，李之藻达辞：《名理探》，生活·读书·新知三联书店 1959 年版，第 14、29、16、31—32 页。

"空间"、"姿势"、"时间"、"情况"或"状况"、"主动"、"被动"。①

"五公"是关于事物种类及其属性的多层次分析,这种分析对于明确概念具有一定的作用,是学习形式逻辑的预备性知识。至于"十伦",亦有这种情况,它们实际上是亚里士多德《工具论·范畴篇》中的 10 个范畴。

三、《几何原本》和《名理探》翻译的影响

作为早期西学输入史上的代表性事件,《几何原本》和《名理探》的翻译使得一种全新的信息——西方演绎思想在中国的知识界首次获得传播。这在当时以及随后的中国文化发展史上,尤其在促成 1840 年后西方逻辑的再次传播方面产生了积极的影响。

20

《几何原本》前六卷在 1607 年刊行之后,备受当时学界推崇。《利玛窦中国札记》曾经记载:"为了更好地理解这本书,有很多人都到利玛窦神父那里,也有很多人到徐宝禄(即徐光启——引注)那里求学,在老师的指导下,他们和欧洲人一样很快就接受了欧洲的科学方法,对于较为精致的演证表现出一种心智的敏捷。"② 梁启超在《清代学术概论》中指出:"自明徐光启以后,士大夫渐好治天文算学,清初则王锡阐、梅文鼎最专精,而大师黄宗羲、江永辈皆提倡之。……锡阐有《晓庵新法》。文鼎有《勿庵历算全书》二十九种。江永有《慎修数学》九种。戴震校《周髀》以后迄六朝唐人算书十种,命曰《算经》。自尔以后,经学家什九兼治天算。"③ 王锡阐是一位"既不拘泥中法,

---

① 参见李匡武主编:《中国逻辑史资料选》(近代卷),甘肃人民出版社 1991 年版,第 5—14 页。

② [意]利玛窦、金尼阁著,何高济、王遵仲、李申译:《利玛窦中国札记》,中华书局 1983 年版,第 517—518 页。

③ 梁启超:《清代学术概论》,东方出版社 1996 年版,第 52 页。

也不迷信西法，会通中西，独辟蹊径”的杰出天文学家①，1662年他撰成《晓庵新法》。当时有人认为，王锡阐撰写此书“实为徐〔光启〕李〔之藻〕之诤臣”②。他继承了徐光启关于“由数达理”的观点③，并进一步指出：“有理而后有数，有数而后有法；然唯创法之人，必通于数之变，而穷于理之奥。”④

　　戴震后学超越戴震而上承徐光启余绪，由算法的研究转而侧重于算理的探讨。数学的演绎法成为那个时代的基本知识。其中，汪莱“主于约，在发古人之所未发而正其误，其得也精”；李锐“立于博，在穷诸法之所由立而求其故，其得也贯”；焦循则成就最高，他集汪莱、李锐之长，“以精贯之旨，推之于平易”⑤。

　　1799年，阮元撰《畴人传》，其中《徐光启》附论云：“自利〔玛窦〕氏东来，得其天文数学之传者光启为最深，洎乎督修新法，殚其心思才力，验之垂象，译为图说，洋洋乎数千万言，反复引申，务使其理其法，足以人人通晓而后已，以视术士之秘其机械者，不可同日语矣。迄今言甄明西学者，必称光启，盖精于几何，得之有本，其识见造诣，非〔魏〕文魁〔冷〕守忠辈所能几及也。”⑥ 这里，明确肯定了徐光启介绍西方科学，尤其是

21

---

　　①　参见熊月之：《西学东渐与晚清社会》，上海人民出版社1994年版，第65页。

　　②　钱熙祚：《晓庵新法·跋》，转引自许苏民：《比较文化研究史》，云南人民出版社1992年版，第479页。

　　③　参见陈卫平：《第一页与胚胎——明清之际的中西文化比较》，上海人民出版社1992年版，第109页。

　　④　阮元：《畴人传》卷三十五《王锡阐下》，商务印书馆1991年版，第440—441页。

　　⑤　黄承吉：《加减乘除·序》，转引自许苏民：《比较文化研究史》，云南人民出版社1992年版，第482页。

　　⑥　阮元：《畴人传》卷三十二《徐光启》，商务印书馆1991年版，第407页。

科学方法的功绩。

徐光启曾笔译《几何原本》前六卷，译完后他还想继续翻译其余内容，而利玛窦却认为就适合他们的传教目的而言，六卷已经足够。岁月沧桑。250年后，即1857年，清代数学家李善兰与英人伟烈亚力（Alexander Wylie, 1815—1887）合作翻译了《几何原本》的后半部，即《续几何原本》。李善兰在译书序中指出："明徐〔光启〕利〔玛窦〕二人……未译者几卷。……无七八九三卷则十卷不能读，无十卷则后三卷中论五体之边不能尽解。是七卷以后皆为论体而作，即皆论体也。自明万历迄今，中国天算家愿见全书久矣。"[1]

和《几何原本》一样，《名理探》的翻译在当时及后世亦产生了一定的影响。

李之藻和傅汎际对西方亚氏逻辑的输入是在"西学东渐"的社会背景下发生的，他们对逻辑本质和逻辑功用的认识曾引起时人共鸣。李次彪在《名理探》序中指出："盖《寰有诠》详论四行天体诸义，皆有形声可晰。其于中西文言，稍易融会。故特先之以畅其所以欲吐。而此则推论名理，迪人开通明悟，洞徹是非虚实，然后因性以达夫超性。凡人从事诸学诸艺，必梯是为嚆矢，以启其倪；斯名之曰《名理探》云。"[2] 王克谦在《杭州我存杂志和淇园学校合观》中记载：杨淇园和李之藻为挚友，致力于社会教育工作。他曾在武林设立义馆开教，"量才择师，任人来学"，李之藻写作和翻译的主要书籍在此作为教材。他们二位是不可分离的：有我存之书籍，无淇园之设学，那便书自书，我

---

① 李善兰：《几何原本·序》，同治四年（1865年）刻本。

② 李次彪：《名理探·又序》，傅汎际译义、李之藻达辞：《名理探》，生活·读书·新知三联书店1959年版，第5—6页。

自我了；有淇园而无我存，那便僵成有二人而无利器了。① 《名理探》为李之藻翻译之代表作，并且本身就是一本教科书，因此，极有可能在淇园学校作为教材使用，并进而对社会产生一定的影响。

1799 年，阮元所撰《畴人传》中《李之藻》附论云："西人书器之行于中土也，之藻荐之于前，徐光启、李天经译之于后，是三家者，皆习于西人，亟欲明其术，而唯恐失之者也。"② 作为一部科学史著作，《畴人传》对李之藻传播西学的肯定在一定意义上表明，包括《名理探》在内的李之藻西学译作确实曾对当时学术界产生了一定的影响。

严复在《穆勒名学》中，更加明确地说明李之藻的逻辑学译作对其影响之存在。他这样写道："逻辑最初译本为固陋所及见者，有明季之《名理探》，乃李之藻所译，近日税务司译有《辨学启蒙》。"③

23

总之，16 世纪末叶以后发生了西学对中国的早期输入，东西方文化首次进行直接接触、交流。作为这一过程的代表性事件，徐光启、利玛窦对《几何原本》的翻译，使得一种全新的演绎思想展现在学术界面前，并影响到其后中国文化的发展；李之藻、傅汎际对《名理探》的译传，又使对这种演绎思想予以研究的科学体系即亚氏逻辑在某种程度上为当时学人所了解、认识，并进而影响到后人。这样，发生在明末的西方逻辑早期输入，就在客观上为鸦片战争后西方逻辑的再次传播创造了一定的历史前提。

---

① 参见曹杰生：《略论〈名理探〉的翻译及其影响》，《中国逻辑史研究》编辑小组编：《中国逻辑史研究》，中国社会科学出版社 1982 年版，第 294 页。

② 阮元：《畴人传》卷三十二《李之藻》，中华书局 1991 年版，第 390 页。

③ ［英］约翰·穆勒著，严复译：《穆勒名学》，商务印书馆 1981 年版，第 2 页。

第三章　西方逻辑传播历程

明朝万历年间，耶稣会传教士东抵中国。虽然利玛窦一行肩负着罗马教廷宗教殖民的特殊使命，但他们实际上带来了范围远比宗教宽泛的欧洲文化，这就在客观上促进了中西方科学文化的接触、交流。英国科学史家李约瑟（Joseph Needham，1900—1995）博士认为，这种接触、交流成为"两大文明之间文化联系的最高范例"[1]。"最高范例"中重要的一项内容就是《几何原本》及《名理探》的翻译。通过这两本著作，当时的中国思想界看到了一种崭新的思维方法以及对其予以研究、总结的科学——形式逻辑。

18 世纪以降，随着封建生产方式日趋没落，清朝统治集团中锐意进取、乐于吸收外来文化的精神随之衰减，代之而起的却是抱残守缺、夜郎自大的封闭心态。开始于明朝末年的"西学东渐"进程自雍正皇帝起开始中止，这就使民族文化失去了和西方进一步交流、学习的机会。19 世纪中叶，西方列强依凭坚船利炮，通过战争这一特殊的途径击破了清政府闭关锁国的大门，中国社会及其文化系统迅即发生解体。此后，中西文化间的交汇便具有强制性质，其规模与速度均远远超过明清之际。在波涛汹涌的"西学东渐"浪潮中，西方逻辑再次以不可抗拒的力量融入了文化传播的行列。从总体而言，西方逻辑在中国近代时期的传播大致可以划分为三个阶段：第一，早期传播，从鸦片战争到戊戌

---

① 参见［英］李约瑟：《中国科学技术史》（第 4 卷第 2 分册），科学出版社 1975 年版，第 698 页。

维新。第二，中期传播，从戊戌维新至 20 世纪 20 年代中叶。第三，晚期传播，从 20 世纪 20 年代中叶至 40 年代末。三个历史阶段划分的依据，是传播者、讯息、媒介等传播过程基本要素在不同时期的具体变化情况。其中，讯息不仅包括传播的讯息本体，还涉及传递讯息之具体环境以及传播者发送讯息的意图两个方面。

第一节　早期传播

从 1840 年鸦片战争到 1898 年戊戌维新，这是西方逻辑在中国近代时期的早期传播阶段。在这一阶段，传播的讯息主要包括培根的归纳逻辑和耶方斯的《辨学启蒙》；传播的主体涉及西方传教士和个别中国学者，其中，以西方传教士为主导力量。

25

一、培根的归纳逻辑

1878 年 9 月 14 日至 11 月 9 日，传教士在华所办报刊《万国公报》连续八期（第 505 卷至第 513 卷）登载有关培根《新工具》一书的介绍、翻译文章。[1] 9 月 14 日《培根格致新法小序》一文指出，培根"有其《格致新法》一书……更易古昔之遗传，尽人探求天地万物。兼综条贯，精察物理。……是书声名洋溢，始焉虽若扞格不入，而于二三百年之间凡有志修明者莫不奉为圭臬。"[2] 培根所创立的归纳逻辑和古代逻辑之不同，主要理论特征，以及在西方近代学术史上的历史地位，这里均做了概要说明。

---

① 参见高瑞泉主编：《中国近代社会思潮》，华东师范大学出版社 1996 年版，第 469 页。

② 参见慕维廉：《培根格致新法小序》，《万国公报》第 505 卷。

译介者尊崇培根反对依凭前人成见抑或自己臆测来认识真理的思想主张,赞扬其识必自察的态度以及基于经验论的逻辑归纳法。他说:"惟培根言,独一真法渐次升高,乃从目睹耳闻习熟之物。即以最小之公论而后升至最高之总论,致成全赅之大道也。"[1] 这里的措辞虽然诘屈聱牙,但意思却可以理解。

培根著名的"四假象说"在连载文章中几乎被逐字翻译,"诸疑分列四等,一曰人意象;二各人意象;三市井意象;四士学意象。乃即善谬薮源。"[2] "四假象"我们今天一般译作:族类假象;洞穴假象;市场假象;剧场假象。[3] 培根的这一观点指出,真理受着社会习俗、个人教养、语言以及文化传统的掩蒙。对真理的认识要敢于怀疑外在权威,推倒思想偶像,把认识基础移转到人类自我理性上来。原文中培根反对《圣经》崇拜的文字虽在译文中未被译出,但反对向教会圣贤盲目崇拜的内容仍然保留。

26

任何文化传播都必然是传播主体的有目的、有意识行为,培根的归纳逻辑传播亦不例外。在《万国公报》连续译介这一内容的是英国传教士慕维廉(William Muirhead,1822—1900)。他于1847年来华,后与王韬、蒋敦复等人有着广泛接触。在华期间,慕维廉撰写、编译的中文书籍较多,例如《格物穷理问答》(1851)、《地理全志》(1853—1854)、《救灵之路》(1856)、《天人异同》(1856)、《大英国志》(1856)、《人心交与上帝》(1894)等。通过分析这些著作的内容以及慕维廉对培根归纳逻辑的介绍可以看出:他对包括逻辑学在内的非宗教知识之传播和基督教传

---

① 慕维廉:《培根格致新法小序》,《万国公报》第505卷。
② 慕维廉译:《格致新法》,《万国公报》第509卷。
③ 参见〔英〕培根著,许宝骙译:《新工具》,商务印书馆1984年版,第18—21页。

播在时间上具有一定的共存性，而这种情况体现着二者之间的微妙关系，诚如有的学者所指出的那样："在大多数传教士那里，传播世俗知识确实只是一种传教手段而非自觉行为。一些具有洞察力的牧师，认识到传教活动的最大阻力并不在清政府的禁教政策，而在于传统儒家思想文化的有力排斥。如何打破这层防线，成了传教成败的关键。他们既然在宗教、伦理即所谓性理之学的层次上，暂时不易得手，于是便仿效利玛窦旧法，在科学、技艺即所谓格致之学的层次上，寻找中国文化的薄弱环节，以学证教，借学布道。"① 可以说，慕维廉对"世俗知识"的传播是从属于其宗教目的的，逻辑学仅仅只是被他作为西学之一种而加以介绍，逻辑的基础性、工具性并未引起其特别注意。至于传播包括逻辑学在内的"世俗知识"之宗教目的，由慕维廉等人所办的《六合丛谈》杂志之创刊宗旨的说明更是一则显证："溯自吾西人越七万余里，航海东来，与中国敦和好之谊，已十有四年矣。吾国士民旅于沪者，几历寒暑，日与中国士民游，近沪之地，渐能相稔。然通商设教，仅在五口，而士人足迹未至者，不知凡几，兼以言语各异，教化不同，安能使之尽明吾意哉？是以必须书籍以通其理，假文字以达其辞，俾远方之民与西土人士之性情，不至于隔阂。……今予著《六合丛谈》一书，亦欲通中外之情，载远今之事，尽古今之变……务使穹苍之大，若在指掌，瀛海之遥，如在衽席。"②

需要指出，慕维廉对培根归纳逻辑的传播，除了通过报纸译载这一方式进行，还采取了其他形式。例如 1877 年，晚清最早的一份专门性科学杂志《格致汇编》曾于第 2、3、7、9 卷连载

27

---

① 高瑞泉主编：《中国近代社会思潮》，华东师范大学出版社 1996 年版，第 456 页。

② 伟烈亚力：《六合丛谈小引》，《六合丛谈》第 1 号。

了由慕维廉所撰写的文章《格致新法》。另外，经查考广学会出版的西书目录，有慕维廉的译作《格致新机》（1897），其拉丁文原名为"Bacon's Novum Organum"。可见，关于培根的《新工具》，慕维廉又曾以《格致新机》为书名翻译出版。

二、耶方斯的《辨学启蒙》

耶方斯（William Stanley Jevons，1835—1882），是 19 世纪英国的经济学家、逻辑学家。他在逻辑方面的主要著作有：《纯逻辑学》（*Pure Logic*，1864）、《相似物的置换》（*The Substitution of Similars*，1869）、《逻辑学基础教程》（*Elementary Lessons in Logic*，1870）、《科学的原理》（*Principles of Science*，1874）。19 世纪中叶以后，在"西学东渐"的汹涌浪涛中，耶方斯的逻辑著作亦随波而至。

28

光绪初年，由清朝总税务司赫德（Robert Hart，1835—1911）组织，总税务司司译、传教士艾约瑟（Joseph Edkins，1823—1905）执笔，翻译了一套内容广泛的读物——《西学启蒙十六种》，其中，第 13 种为《辨学启蒙》。该套书于光绪二十二年（1896 年）由当时基督教在中国的最大出版机构广学会出版刊行。

《辨学启蒙》的蓝本即耶方斯的 Primer of Logic（直译为《逻辑初级读本》），1876 年在伦敦出版。译本《序》中指出"首创辨学者为希腊国阿利多低利（即亚里士多德），……劝人议事之舌辩、并是卷分别妥否之论辩学俱始编于彼也。"[1] 意思是，无论舌辩学，还是《辨学启蒙》一书所讲的论辩学，创始者均为亚里士多德。《序》中特别提醒读者注意，《辨学启蒙》和前明朝万历年间利玛窦所编写的《辩学遗牍》"迥不侔耳"，即决然不

---

① ［英］耶方斯著，艾约瑟译：《辨学启蒙·序》，广学会 1896 年版。

同，它强调了《辨学启蒙》的逻辑性质。

　　《辨学启蒙》全书共分 27 章、199 节。这些内容从总体上看可以划分为五个部分。其中，第一、二章属于引论，主要讲学习辨学的意义。第三章至第十四章为第二部分，讲述演绎逻辑，主要是关于概念、判断、推理的一些知识。第十五章至第二十四章为第三部分，介绍归纳逻辑。第四部分包括最后三章，介绍有关的逻辑谬误。最后一部分是附录，按照正文章节列出思考题，间或加以练习。可以看出，《辨学启蒙》一书几乎谈到了形式逻辑的所有主要问题。应该说，艾约瑟对耶方斯 Primer of Logic 一书的翻译，为当时的中国文化界、教育界比较早地传播了有关传统形式逻辑的详尽讯息。

　　作为传播活动赖以进行的重要因素，传播者的文化素养是考察传播行为时应当予以关注的。《辨学启蒙》的翻译者艾约瑟，早年毕业于伦敦大学，1848 年来华，后与丁韪良在北京发起创办《中西闻见录》。1875 年，他又获得爱丁堡大学神学博士学位。1880 年，清朝总税务司赫德聘其为海关翻译。作为“英国传教士中著名的中国通”[1]，艾约瑟著有介绍中国经济、政治、语文、宗教的著作多种。特定的文化素养，促成了艾约瑟在传播耶方斯的逻辑学上具有明显特征，即注意根据受传者所处的具体文化环境传播新的讯息。具体表现在：1. 在《辨学启蒙》的翻译过程中，进行不少举例改写，而这些例子源于中国文化。例如，讲单独概念时举例说：“有时语句中之一界语，专指一人，或专指一物，如云唐明皇、景教碑、泰山。唐明皇为单指一人即唐玄宗。景教碑即指在西安府之一碑，非指他碑。泰山即指山东

29

---

[1]　熊月之：《西学东渐与晚清社会》，上海人民出版社 1994 年版，第 186 页。

泰安府之一名山。若此之语，因独止者止一物，可名之为专语。"① 又如，讲假言推理与三段论的联系和区别时举例说："凡有巡抚衙门之城皆为省城。济南府有巡抚衙门，是以为省城。"② 结合中国文化的具体情况而择用人们熟习的例子，这对受传者理解、接受逻辑学这样一门抽象性比较高的学科，在客观上会起到桥梁作用。2. 将西方的公元纪年转换为中国纪年，这种情况在《辨学启蒙》一书中俯拾皆是。例如，介绍培根时说："前明之际，英国尚书贝根氏、名法兰西者，生于嘉靖时、卒于天启时，人多推彼为开创即物察理学门路之祖。"③ 介绍三段论的创始人时说："当中华战国时，希腊人有名阿斯多底利者（即亚里士多德），察出次第连成论断语之理，并明显著出其语句自有之规式。"④ 纪年方法的转换，有利于受传者能够根据自己相对熟悉的时空中的文化特征，去比较、认识有关外来的新讯息。艾约瑟的这一做法，在封闭的中国走向世界的开启阶段更具有时代价值。

关于《辨学启蒙》一书的翻译，艾约瑟在《西学启蒙》丛书的总序中曾有说明："总税务司赫君，择授以泰西新出，学塾适用诸书，俾于公牍之暇译以华文，抵今五载，得脱稿，告成十有六帙。"⑤ 可以看出，《辨学启蒙》是被艾约瑟作为《西学启蒙》丛书中的一种而被译成中文的，而《西学启蒙》则花费了他五年的"公牍之暇"。1896 年，即光绪二十二年，随着《西学启蒙》经由广学会刊行面世，《辨学启蒙》亦随之开始拥有更加广泛的受众群。

广学会是传教士在华所办的重要出版机构。1887 年，传教士韦廉臣（Alexander Williamson）的"同文书会"与"益智书

30

---

① ② ③ ④　［英］耶方斯著，艾约瑟译：《辨学启蒙》，广学会 1896 年版，第 14 节、98 节、111 节、76 节。

⑤　［英］艾约瑟：《西学启蒙十六种・序》，广学会 1896 年版。

会"的基本力量合并，成立改组后的"同文书会"，由韦廉臣任总干事，赫德任董事会会长，花之安（Ernst Faber）任编辑，这是广学会的前身。1891年，李提摩太（Timothy Pichard）任总干事。次年，"同文书会"中文名称改为"广学会"，英文名称仍旧。1905年，季理斐（D. MacGillivray）改英文名称为"The Christian Literature Society for China"。在不同时期，广学会的工作宗旨、活动特点以及社会影响等差别很大。其中，介绍西学书籍最多，对中国社会产生影响最大的时期是在1900年以前。《同文书会发起书》中这样写道："本会的目的归纳起来可有两条：一为供应比较高档的书籍给中国更有才智的阶层阅读；二为供应附有彩色图片的书籍给中国人家庭阅读。"[①] 可以说，至少在1900年以前，广学会的重要工作之一是编译出版书刊、介绍西方文化。可是，其之所以这样做，根本目的乃在于"向中国兜售殖民地的奴化思想"[②]。1897年，广学会第十次年报载文指出："科学没有宗教会导致人的自私和道德败坏；而宗教没有科学也常常会导致人的心胸狭窄和迷信。真正的科学和真正的宗教是互不排斥的，他们像一对孪生子——从天堂来的两个天使，充满光明、生命和欢乐来祝福人类。我会就是宗教和科学这两者的代表，用我们的出版物来向中国人宣扬，两者互不排斥，而是相辅相成的。"[③] 可以说，书刊的发行、西方科学在一定限度内的介绍，对广学会而言应当服务于其宗教殖民的真正使命。

从《辨学启蒙》所属丛书的策划者、组织者（赫德当时除在清政府任职外，还任广学会董事会会长），到实际翻译者以及具

---

① 《同文书会发起书》，转引自顾长声：《传教士与近代中国》，上海人民出版社1981年版，第156页。

② 参见顾长声：《传教士与近代中国》，上海人民出版社1981年版，第172页。

③ 《广学会年报（第10次）》，《出版史料》1991年第2期。

体出版机构，可以看出耶方斯逻辑思想在中国的传播和培根的归纳逻辑介绍，二者之间具有共同特点——都和基督教的传播有着密切关系。可以认为，《辨学启蒙》的翻译是以宗教拓殖为前提，以扩大和加强基督教在华影响为根本宗旨的。

关于培根归纳逻辑的传播和耶方斯《辨学启蒙》之翻译，是1840年以后，尤其是1844年中法《黄埔条约》签订至1898年戊戌变法之前这一历史时期西方逻辑在中国传播的两个代表性事件。这一时期的西方逻辑传播，是在列强坚船利炮掩护下的"西学东渐"潮流中进行的。具体而言，西方宗教势力的东方推移是逻辑输入中国的直接导引，而这亦就在一定程度上制约着这一时期逻辑传播的宗教目的性。实践这一历史时期逻辑传播的主要力量，应当说是传教士。逻辑传播的基本形式，涉及报纸连载、杂志发表、出版译著等。

32　　当然，关于这一时期传教士对西方逻辑的传播，还要看到译笔拙涩的客观事实，以及他们对逻辑之传播是以宗教的科学容量为限制的。这些情况的存在，在一定意义上孕育着西方逻辑在中国传播的新局面即将到来。

三、严复对西方逻辑的传播

在西方逻辑的早期传播阶段，虽然传教士是主要的传播者，但与此同时中国学者亦开始关注有关逻辑知识的介绍，严复便是其中的一位典型代表。

严复（1854—1921），字又陵，又字几道，福建侯官人，中国近代时期著名启蒙思想家。1877—1879年赴英留学。1894年中日甲午战争爆发，他在同一年10月写给长子严璩的信中谈道："时事岌岌，不堪措想。奉天省城与旅顺口皆将旦夕陷倭，陆军见敌即溃，经战即败，真成无一可恃者。……京官议论纷纷，皇上益无主脑，要和则强敌不肯，要战则臣下不能，……中国今日之事，正坐平日学问之非，与士大夫心术之坏，由今之道，无变今之俗，虽管、葛复生，亦无能为力也。"①　正是本着"中国今日之事，正坐平日学问之非，与士大夫心术之坏"这一信念，严复开始了思想启蒙工作，企冀以西方文化革新传统文化，进而推动中国人文精神和科学精神的发展。在严复的思想启蒙工作中，包括对西方逻辑的积极引介。

（一）政论文中对逻辑的传播

1895 年，严复在天津《直报》上发表四篇文章：《论世变之亟》、《原强》、《辟韩》和《救亡决论》。这四篇政论文的主要内容，是把资产阶级新文化和中国封建旧文化对立起来，呼吁人们改弦更张，另辟救亡新路。他猛烈地抨击封建专制政治，提倡资产阶级民主，宣传包含逻辑学在内的西方"新学"。

在《论世变之亟》一文中，严复指出："吾今兹之所见所闻，如汽机兵械之伦，皆其形下之粗迹，即所谓天算格致之最精，亦其能事之见端，而非命脉之所在。其命脉云何？苟扼要而谈，不外于学术则黜伪而崇真，于刑政则屈私以为公而已。"②　在向西方学习的社会潮流中，中国究竟应该择何为要？严复的回答是：西方先进的自然科学固然要学习，但并非根本，最根本的是应该学习西方研究科学之方法——逻辑学，以及其民主制度。在这里，严复把"黜伪而崇真"的逻辑学视为西学"命脉"，在其后译《穆勒名学》一书中，他又引述培根的主张，称逻辑为"一切法之法、一切学之学"③。可见，关于逻辑学的基础性、工具性、

33

---

① 严复：《与长子严璩书》，卢云昆编选：《社会剧变与规范重建——严复文选》，上海远东出版社 1996 年版，第 519 页。

② 严复：《论世变之亟》，卢云昆编选：《社会剧变与规范重建——严复文选》，上海远东出版社 1996 年版，第 4 页。

③ 参见［英］约翰·穆勒著，严复译：《穆勒名学》，商务印书馆 1981 年版，第 2 页。

严复始终保持着清醒的认识。这种认识，和他对逻辑的热情传播有着密切关联。

在《原强》一文中，严复指出："非为数学、名学，则其心不足以察不逎之理，必然之数也；非为力学、质学，则不知因果功效之相生也。"① 这里，严复将逻辑和数学置于同等重要的位置，其中关于前者，他更为推重归纳法。他指出："至于至今之西洋，则与是断断乎不可同日而语矣。……且其为事也，又一一皆本之学术；其为学术也，又一一求之实事实理，层累阶级，以造于至大至精之域，盖寡一事焉可坐论而不可起行者也。"②

《救亡决论》是严复继《辟韩》之后发表的又一篇政论文。在这篇文章中，他对西方逻辑，主要是归纳逻辑亦有所介绍。文中指出：西学格致，"一理之明，一法之立，必验之物物事事而皆然，而后定之为不易。其所验也贵多，故博大；其收效也必恒，故悠久；其究极也，必道通为一，左右逢源，故高明。方其治之也，成见必不可居，饰词必不可用，不敢丝毫主张，不得稍行武断，必勤必耐，必公必虚，而后有以造其至精之域，践其至实之途。迨夫施之民生日用之间，则据理行术，操必然之券，责未然之效，先天不违，如土委地而已矣。"③ 这里，严复除了对归纳法的运用程序进行说明外，还对归纳法的特征、运用时应具有的态度、实际效用等做了阐明。

（二）非逻辑专著之翻译过程中对逻辑的传播

严复一生翻译的西方学术著作颇多，其中最具影响的可谓《天演论》。严璩在《侯官严先生年谱》中曾经谈到有关该书的一

34

---

①② 严复：《原强》，卢云昆编选：《社会剧变与规范重建——严复文选》，上海远东出版社 1996 年版，第 8、14 页。

③ 严复：《救亡决论》，卢云昆编选：《社会剧变与规范重建——严复文选》，上海远东出版社 1996 年版，第 49 页。

些翻译情况：1895 年（光绪二十一年），"和议始成，府君大受刺激，自是专力于翻译著述，先从事于赫胥黎之《天演论》，未数月而脱稿"①。1898 年，《天演论》一书由沔阳卢氏慎始基木刻出版。该书出版后，各处翻印本甚多。王栻先生在《严复传》中指出，根据初步了解，"在《天演论》出版后十多年间，曾发行了三十多种不同的版本"②。

在《译〈天演论〉自序》中，严复有这样一段说明："及观西人名学，则见其于格物致知之事，有内籀之术焉，有外籀之术焉：内籀云者，察其曲而知其全者也，执其微以会其通者也；外籀云者，据公理以断众事者也，设定数以逆未然者也。……二者即物穷理之最要涂术也。"③ 考察一类事物的"曲"即个别事物，进而得出关于该类事物的"全"即全体如何的结论，以个别性判断为前提（"执其微"），找出它们的共同点，进而得到一个普遍性判断（"会其通"），这是"内籀之术"即形式逻辑中的归纳法。根据普遍性前提，推断出个别（"众事"）事物如何的结论之过程，从已知进到未知的方法，这是"外籀之术"即形式逻辑中的演绎法。

35

在《译〈天演论〉自序》中，严复再次肯定了逻辑学的价值："夫西学之最为切实而执其例可以御蓄变者，名、数、质、力四者之学是已。"④ 这里，他把逻辑（"名学"）列为"四者之学"之首，认为它和其他三学是西学中"最为切实"，"执其例可以御蓄变"的。显然，在严复的思想中，他已把逻辑学提高到了解除当时民族灾难之方策的高度。这种认识，是严复在深入比较

---

①　严璩编：《侯官严先生年谱》，参见王栻：《严复传》，上海人民出版社 1976 年版，第 41 页。

②　王栻：《严复传》，上海人民出版社 1976 年版，第 45 页。

③④　严复：《译〈天演论〉自序》，严复译著，冯君豪注解：《天演论》，中州古籍出版社 1998 年版，第 15 页。

中、西方学术文化差异之后而获得的一种真知灼见，它从一个侧面折射出严复作为"思想家"（孙中山语）、"启蒙者"（胡适语）以及"向西方国家寻找真理"的先进人物（毛泽东语）之思想穿透力。

此外，严复还通过讲演的方式来介绍西方逻辑。1898年，他在通艺学堂讲演《西学通门径功用说》，其中大部分内容是关于逻辑学以及如何运用逻辑方法去研究学问。

综合以上内容可以看出，严复在1898年戊戌政变前的逻辑传播活动具有以下特点：逻辑知识的介绍往往和其他问题的讨论相互结合，独立的、系统的逻辑传播工作尚未开始。同时，他还比较注意理论知识的运用，例如在《西学通门径功用说》的讲演中他指出："格物穷理之用，其途不过二端：一曰内导（归纳法），一曰外导（演绎法）。""今有一小儿不知火之烫人也，今日见烛，手触之而烂，明日又见炉，足踏之而又烂，至于第三次，无论何地，见此炎炎而光、烘烘而热者，即知其能伤人而不敢触，且苟欲伤人，且举以触之：此用内导之最浅者，其所得公例，便是火能烫人一语。其所以举火伤物者，即是外导术。盖外导术于意中皆有一例，次一案，二一断。火能烫人是例，吾所持者是火、是案，故必烫人是断：合例案断三者，于名学中成一联珠，及以伤人而人果伤，则试验印证之事矣。"[①] 这里，严复不仅指出归纳、演绎是人们认识事物时的两种常用方法，更进一步结合儿童对火的认识予以具体说明。

---

① 严复：《西学通门径功用说》，舒新城编：《中国近代教育史资料》（下册），人民教育出版社1961年版，第1006—1007页。

第二节　中期传播（上）

1898 年戊戌维新运动以后，作为西学之一的逻辑学在中国社会的传播发生了一些显著变化：传播主体的构成情况趋向复杂；传播讯息的质量明显改观；传播方式更加灵活多样。这些因素的存在，标志着西方逻辑在中国近代时期的传播开始进入新的历史阶段——中期第一阶段。中期第一阶段的时限划分，上起 1898 年，下至 1915 年。

一、世俗学者对西方逻辑的传播

（一）严复对西方逻辑的传播

作为近代时期著名的启蒙思想家，严复在西学输入方面建立了不可磨灭的历史功勋。具体就西方逻辑传播而言，早在 1894 年中日甲午战争之后他就开始了这方面的工作，只是在 1898 年维新运动之前，他传播讯息（西方逻辑）的系统性、传播工作的力度等均明显不及其后。个中原因，恐怕和如下事实有着密切关系：1898 年以慈禧太后为首的守旧派发动政变以后，严复"仰观天时，俯察人事，但觉一无可为"，一度处于苦闷、彷徨的境地。然而，他最终认为，"民智不开，则守旧、维新，两无一可"，所以"屏（摒）弃万缘，唯以译书自课"。①

戊戌维新后，严复对西方逻辑的传播主要包括以下几个方面：

1. 翻译逻辑名著

1900 年，严复在上海开始翻译 John Stuart Mill 的 A Sys-

---

① 严复：《致张元济函》，王栻主编：《严复集》（三），中华书局 1986 年版，第 525 页。

tem of Logic，Ratiocinative and Inductive。历时两年多，译出其主要部分，后由金陵金粟斋于 1905 年木刻出版，汉译书名《穆勒名学》。1908 年，他在天津应弟子之邀讲授逻辑时，取 William Stanley Jevons 的 Primer of Logic 为教材译示讲解，后经两月成书，由商务印书馆于 1909 年刊行，汉译书名《名学浅说》。关于该书的具体翻译情况，严复在《名学浅说·译者自序》中曾有说明："戊申（1908 年）孟秋，浪迹津沽。有女学生旌德吕氏（碧城）谆求授以此学，因取耶方斯浅说，排日译示讲解，经两月成书。中间义恉，则承用原书；而所引喻设譬，则多用己意更易。盖吾之为书，取足喻人而已，谨合原本与否，所不论也。"[①]

A System of Logic，Ratiocinative and Inductive 的作者 John Stuant Mill 是英国著名的哲学家、经济学家和逻辑学家，该书曾于 1843 年至 1879 年在西方 10 版刊行，对 19 世纪下半期至 20 世纪西方传统逻辑的发展影响颇大，许多教科书均采用它的内容，特别是其中的归纳部分。全书共分六卷一个"引论"。第一卷"论名称和命题"，第二卷"论推理"，这两卷对传统形式逻辑做了系统说明。第三卷"论归纳"，这是全书的重点。其中，第八章"论实验研究的四种方法"表述了著名的探求事物间因果联系的五种常用方法。第四卷"属于归纳的方法"，第五卷"论谬误"，第六卷"论道德科学的逻辑"。严复自 1900 年至 1902 年译完了从引论到第三卷第十三章的内容，这些构成了《穆勒名学》的涵盖范围。剩余部分虽终未译出，但后来的《名学浅说》却在一定程度上弥补了这一憾事。

《名学浅说》的原作者即前述艾约瑟所译《辨学启蒙》的作者 William Stanley Jevons，并且两书据译的蓝本相同，都是

---

① ［英］耶方斯著，严复译：《名学浅说·译者自序》，商务印书馆 1981 年版。

Primer of Logic。

　　语言与文化的关系最为直接。社会语言学的研究成果显示，当异类文化相遇时必然会在语言文字层面产生一个同化过程。本位文化的认识者，会在自己习惯的语言模式中寻找一些相近、相似的语汇，以便与外来的新概念、新思想和新语汇建立某种共同关系。由于各民族的语言文字均为"约定俗成"之特定体系，因此，在跨越凿通异类文化的时候，必然会由于遇到这种语言障碍而困难重重。这种情况，在严复传播包括逻辑学在内的西方文化时同样存在。但是，严复知难而进，以极其严肃、认真的态度从事着每一项具体的翻译工作。他曾声言，翻译工作"步步如上水船，用尽气力，不离旧处；遇理解奥衍之处，非三易稿，殆不可读。"① "一名之立，旬月踟蹰"②，"字字由戥子称出"③。鲁迅先生亦曾经指出："严又陵为要译书，曾经查过汉晋六朝翻译佛经的方法"④。

39

　　严复确立的三个翻译标准是"信"、"达"、"雅"。在《天演论·译例言》中他指出："译事三难：信、达、雅。"⑤ 所谓"信"，指内容准确无误；所谓"达"，指表达内容时运用的语言通顺、妥帖；所谓"雅"，指言辞文雅。作为留学英国的高才生，严复精通西学，在理解英文原意方面不成问题，所以，"信"这一要求容易做到。至于"雅"，因为严复古文功底原本扎实，再加上

---

　　① 严复：《致张元济函》，转引自王栻：《严复传》，上海人民出版社1976年版，第106页。

　　②⑤　严复译著，冯君豪注解：《天演论·译例言》，中州古籍出版社1998年版，第27、26页。

　　③　参见严复：《〈法意〉按语》，卢云昆编选：《社会剧变与规范重建——严复文选》，上海远东出版社1996年版，第416页。

　　④　鲁迅：《关于翻译的通信》，鲁迅：《鲁迅选集》（第4卷），中国文史出版社2002年版，第227页。

留英归国后，又师从桐城派古文大师吴汝伦，所以，他能写成一手漂亮的古文。梁启超在谈到严复时曾经这样认为，"其文章太务渊雅，刻意摹仿先秦文体"①。关于"达"，在翻译过程中其实现程度直接影响到严复沟通中西文化工作的质量，这一点，严复有着清醒的认识。以"Logic"一词为例。这是中国近代时期西方逻辑传播过程中传播者必然要面临的一个基本英文词汇，严复对该词汇的翻译情况，足以反映出其"言必有故"，以求表达通顺、妥帖的中文择取原则。他在《穆勒名学》一书中指出："按逻辑此翻名学。其名义始于希腊，为逻各斯一根之转。逻各斯一名兼二义，在心之意、出口之词皆以此名。引而申之，则为论、为学。……精而微之，则吾生最贵之一物亦名逻各斯。……逻各斯名义最为奥衍。……逻辑最初译本为固陋所及见者，有明季之《名理探》，乃李之藻所译，近日税务司译有《辨学启蒙》。曰探、曰辨，皆不足与本学之深广相副。必求其近，始以名学译之。盖中文惟'名'字所涵，其奥衍精博与逻各斯字差相若，而学问思辨皆所以求诚、正名之事，不得舍其全而用其偏也"②。"逻各斯"一词有如佛教所谓"阿德门"、基督教所称"灵魂"、老子所谓"道"或孟子所谓"性"，是精深博大无可比拟的。"逻辑"一词即由其演变而来。汉语中只有"名"一词的含义与"逻各斯"相差无几，所以，应选择"名学"一词翻译"逻辑"，否则，将有弃一择偏，以偏概全之弊。关于"Logic"之译名，严复在《与梁启超书》中亦曾有所议论："……名学之名，从 Logos 字祖义着想。""窃以谓欲立一名，其深阔与原名相副者，舍计莫

———————

① 梁启超：《绍介新著〈原富〉》，《新民丛报》第 1 期。
② ［英］约翰·穆勒著，严复译：《穆勒名学》，商务印书馆 1981 年版，第 2 页。

从。"① 严复在翻译过程中对"达"这一标准的追求，于此可见一斑。

　　"信"、"达"、"雅"是严复为他的翻译所确立的具体原则，其实现这些原则的现实凭借是古代汉语。美国著名汉学家本杰明·史华兹曾经指出："从语言角度来讲，译《穆勒名学》是严复全部翻译中最繁重的一项，可以说它使严复将所有古文词汇搜罗殆尽。"② 梁启超亦认为，严复的文章"非多读古书之人，一番殆难索解。"③ 结果如何呢？本杰明·史华兹认为："总的来看，严复的翻译的确传达了他想传达的思想的实质。"④此外，从人们对严复在中国近代时期西学东渐史上地位的评价中，我们亦有理由认为他的翻译工作是成功的。蔡元培指出："他的译文，又很雅训，给那时候的学者，都很读得下去。所以他所译的书在今日看起来或嫌稍旧，他的译笔也或者不是普通人所易解。"⑤胡适指出："严复是介绍西洋近世思想的第一人"⑥。郭湛波在《近五十年中国思想史》中指出："自明末李之藻译《名理探》，为论理学输入中国之始，到现在已经三百多年，不过没有什么发展，一直到了严几道先生译《穆勒名学》，《名学浅说》，形式论理学始盛行于中国，各大学有论理学一课"⑦。张嘉森则更进一步认为："侯官严复以我之古文家言，译西人哲理之书，名词句

41

---

　　① 严复：《与梁启超书》，卢云昆编选：《社会剧变与规范重建——严复文选》，上海远东出版社 1996 年版，第 525 页。

　　②④ ［美］本杰明·史华兹著，叶凤美译：《寻求富强——严复与西方》，江苏人民出版社 1996 年版，第 174、85 页。

　　③ 参见梁启超：《绍介新著〈原富〉》，《新民丛报》第 1 期。

　　⑤ 蔡元培：《五十年来中国之哲学》，高平叔编：《蔡元培全集》（第 4 卷），中华书局 1984 年版，第 1 页。

　　⑥ 胡适：《五十年来中国之文学》，《胡适文存》（二），黄山书社 1996 年版，第 193 页。

　　⑦ 郭湛波：《近五十年中国思想史》，山东人民出版社 1997 年版，第 183 页。

调皆出独创。译名如'物竞'、'天择'、'名学'、'逻辑',已为我国文字中不可离之部分。其于学术界有不刊之功,无俟深论"①。

任何理论的存在和传播都必须依赖于一定的语言载体,后者质量的优劣高下对前者往往有制约作用。较好的语言载体会为理论的被理解、被接受创造有利条件,反之,拙劣的语言载体则往往会为理解理论、接受理论带来一定的障碍,外来思想、外来理论之传播尤其如此。在中国近代时期,运用汉语翻译西方逻辑著作虽然并非始自严复,但严复对语言的运作情况却使前行者黯然失色。下表显示的是《辨学启蒙》、《穆勒名学》和《名学浅说》中部分逻辑术语的汉译情况:

艾约瑟译	严复译	今译
即物察理之辨法	内籀	归纳
凭理度物之分辨	外籀	演绎
界语	意	概念
次第连成之论断语	连珠 联珠	三段论
有体质实物之界语	察名	具体概念
贴附实物加以形容之界语	幺名	抽象概念 属性概念

① 熊月之:《西学东渐与晚清社会》,上海人民出版社1994年版,第700页。

续表

艾约瑟译	严复译	今译
界语之精密意	内涵 内弸	内涵
界语之扩大意	外举 外帜	外延
数分语句	偏及之词 偏谓之词	特称判断
全分语句	统举之词 全谓之词	全称判断
用如、若等虚拟字样之语句	有待之词 未定之词	假言判断
搜求情节相符处	类异见同 统同术	契合法
语句	词 首	判断
推阐 辨论语	思辨 思籀 思议	推理
同名	普及之端	普遍概念

43

续表

艾约瑟译	严复译	今译
专名	单及之端	单独概念
察试时物变多寡	消息之术 消息术	共变法
总名	摄最之端	集合概念
正语句	正词	肯定判断
反语句	负词	否定判断
辨学	名学 逻辑	逻辑

44

以上表格仅仅列举了部分逻辑术语被艾约瑟和严复的汉译情况。由此可以看出，严复的翻译相对简洁、凝练，逻辑术语表述时的抽象概括程度高于艾约瑟的表述。作为思想的物质外壳，语言的简洁、凝练程度往往会影响到传播效果，尤其是在不同文化交流方面。历史地看，严复的译文质量远远超过此前传教士的译文，而这不能不说构成了严复在逻辑传播方面贡献卓著的一个重要原因。当然，还要看到严复译文质量的提高和以下两个因素密不可分：第一，古代名辩学著作校注已经取得的丰硕成绩。第二，对于前人相关学术成果的借鉴、吸收。关于第二点，正如严复本人在《穆勒名学》部（乙）按语中所说："耶方斯著《辨学启蒙》，其书之论联珠，以圆代词；观其圆之交容（融）分处，则委词之全偏、正负了了不纷，甚便初学，亦新术也。此书总税司赫德尝译以行世，学者参阅可也。"① 这里的"学者"，当然不应该排除严复本人。

2. 开设"名学会"

1900 年，严复在上海开办"名学会"，系统讲演西方逻辑的有关知识，这在中国学术史上属于首创。一时间，学者闻所未闻，纷至沓来。桐城派大师吴汝纶曾就此投函严复："近阅《中外日报》，知先生近开名学会，可见达人善己，兼怀济物之盛心，企佩无量"。② 据此不难看出，严复开设"名学会"，系统讲演逻辑知识的行动确曾于当时产生了一定的影响。

3. 结合实际应用传播西方逻辑

1905 年，严复应上海青年会之邀在上海做了关于西方政治学的八次讲演。后来，商务印书馆于 1906 年出版的《政治讲义》一书，其实就是这八次讲演的底稿。"这本书是严复对于他心目中的逻辑学的一次示范性的应用。"③ 在不厚的一本《政治讲义》中，直接讲到逻辑问题的就有近二十余处。书中写道："吾党之言政治，大抵不出内籀之术"④。如何运用"内籀之术"呢？"内籀必先考求事实"⑤，即必须首先以对事实的考察、分析为"第一层工夫"，尔后"方有进境可图"。既然"内籀必资事实，而事实必由阅历。一人之阅历有限，故必聚古人与异地人之阅历为之，如此则必由记载，记载即历史也"⑥。

在谈到如何运用"内籀之术"去研究、发现政治上的一些规

45

①　[英] 约翰·穆勒著，严复译：《穆勒名学》，商务印书馆 1981 年版，第 160 页。

②　转引自王栻：《严复传》，上海人民出版社 1976 年版，第 93 页。

③　李匡武主编：《中国逻辑史·近代卷》，甘肃人民出版社 1989 年版，第 156 页。

④⑤⑥　严复：《政治讲义》，卢云昆编选：《社会剧变与规范重建——严复文选》，上海远东出版社 1996 年版，第 184、183、178 页。

律时，严复进一步指出："吾将取古今历史所有之邦国，为之类别而区分；吾将察其政府之机关，而各著其功用；吾将观其演进之阶级，而考其治乱盛衰之所由；最后吾乃观其会通，而籀为政治之公例"①。并反复强调："吾人考求此学，所用者是天演术，是历史术，是比较术，是内籀术"②。

严复不仅通过在演讲中结合理论知识之运用来传播西方逻辑，而且在报刊所发表杂文中亦注意这一点。1914 年 2 月，《庸言报》发表了他的《〈民约〉平议》一文。其中写道："大抵治权之施，见诸事实，故明者著论，必以历史之所发见者为之本基。其间抽取公例，必用内籀归纳之术，而后可存。若夫向壁虚造，用前有假如之术，西人名学谓之 a'priori 立为原则，而演绎之，及其终事，往往生害。"③ 这里，严复极力宣扬归纳法在人们认识中的作用——"抽取公例，必用内籀归纳之术，而后可存"。但是，他对演绎法之贬抑亦有失妥之处，背离了归纳与演绎二者之间的辩证关系。

46

可以看出，作为向西方寻找真理的启蒙思想家，严复为了使作为"一切法之法，一切学之学"的西方逻辑能够植入中国文化土壤之中，付出了艰辛、持久的努力。事实上，他的所作所为对中国文化的发展亦确曾产生了积极影响。晚清内阁学士陈宝琛在《清故资政大夫海军协都统严君墓志铭》中这样写道："六十年来治西学者，无其比也。所译《天演论》、《原富》、《群学肄言》、《穆勒名学》、《法意》、《群己权界论》、《社会通诠》，皆行于

---

①② 严复：《政治讲义》，卢云昆编选：《社会剧变与规范重建——严复文选》，上海远东出版社 1996 年版，第 183、185 页。

③ 严复：《〈民约〉平议》，卢云昆编选：《社会剧变与规范重建——严复文选》，上海远东出版社 1996 年版，第 311 页。

世。"[1] 1936 年第 8 卷第 6 期《国风月刊》指出："先生（指严复——引注）首先翻译西洋逻辑名著，提倡慎思明辨之风，其功实伟。"[2] 学贯中西的章士钊在《逻辑指要》一书中亦指出："为国人开示逻辑途径，侯官严氏允称巨子。本编译名泰半宗之，译文间亦有取，用示景仰前贤之意。"[3]

当然，严复在传播西方逻辑的过程中对于穆勒和耶方斯著作的翻译采用了古文，这在客观上限制了受传范围，并进而会削弱逻辑思想在现实中的应有影响。中西文化交流中的这一缺憾留给了继起的新人，而西方逻辑的传播亦将随之发展到新的历史阶段。

（二）其他学者对西方逻辑的传播

1. 翻译逻辑著作

严复翻译的《穆勒名学》和《名学浅说》，在客观上对西方逻辑在中国的传播起到了推动作用，但其传达讯息的语言载体——先秦古文——受到时人及后继者的一些批评。梁启超就曾针对严复的译文刻意模仿先秦文体这一做法提出了如下看法："著译之业，将以播文明思想于国民也，非为藏山不朽之名誉也。文人结习，吾不能为贤者讳矣。"[4] 鲁迅亦认为《穆勒名学》颇为难读："据我所记得，译得最费力，也令人看起来最吃力的，是《穆勒名学》和《群己权界论》的一篇作者自序，其次就是这论，后来不知怎地又改称为《权界》，连书名也很费解了。"[5] 王

---

① 转引自张志建：《严复学术思想研究》，商务印书馆国际有限公司 1995 年版，第 329 页。

② 郭斌和：《严几道》，《国风月刊》第 8 卷第 6 期。

③ 章士钊：《逻辑指要·例言》，生活·读书·新知三联书店 1961 年版。

④ 梁启超：《绍介新著〈原富〉》，《新民丛报》第 1 期。

⑤ 鲁迅：《关于翻译的通信》，鲁迅：《鲁迅选集》（第 4 卷），中国文史出版社 2002 年版，第 227—228 页。

国维的批评则更加直接:"侯官严氏所译之名学,古则古矣,其如意义之不能了然何?以吾辈稍知外国语者观之,毋宁手穆勒原书为快也。"①

事物的发展总是源于其内部存在的矛盾。在某种意义上,对严复传播逻辑过程中出现的缺点所进行的批评,构成了西方逻辑在中国进一步传播的动力,因为它为后来者树立了一面镜子。事实上,历史的发展确亦如此,以王国维、胡茂如、林可培等为代表的一批留日学生,继严复而起,把西方逻辑在中国的传播掀开了新的一页。

(1)田吴炤与《论理学纲要》

《论理学纲要》的原作者是日本文学士十时弥。该书曾为日本当时流行的教科书,后被中国留日学生田吴炤译成中文,1902年由商务印书馆印行。全书除"绪论"及"结论"外,另包括三篇十六章内容。其中,第一篇"思考原论",叙述思维基本规律、概念和判断;第二篇"演绎推理";第三篇"归纳推理"。《论理学纲要》一书的内容同目前我国讲解的传统逻辑大致相同,逻辑术语亦大部分与现在通用译名相似。

《论理学纲要》一书的翻译,对西方逻辑在中国的传播影响较大。1960年,生活·读书·新知三联书店再次将该书收入"逻辑丛刊"重新印行。在"出版说明"中编辑曾经这样指出:"十时弥的这本书的译本,自从光绪二十八年即1902年由商务印书馆出版后,在中国很有影响。"② 事实上确亦如此。1909年,林可培出版了由中国学者编译的第一本逻辑学教科书,该书即以

48

---

① 王国维:《论新学语之输入》,《王国维文集》(第三卷),中国文史出版社1997年版,第43页。

② [日]十时弥著,田吴炤译:《论理学纲要·出版说明》,生活·读书·新知三联书店1960年版,第2页。

《论理学通义》为名。之后，国内出版的逻辑学教科书亦多采用"论理学"之名，这种状况一直持续到1949年。此外，商务印书馆1912年出版的蒋维乔的《论理学教科书》，以及1914年出版的张毓聪的《论理学》、张子和的《新论理学》等，均注明是以《论理学纲要》为根据编写而成。亦有并未说明，但实际上是完全根据《论理学纲要》编写而成的，例如1926年北京求知学社出版的卢广镕的《论理学教科书》。

　　田吴炤翻译的《论理学纲要》具有以下特点：首先，译本所用译文多根据日文。其中，关于逻辑学的专门术语，田吴炤这样解释："是类书（指逻辑学书——引注）多有未经见之字面，乃专门学说本来之术语。日本学者由西书译出，益几经研求而得，今初译读仅能略窥门径，故不敢妄行更易。"[1] 其次，译作者对于之所以选择《论理学纲要》一书进行翻译有着明确解释：①论理学为讲教育者不可不知之科学。②人无论理之学识，则不知推断事理，于讲论一切学问，即不能畅所欲言，即使言之，或语多刺谬。③日本论理学书极多，而此书最后出，并且此书之善，久为日本教育家所推重。再次，《论理学纲要》一书的内容，同严复翻译的《穆勒名学》、《名学浅说》相比，有一些显著的不同。例如，《穆勒名学》、《名学浅说》都重视归纳逻辑，而《论理学纲要》只用较少的篇幅讲述归纳逻辑，比较重视演绎逻辑。"照作者看来，演绎推理本身虽不解决推理中的前提的真实问题，但演绎推理在某种限度内，仍然能给人以新的知识。"[2] 再如，在《论理学纲要》一书中，同一律、矛盾律和排中律[3]三个定律，

49

---

　　① ［日］十时弥著，田吴炤译：《论理学纲要·例言》，生活·读书·新知三联书店1960年版，第4页。

　　② ［日］十时弥著，田吴炤译：《论理学纲要·出版说明》，生活·读书·新知三联书店1960年版，第2页。

　　③ 田吴炤将"排中律"译成"不容间位律"。

被摆在比较重要的位置上，在全书开端就作为专章加以叙述。

（2）胡茂如与《论理学》

《论理学》是日本文学博士大西祝（1864—1900）所著，该书曾经在日本影响极大。1906年，大西祝逝世已经6年，《论理学》一书仍作为早稻田大学的教科书。1914年，距离大西祝逝世已经十余年，该书依然风行日本。1906年，中国留日学生胡茂如暑假期间去镰仓旅游，见到大西祝的这本逻辑著作，"喜之，日译数页，未两月而毕"①。译本于1906年底由河北译书社出版，翌年再版。

《论理学》一书中有李鸣阳在光绪丙午年（1906年）六月作于日本东京的一篇序②，其中谈到了翻译该书的原因。长期以来，波、淫、邪、遁之言，横行天下。学术日晦，政教日漓，文化停滞，国家大有沦胥之势。这绝非一朝一夕之缘故，重要原因乃在于"无一正名知言之术"。为救败扶倾，"今日者知言之术、正名之学，其于吾其尤要也邪？"而论理学所讲者"正正名顺言之法、知言之方、学而实兼乎术者也"。西方国家之所以发展迅速，正是因为论理学发达的缘故，所以，论理学之输入尤为中国当务之急。至于之所以选择大西祝的《论理学》一书加以翻译，具体原因有三：第一，大西祝博士"于东邦学界，特其秀者"，甫逾弱冠，即为日本文学界泰斗。第二，《论理学》一书包括亚氏演绎逻辑与近世派归纳法及印度因明，"天下之论理学，盖毕罗于是，得是以为之基础，而进而极深致远，以穷斯学之奥也，

50

---

① ［日］大西祝著，胡茂如译：《论理学·胡茂如三版序》，泰东书局1919年版。

② 谷钟秀在1919年《论理学》三版序中说，该序实乃胡茂如自己所作。

乃无不足矣!"① 第三,大西祝在书中"时或特标意匠,发西儒所未发",又将三种逻辑"比较参伍以求之",故能给读者以启发。

《论理学》全书分上、下两卷共三编。上卷包括第一编"形式论理",讲演绎逻辑,以三段论为重点,其中谈到思想之法则——矛盾律、排中律和自同律。下卷包括第二编"因明"以及第三编"归纳法"。其中,"因明"部分以介绍新因明为主,"归纳论理"部分系统介绍了培根、穆勒的归纳理论。

胡茂如翻译的《论理学》一书具有以下特点:首先,对于演绎、归纳两部分的介绍,无论从数量还是实质上均无厚此薄彼之嫌。当然,这并不意味着原作者大西祝已经正确地分析了演绎与归纳的特点。例如,在评论三段论与三支作法时作者这样认为:"究之三段论法与三支作法,皆不过根据一立言之全称者而于其中所已包有者之事更分拆焉以出之,非本既知以推未知者。"② 结论已经包含在大前提中,因此三段论不能算作由已知推出未知,显然,这是在重复穆勒的观点。其次,原著正文中有相当篇幅以补注的形式讲解难点、要点,胡茂如在翻译时增加了另外一些注语,或者解释原书理论,或者属于其他说明性文字。胡茂如的这一做法,从一定意义上讲是继承了严复传播西方逻辑的成功经验。在《穆勒名学》一书的翻译过程中,严复增加了四十余条按语,达数千言。其中,或者简述原书大意,加以旁证,表示赞同;或者旁征博引,阐明不同意见;或者结合古代典籍,引喻设譬;或者以西方逻辑与中国名辩思想彼此观照,以显异同。再

51

---

① [日]大西祝著,胡茂如译:《论理学·李鸣阳序》,河北译书社1906年版,第3页。

② [日]大西祝著,胡茂如译:《论理学》下卷,河北译书社1906年版,第74页。

次，详细的文字阐述与表格说明相结合。在《论理学》一书中，作为正文的附录，书末印有"论理学说明图表"，分别将上、下两卷所讲的主要内容以图表的形式列出。这样，给人一种提纲挈领、一目了然之感，便于理解、记忆全书所讲内容。这些图表，具体包括"形式论理图表"、"因明图表"和"归纳法图表"。其中，"形式论理图表"依次列出第一至第十个图表。

（3）王国维与《辨学》

王国维（1877—1927），字静安，一字伯隅，号观堂，浙江海宁人。青年时因受甲午战争刺激，"弃帖括"、"有志于新学"。1898年，在上海加入农学社，正式接触并学习西学。1901年，入东京物理学校学习，后因病回国。回国后王国维开始研读器文（即耶方斯）之逻辑学、海甫定之心理学等著作。1903年起，他先后在江苏南通师范、苏州师范讲授心理学、论理学和社会学等课程。1908年，任京师图书馆编译又名词馆协修时，王国维将西方逻辑著作 Elementary Lessons in Logic：Deductive and Inductive 译成中文。

52

Elementary Lessons in Logic：Deductive and Inductive 一书于1870年在伦敦出版，作者即前文所述《名学浅说》之作者耶方斯。该书从1870年至1923年在西方发行29版，影响较大。1908年，王国维将其翻译为《辨学》一书，并于同年10月刊行。

耶方斯原著分33节，王国维略去了主要讲英语文法的内容而将译本分成九篇三十二章。第一篇绪论，其中对逻辑的工具性有明确表述："吾人得谓辨学者，一切科学中之最普遍者也。吾人之待辨学之助，较待他科学之助为多，以一切特别科学，但研究事物之一部分，以构成知识之一分支，而辨学则研究一切知识中所应用之思想之原理及形式故也。"① 第二篇名辞，其中对概念内涵与外延之间的关系有精确说明："一名辞之内容愈增，则其外延愈减是也。但其增减，固非有精密之比例"。② 第三篇命题。第四篇推理式，其中介绍了四条逻辑基本规律，即"同一之法则"、"矛盾之法则"、"不容中立之法则"和"充足理由之法则"。第五篇虚妄论，其中提出"辨学上之虚妄"与"物质上之虚妄"的划分。"辨学上之虚妄，谓虚妄之存于论证之形式者。虽吾人不知所论证之事物，犹得由论证之形式，而发见其虚妄者也。""实质上之虚妄，不起于论证之形式，而起于所论证之事物。故非有此事物之知识，不能发见其虚妄也。"③第六篇最近辨学上之见解。第七篇方法论。第八篇归纳法。第九篇归纳法之附件。

　　王国维翻译的《辨学》具有以下特征：首先，重视演绎逻辑。耶方斯晚年虽然有明显的重视归纳逻辑倾向，但从王国维所译《辨学》一书来看，至少在该书中原作者对于演绎逻辑之介绍甚至有些偏重，评价亦颇高。文中指出："科学之历史，示吾人以演绎法，实为大发明之导线。""经验的知识，虽如何有用，然比之演绎科学中联络之知识，必有所不如。"④演绎法为"最丰富及伟大之演绎法。"⑤其次，与此前一些译著相比，逻辑术语的汉译质量更加有利于讯息传播。下表显示的是《穆勒名学》、《名学浅说》和《辨学》中部分逻辑术语的翻译情况：

严复译	王国维译	今译
全谓之词	普遍命题	全称命题

---

　　①②③④⑤　[英] 耶方斯著，王国维译：《辨学》，生活·读书·新知三联书店1959年版，第3—4、24、104、160、119页。

严复译	王国维译	今译
偏谓之词	特别命题	特称命题
推证	推论	推理 推论
界说	定义	定义
类 甄谱斯	类	类 属
别 斯毕稀	种	种
词 首	命题	命题
比拟	判断	判断
单及之端	单纯名辞	单独概念
普及之端	普遍名辞	普遍概念
撮最之端	集合名辞	集合概念
察名	具体名辞	具体概念
玄名	抽象名辞	抽象概念
正名	积极名辞	肯定概念
负名	消极名辞	否定概念
外举	外延	外延

续表

严复译	王国维译	今译
内涵	内容	内涵
会通	概括	归纳 概括
大端	大名辞	大词 大项
小端	小名辞	小词 小项
中端	中名辞	中项 中名辞
大原	大前提	大前提
小原	小前提	小前提
判 委	结论	结论
统同术	符合法	契合法 求同法
别异术	差别法	差异法 求异法
同异合术	符合及差别 之联合法	契合差异并用法 求同求异并用法

55

续表

严复译	王国维译	今译
消息术	机伴变化之方法	共变法
归余术	余剩之方法	剩余法
希卜梯西	假说	假说

通过上表可以看出，与《穆勒名学》相比较，王国维在《辨学》的翻译过程中对于逻辑术语的汉译更趋简洁明快、通俗易懂，与我们今天通用的已大致相同。这种语言载体的进步，客观上为逻辑讯息被更加有效地接受创造了有利条件。当然，王国维《辨学》一书译著质量的这种改观，和以下两方面因素有着密切联系：一是对日本学者有关成果的吸收。二是对严复等中国学者译著状况的借鉴。其中，关于第二个因素，上表中"推理"（inference）、"类"（genus）、"单独概念"（singular term）、"普遍概念"（general term）、"抽象概念"（abstract term）、"外延"（extension）、"内涵"（intension）、"差异法"（method of difference）、"归余术"（method of residues）等逻辑术语的翻译就可充分说明。

2. 编撰逻辑著作

在传播西方逻辑的过程中，随着传播活动持续进行，一些中国的知识分子已经不满足于仅仅对一本外国逻辑著作简单地加以翻译，而是博采众长，以数本、十几本抑或更多的著作为蓝本，进行裁剪取舍，重新编排，进而传播活动中的主体意识①亦随之明显凸显。这种意识发展到一定程度，中国的学术界终于走出了

---

① 这里所谓传播活动中的主体意识，指传播者在传播过程中面对众多讯息，主动加以选择、整合的心理状态。

单纯翻译的层面，进而开始编撰逻辑著作之途程。

（1）林可培与《论理学通义》

林可培是上海崇明人，直接听过日本教员讲授逻辑，其《论理学通义》一书系中国学者最早编撰的逻辑教科书，1909 年由中国图书公司出版。

《论理学通义》的内容，除绪论外，分为纯粹论理学与应用论理学两大部分。其中，纯粹论理学部分又分为两篇：第一篇主要介绍四条逻辑基本规律——同一律、矛盾律、不容间位律及充足原理，第二篇介绍概念、判断、推理等思维形式。应用论理学部分仅包括方法论一篇，介绍"原理发见法"及"原理叙述法"。

在林可培编撰的《论理学通义》一书中，明确说明了作者对于上一级信息源的综合运用情况。《编辑大意》指出，该书以"日本今福忍之《论理学要义》、北泽定吉之《论理学讲义》、渡边又次郎之《论理学》为主，大西祝之《论理学》及十时弥之《论理学纲要》为辅，再参讲师高岛平三郎先生之所口授"编撰而成。由于"荟萃众说之精蕴，而解其纠纷，故名《论理学通义》"[1]。这里，林可培指出了上一级信息源中各个构成部分的地位、种类，以及作者的具体处理原则。此外，他还对《论理学通义》一书的受传者范围进行了说明——由于该书"文辞之详略，悉准理解之难易"，所以，其乃"师范及高等以上学堂中教员、学生适用之教科书"[2]。

57

在《论理学通义》一书的《编辑大意》中，林可培还指出了该书的一个显著特点，即"凡论理学多主理论。本书兼重应用方面"[3]。在《论理学通义》的应用论理学部分，作者介绍了"原理发见法"，具体包括如何收集材料，如何分类，如何提出假说、检证进而形成定理；此外，还介绍了"原理叙述法"，具体包括

①②③　林可培：《论理学通义·编辑大意》，中国图书公司 1909 年版。

定义、分释（划分）、论证以及谬论。其中，谬论部分介绍名辞、命题、演绎法，以及归纳法运用过程中所可能产生的逻辑谬误。强调逻辑的应用价值这一思想，可以说自严复起中国学者已经明确提出，并在一定程度上付诸实践，而《论理学通义》一书，尤其是其中应用论理学部分可谓是第一次对逻辑的应用问题进行理论探讨，尽管有关这方面的内容尚有欠单薄。林可培在逻辑应用方面所作的这种尝试，在中国近代时期的西方逻辑传播史上承严复，下启来者。后来出版的不少逻辑著作，不仅在书名上而且在内容方面均强调逻辑应用，此种情况绝非偶然。

（2）陈文与《名学释例》

1910 年，上海科学会编辑部出版了陈文编撰的《名学释例》。在该书《自序》中作者曾经指出，"取近世名学二十余种悉心迻译"，"辑成一科之学"[①]。博采众长，断以己意，《名学释例》一书的写作过程于此略见一二。

《名学释例》除绪论外包括三篇二十章。第一篇思维之原理，共分七章，主要叙述名学和思维的定义、要素与语言的关系以及名辞、词、辩。第二篇外籀术，共分七章，主要叙述思维的原则（思维规律）以及各种推理。第三篇内籀，共分六章，主要叙述外籀与内籀的关系，内籀术的次序、方法以及有关谬误等。

值得注意的是，陈文在编撰《名学释例》的过程中，"所用术语多数遵循严复译名，与今通行术语相差甚远"[②]。例如，"名辞"、"词"、"辩"今译作"概念"、"判断"、"推理"，"外籀"、"内籀"今译作"演绎"、"归纳"。但是，如果从另一角度考虑，这种情况反映出严复作为启蒙思想家在逻辑传播方面的社会影

---

①　陈文：《名学释例·自序》，上海科学会编辑部 1910 年版。

②　冯契主编：《哲学大辞典·逻辑学卷》，上海辞书出版社 1988 年版，第 176页。

响。

（3）王延直与《普通应用论理学》

王延直是贵州贵阳人。1905—1912年，他讲授论理学课程达十九次之多。其间十易讲稿，最终完成《普通应用论理学》一书之纂著。1912年夏，该书于昆明印刷，由务本书局、开明书屋等发售。

《普通应用论理学》一书除绪论外分三编十七章。其中，绪论介绍了论理学的定义、效用、源流以及和科学的关系等。关于论理学的定义，作者认为它是"说明思考之法则之科学也"①。第一编思考概论，涉及思维规律、概念理论、命题理论等。关于思维规律，书中称其为"思考之原理"，包括自相同之原理、不相容之原理、不容中之原理以及充足理由之原理。第二编演绎的论理学，其中对三段论的介绍尤为详细。第三编归纳的论理学。

王延直之所以纂著《普通应用论理学》，其动机非常清楚。书中写道："呜呼！比年以来，世界文明各国讲学之士，辄以'程度不足'訾议吾国人民矣！斯言也，吾闻而耻之，吾闻而深耻之！其欲雪之而后快也久矣。"而"吾国人欲程度增高，必自政学两界始；而欲增高程度，又必自服从真理始；欲服从其理，又必自推求真理始；欲推求真理，又必自研究论理学始。"②虽然"古代文明诸国，莫不有论理学之萌芽，其中最著名者三：曰中国、曰印度、曰希腊者也"③。但遗憾的是，中国之论理学，"荀子而后，无人继起而光大之，以致中国名学，历久失传"④。之所以纂著《普通应用论理学》，乃籍之以提高现时我国人民之"程度"，"欲使向学之士首先注重乎此，而后对于一切学科，遮

59

---

①③④　王延直：《普通应用论理学》，贵阳论理学社1912年版，第1、10、10页。

②　王延直：《普通应用论理学·自序》，贵阳论理学社1912年版。

能以少数之时间，吸收多数之知识，所谓国民程度，亦必自然增高于不自知，此可预计者也"①。

在具体内容的阐述方式上，王延直的《普通应用论理学》继承了严复翻译《穆勒名学》一书时的特点，即在书中正文之外，另增加不少按语。这些按语，多数是讲解正文抑或补充说明有关逻辑理论。这种做法，对于读者理解、掌握有关逻辑知识甚有益处。

（4）张子和与《新论理学》

张子和是江苏溧水人。1913年，他在安徽省立师范学校讲授逻辑，课程讲稿于1914年由商务印书馆出版，书名《新论理学》。该书1914年初版，至1928年已有11版发行，发行量之大、读者之众，据此已可推测。

60

《新论理学》全书包括七编。第一编绪论，主要介绍论理学的定义、历史沿革等。第二编思考论，介绍思考之原理、思考活动及其形式。关于思考之原理，具体涉及同异原理（同一律、矛盾律、不容间位律）和充足原理。思考活动之形式，包括判断、概念、推理。第三编到第五编，依次介绍概念、判断和推理。第六编"统整法论"，介绍定义、分类、论证以及统整法之谬误。第七编索究法论，介绍确定因果联系的常用方法以及臆说（假说）等。

《新论理学》一书具有以下显著特点：

第一，提出论理学的定义，并结合语源解释予以评析。书中指出："论理学者，思考之学也，亦研究正确思考之形式法则之学也。"② 从语源角度考察，论理学在英语中谓之 Logic，在拉丁语中谓之 Logica，二者由希腊语中之形容词 Logike 而来，而此

---

① 王延直：《普通应用论理学·自序》，贵阳论理学社1912年版。
② 张子和：《新论理学》，商务印书馆1914年版，第1页。

形容词又由名辞 Logos "辗转变化而生"。Logos 含有言语和思想两意，"故以语原考之，论理学之定义可谓为言语与思想之学。诸家论定，多取于此。今谓为思考之学，则又取精撮华者矣。"①

第二，对学习逻辑者提出明确要求。《新论理学·叙例》中指出："西儒尝言论理学为各科学之科学者，以其不独能令人有真知灼见，且具肆应无方之妙，故习之者不徒贵明其当然，尤必理解其所以然，而应用之于不期然而然。每编之末所为分门别类缀之以若干练习问题者，即以备专攻者之需求而设，愿教者受者毋漠然置之。"② 显然，作者认为学习逻辑者不能仅仅限于死记硬背知识、原理，而应更进一步理解其所以然；除了掌握理论之外，尚须注重理论之应用，不可忽视练习题的训练价值。

此外，在写作过程中作者注意同时附以一些名词、术语的英文拼写，这对于读者准确理解相关知识，"免以讹传讹之弊"是颇有帮助的。

这一时期撰著逻辑学著作的，并非仅仅林可培、陈文、王延直、张子和四人，杨荫杭（《名学教科书》，1903 年出版）、韩述组（《论理学》，1909 年出版；《论理学讲义》，1918 年出版）、邢伯南（《论理学》，1914 年出版）、樊炳清（《论理学要领》，1914年出版）、姚建（《论理学》，1916 年出版）以及张毓聪、蒋维乔等学者，亦均走上了这条学术道路。这种新景象的到来，表明西方逻辑在中国的传播开始发生质的变化——中国学术界已经自己着手研究、传播逻辑知识。

3. 籍报刊介绍逻辑

梁启超（1873—1929），字卓如，号任公，又号饮冰室主人，广东新会人。晚清维新派主要人物之一，他是近代著名学者。戊

---

① 张子和：《新论理学》，商务印书馆 1914 年版，第 1 页。
② 张子和：《新论理学·叙例》，商务印书馆 1914 年版，第 2 页。

戊维新失败后，梁启超逃亡日本，后于横滨创办《新民丛报》，其中曾对包括逻辑学在内的西方学说予以介绍。

（1）亚里士多德与逻辑学

1902年，梁启超在《新民丛报》发表《论希腊古代学术》一文，其中写道："亚氏之学，实总汇古代思想之源泉，而发达臻于极点者也。且其穷理之法，亦综合诸家，彼以为剖辨真理，当有所凭藉也。于是创论理学（即侯官严氏译为名学者）以范之，此其持论之精确，所以超轶前哲也。亚里士多德又明哲学与科学（中国所谓格致学之类）之别，亦其识之加人一等也。"②"穷理"，中国古代哲学用语，意即穷究事物之道理。梁启超在这里把逻辑学的研究对象，定位于穷究事物道理的方法，并指出亚里士多德之所以创立这门学科，直接原因乃在于"彼以为剖辨真理，当有所凭藉也"。

梁启超借鉴日本学者的做法，将"Logic"译为"论理学"，并指出其实际上亦就是严复所译称的"名学"。至于为何将"Logic"译为"论理学"，梁启超在《新民丛报》所撰文章中曾经有所说明："按英语Logic，日本译之为'论理学'，中国旧译'辨学'，侯官严氏以其近于战国坚白异同之言，译为'名学'，然此学实与战国诡辩家言不同，故从日本译。"③

（2）培根及其归纳法

梁启超在著述中曾经多次论及培根，其中，1902年他在《新民丛报》上发表的《近世文明初祖二大家之学说》一文，简

---

① 该文原为《泰西学术思想变迁之大势》上编《上古时代》之第一、二、三章，以下未续写，《饮冰室合集》中改作今题。

② 梁启超：《论希腊古代学术》，《饮冰室合集》（二），中华书局1989年版，第62—63页。

③ 梁启超：《近世文明初祖二大家之学说》，葛懋春、蒋俊编选：《梁启超哲学思想论文选》，北京大学出版社1984年版，第86页。

明而颇有见地地评述了培根的一生及其学说宗旨。文中指出："倍根（即培根——引注），英国人，生于一千五百六十一年（明嘉靖四十年），卒于一千六百二十六年（明天启六年）。其时正承十五世纪古学复兴（Renaissance）及新教（Protestant）确立之后，学界风潮渐变。虽然，学者犹泥于希腊阿里士多德（Aristotle）、柏拉图（Plato）之科（窠）臼，未能自辟途径。其究也，不免涉于诡辩，陷于空想。及倍根兴，然后学问始归于实际。英人数百年来汲其流，迄今不衰，故英学先实验而后理论。倍根者，实英国学界之先驱，又英国学界之代表人也。"① 这里，梁启超介绍了培根在英国学术发展史上的重要地位。至于其学说，他概括为："倍根以为人欲求学，只能就造化自然之迹而按验之，不能凭空自有所创造。"② 这可谓是对培根归纳法的一个提揭。至于详细说明，则集中在"倍根（Bacon）学说"部分。

在"倍根（Bacon）学说"部分，梁启超首先对培根的谬误产生根源说即"四假象说"进行介绍："吾人之精神如凸凹镜，外物之来照者，或于凸处，或于凹处，于是乎虽同一物，而其所照不同，我之观察，自不得不有所谬，此为致误之第一原因。又五官所接者，非物之本色，而物之假相也，此为致误之第二原因。又吾人之体质，各各不同，于是乎同一事物，而人之所见，各各相异，此为致误之第三原因。又人与人相处之间，谬见亦常因缘而起。……又前人之学说，亦往往为谬见之胎，盖凡倡一先生之言者，常如傀儡登场，许多点缀，观者不察，遂为所迷，此为致误之第四原因。"③ 接着，他又说明培根关于亚氏逻辑与克服谬误产生之根源关系的观点："倍根以为治此迷因，唯一良法，然非如阿里士多德论理学之三句法也。……盖三句法者，不过语

①②③ 梁启超：《近世文明初祖二大家之学说》，葛懋春、蒋俊编选：《梁启超哲学思想论文选》，北京大学出版社 1984 年版，第 85 页。

言文字之法耳，既寻得真理而叙述之，则大适于用，若欲由此以考察真理之所存，未见其当也。"① 这里，已涉及培根对亚氏逻辑的价值评判——它是关于语言文字之规则、规律的，在真理表述方面确有作用，在发现新知识方面则"未见其当"。

否认了亚氏逻辑具有克服谬误产生之根源的功能，培根所言的"唯一良法"又是什么呢？"曰就实事以积经验而已。"这就是说，"就凡事物诸现象中，分别其常现之象及偶现之象，而求其所以然之故，是为第一著手。是故人欲求得一真理，当先即一物而频频观察，反复试验，作一所谓有无级度之表以记之。如初则有是事，次则无是事，初则达于甲之级度，次则达于乙之级度，凡如是者皆一一考验记载无所遗。积之既久，而一定理出焉矣。"② 这里，梁启超对培根归纳法之具体运用情况进行了介绍。至于归纳法之有效范围，梁启超指出："此等观察实验之功，非特可以研究外物之现象而已，即讲求吾人心灵之现象，亦不外是矣。"③ 换言之，归纳法不但适用于对自然现象进行研究，而且适用于对心理、认识等非自然现象进行考察。

梁启超对培根及其归纳法的介绍是有着明确的传播目的的。这一点，他在《近世文明初祖二大家之学说》一文的《绪言》中有所说明。《绪言》指出："泰西史学分数千年之历史为上世、中世、近世三期。所谓近世史者，大率自十五世纪之下半（西历以耶稣生后一百年为一世纪）以至今日也。近世史与上世中世特异者不一端，而学术之革新，其最著也。有新学术，然后有新道德、新政治、新技术、新器物。有是数者，然后有新国、新世界。"而"为数百年来学术界开一新国土者，实唯倍根与笛卡尔。""我国屹立泰东，闭关一统，故前此于世界推移之大势，莫

64

---

①②③　梁启超：《近世文明初祖二大家之学说》，葛懋春、蒋俊编选：《梁启超哲学思想论文选》，北京大学出版社 1984 年版，第 85—86、86、86 页。

或知之，莫或究之。今则天涯若比邻矣，我国民置身于全地球激湍盘涡最剧最烈之场，物竞天择，优胜劣败，苟不自新，何以获存！新之有道，必自学始。彼夫十六世纪泰西学界转捩之一大原，虽以施之今日之中国，吾犹见其适吾用也。"① 西方社会在近世发生了学术革新，其结果直接影响到道德、政治、技术、器物等领域。究其缘由，"一关键"乃在于培根与笛卡儿。返观今日中国，国门已开，面临物竞天择、优胜劣败的客观形势，所以，必须自新自强。然而，"新之有道，必自学始"。"泰西学界转捩之一大原，虽以施之今日之中国，吾犹见其适吾用也。"这句话可以说道出了梁启超之所以着力介绍培根等学说的关键所在。换言之，学术救国主张以及对逻辑和西方文化关系的认识，构成了梁启超传播西方逻辑的原始动力。

当然，梁启超对培根归纳法的传播亦并非一味肯定，关于其缺陷他亦有所体会："笛卡尔尝语人曰：'实验之法，倍根发之无余蕴矣。虽然，有一难焉。当其将下实验之前，苟非略窥破一线之定理，悬以为鹄，而漫然从事于实验，吾恐其劳而无功也。'此言诚当。"② 这里，梁启超借笛卡儿之口阐述了自己的观点。此外，他还有更为直接的论述："盖人欲求得一现象之原因，不可不先悬一推测之说于胸中，而自审曰：此原因果如我之所推测，则必当有某种现象起焉。若其现象果屡起而不误，则我之所推测者是也。若其不相应，则更立他之推测以求之。……故实验与推测常相随，弃其一而取其一，无有是处。吾知当倍根自从事于试验之顷，固不能悬测，但其不以此教人，则论理之缺点也。"③ 可以看出，梁启超对西方归纳逻辑的传播并非一味拘泥于培根之观点，而是同时承认演绎法的价值。正是基于这一全面认识，他一

①②③　梁启超：《近世文明初祖二大家之学说》，葛懋春、蒋俊编选：《梁启超哲学思想论文选》，北京大学出版社1984年版，第84、87、87—88页。

方面主张："今士大夫莫不震慑于西人政治学术进步之速，而不知其所以进步者，有一大原在（即培根、笛卡尔学说——引注）。彼其奔轶绝尘，亦不过此二百余年事耳，我苟得其大原而善用之，何多让焉，苟不尔，则日日临渊而羡之，终无济也。呜呼！有闻倍根笛卡儿之风而兴者乎！"[①] 另一方面又竭力呐喊："第一，勿为中国旧学之奴隶；第二，勿为西人新学之奴隶。"[②] "勿为西人新学之奴隶"，其中当然包括对培根的归纳法思想亦应持有批判性思维这一态度。

二、传教士、教徒对西方逻辑的传播

（一）马林对西方逻辑的传播

马林是典型的"基督教社会主义"教派代表，1886 年来华，先后在上海、南京行医传教。在这一过程中，他对亨利·乔治、约翰·穆勒和斯宾塞等人的理论进行介绍，进而"丰富和填补了几十年西学介绍的空缺，使渐趋保守的西学介绍又呈现新的活跃"[③]。

1901 年，马林对培根包括逻辑学在内的学术思想进行了全面阐述。其中关于培根的逻辑思想，他曾有这样一段介绍："夫格致之学有二，一则举本而推末，一则因流以溯源。举本推末者，内籀之学也；因流溯源者，外籀之学也。"[④] 这里的"内籀"、"外籀"，即严复对英文中"induction"和"deduction"的翻译，指归纳和演绎。马林认为，虽然培根在认识论上重经验、轻思辨，但在逻辑学上却是归纳和演绎并重，认为二者均是有助

①② 梁启超：《近世文明初祖二大家之学说》，葛懋春、蒋俊编选：《梁启超哲学思想论文选》，北京大学出版社 1984 年版，第 94、94 页。

③ 高瑞泉主编：《中国近代社会思潮》，华东师范大学出版社 1996 年版，第 471 页。

④ 同上书，第 471 页。

于人们获得真知的"格致之学"。在对归纳法的具体评价上，马林的观点类似培根以及其他经验论者，均认为归纳法具有重要价值，但是他和严复却存在较大分歧。严复认为，西方"二百年学运昌明，则又不得不以柏庚氏（培根）之摧陷廓清之功为称首。学问之士，倡其新理，事功之士，窃之为术，而大有功焉"①。"本学之所以称逻辑者，以如贝根（培根）言，是学为一切法之法、一切学之学；明其为体之尊，为用之广，则变逻各斯为逻辑以名之。学者可以知其学之精深广大矣。"② 可见，严复视逻辑——主要是归纳法——为西方科学之根本。马林则不然，他认为："培氏主要之意不系乎此，亦非首行创行此法（指归纳法——引注）之人。"③ 重要的不是具体方法，而是其经验主义的哲学观念——"使人崇正黜邪，去虚务实"。

（二）李杕对西方逻辑的传播

李杕（1840—1911），原名浩然，字问舆，后改称问渔，受洗礼后取教名劳楞佐（Laurentius），别署大木斋主，江苏川沙人。1906年，他开始担任当时天主教在中国南方的最高学府——震旦学院校长，兼哲学教授。

1908年，李杕将《名理学》译为中文，后付梓刊行。该书原著者不详，它是李杕所译《哲学提纲》一书的第一部分。关于《哲学提纲》，李杕在该书《序》中写道："杕授学震旦学院，已三载于兹。译哲学之要纲，佐诸生之记诵。书既成，饬即排印问

67

---

① 严复：《原强修订稿》，卢云昆编选：《社会剧变与规范重建——严复文选》，上海远东出版社1996年版，第32页。

② ［英］约翰·穆勒著，严复译：《穆勒名学》，商务印书馆1981年版，第2页。

③ 高瑞泉主编：《中国近代社会思潮》，华东师范大学出版社1996年版，第471页。

世，以供同好之诸君"①。

作为《哲学提纲》一书的第一部分，《名理学》包括三卷七章，约三万三千字。第一卷思想之例，包括三章，讲述思想的三种形式——"简意"（概念）、"判断"和"推想"（推理）。第二卷辩理之据，包括三章，所讲内容基本上属于认识论范畴。该部分分量颇大，几乎占《名理学》全书三分之一篇幅。第三卷布置之法，讲论辩或为文的结构安排。

《名理学》一书具有如下显著特点：

第一，明确强调逻辑知识的应用价值。书中指出，哲学是一门包罗万象的学问，涵盖七科：名理学、原物学、天宇学、生理学、灵性学、原神学和伦理学。名理学位居群科之首，至于其作用，李杕在《哲学提纲·序》中这样指出："名理学，导人思路，俾立意措辞，均不入于歧误。"②在《名理学》一书正文中，李杕又曾结合逻辑与哲学的关系进一步指出："名理学授推想之法，知其法，始无误会之虞。故从事哲学，当以名理为初阶"③。换言之，名理学是研究推理的学问，研习哲学者当以其为第一步。

第二，逻辑术语的翻译，除个别地方比《辨学启蒙》有所发展之外，整体上依然含混不清，距离今译较远。这种状况的存在，势必影响到受众对传播信息的准确理解。下表显示的即是《名理学》一书中部分逻辑术语的翻译：

李杕译	今译	李杕译	今译
张度	外延	活凑	假言判断
容度	内涵	并凑	联言判断

①② 李杕译：《哲学提纲·序》，土山湾印书馆 1916 年版，第 4、1 页。

③ 李杕译：《哲学提纲·名理学》，土山湾印书馆 1916 年版，第 6 页。

续表

李杕译	今译	李杕译	今译
界说	定义	间凑	选言判断
单简断	性质判断	比较凑	关系判断
凑合断	复合判断	总意从辞	全称肯定判断
总意违辞	全称否定判断	对反	反对关系
分意从辞	特称肯定判断	平反	下反对关系
分意违辞	特称否定判断	径反	矛盾关系
属反	差等关系	引征法推想	三段论
顺推	演绎推理	活凑推想	假言推理
逆推	归纳推理	间凑推想	选言推理
并凑推想	联言推理	贯穿法推想	连锁三段论
夹攻法推想	二难推理	引征法推想之像	三段论的格

69

当然，李杕在翻译《名理学》的过程中，在一些逻辑术语后附有拉丁文，这在一定程度上是有助于读者理解译作者所要传达的讯信的。

总之，当西方逻辑在中国近代时期的传播进入中期第一阶段的时候，传播主体的构成方面除了严复、传教士以及教徒之外，又增加了一些其他学人，如留日学生。其中，以严复和留日学生为代表的中国知识分子已经形成传播主体中的主导力量。特别是留日学生，他们的出现为传播西方逻辑注入了大量新鲜血液，送来了阵阵清风——中国学者在传播西方逻辑方面可以充分借鉴日本学术界的相关成果，包括语言和内容两个层面。在传播的讯息方面，这一时期《穆勒名学》和《名学浅说》的翻译出版，使得比较清晰、完整的西方逻辑知识体系开始出现在学术界、教育界，而《普通应用论理学》一书的刊行，则标志着中国学人自己撰著逻辑著作、传播西方逻辑的新时代已经到来。当然，我们亦要看到在这一时期的西方逻辑传播过程中，传播者对待归纳与演绎关系的看法并非整齐划一，轻视演绎、偏重归纳的苗头已经出现，例如严复。在具体传播方式方面，这一时期学人的工作表现得更加灵活多样，例如国内、国外并举，创办专门的逻辑组织、翻译、编撰逻辑著作。

第三节　中期传播（下）

1911 年辛亥革命的爆发，虽然推翻了清王朝的封建专制统治，但中国社会的面貌并未因此而焕然一新。袁世凯称帝、张勋复辟等社会现实表明，"立宪政治而不出于多数国民之自觉，多数国民之自动"是难以成功的[①]。正是基于这种认识，以陈独秀、李大钊等为代表的知识分子掀起了一场以国民性改造为主要目的的新文化运动。1915 年，在《青年杂志》的创刊宣言中，陈独秀公开而明确地宣称，本刊宗旨是"以科学与人权并重"，反对专制，提倡民主、科学。1919 年"五四"运动的到来，更把这场思想启蒙运动推至顶峰，科学和民主的呼声激荡着整个中国。

在上述历史背景下，西方逻辑在中国的传播开始了新的阶段——中期第二阶段。中期第二阶段的时限划分，上起 1915 年，下至 1925 年。在这一阶段，传播的讯息包括传统逻辑和现代逻辑。其中，现代逻辑的传播主体除了著名的数理逻辑学家罗素，

---

① 参见陈独秀：《吾人最后之觉悟》，《陈独秀文章选编》，生活·读书·新知三联书店 1984 年版，第 108 页。

还包括博种孙、张邦铭等中国学者。在传统逻辑的传播方面，中国学者继续编撰相关著作，并创作了中国历史上第一本大学逻辑教学用书。另外，"试验论理学"在这一阶段的传入，在某种意义上构成了西方逻辑在中国近代时期传播历程中的第一道障碍。

一、现代逻辑的传播

现代逻辑即数理逻辑，亦称符号逻辑，它是亚氏逻辑发展的现代形态，主要内容包括一阶逻辑、模型论、公理集合论、递归论和证明论等。1908 年，在王国维翻译的《辨学》一书中已经包含了一些现代逻辑内容，[①] 不过仅为一鳞半爪，未能引起当时学术界的关注，因此亦就很快淹没于传统逻辑的传播当中。1915 年后，随着新文化运动的蓬勃发展，在"德先生"、"赛先生"的呼唤声中，现代逻辑的有关知识再次被介绍到中国学术界。

（一）报刊文章介绍

罗素（Bertrand Russell，1872—1970）是 20 世纪英国著名的哲学家、思想家、逻辑学家和著作家。The Principles of Mathematics[②] 和 Principia Mathematica[③]（合著）两部著作奠定了他在现代逻辑发展史上的地位。在新文化运动中，罗素及其逻辑成就开始被中国的知识界所逐渐了解。

1919 年，罗素的一些著作已经在国内的报刊上被译载或介绍。其中，北京大学张崧年曾经撰写三篇罗素传略：《新青年》第 6 卷第 3 号上《男女问题》一文后所附的罗素简介，《新青年》第 7 卷第 1 号上《独立精神宣言》（译文）之后所附的罗素介绍，

71

---

① 参见［英］耶方斯著，王国维译：《辨学》，生活·读书·新知三联书店 1959 年版，第 345—357 页。
② 即《数学的原则》。
③ 即《数学原理》。

以及 12 月 1 日《晨报》发表的文章《志罗素》。[①] 通过这些文章，张崧年介绍了罗素为了和平与进步事业而奋斗的业绩，以及他十余部著作之梗概，其中包括《论几何学的基础》、《数学原理》、《哲学论文集》、《哲学中的科学方法》以及《数理哲学导论》等。

　　1920 年 10 月，在罗素访华前夕，张申府（即张崧年）又于《新青年》第 8 卷第 2 号发表《罗素》一文。其中写道："罗素（Bertrand Russell）是现代世界至极伟大的数理哲学家，是于近世在科学思想的发展上开一新时期的一种最高妙的新学（即数理逻辑（名学），也叫记号逻辑或逻辑斯谛科 Logistic）很有创发而且集大成的。"[②] 这里，张申府对数理逻辑的历史地位做了充分肯定，并且指明罗素的"创发而且集大成"地位。关于罗素的逻辑成就所产生的社会影响，张申府介绍了一个实例："千九百十五年初夏，罗素从纽约哥伦比亚大学受头一回的巴特洛金奖牌。这个奖牌五年发一次，专送给在前五年内不拘世界什么地方的人对于哲学或对于教育学说或实际，做出了最卓异的贡献的。这第一个送给罗素便是因为他对于逻辑学说的贡献。"[③] 在文章的最后，作者专门注明"一九二〇，九月十二。罗素要到'中国'的正前一月。"可以说，张崧年在《罗素》一文中对数理逻辑的历史地位、和罗素之关系、社会影响等内容的介绍，为现代逻辑在中国的进一步传播揭开了序幕。

　　除张崧年之外，王星拱亦于 1920 年 11 月在《新青年》第 8 卷第 3 号上撰写文章，介绍罗素的逻辑思想，文章标题是《罗素

---

　　①　此文后来又附上《罗素著作目录》，转载于《新青年》第 8 卷第 3 号和《东方杂志》第 17 卷第 18 号。

　　②③　张申府：《罗素》，张申府著译：《罗素哲学译述集》，教育科学出版社 1989 年版，第 31、36 页。

的逻辑和宇宙观之概说》。当然，这时罗素已经抵达中国。

（二）讲演逻辑知识

1920 年 10 月 12 日，应梁启超所办"学术讲演会"和北京大学的联合邀请，罗素偕同勃拉克抵达上海。其后，从该年 11 月到次年 3 月，罗素在北京大学举行了五个系列讲座："哲学问题"、"心的分析"、"物的分析"、"社会结构学"和"数学逻辑"。[①]

关于"数学逻辑"，罗素就这一课题做了两场讲演，主要介绍一些基本知识。其中，关于普通数学与数学逻辑的区别，罗素指出，它们的展开方向恰好相反：普通数学是向前展开，即从一些简单的命题中推出尽可能多的命题；数学逻辑则向后展开，即追溯数学命题的源头，寻求普通数学由以推导的最初几个简单命题。他一再强调，"纯粹数学可以从几个公理或假定中推出它的全部来"[②]。如果找到了这样一种推导工具，那亦就意味着，假如人们在哲学中能够寻找出那么"几个公理"，便可以推导出全部"科学的哲学"。

在讲演中，罗素还介绍了数学逻辑中所使用的一些符号，例如"p"、"q"、"r"表示"命题函件"，"⊃"表示"包含"，"/"表示"不相容"、"→"表示"非"，"Df"表示"定义"，"∨"表示"或者"。在此基础上，罗素举例说明数学逻辑中六个最基本的推论原理及其符号表达式，传统逻辑中矛盾律、排中律、三段论的符号表示，类的逻辑关系及其符号表示，以及数学逻辑中的互换定律、联合定律、分配定律等。

---

① "Mathematic Logic"当时译作"数学逻辑"。

② 《罗素及勃拉克讲演集·数学逻辑》，唯一日报社 1921 年版，转引自冯崇义：《罗素与中国：西方思想在中国的一次经历》，生活·读书·新知三联书店 1994 年版，第 132 页。

可以看出，罗素的讲演主要向中国知识界介绍了有关命题演算、逻辑代数的简单知识。尽管如此，它们毕竟出自一位在数理逻辑发展史上处于集大成地位的西方学者之口，这就在一定意义上诱发、刺激了中国知识界对于现代逻辑的兴趣。事实上，中国学术界并未因 1921 年 7 月罗素离开中国而使数理逻辑亦随之而去，一些知识分子从此开始了学习、传播现代逻辑的新的历程。

（三）出版逻辑译著

1920 年 11 月到 1921 年 3 月，罗素应邀在北京大学做了五个系列演讲，由赵元任担任翻译。其中，1921 年 3 月所作有关"数学逻辑"的讲演内容经吴范寰记录、整理，由北京大学新知出版社以《数学逻辑》为名于同一年出版。

74

1922 年，罗素的 Introduction to Mathematical Philosophy 一书经博种孙、张邦铭翻译，由商务印书馆出版，书名《罗素算理哲学》。该书是中国第一本汉译数理逻辑著作，1924 年再版，1930 年又作为世界名著重印，书名改为《算理哲学》。在这本书中，罗素通俗地讲述了数理逻辑的主要成果及其数理哲学观点。

《罗素算理哲学》一书共 18 章，包括"自然数绪"、"数之界说"、"有穷与算学归纳法"、"顺序之界说"、"各种关系"、"关系之相似"、"有尽数，实数，及复素数"、"无穷基数"、"无穷绪及无穷序数"、"极限与连续""从元之极限及连续"、"抡选法及相乘公理"、"无穷公理及逻辑的范畴"、"不两立性及演绎法理论"、"命题从元"、"摹述"、"类"以及"算学与逻辑"。[①] 关于数理逻辑在该书中的介绍情况，《著者原序》中指出："算理逻辑的前部不如以后各部明了确定，但哲学的兴味至少是一样的"，"我们将算理逻辑主要的结果，用一种形式简短地叙述出来，使

---

① 参见［英］罗素著，博种孙、张邦铭译：《罗素算理哲学》一书"目录"，商务印书馆 1924 年版。

没有算学知识且不通算学符号的人都可解可读"①。不难看出，罗素在书中对数理逻辑知识的介绍并非独立进行，而是密切结合了哲学。

另一方面，在《罗素算理哲学》一书中，原作者又格外重视数理逻辑作用之说明，并且其说明方式又强烈吸引着"感到充分的兴趣"的读者去进一步研习该门科学。在《著者原序》的开头，作者指出："这本书的要旨是在做人们的引导，对于所研究的问题并不求论到详尽无余的地步。有些结果，向来只有深通逻辑符号的人才能利用的。""算理逻辑与哲学的密切，于此可见，此外他还与哲学上未决的问题有些关系。"②在《著者原序》的结尾，罗素更是直接说明《罗素算理哲学》一书对于逻辑的介绍情况，鼓励后学继续研究。他说："若从研究的前途着眼，方法较之结果尤为重要；而照本书的结构，方法却不能详细地解释。希望读者中有些感到充分的兴趣，更进一步去研究方法，知道算理逻辑怎样才能有助于旧的哲学问题的研究。这是本书所不曾论到的。"③

此外，在《罗素算理哲学》一书的篇末附有"中英名词对照表"，这在客观上为受传者理解、接受数理逻辑这门新学科创造了便利条件。其中，一些逻辑术语的翻译比较接近或完全等同于今天的翻译，例如：结合定律（Associative law），公理（Axioms），类、团（classes），交换定律（Commutative law），不变项、常项（Constonts），逆（关系）（Converse），摹述（Descriptions），分配定律（Distributive Law），关系界（Domain），等价（Equivalence），对称关系（Relations, symmetrical），传递关系（Relations, transitive），变项（Variables），真伪价

75

①②③　［英］罗素著，博种孙、张邦铭译：《罗素算理哲学·著者原序》，商务印书馆1924年版，第2页。

(Truth-value)，主词（Subject），等等。

在中期第二阶段，现代逻辑的传播除了以上方式之外，还有一些中国学者远涉重洋，抵达国外进行学习、研究。1919年，汪奠基在北京大学肄业，次年赴法国勤工俭学。其间，他先后在巴黎大学、里昂大学学习数理逻辑和哲学。1922年，金岳霖到英国伦敦进修和从事研究。其间，他曾对罗素的《数学原理》一书进行了认真研读。

二、传统逻辑的传播

传统逻辑在中期第二阶段的传播主要通过以下三种方式：第一，期刊发表论文。例如，1923年《民锋》第2卷第5期发表《关于论理学的名著介绍》一文；1925年，彭基相又于该刊第6卷第1期撰写《鲍桑葵与逻辑》一文。第二，出版有关逻辑译著。1921年，弗培杰翻译的美国学者克契门所著《辩论术之实习与原理》一书由商务印书馆刊布。1924年，商务印书馆又出版了《论理学上之研究爱因斯坦氏相对论及其批评》一书，原作者系德国学者杜界馆，由张君劢翻译。1925年，日本学者高山林次郎所著《论理学纲要》一书，经李信臣翻译，亦由商务印书馆出版。该书曾是当时日本大学里相当流行的逻辑教科书。第三，中国学者自著逻辑著作。1915年，刘世杰纂辑的《辩学讲义详解》一书自印出版。1916年，姚建所著的《论理学》一书由中华书局出版。1917年，蒋维乔所著的《论理学讲义》，1918年，韩述祖所著的《论理学讲义》，二书亦先后出版。1925年，屠孝实所著的《名学纲要》、王振瑄所著的《论理学》以及王炽昌所著的《论理学》分别出版。

屠孝实（1893—1932），日本早稻田大学文科毕业，回国后曾任北京大学、武汉大学等学校哲学系教授。其所著《名学纲要》一书，1925年1月由上海中华学艺社出版、商务印书馆发行，后几经再版，是中国 20 世纪 20 年代"最早的一本大学教学用书"，亦可谓中国历史上"第一本传统逻辑的大学教学用书"①。1960 年，《名学纲要》作为"逻辑丛刊"11 本著作之一由生活·读书·新知三联书店再版。编辑在《出版说明》中指出："这本书是过去中国人写的逻辑教科书中比较好的一本。内容较浅显，文字也简明。"②

王振瑄，曾于北京女子高级师范学校教授逻辑学课。1925 年 8 月，其所著《论理学》一书由上海商务印书馆刊布。关于该书，作者在《编辑大意》中有这样一段说明："本书系按照新学制高级中学程度而编。故内容及体裁，较之从来师范教科所用者，均有差异。而叙述方法，则力求浅显周到。"③

属孝实《名学纲要》和王振瑄《论理学》两书的出版，在一定意义上反映出当时中国学者在传播传统逻辑方面的一些情况。

（一）现代逻辑对传统逻辑传播的影响

在《名学纲要》中，属孝实有关于形式逻辑中特称命题主项含义的解释。他指出："据形式名学之解释，偏谓判断（即特称判断——引注）之主位，并非仅指一部分，乃至少亦有一部分之意。例如'有人忧'之判断，自常义求之，此仅为一部分之人；忧者有人，而人有不忧者之意，乃隐然见于言外，而相为表里。是诚然矣；顾在形式名学，则其意特漠然浑言夫人之有忧者耳。人有忧者虽可知，至所确知其忧者以外之人，忧乎？抑不忧乎？则非所断言也。又所谓有人者，其人为何部分之人乎？亦非所断言也。约言之，有人忧者，其意只以言忧者之有人，至于人之忧

77

① 参见李匡武主编：《中国逻辑史·现代卷》，甘肃人民出版社 1989 年版，第 31 页。

② 属孝实：《名学纲要·出版说明》，生活·读书·新知三联书店 1960 年版，第 1 页。

③ 王振瑄：《论理学·编辑大意》，商务印书馆 1932 年版。

者究有几何，则非所问；故无论为尽人皆忧，抑仅有一人含忧，以'有人忧'言，举无误处。盖立言之意，固为最少亦须有忧者之人存焉故耳。"① 在这里，作者首先指出逻辑上的"有"是至少有一部分之含义，并非仅指一部分。接着，他结合实例详细解释了逻辑中对"有人忧"这一判断之理解——"只以言忧者之有人，至于人之忧者究有几何，则非所问。"显然，作者在这里是运用了数理逻辑的知识，来说明特称量项在逻辑上仅表示"存在"这一性质，而并不确指数量上的一部分。作为中国历史上第一本传统逻辑的大学教学用书，屠孝实的《名学纲要》首开运用数理逻辑知识指导传统逻辑研究、传播之先河，这无疑为其后中国学者传播、研究逻辑知识开辟了新的方向。

另外需要指出的是，屠孝实在上引例子中还分析了汉语习惯中"有"一词的含义与逻辑上"有"的区别："自常义求之，此仅为一部分之人；忧者有人，而人有不忧者之意，乃隐然见于言外，而相为表里。是诚然矣。"结合民族的语言习惯来讲解逻辑，指出二者之间的一致和不一致，这亦应当说是前贤在传播逻辑方面留给后人的成功经验。

（二）逻辑学性质和基本规律的探讨

近代时期中国学者在传播逻辑过程中所讨论的问题涉及诸多方面，其中，对于逻辑学性质（对象、范围、目的、任务、作用等）和基本规律的探讨，反映着传播者对该门学科的具体认识水平、掌握程度乃至研究特点。同时，他们关于这些问题的看法亦会影响到受众的行为态度。

关于逻辑学的性质，屠孝实在《名学纲要》中指出："科学中有专究思维之体用，推其变化，考其符验，以明为为学之途

---

① 屠孝实:《名学纲要》，生活·读书·新知三联书店 1960 年版，第45页。

术，示禁防之常例者，是为名学。……通称论理学"①。"名学者，为求诚之故，研究思维之形式及法则，兼以示为学之途径者也。"②名学为研究规范法则之科学，"以达真为其鹄"③。这里，屠孝实认为逻辑学是研究思维形式及其法则之学，既是学又是术，属于以"达真"为目的之规范科学。在《论理学》一书中，王振瑄对逻辑学的性质亦曾有所论述。他认为："将欲使思考成为论理的，自必遵守一定之规律。此种规律，系论理的思考所当循由之形式的法则，故称为思考之规范的法则（the normative law of thought）。而研究此规范的法则，实为论理学之任务。故论理学之定义，简单言之，可曰思考之科学。再进而详释之，则为研究思考作用之形式及法则，而为获得正确的知识起见，以论定必当遵守之规范为目的之科学也。"④ "论理学则系研究欲达到真之标准时所当遵守之法则者也。"⑤它"以真伪为中心问题"⑥。

　　可以看出，关于逻辑学的性质，屠、王二人首先定位于研究思维的形式及其法则，并认为是规范科学。屠孝实又明确指出："兼以示为学之途径者也。"其目的是保证认识求真。应当说，这样的认识反映了当时"古典论理学家"（林仲达语）的一般主张，并且在今天的传统逻辑教材中亦不乏此种观点。另外还有一点值得注意，王振瑄明确提出"论理的思考"这一概念。什么是论理的思考？他的解释是："唯吾人思考作用，不仅限于实用的方面；此外如明了的正确的知识，须以何法获得之，整理之，即所谓理论的方面，尤为必要。思考作用之属于理论的方面者，谓之论理的思考（Logical thought）。"⑦ "论理的思考"这一概念的提出，在一定意义上体现了传播者对受众逻辑意识培养的重视和追求，是

---

　　①②③　屠孝实：《名学纲要》，生活·读书·新知三联书店1960年版，第4、5、7页。

　　④⑤⑥⑦　王振瑄：《论理学》，商务印书馆1932年版，第1—2、3、4、1页。

对"吾国逻辑之学，素不发达，思想笼统，成为心习"① 这一状况的直接反动和校正。

当然，"论理学之定义，简单言之，可曰思考之科学"。"论理学则以真伪为中心问题。""论理学则系研究欲达到真之标准时所当遵守之法则者也。"这些提法在某种程度上有欠妥之虞，容易引起受传者的误解。事实上，后来的"综合逻辑"派、"辩证逻辑"派之所以对形式逻辑进行批评，究其原因与此不无关系。

关于逻辑基本规律，屠孝实称之为"思想之原则"，王振瑄称之为"思考之原理"。这些表述严格说来是不准确的，它们反映出近代时期中国学者对形式逻辑认识的局限和不足。当然，这种局限与不足，更为直接的表现乃在于他们对逻辑基本规律的具体理解和表述方面。例如，关于同一律屠孝实曾经指出："此律可以'甲为甲'之式表之。据普通解释，一物即一物，非他物，一事即一事，非他事；凡物皆有其所以然，因其所以然而然之，物莫不皆然；……重言之，即在思维之中，不得不认各物为自有其品德；同一之物，在同一情况之下，应保持同一之内容是已。……且'甲为甲'之一式，不仅谓'甲即为甲'而已，其实兼含'甲为乙而仍不失为甲'之意在内"②，"同一之物，在同一情况之下，应保持同一之内容"，这是把主观认识规律（关于思维形式之规律）混同于客观事物之存在状况。"甲为甲"这一公式"其实兼含'甲为乙而仍不失为甲'之意在内"，则更是对形式逻辑同一律的严重误解——同一律仅仅涉及思维中的"甲"与自身的关系，根本不涉及甲与其他事物的关系。王振瑄对同一律的理解亦存在着偏差。他在《论理学》一书中指出："于一定思考之对象上，将其某种本质固执之，而承认其无所变化，是则同

---

① 郭斌和：《严几道》，《国风月刊》第 8 卷第 6 期。

② 屠孝实：《名学纲要》，生活·读书·新知三联书店 1960 年版，第 17 页。

一律之所由存在也。"① 这种理解，至少存在着认为同一律是否认事物发展、变化之嫌。

除了同一律之外，屠、王二人关于矛盾律、排中律的一些观点亦反映出近代时期中国学者在这些问题上存在着理解错误或不足。例如，屠孝实认为："矛盾律（Law of contradiction）。矛盾云者，然与不然，不能兼备于一物之谓也（Nothing can both be and not be.）。此律……可以'甲不得兼为甲与非甲'试表之。……其意若曰：'无论何物，在同时同地，决不得兼具自相矛盾之两种性质'"②。这里，除了存在将逻辑基本规律视为客观规律之误外，还存在否认事物矛盾（客观矛盾）存在之不足。至于排中律，屠孝实又指出："拒中律（Law of excluded middle）。拒中云者，然与不然，必居其一之谓（Everything must either be or not be.），其式可以'甲或为乙或为非乙'表之……盖中立与犹豫同，既不足以明示一意，自难成其为判断也。"③ 这里，一方面把矛盾律的要求混入了排中律之中，另一方面把排中律误认为是否定事物中间状态和不明确表态的规律。其中，后者犯了望文生义之忌，简单地根据字面去解释"拒中律"之"拒中"。

三、"试验论理学"④ 的传入

严格地讲，"试验论理学"并不属于本书所谓的"西方逻辑"，但是由于它在中国近代时期的介绍直接影响到本书所谓的西方逻辑传播，加之近代时期许多中国学者均视试验逻辑为另外一种西方逻辑，所以，这里简要地介绍它在中国的传入情况。

---

① 王振瑄：《论理学》，商务印书馆 1932 年版，第 15 页。

②③ 屠孝实：《名学纲要》，生活·读书·新知三联书店，1960 年版，第 18、19 页。

④ "试验论理学"亦称"实验论理学"，"实验逻辑"或"试验逻辑"。

　　1919 年 5 月 1 日，美国现代哲学家杜威（John Dewey，1859—1952）来华讲学。在随后的两年多时间里，他主要向中国学术界介绍了实用主义的哲学理论及其方法——"实验论理学"。事实上，在杜威来华之前，胡适于 1919 年 4 月在《新青年》发表《实验主义》[①] 一文。该文在介绍杜威哲学思想的过程中，已经涉及"试验论理学"。1921 年，胡适又在《东方杂志》第 18 卷第 13 号发表《杜威先生与中国》一文，其中着重介绍了实验主义的哲学方法——"试验论理学"。

　　"试验论理学"的性质究竟是什么？回答这个问题需要具体分析试验论理学的研究对象以及基本内容。杜威在"试验论理学"的演讲中指出："论理学是研究思想的，而这种思想是求正确知识不可少的工具，也是避去荒诞谬误知识不可少的工具。""论理学要研究思想的好丑。不但要研究思想好丑，并且要研究方法好丑。不但研究思想，还要能操纵思想，叫他必须正确不致谬误。"[②] "试验论理学"对思想的研究主要体现在其关于思想历程和思想阶段的说明上。杜威指出，思想历程即"从思想怎样发生以后，怎样筹划，怎样经过，一直到了怎样结果。……这可分为三段次序：（一）原因。（二）经过的阶段。（三）结论。"[③] 他还进一步把思想历程划分为五个阶段：困难、臆想、比较、决断和实行。这五个阶段就是所谓的"试验论理学"五步法，它们构成了"试验论理学"的核心与主要标志。从杜威的上述介绍可以看出，五步法实际上乃是认识从产生到发展，再到结果，最后是结果之验证，这是对认识过程的考察，因此属于认识论范畴。这样，根据研究对象和基本内容的分析，就可以判定"试验论理

---

　　① 参见胡适：《实验主义》，《新青年》第 6 卷第 4 号。

　　②③ ［美］杜威演讲，刘伯明译：《试验论理学》，泰东图书馆 1920 年版，第 2、13 页。

学"的基本性质应该属于哲学（认识论）。

"试验论理学"的基本性质是哲学，而一方面杜威称其为"论理学"，另一方面中国近代时期的不少学者亦持同样的观点。那么，它和形式逻辑的具体关系究竟如何呢？

（一）"试验论理学"并非完全排斥、否定形式逻辑

从对"试验论理学"的具体介绍来看，杜威除了直接说明思想历程的五个步骤，还从逻辑方法上对五个步骤予以分析，进而提出了逻辑方法上的三种历程："（一）归纳的历程——作出具体的事实，作为研究的资料。（二）演绎的历程——应用原理原则，解释事实。（三）证实的历程——把原理、原则，应用到事实上去以后，看有什么关系。"① 这样，在杜威看来，思想的历程其实亦就是运用归纳、演绎和证实的过程。其中关于"证实的历程"，他的解释至少亦包含有演绎思想在内。

（二）"试验论理学"和形式逻辑之间存在明显差异

"试验论理学"的基本性质是认识论，属于哲学范畴，而形式逻辑则不然，它的研究对象是思维的逻辑形式及其基本规律。此外，杜威本人曾就二者关系所作的一些说明，亦显示出"试验论理学"与形式逻辑之间存在明显差异。杜威指出："法式论理学派——仅仅研究形式，偏于思想之规范的法则，不问后来的结论对不对。我们可以叫做'法式论理学'。"② "……我们从论理学史科学方法史上看起来，可以晓得亚里士多德（Aristotle）的论理方法，不过是一种形式的法则。他虽能证明已有的事实——证明已有的事实从亚里士多德始——而对于未有的事实还没有能够发现。"③ 有鉴于形式逻辑的上述"缺陷"，杜威提出试验论理

---

①②③　［美］杜威演讲，刘伯明译：《试验论理学》，泰东图书馆 1920 年版，第31、3 页。

学"不但要注重形式，并且要注重实质"①。郭湛波在《论理学十六讲》一书中亦曾指出，杜威提倡的实验论理学"重思想之实质，而轻思想形式的法则"②。"实验论理学的中心点，就是以为论理学是研究思想实际问题，不是法式的问题。"③胡适则更直言："杜威先生的逻辑也可以叫做实验的逻辑，工具的逻辑，历史的逻辑。……这种逻辑，先注重来源；有来源，有出路，有归宿；根据人生，应付环境，改变环境，创造智慧。……把形式去掉，来解决问题；拿发生困难作来源，拿解决问题作归宿，这是新的逻辑。"④

　　总之，经由杜威、胡适介绍到中国学术界的"试验论理学"，严格地讲只是一种哲学认识论。尽管"五步法"中逻辑方法运用之透视，在一定意义上体现出"试验论理学"的逻辑性，但这是次要的，从属于"试验论理学"的哲学认识论性质。"试验论理学"在中国近代时期的传播，在一定程度上分散了学术界对于形式逻辑的注意力，影响到不少学者的逻辑观。这种情况的出现，对于缺乏形式逻辑传统的中国文化之发展而言绝非幸事。当然，事物总是辩证的。在看到"试验论理学"的传播对于形式逻辑传播具有消极影响的同时，我们又要承认其逻辑性的一面在一定意义上又有助于促进受传者对形式逻辑知识的学习。"试验论理学"的逻辑性和非逻辑性并存这一事实影响到中国学术界，一个直接产品便是"综合逻辑"之诞生。

84

---

① ［美］杜威演讲，刘伯明译：《试验论理学》，泰东图书馆1920年版，第3页。

②③ 郭湛波：《论理学十六讲》，中华印书局1933年版，第23、48页。

④ 胡适：《研究国故的方法》，《东方杂志》第18卷第16期。

第四节　晚期传播（上）

从 1925 年到 1949 年，这是中国近代时期西方逻辑传播的最后一个历史阶段——晚期传播。晚期传播又可进一步划分为晚期第一阶段和晚期第二阶段。其中，晚期第一阶段的时限确定，上起 1925 年，下至 1940 年。之所以把 1925 年作为西方逻辑在中国近代时期传播历程上的一个分水岭，主要是因为这一年出版了陈显文的《名学通论》一书。根据现有文献资料，《名学通论》是"试验论理学"介绍到中国之后，由中国学者自己编撰的、最早论及该类论理学的逻辑著作。《名学通论》和其他同类著作的出版发行，构成了西方逻辑在中国近代时期传播历程上的首次劫难——逻辑的学科独立性开始受到部分中国学者怀疑、甚至否定，人们的逻辑观念逐渐变得混乱、模糊。从 1925 年到 1940 年，这是西方逻辑在中国近代传播历程中非同寻常的一段历史时期。其间，既有围绕形式逻辑的批评和反批评又有数理逻辑的传播获得长足进展，以及在这两个因素影响下，传统逻辑之传播情况日益复杂、多样。

一、关于形式逻辑的批评

中国近代时期关于形式逻辑的批评，直接缘起于传入国内的所谓其他"逻辑"。关于形式逻辑的批评，前后经历了分别以"试验论理学"和"辩证逻辑"[①] 为参照系的两个历史阶段。

（一）以"试验论理学"为参照系的批评

"试验论理学"经过杜威和胡适的介绍传入中国，最初它几

---

① 本书按照当时的理解，在等同于辩证法的意义下使用"辩证逻辑"这一概念。

乎没有产生任何影响。一直到了 20 世纪 20 年代中期，它才开始在少数逻辑著作中被人们提及。亦就是说，从 20 世纪 20 代中期开始，"试验论理学"对中国学术界的影响逐渐明显起来。根据现有的文献资料，最早论及"试验论理学"的是 1925 年陈显文所著《名学通论》一书。这是一本主要研究中国古代名辩学的著作，其中在介绍"试验论理学"五步法的同时，对形式逻辑进行了批评。书中指出："西洋的形式论理学早已不适用了，而学校里的课本仍是形式论理学。"① 至于为何形式逻辑"早已不适用"，陈显文的解释是："逻辑的意义最广，大概说来，可分三种：（一）就最广的意义来说，凡一种思想可以达到结论就是逻辑，至结论之是否，并不过问。（二）就最狭的意义来说，逻辑是仅限于根据已经证明或未证自明的前提而得的结论，就如数学逻辑与形式逻辑一类。（三）以上两种意义，一则失之太泛，一则失之太狭，都不切于实用，于是又有一派人以为逻辑就是有系统的考虑，谨惧严密，务使思想在当前状况之下，发生圆满的效果而后可，故可说逻辑就是用人工泡（炮）制出来的思想。"② 可以看出，陈显文在这里是以"试验论理学"为参照系去批评他所谓"失之太狭"、"不切于实用"的数理逻辑与传统逻辑。陈显文对于"试验论理学"的赞美，在《名学通论》的另一处有明确表述：试验论理学"在今天看来最圆满，对于科学、哲学都有极大的帮助，对于普通人生亦有极大的贡献……"③

陈显文在《名学通论》中立足"试验论理学"对于形式逻辑的批评，反映了西方逻辑在近代中国传播过程中遭到首次冲击——来自于"试验论理学"的，并且这种冲击随着"试验论理学"传播主体的逐渐增多而呈发展、扩大之势。

①②③ 陈显文：《名学通论》，周云之主编：《中国逻辑史资料选》（现代卷下），甘肃人民出版社 1991 年版，第 60、68、86 页。

86

1926 年，吴俊升的《论理学概论》一书出版，这是"我国最早用试验论理学来综合传统逻辑的著作"[1]。在该书中，吴俊升认为逻辑只是"整齐好玩"，与实际思想并无助益。他说："……形式的论理，在理论上和实用上，不免有许多困难：第一，思想属于心理现象之一，而心理现象是千变万化的，有弹性的，不比物理现象的确定 Definite 和划一 Uniform，所以有些人，以为思想的法则根本是不可能的。第二，即是承认思想的形式法则是可能的，而形式离实质而自成关系，其结果必至'玄之又玄'，不能回到思想的实质，这是形式论理学事实上已经发现的困难。……这样的论理学，至多不过和精深的数学一样，自成一种系统，整齐好玩，要求其能有裨于实际的思想，是不可能的。第三，形式并不是实质的很忠实的代表，实质是特殊的、个别的；形式是共通的、普遍的；用形式代表实质，必然要埋没实质的个性，往往因此而发生谬误。"[2] 1928 年，江恒源的《论理学大意》一书由上海大东书局出版。在这本书中，作者主要介绍了试验论理学的内容、方法，几乎没有论及传统逻辑。从一定意义上，《论理学大意》一书可以视为 1920 年泰东图书馆出版的《试验论理学》之"新版"。从全书的目录设置，到具体内容的详细阐述，它向读者传达了这样的信息：至少江恒源在这里把"论理学"主要界定为"试验论理学"，而这可以说是对传统形式逻辑和数理逻辑的直接否定。同一年，即 1928 年，朱兆萃所著《论理学 ABC》一书由 ABC 丛书出版社出版，世界书局印行。在这本著作中，朱兆萃这样写道："试验论理学是一种新创的科学方法，善于解决疑难问题。""试验论理上的判断，较归纳推理

---

① 参见李匡武主编：《中国逻辑史》（现代卷），甘肃人民出版社 1989 年版，第 85 页。

② 吴俊升：《论理学概论》，中华书局 1926 年版，第 4—5 页。

为审慎",其可"下得无个人成见、个人好恶的结论"。①

总之,"试验论理学"在国内的介绍,使得部分学者的逻辑观发生了变化——从一元走向多元,由清晰变得模糊乃至错误。他们立足既要重视形式又要重视内容,抑或重视内容的立场来评议甚或否定形式逻辑,这在客观上对西方逻辑的继续传播产生了阻碍作用。

(二)以"辩证逻辑"为参照系的批评

1929 年,许兴凯在《民锋》杂志发表《"演绎法"、"归纳法"与"辩证法的唯物论"》一文,其中指出"演绎法和归纳法有一个共同的错误,都是静止的、固定的、独立的、绝对的方法观察一切自然和社会的现象,……"② 根据现有资料,这是中国近代时期以"辩证逻辑"(即辩证法)为参照系对形式逻辑进行批评的最早文献,因为"静止的、固定的、独立的、绝对的方法"之反面即为"运动的、发展的、联系的方法"。关于这种批评,郭湛波在《辩证法研究》一书中曾有更加明确的说明。他指出:"辩证法是从动的、发展上观察事物。……这两个法则(指同一律、矛盾律——引注)是形式逻辑的根本法则,不易的真理。但从辩证法的立场来观察,这两个法则根本不对,因为同一律、矛盾律,必在事物固定不变之下,才能适用……"③ 后来,亦英、李石岑、章衣萍等学者的加入,遂使这股思潮逐渐流行起来。

从 1933 年到 1936 年,以"辩证逻辑"为参照系对形式逻辑进行批评的学术思潮进入巅峰阶段。其中一个重要表现,就是批

---

① 朱兆萃:《论理学 ABC》,李匡武主编:《中国逻辑史》(现代卷),甘肃人民出版社 1989 年版,第 86 页。

② 许兴凯:《"演绎法"、"归纳法"与"辩证法的唯物论"》,《民锋》第 10 卷。

③ 郭湛波:《辩证法研究》,周云之主编:《中国逻辑史资料选》(现代卷上),甘肃人民出版社 1991 年版,第 94 页。

评的人数明显增多。据统计，当时参加批评的学者主要有王特
夫、邱瑞五、艾思奇、范寿康、叶青、邓云特、张凤阁、杨伯
恺、王昭公等，"可以说这是整个三十年代参加'批判'人数最
多的时期"①。关于当时的具体情况，邓云特 1934 年在《形式逻
辑还是唯物辩证法?》一文中曾有说明："其实，在今天谈唯物辩
证法的人也的确是太多了。任何人，不管他是否真正地懂得唯物
辩证法的应用，总喜欢充一下时髦，也弄一弄辩证法，对于一切
问题，也喜欢用辩证法来'辩证'一下。好像这样一来，立刻就
成了时代的理论家似的。形式逻辑，被人们看待成几乎是已死了
的残骸。"② 不难想像，形式逻辑在当时几乎沦为万夫所指。

　　在对形式逻辑进行批评的过程中，批评者的观点主要集中在
以下几个方面：1. 形式逻辑是主观唯心主义的思维方法。王特
夫在《论理学体系》一书中指出："形式论理学不但是主观的唯
心的思维方法，并且是事物之外观形式的理解的形式主义"③。
杨伯恺在《论理学之历史的考察》一文中亦表达了类似的观点：
"他（即亚里士多德——引注）底论理学所表现出来的全部法则，
既然是剥去了事实之实际内容，只把握了抽象的外形，渐渐成为
意识底自己活动，由思维去推论思维。形式论理学遂不免于既是
形式的又是主观主义的了。"④ 2. 形式逻辑是否定矛盾、联系和
运动，把事物视为孤立、静止的形而上学思维方法。王特夫在
《论理学体系》中指出："它（形式论理学——引注）除了一切矛
盾底实质，运动变化底实质，分割了一切过程底发展关联，使一

89

---

　　① 参见李匡武主编：《中国逻辑史》（现代卷），甘肃人民出版社 1989 年版，第
93 页。
　　② 邓云特：《形式逻辑还是唯物辩证法》，《新中华》，第 1 卷第 23 期。
　　③ 王特夫：《论理学体系》，周云之主编：《中国逻辑史资料选》（现代卷上），
甘肃人民出版社 1991 年版，第 190 页。
　　④ 杨伯恺：《论理学之历史的考察》，《研究与批判》，第 1 卷第 4 期。

切事物成为孤立、静止的东西去思维。"① 邱瑞五在《形式的逻辑与辩证法的逻辑》一文中认为："形式逻辑，只在事物的静态中，事物的表相中，观察事物：把一切事物看做不变的，形而上学的隔离着的"②。3. 形式逻辑是低级的思维方法，是落后与反动思想的理论武器。张凤阁在《形式逻辑与辩证法的比较》一文中指出："形式逻辑把自然、社会、人类社会思维的前路桎梏着了。……形式逻辑是一种低级未完全的认识方法。唯有辩证逻辑才是更高级的思维方法。"③ 王特夫在《论理学体系》中认为："形式论理学底思维方法，是最适合于封建贵族制度时代的一种社会意识形态。但这种思维方法，在资本主义制度下也同样有某种程度为其利益所需要。"④ 叶青在《新哲学底两条战线》一文中宣称："我们不能满足于形式逻辑。复古和保守，……是进化底蟊贼，这便是我们要竖出革命旗子来打倒形式逻辑的所在。"⑤

90

　　在许多学者纷纷以"辩证逻辑"为参照系对形式逻辑进行批评的过程中，亦有部分学者反其道而行之。这种情况，主要体现在 1933 年到 1934 年间分别以叶青和张东荪为代表的双方之间的批评与反批评，即所谓的"形式逻辑和辩证法的论战"之中。在这场论战中，双方分别以"形式逻辑派"和"辩证逻辑（辩证法）派"自居，不仅彼此观点相左，而且相互点名批评。例如，张东荪撰文《动的逻辑是可能的吗？》，叶青就回应《动的逻辑是可能的——答张东荪教授》；叶青发表《张东荪哲学批判》一文，张东荪即以《唯物辩证法之总检讨》作答。应当看到，在论战

　　①④　王特夫：《论理学体系》，周云之主编：《中国逻辑史资料选》（现代卷上），甘肃人民出版社 1991 年版，第 190、181 页。

　　②　邱瑞五：《形式的逻辑与辩证法的逻辑》，《文理》1933 年第 4 期。

　　③　张凤阁：《形式逻辑与辩证法的比较》，《清华周刊》第 41 卷第 10 期。

　　⑤　叶青：《新哲学底两条战线》，叶青编：《哲学论战》，辛垦书局 1934 年版，第 217 页。

中，将形式逻辑夸大为唯一完全的科学方法，根本否认辩证法的科学方法功能是错误的。例如，张东荪在《唯物辩证法之总检讨》一文中就认为："科学方法，自古代以迄今为止，依然只是所谓观察法，实验法，归纳法，测量法，化验法，统计法等，从来没有用过辩证法。"① 但是，部分学者驳斥对形式逻辑的批评，强调形式逻辑的科学性、正确性则是应该予以充分肯定的。例如，吴惠人在《形式逻辑与马克思方法论》一文中认为，把形式逻辑等同于形而上学的思维方法，并进而批判其错误的做法是错误的。他指出："形而上学思维方法一词并非指逻辑而言。从亚里士多德传统的形式逻辑起，到现在盛行的记号逻辑（即符号逻辑——引注）止，其间虽有许多变革，但大体上说，逻辑一名总还不失为是'形式之学'。……马克思所谓形而上学的思维方法，则是有内容的，非形式的，并且是事实的逻辑。因此，马克思所反对的形而上学思维方法，纵然可以与形式逻辑多少有关，然而却不必即'是'形式逻辑。国内作家常有人把二者扯在一起，认为反对形而上学思维方法便是骂倒了形式逻辑，那只有博得识者'一笑置之'而已。此两者有关系而实不'同'……"② 牟宗三认为："它（辩证法——引注）不能成为一个逻辑。它反对逻辑的那些话完全是无的放矢，风马牛不相及。它不能克服逻辑包括逻辑。"③ 张东荪在《思想的论坛上的几个时髦问题》一文中亦指出："不但辩证法不能代替思想律的同一律，并且辩证法若要变成言语来表现时（以言语来表明辩证法是真理时），还得托命

91

---

① 张东荪：《唯物辩证法之总检讨》，张东荪编：《唯物辩证法论战》（上卷），民友书局 1934 年版，第 184 页。

② 吴惠人：《形式逻辑与马克思方法论》，张东荪编：《唯物辩证法论战》（下卷），民友书局 1934 年版，第 67 页。

③ 牟宗三：《逻辑与辩证逻辑》，张东荪编：《唯物辩证法论战》（上卷），民友书局 1934 年版，第 115 页。

于思想律的同一律。因为离了思想律的三条律，则我们便无法说话。不但不能把我们的意思告诉别人，即对于自己亦无法告诉。"①

作为批评形式逻辑思潮的反动，部分国内学者的反批评势必影响到这股思潮的具体走向。事实上，1936年以后，中国学术界的批评形式逻辑思潮已经开始走向终结阶段。

1937年，上海真理出版社刊行叶青的《论理学问题》一书。在该书中，作者一方面指出形式逻辑具有种种缺陷，例如，形式逻辑的特征是否认矛盾、把同一律应用于事物就必然否认变化，与事实不相符合；另一方面作者又认为，思维需要形式逻辑，形式逻辑原是思维的法则，当然为思维所不可缺少。关于形式逻辑与辩证逻辑的关系，叶青认为："处理辩证逻辑与形式逻辑底对立须用辩证逻辑，……这就是说，用统一辩证逻辑与形式逻辑的办法以消解它们底对立。"② 辩证逻辑在它与形式逻辑的统一中居于主导地位，它笼罩了全部研究过程，形式逻辑在它的笼罩之下使用。这样，形式逻辑对于辩证逻辑就处于局部的和从属的地位，丧失了绝对性。此外，叶青又明确主张："我们对于辩证逻辑与形式逻辑二者都应该承认其真理性。……从来的辩证逻辑家和形式逻辑家都是握着了真理的。"③

1937年，上海生活书店出版了潘梓年的《逻辑与逻辑学》一书。在该书中，潘梓年否认形式逻辑是科学。他指出："还有像叶青那样的'辩证逻辑学家'，偏偏要假扬弃形式逻辑之名来做保全形式逻辑之实，……来强词夺理地争辩思维形式研究的可

---

① 张东荪：《思想的论坛上的几个时髦问题》，《新中华》第2卷第10期。

②③ 叶青：《论理学问题》，周云之主编：《中国逻辑史资料选》（现代卷上），甘肃人民出版社1991年版，第302页。

以成为科学，而且这样的思维形式的'科学'还是绝对地必要。"① 正因为如此，他主张废除形式逻辑，认为有人主张形式逻辑仍然不能废除，这是非常巧妙同时又非常愚蠢的反对论。思想的形成往往存在一定的原因。潘梓年之所以批评形式逻辑，这和他所理解的形式逻辑之"缺点"有着密切联系。例如，在谈到概念、判断、推理时他指出，第一，形式逻辑把三者看做一成不变的，它们的位次亦保持固定不移。第二，形式逻辑对它们的研究，总喜欢离开客观的事实，到自己的主观上进行搬弄。第三，形式逻辑，只从表面形式上而不是从事物内在的发展法则上去规定概念、判断和推理。以上三个方面，潘梓年认为它们"都是形式逻辑的致命伤"②。

　　关于形式逻辑与"辩证逻辑"的关系，潘梓年在《逻辑与逻辑学》一书中认为，把逻辑分为逻辑学（方法学）和逻辑术（技术论）乃是解决问题的方法。至于这种方法的具体运用，应当注意以下几个方面：1. 形式逻辑与辩证逻辑不可以并列。潘梓年指出，决不能把形式逻辑和辩证逻辑"并立"起来，需要明确规定：只有辩证逻辑才是思维方法；形式逻辑中所有现在还可以用得到的那些部分，只是思维活动已经决定了在某一具体情境之下要采取什么方法之后所需要的一些技巧，它们只是技术而不是方法。2. 辩证逻辑扬弃形式逻辑。书中指出，辩证逻辑要扬弃形式逻辑，但扬弃并不是完全排除而是加以根本的改作。辩证逻辑的扬弃形式逻辑，是可以收用形式逻辑下面的许多有用方法。至于如何收用，潘梓年曾有一段非常形象的说明："我们所拾回来的并不是形式逻辑，而只是把它推翻了以后所挑选出来的一些尚有用处的残砖断栋；更不是把它们当做逻辑的执行委员而收在这

93

---

　　①② 潘梓年：《逻辑与逻辑学》，周云之主编：《中国逻辑史资料选》（现代卷上），甘肃人民出版社 1991 年版，第 318、320—321 页。

里，只是把它们当做尚堪驱遣的技术人员而给以一官半职；它们在这里决不再能发号施令，只能奉命照办。"[1] 在《逻辑与逻辑学》一书中，潘梓年还提出了一个"扬弃"形式逻辑的具体方案。3. 在一定意义上承认形式逻辑具有独立研究之价值。潘梓年指出，一方面固然把形式逻辑扬弃了，把它吸收在辩证逻辑里面，但同时仍然可以并且必须把所吸收的形式逻辑部分单独抽提出来，作为技术而另行研究。"现在形式逻辑，自己也已有了很大的发展。符号逻辑，数学逻辑等已创造出很严密、很广大的推演方法……这，我们一点也用不着去反对。只要我们有本领去运用，它那谨严的技术，对于我们是很有帮助的。我们很可以'舍其旧而新是谋'，改请它来充当我们的技师。"[2] 应当看到，在当时的历史条件下，潘梓年的这一主张相对于叶青、李达而言更加有利于西方逻辑在中国的继续传播。叶青虽然主张"对于辩证逻辑与形式逻辑二者都应该承认其真理性"，但他对形式逻辑"真理性"的理解是抽象的，甚至包括错误成分。至于李达，他对形式逻辑则基本上持否定态度。

94

　　1939年，李达的《社会学大纲》一书由笔耕堂书店出版。该书第四章第五节之标题是"形式论理学的批判"，其中有作者对于形式逻辑的批评以及关于形式逻辑和辩证逻辑关系的观点。李达对形式逻辑的批评，可以概括为四个方面："形式论理学是主观主义的"、"形式论理学完全缺乏发展的观点"、"形式论理学完全缺乏联系的观点"以及"形式论理学的原理，与社会的实践相隔离"。尽管李达对形式逻辑进行了批评，但他还是承认该门学科具有一定的价值。他指出："形式论理学是抽象思维的论理学，这种论理学在抽象科学的数学领域中，例如'学校的下级

---

　　[1][2]　潘梓年：《逻辑与逻辑学》，周云之主编：《中国逻辑史资料选》（现代卷上），甘肃人民出版社1991年版，第322—323、322页。

用'的初级数学领域中是应用颇广的。"①

　　关于形式逻辑和"辩证逻辑"的关系，李达在《社会学大纲》一书中首先批驳了在这个问题上的"错误"看法。他指出："有人主张替两者划分势力范围，使各自独霸一方；有人主张把两者调和起来，同时并用。这类错误的见解，都是必须加以纠正的。"②接着，他提出了自己的观点："形式论理学在学问研究的汪洋大海中，既不能成为科学的思维方法，也不能与辩证论理学分庭抗礼，更不能成为辩证论理学的副次的或从属的部分。它只能在它经过辩证法的改造以后，才能成为辩证论理学的契机。"③

　　总之，叶青的《论理学问题》、潘梓年的《逻辑与逻辑学》以及李达的《社会学大纲》，这三本著作的出版发行标志着近代中国学术界对于形式逻辑的批评已经发展到了一个终点。他们三人的观点，是建立在对此前关于形式逻辑的批评和反批评的省察基础上的。尽管在具体问题上三人彼此观点存在差异，但至少以下两点他们是一致的：第一，批评形式逻辑存在这样或者那样的缺点，同时又在不同程度上承认该门学科具有一定价值。第二，没能正确认识作为哲学的辩证逻辑和作为一门具体科学的形式逻辑之间的真正关系。20 世纪 30 年代以后，尽管还有部分中国学者在继续批评形式逻辑，但是整体态势已经明显减弱，在一定意义上仅可视其为二三十年代形式逻辑批评浪潮退去后的遗迹——批评者的观点只是对过去主张的一些重复。因此，从理论上而言，中国近代时期对于形式逻辑的批评到 20 世纪 30 年代末已经画上了句号。

95

　　①②③　李达：《社会学大纲》，周云之主编：《中国逻辑史资料选》（现代卷上），甘肃人民出版社 1991 年版，第 356、355、356 页。

二、现代逻辑的传播

在晚期第一阶段，现代逻辑传播的方式主要包括：国内学者有关逻辑著作出版，撰写、翻译逻辑论文，以及在主要讲解传统逻辑的著作中介绍一些现代逻辑基础知识。

（一）国内学者有关逻辑著作出版

1927 年，汪奠基所著《逻辑与数学逻辑论》一书由商务印书馆出版，这是中国学者撰写的第一本现代逻辑专著。1937 年，商务印书馆又出版了汪奠基的《现代逻辑》。除汪奠基以外，这一时期沈有乾、金岳霖等学者亦相继出版有关著作。1933 年，沈有乾的《现代逻辑》一书由商务印书馆刊行。1935 年，金岳霖的《逻辑》一书由清华大学出版部作为大学丛书之一发行，后该书又由商务印书馆于 1936 年出版，1937 年再版。

1. 汪奠基的《逻辑与数学逻辑论》

《逻辑与数学逻辑论》是汪奠基在参考大量西方逻辑原著的基础上撰写的。全书共分形式逻辑和数学逻辑两部分。其中，数学逻辑分三篇九章：第一篇逻辑之新形式论，第二篇数学逻辑原理的演算，第三篇数学逻辑实用演算。通过这三篇，作者论述了关于传统形式逻辑的批评以及近代逻辑的新形式之产生和重要意义。其中对数学逻辑原理的演算（主要是罗素的命题演算、类演算和关系演算），作者进行了比较详细的介绍和论述。

作为中国学者首次在自著中介绍现代逻辑，汪奠基的《逻辑与数学逻辑论》有两点尤其值得注意：

第一，明确阐述了数理逻辑产生的原因。汪奠基认为，"亚里士多德派的逻辑根本太狭"和"赖布尼支（莱布尼兹——引注）的普通数学逻辑也不完备"，是促成数理逻辑产生的根本原因。具体而言，由于自然语言固有的含混性、歧义性，所以，以自然语言为研究工具的传统逻辑对于命题、推理的分析难以做到精细。此外，把命题局限于主宾词式的作法亦存在一定的不足。这样，"在亚里士多德的逻辑上，思想与语言的分析完全不够，所以一定要进一步底追求"①。莱布尼兹虽然看到了旧式逻辑之局限，试图从数学与文法两个方面精深地研究，但是结果还是摆脱不了亚氏法则的限制，其"逻辑代数完全在亚氏的逻辑内包上（就三段式而言），这种范围极端底狭小"②。

　　对数理逻辑产生的历史原因进行分析，这表明在西方逻辑的传播过程中，一些中国学者的逻辑视野已经自觉地超越亚氏的范围。这种变化，客观上为现代逻辑在中国的继续传播创造了有利条件。

97

　　第二，在介绍西方学者有关成果的同时，提出一些自己的观点，这些观点在一定程度上体现着中国现代逻辑早期传播者的科学水平。例如，"属于"和"包含于"是逻辑中两个重要的基本概念，《逻辑与数学逻辑论》在第二部第二篇中对它们做出了准确的区分。书中写道：

　　"现在再把∈与⊃的两重要关系，特别比较看看。譬如旧三段论式的

　　　凡人是有死的；

　　　孔子是人；

　　　所以孔子是有死的。

　　这三个"是"字在语言中不甚分明，即旧式逻辑家亦未明申辩。其实大前提的连辞为⊃，而小前提与结论则为∈，此斑洛（即皮亚诺——引注）之最大发现。因为⊃为两"类分"间第 1 连累第 2 的关系；而∈为由个体到类分的部分关系。就符号正确意义上应列为：

　　　a⊃b・x∈a・⊃・x∈b,

---

①② 汪奠基：《逻辑与数学逻辑论》，商务印书馆 1933 年版，第 169、171 页。

而与寻常所谓：

　　a⊃b・c⊃a・⊃・c⊃b

完全有科学理论之别。再者演算中⊃为转化的，而∈为非转化的。譬如：

　　x∈y・y∈z 不能断定为 x∈z。"①

这里，汪奠基不但指出"包含"所反映的是两个类之间的关系，"属于"则反映着个体与类之间的关系，而且还进一步分析了它们在性质上存在的差异："包含"为转化的（即传递的），"属于"则为非转化的（即非传递的）。

　　应当说，作为中国学者首次在自己的著作中比较集中地传播现代逻辑的成果，《逻辑与数学逻辑论》一书无论就所传播信息的全面性，抑或所体现的传播者的学术视野、学术水准而言，都是应当充分肯定的。但是，"传播是通过有意义的符号把信息从一方传递到另一方"②。传播者在传播过程中对信息符号的具体选择会影响到传播效果。《逻辑与数学逻辑论》一书所使用的文字艰奥晦涩，一般读者难以晓解其义。这种情况，势必削弱该书在实际中应当具有的传播效果。历史的发展表明，承接汪奠基先生而将现代逻辑在中国的传播推向新阶段的是金岳霖。

98

　　2. 金岳霖的《逻辑》

　　从 1900 年开始，怀特海（Alfred North Whitehead，1861—1947）和罗素一起致力于数学的逻辑基础和符号逻辑研究，并着手写作《数学原理》（Principia Mathematica）一书，简称 PM。后来，该书三卷分别于 1910 年、1912 年和 1913 年出版。其中，第一卷主要反映罗素的研究成果，包括导论和第一、第二两部分。第一卷的内容主要有：论述逻辑主义思想，对数学与逻辑的

---

①　汪奠基：《逻辑与数学逻辑论》，商务印书馆 1933 年版，第 205—206 页。

②　宋林飞：《社会传播学》，上海人民出版社 1994 年版，第 13 页。

关系进行分析；提出一个完整的命题演算和谓词演算公理系统；剖析逻辑悖论，提出解决悖论的方法——逻辑类型论；论述演绎理论、摹状词理论、关系逻辑和类逻辑；探讨基数和序数的算术理论。

金岳霖的《逻辑》一书由四部分构成，其中，第三部分"介绍一逻辑系统"对《数学原理》中的逻辑理论体系做了专门介绍。关于介绍情况，金岳霖先生曾有说明："本篇要介绍一整个逻辑系统的一部分。因为现在的逻辑系统化，所以要介绍一系统以为例；因为所介绍的是溶（熔）逻辑算学于一炉的大系统，本书只能选择最前及最根本的一部分；同时最前及最根本的部分的题材也就包含传统逻辑教科书的题材。"[①] 这就是说，金岳霖的介绍是基于当时世界逻辑发展的特点即系统化这一事实的。同时，他对《数学原理》的复合性质（溶（熔）逻辑算学于一炉）又有着清醒的认识，《逻辑》一书的择取，仅集中于其逻辑部分。

99

具体而言，在《逻辑》的第三部分，金岳霖对数理逻辑的介绍主要包括《数学原理》第一卷的内容。他从中选择近300个定理，组成一个精干、自成体系的演算系统，分别涉及命题演算、谓词演算、类演算和关系演算。《逻辑》中的这一系统，是1949年以前中国逻辑学界所传播的最全面、最系统之逻辑演算系统。

《逻辑》一书的第三部分在介绍数理逻辑时具有以下特点：

第一，注重受传者逻辑素质的培养。在《逻辑》一书的第三部分具体介绍数理逻辑知识之前，金岳霖附有这样一段说明："本篇在I节提出未解析的命题的推演。这一部分在原书中分为好几部分，共一百六十余命题，I节仅抄六十余命题。每一命题都有证明。读者或不免感觉这种证明的麻烦，可是其所以完全写

---

① 金岳霖：《逻辑》，生活·读书·新知三联书店1961年版，第146页。

出证明者就是因为习而惯之，读者可以得一种训练。"[1] 在《逻辑》一书第三部分第二章的开始，金岳霖又在概略地介绍五节内容之后要言不烦地指出："本节的宗旨在介绍原书中一步一步的推演办法。"[2] 在介绍逻辑知识的同时，更为关注逻辑方法之说明，此种眼光可谓深远、根本。甚至在具体的逻辑演算介绍中，金岳霖亦念念不忘提醒受传者注意"训练"。例如，在介绍"关系的推算（Calculus of Relations）"时，书中有这样一段话：

"23.47，⊢：R ⊂ T. ⊃ ⋅ R∩S ⊂ T

（如果 R 关系包含在 T 关系，则既 R 而又 S 的关系包含在 T 关系。这个命题可以利用 23.43 那一命题（指 ⊢ ⋅ R∩S ⊂ ⋅ R——引注）及三段论可以证明。例如：

（一）⊢：R∩S ⊂ R. R ⊂ T. ⊃ ⋅ R∩S ⊂ T：

（二）⊃⊢：. R∩S ⊂ R ⋅ ⊃：R ⊂ T. ⊃ ⋅ R∩S ⊂ T

（三）⊢ ⋅ R∩S ⊂ R

（四）⊢：R ⊂ T ⋅ ⊃ ⋅ R∩S ⊂ T

此处及以前的命题，读者均可以自己设法证明以为训练。）"[3]

对现代逻辑科学的介绍，并不仅仅局限于一般的具体知识层面，而是更加看中其中所蕴涵的精神，着眼于逻辑精神对中国读者的熏陶。这样做，旨在促进中国文化汲取西方逻辑的营养，改变逻辑意识不太发达的局面。金岳霖的此番良苦用心，与严复可谓异曲同工。

第二，传播的讯息并非完全等同于罗素。例如，《逻辑》一

---

①②③　金岳霖：《逻辑》，生活·读书·新知三联书店 1961 年版，第 146、178、219 页。

书第三部分中一些命题的证明，就属于金岳霖本人的想法。在
"命题的推演"中，证明完定理"⊢：P・⊃・P⊃q：⊃・P⊃q"
之后，金岳霖有这样一段说明："此证与原书中的证明不同。因
为我们抛开了好些命题，我们不能用原来的证明。……此后有好
些证明都不是原书中的证明，但本书没有特别表示它们不是。"①
这里，金岳霖一方面说明《逻辑》中部分定理的证明不同于《数
学原理》，另一方面又解释了其中的原因主要在于"我们抛开了
好些命题"，即金岳霖的介绍并非完全照搬罗素，而是依据他自
己的标准具体取舍原有信息，"用自己的方式"去传播现代逻辑
系统。

　　第三，对批评形式逻辑的学术思潮积极回应。这主要表现在
金岳霖关于同一律的说明、理解方面。在《逻辑》一书第三部分
第二章第三节的解释"弁言"中，他把"同"分为如下四种：

甲、∅与∅同

乙、∅与ψ同

丙、x与x同

丁、x与y同。

其中，甲、乙和丙、丁分别为两类。前者属于谓词方面的同，概
念方面的同，关系方面的同，共相方面的同；后者可以说是"个
体的具体的东西方面的同"。"本书的作者，不仅主张把同一律之
同限制到头一类，而且主张把同一律之同限制到甲种；如此则同
一之同是完全的、绝对的，而事物的变化无论如何的快，决不至
于影响到这种同。因为这样一来，同一律对于具体的东西，没
有肯定的积极的主张"②。20世纪二三十年代，中国学术界对于
形式逻辑的批评焦点之一，就是关于同一律的理解。批评者认

----

①② 　金岳霖：《逻辑》，生活・读书・新知三联书店1961年版，第159、189
页。

为，同一律否认事物的运动、变化和发展，属于形而上学的世界观和方法论。金岳霖的上述说明，可以说是对这种批评的一种直接回应：经他定义后的同一律，一方面相对于具体事物的变化发展而言具有独立性，是"完全的，绝对的"；另一方面相对于具体事物而言，它又"没有肯定的积极的主张"。显然，这是在设法维护同一律的科学地位，进而亦是在捍卫西方逻辑在中国的继续传播，因为同一律是形式逻辑中的最基本规律。金岳霖先生的这一思想，还表现在他对罗素关于同一律理解的创新和发展上。《逻辑》一书指出："表示同一律的那一命题在原书（指 PM——引注）中是'⊢·x＝x'那一命题。……x，y，z，……虽不必代表我们经验中的具体的东西，而可以代表那样的东西；如果代表那样的东西，则'⊢·x＝x'免不了变迁的问题，除非把这命题的效力限制到时点上去。"[1] "除非把这命题的效力限制到时点上去"，金岳霖的这一明确主张，反映出他在对逻辑学中同一律的哲学基础进行积极探索。

（二）撰写、翻译逻辑论文

1930 年，赵涵川在《数学》杂志第 17 卷第 8 期发表论文《数学上的演绎法》。1934 年，朱言钧在《理科季刊》第 5 卷第 2 期发表论文《数理逻辑纲要》。1936 年，他又在《数学》杂志第 1 卷第 1 期发表《数理逻辑导论》一文。1931 年，肖文灿在《理科季刊》第 2 卷第 4 期发表论文《无理数理论》。1933 年到 1934 年，他又在该刊第 4 卷第 2 期和第 4 期，第 5 卷第 1 期和第 2 期分别发表连载文章《集合论》。后来，这些文章汇集为《集合论初步》一书，由商务印书馆于 1939 年出版。1937 年，陶祖运又在《理工》杂志第 3 卷第 1 期发表论文《数理逻辑浅说》。此外，还有一些学者在国外的学术刊物上发表有关文章。其中，汤璪真

---

[1]　金岳霖：《逻辑》，生活·读书·新知三联书店 1961 年版，第 190 页。

1938 年在美国 Bulletin of the American Mathematical Society 期刊上发表的《代数公设和刘易斯严格蕴涵演算的一个几何解释》一文，对于开创模态逻辑研究的代数语义方向具有先驱作用。

在晚期第一阶段，中国学者翻译的有关现代逻辑的论文主要有两篇。1936 年，朱言钧翻译戴德金的论文《数之意义》，其中介绍了集合和映射。1930 年，张申府翻译《罗素的演绎论》。在这篇文章中，谈到了逻辑上演绎的特征，五种真值联结词"非"、"析取"、"合取"、"不相容"和"蕴涵"的逻辑特征，以及刘易斯的严格蕴涵等。其中，关于逻辑上的演绎，张申府在文章中有这样一段说明："在演绎里，是先有一个或几个叫做前提的命题，由此推断一个叫做结论的命题。……为方便起见，原来有好几个前提时，可融合之成一个单独的命题。……现在便可把演绎看为一种借以由对于某一命题，即前提的知识，而过渡到对于另一命题，即结论的知识的程式。不过，这样一种程式，除非是对的，即除非在前提与结论间有那么一种关系使人有权利如前提已晓得是对的，便可相信结论者，则也并不为视为逻辑的演绎。在演绎的逻辑说上，主要有关切的，就是那一种关系。"[1] 关于"不相容"，文章指出即"p 与 q 不并真。这种函数乃是契合[2]的负；也是 p 与 q 的负的析取，即，就是'非 p 或非 q'，其真理值（即真值——引注），在 p 妄时，是真，q 妄时也同样；p 与 q 并真时，则是妄。"[3]

（三）在主要讲解传统逻辑的著作中，介绍一些现代逻辑基础知识

在晚期第一阶段，国内出版的许多传统逻辑著作亦构成了现

103

---

① ③ 张申府译：《罗素的演绎论》，《罗素哲学译述集》，教育科学出版社 1989 年版，第 168、169 页。

② 契合即合取。

代逻辑传播的重要渠道。其中，或设专章、专节进行介绍，或在讲解传统逻辑知识的同时附带说明。例如，1936 年北平人文书店出版了汪震的《论理学》一书。该书共分十六章，涉及面较广，除通常的归纳法、演绎法等内容之外，还设有"数学的推理"、"数学论理"等章。1938 年，商务印书馆发行陈高佣的《论理学》一书，其中亦介绍了数理逻辑的演算。同一年，沈有乾的《高中论理学》一书由正中书局出版。该书在介绍归纳法、传统演绎法的过程中，对一些数理逻辑的基本知识亦进行说明。例如，在该书第二十一节"两端间的关系"中有这样一段文字："（1）足够条件的关系。若甲成立，乙辞也必成立。这就是推论时应用最广的意涵（亦作含蕴）关系。"① 显然，作者在这里是说明数理逻辑中"→"即"蕴涵"的意义。

104

三、传统逻辑的传播

晚期第一阶段传统逻辑的传播，主要涉及西方学术成果的继续引介，国内学者发表有关论文，以及撰写有关学术著作三个方面。

（一）西方学术成果的继续引介

晚期第一阶段是中国近代时期西方传统逻辑引介的一个崭新阶段。从引介范围看，这一时期中国学者的翻译工作面向英、美、日、苏等不同国家的学术界，信息源的空间构成情况比以前更加开阔。其中，源自英国的，例如：萧宗训翻译博兰克所著《名学要义》（大东书局 1935 年出版），高山翻译斯涤平所著《实用逻辑》（商务印书馆 1936 年出版）。源自美国的，例如：刘奇翻译枯雷顿所著《逻辑概论》（商务印书馆 1936 年出版），潘梓

---

① 沈有乾：《高中论理学》，周云之主编：《中国逻辑史资料选》（现代卷上），甘肃人民出版社 1991 年版，第 331 页。

年翻译琼斯所著《逻辑（归纳法和演绎法）》（商务印书馆 1927
年出版），丘瑾璋翻译枯雷顿、司马特所著《论理学大纲》（世界
书局 1934 年出版）。源自日本的，例如：李信臣翻译高山林次郎
所著《论理学纲要》（商务印书馆 1925 年出版），汪馥泉翻译速
水晃所著《论理学》（上海民智书局 1933 年出版）。源自苏联的，
例如：沈志远翻译勃鲁塞林斯基所著《形式逻辑》（上海生活书
店 1938 年出版）。从翻译的原著在国外传播情况来看，这一时期
中国学者所选择的大多为国外大学使用的著名教材，如高山林次
郎的《论理学纲要》、琼斯的《逻辑》以及奥图尔的《逻辑学》
等。以《逻辑概论》为例，该书系美国康乃尔大学哲学教授枯雷
顿根据几十年教学经验而撰写的一本教科书。自从 1898 年初版
发行后，它就成为美国很有影响的大学教材之一。1933 年，枯
雷顿已经去世，该书又发行第五版。1926 年，刘奇翻译时所依
据的是《逻辑概论》之第四版。从翻译介绍的信息构成情况来
看，这一时期的译著，尤其是教科书内容大都比较全面，涵盖了
归纳与演绎两个部分。例如，高山林次郎的《论理学纲要》、琼
斯的《逻辑》等均将归纳、演绎融于一个完整的体系之中。译著
的这种内容构成状况，在客观上为中国学者编著传统逻辑著作提
供了良好的参照系。

　　除了翻译西方逻辑原著以外，这一时期的中国学者还采取报
刊译文的方式促进西方传统逻辑在中国的传播。例如，1926 年，
《民锋》第 8 卷第 3 期发表余文伟的译文《浪漫主义与逻辑》；
1928 年，《哲学评论》第 2 卷第 3 期发表杨炳辰的译文《论判断
与评判》；1935 年，《时事类编》第 3 卷第 18 期发表五光熙的译
文《经验的归纳与演绎的归纳》；1937 年，《时事类编》第 5 卷
第 6 期发表修白的译文《形式论理学与辩证法》。

　　晚期第一阶段西方传统逻辑学术成果的继续引介，在客观上
对中国本土的逻辑传播和国外的传统逻辑研究、教学之间保持一

定的联系起到了桥梁作用。这种情况，对于文化传承中逻辑意识不太发达的中国学者了解、研习和介绍逻辑知识是极其重要的。

（二）发表有关专业论文

晚期第一阶段，中国学者发表了大量关于传统逻辑的学术论文。其中，就内容而言，有的讨论形式逻辑与辩证法的关系。例如，1929 年许兴凯在《民锋》第 10 卷发表论文《"演绎法"、"归纳法"与"辩证法的唯物论"》；1932 年王灵皋在《读书》第 3 卷第 5 期发表论文《两个思想方法的对照》。有的则属于纯粹逻辑知识研究。例如，黄子通 1930 年在《哲学评论》第 3 卷第 2 期和第 4 期发表论文《论归纳（一）》、《论归纳（二）》；金岳霖 1930 年在《哲学评论》第 37 卷第 3 期发表论文《A、E、I、O 的直接推理》；虞愚 1935 年在《民族》第 3 卷第 3 期发表论文《演绎推理上之谬误》。当然，这一阶段关于传统逻辑方面的科学论文大都涉及逻辑与辩证法的关系。这种情况之所以出现，和这一阶段所发生的逻辑批评及反批评直接关联。

从传播渠道看，在晚期第一阶段，中国学者发表的有关传统逻辑的论文情况可以用下表显示：

刊物名称	发表逻辑论文情况举例
哲学评论	金岳霖：A、E、I、O 的直接推理（1930 年第 3 卷第 3 期）
北新	宰木：再和陈百年先生论判断二成分说（1928 年第 2 卷第 9 号）
民锋	许兴凯："演绎法"、"归纳法"与"辩证法的唯物论"（1929 年第 10 卷）
清华学报	金岳霖：思想律与自相矛盾（1932 年第 7 卷第 1 期）
学生杂志	赵涵川：假设与推理（1930 年第 17 卷第 3 期）

续表

刊物名称	发表逻辑论文情况举例
中法大学月刊	彭基相：论理学之三部分（1932 年第 1 卷第 5 期）
读书杂志	李石岑：辩证法与形式逻辑（1932 年第 2 卷第 5 期）
青年导报	张栗原：形式论理学与辩证法（1932 年第 1 卷第 1 期）
东方杂志	亦英：认识论中之形式论理与矛盾论理（1932 年第 29 卷第 6 期）
安徽大学月刊	范寿康：形式论理与辩证法（1933 年第 1 卷第 1 期）
文理	邱瑞五：形式的逻辑与辩证法的逻辑（1933 年第 3—4 期）
新中华	易逢春：论理学简述（1934 年第 2 卷第 19 期）
行健月刊	负生：逻辑新义（1934 年第 5 卷第 1 期）
清华月刊	张凤阁：形式逻辑与辩证法的比较（1934 年第 41 卷第 10 期）
现代史学	黎东方：普通逻辑与历史逻辑（1935 年第 2 卷第 3 期）
民族	虞愚：演绎推理上之谬误（1935 年第 3 卷第 3 期）
科学论丛	王亦鸣：论理学史之一页（1935 年第 4 期）
法学专刊	李达：辩证逻辑与形式逻辑（1935 年第 5 期）
学术界	何长：形式论理学者的混乱（1936 年第 2 卷第 1 期）
长城季刊	雷动：三段论式与谬误的分析（1936 年第 2 卷第 1 期）
民族杂志	张东荪：名学导言（1936 年第 8 卷第 3 期）
清华周刊	澄波：演绎与归纳的进展（1936 年第 45 卷第 4 期）
研究与批判	叶青：形式逻辑与辩证逻辑（1936 年第 2 卷第 2—3 期）
时代论坛	缪南：叶青《形式逻辑与辩证逻辑》批判（1936 年第 1 卷第 7 号）

107

续表

刊物名称	发表逻辑论文情况举例
读书生活	艾思奇：关于"形式逻辑与辩证逻辑"（1936 年第 4 卷第 2 期）
自修大学两周刊	贝叶：形式逻辑的扬弃（1937 年第 2 卷第 13 期）
中山文化教育馆季刊	叶青：形式逻辑与辩证逻辑（1937 年第 4 卷第 2 期）
新动向	郭寿华：逻辑学的基本性质（1939 年第 2 卷第 5 期）

上表列举了在晚期第一阶段国内刊物发表逻辑论文的部分情况。可以看出，这一阶段虽然还没有出现专门的逻辑刊物，但登载逻辑论文的期刊还是比较多的。其中，有大学学报，例如《清华学报》、《安徽大学月刊》、《清华月刊》；有一般性杂志，例如《读书杂志》、《东方杂志》、《新中华》；还有专题性学术刊物，例如《现代史学》、《法学专刊》等等。传播渠道的多样性，为传播效果之扩大和增强创造了有利条件，同时，这亦从一定意义上表明，西方逻辑在当时的中国文化界、教育界已经拥有一定的阵地，成为不少学者研究的一个领域。

（三）撰写有关学术著作

刊行逻辑著作是中国近代时期传统逻辑传播的重要途径，尤其是在 1925 年至 1940 年间，国内学者撰写的有关著作恰似雨后春笋，不同版本的逻辑书籍争相问世，[①] 而且发行量亦比以前明显增加。关于晚期第一阶段传统逻辑著作的刊行情况，以下表格可略显一二：

---

① 据不完全统计，从 1925 年到 1940 年，国内出版的中国学者自著的传统逻辑著作有四十多种。

著作名称	作　者	出版机构	发行情况
论理学	王振瑄	商务印书馆	1925 年 8 月初版，1932 年 5 月至 10 月再版 5 次
论理学 ABC	朱兆萃	ABC 丛书出版社	1928 年 8 月由世界书局印行，至 1934 年已发行 9 版
论理学	范寿康	开明书店	1931 年 8 月初版，至 1933 年 8 月共重版发行 5 次
论理学体系	王特夫	辛垦书店	1933 年初版，1935 年再版
论理学	林仲达	中华书局	1940 年初版，同一年发行 6 版
逻辑与逻辑学	潘梓年	生活书店	1937 年初版，1938 年再版时改名为《逻辑学与逻辑术》
高中论理学	沈有乾	正中书局	1938 年 4 月初版，至 1939 年 7 月共发行 6 版
论理学	陈高佣	商务印书馆	1938 年 11 月出版，同一年发行 4 版

　　以上表格显示的仅仅是部分传统逻辑著作出版情况。可以看出，这一阶段逻辑著作的出版频率是相当高的。例如，王振瑄的《论理学》一书，1932 年 5 月至 10 月出版 5 次；朱兆萃的《论理学 ABC》一书，1928 年至 1934 年出版 9 次；范寿康的《论理学》一书，1931 年至 1933 年出版 5 次；沈有乾的《高中论理学》一书，1938 年至 1939 年出版 6 次；陈高庸的《论理学》一书，1938 年 11 月初版，同年就发行 4 版。如此高的出版频率，

在中国逻辑史乃至学术史上可谓空前。不但出版次数增加，晚期第一阶段传统逻辑著作的具体发行数量亦明显增多。例如，林仲达 1936 年连续出版《论理学纲要》、《论理学》和《综合逻辑》三部著作，每部印数均在 10 000 册左右。这些情况，从一个侧面反映出传统逻辑在晚期第一阶段的传播可谓朝气蓬勃、风气大兴。

从 1925 年到 1940 年，这一时期刊行的传统逻辑著作除了种类繁多、发行量较大之外，还具有以下明显特点：

第一，运用现代逻辑知识于传统逻辑传播之中。

西方逻辑的发展已经经历了传统和现代两个形态。现代逻辑由于使用符号化的人工语言作为分析工具，因此，它对思维形式结构的分析比传统逻辑精细，而且具体内容亦有许多是传统逻辑所没有的。随着现代逻辑在中国近代时期的传播，一些中国学者在撰著传统逻辑著作时逐渐受到影响。其中，沈有乾的《论理学》和《高中论理学》"是当时少数几本能用数理逻辑观点讲授传统逻辑的代表作"①。现以沈有乾的《论理学》为例。1936 年 8 月，该书由正中书局出版。其中，在介绍演绎逻辑部分时作者运用了数理逻辑知识。例如，讲选言命题和联言命题时，书中运用"析取"和"合取"的概念定义二者，并且指出："和称（选言命题——引注）和积称（联言命题——引注）可以互相做定义，和称是反称（负命题——引注）的积称的反称，积称是反称的和称的反称，用符号写：

$p+q=-(-p-q)$

$pq=-(-p+-q)$

若 p 代表'非高中毕业不得入大学'，q 代表'非经入学考

---

① 参见李匡武主编：《中国逻辑史》（现代卷），甘肃人民出版社 1989 年版，第 31 页。

试不得入大学'，则 pq 的意思是两个条件都要，缺一不可，而 p＋q 的意思是两个条件至少须满足一条，不可并缺。"① 这里，作者运用"合取"、"析取"的知识来说明联言命题和选言命题之间的关系，并将后者的含义理解为：至少一真不可同假。又如，在讲全称命题和特称命题时，作者指出，特称即为存在，I 命题即 ab≠0（有 a 是 b），只表示有 ab 存在，并不表明存在的量；全称命题不表示存在，所以，由全称不能直接推出特称。只有在承认主词存在的前提下，才能由全称命题推出特称命题。

　　除了沈有乾之外，这一时期还有一些其他学者在介绍传统逻辑时亦明显受到现代逻辑知识的影响。例如，1934 年商务印书馆出版了吴士栋的《论理学》。关于该书的情况，殷福生在《逻辑基本·译者引语》中曾有说明："这本教科书（指吴士栋的《论理学》——引注）与我国一般流行的古董教科书大不相同，它是本着现代逻辑的观点而写的。其中的资料不独是一般教科书所没有，而且是我国一般学习《论理学》的人所不知道的。所以这本以现代逻辑为依据而写的中学教本之新纪元的书之值得阅读，自不待言。""可是，因为这样的书在国内尚是创制，所以在编制方面未免有可议的地方。"② 殷福生的上述说明包含以下两层含义：（1）吴士栋的《论理学》一书在传播传统逻辑方面受到数理逻辑知识的影响。（2）这样的逻辑传播模式在当时尚未形成风气，"尚是创制"，因此，传统逻辑与现代逻辑的有机融合问题难免没有很好解决。殷福生对吴士栋《论理学》一书的说明启示我们：传统逻辑与现代逻辑如何有机融合才可以进一步促进中国

111

---

　　① 沈有乾：《论理学》，李匡武主编：《中国逻辑史资料选》（现代卷上），甘肃人民出版社 1991 年版，第 264 页。
　　② CHAPMAN & HENLE 著，殷福生译：《逻辑基本·译者引语》，正中书局 1937 年版，第 22 页。

的逻辑传播？至少在 20 世纪 30 年代已经有学者在认真思考这一问题。

第二，传统逻辑的传播受到其他"逻辑"的影响

这里所谓的其他"逻辑"，系指当时名为"逻辑"而其实不然的"试验论理学"和"辩证逻辑"。"试验论理学"的本质是哲学认识论，"辩证逻辑"的本质是专门研究客观事物以及思维运动、发展规律的辩证法或唯物辩证法。它们二者从更大范围而言均属于哲学，和形式逻辑的区别乃在于世界观、方法论和具体学科的不同。在晚期第一阶段，中国的逻辑传播受到"试验论理学"和"辩证逻辑"影响。这种影响的一个典型表现，就是在传统逻辑著作中传播者的逻辑观念发生了动摇、所介绍的逻辑知识体系呈畸变状态。

1926 年，中华书局出版了吴俊升的《论理学概论》，这是中国近代时期最早主张"试验论理学"和传统逻辑相综合的著作。在该书中，吴俊升认为："那时坊间的论理学教科书，完全是偏于形式方面的，已经不适用了，……因此想从新创作一种新书，把两种论理学（指传统逻辑和'试验论理学'——引注），打成一片，一气呵成，自成一个完备的系统"[1]。他所提出的逻辑学定义是："论理学是探讨思想历程，并研求思想法则之学。"[2] 并认为《论理学概论》一书的各章"通体贯彻了这个定义的精神"。

继吴俊升之后，又有不少学者企图在其著作中把传统逻辑和"试验论理学"综合为一个新体系。例如，1931 年朱兆萃的《论理学》（上海世界书局）、1932 年刘仁甫的《论理学》（天津百城书局）、1938 年伊荣绪的《实用论理学》（北平建设图书馆）、1935 年春满子的《怎样训练思想》（长城书局）、1938 年陈高庸

---

① 吴俊升：《论理学概论·自序》，中华书局 1926 年版，第 1 页。
② 吴俊升：《论理学概论》，中华书局 1926 年版，第 7 页。

的《论理学》（商务印书馆），这些著作具有一个共同的特征，即把逻辑学的定义扩大到"综合逻辑"。例如，伊荣绪的《实用论理学》一书认为："论理学者乃探讨思维历程亦研究思维法则之学。"① 陈高庸的《论理学》一书亦认为："论理学就是研究人类思想历程及其法则的一种科学。"②

　　继"试验论理学"而起的是，"辩证逻辑"的传播亦影响到晚期第一阶段的传统逻辑著作状况，例如叶青的《论理学问题》以及潘梓年的《逻辑与逻辑学》。1937 年，叶青的《论理学问题》一书由上海真理出版社发行。他在该书中认为，整个论理学的发展规律采取了三段式，即演绎论理——归纳论理——辩证论理。其中，"辩证论理是演绎的，同时又是归纳的，所以为高级的综合"③。换言之，辩证论理不仅批判地吸收了归纳论理，而且继承着演绎论理。辩证论理在它和形式逻辑的统一中处于主导地位，形式逻辑处于局部的和从属的地位。同一年，亦即 1937 年，潘梓年的《逻辑与逻辑学》一书由上海生活书店出版。从仅只承认"辩证逻辑"是逻辑学、方法学的观点出发，作者在该书中认为形式逻辑"不能再成为逻辑"。他提出了扬弃形式逻辑的具体方案，认为形式逻辑的三条基本思维规律不能再使用，概念论、判断论、推理论、归纳和演绎等必须根本改造为思维方法之一部分，关于词、命题、三段论的各种规定以及归纳五法等，则可以全部收编到"辩证逻辑"中来充当思维技术。

　　在其他"逻辑"影响下的中国传统逻辑之传播形式，一方面

113

　　① 伊荣绪：《实用论理学》，周云之主编：《中国逻辑史资料选》（现代卷上），甘肃人民出版社 1991 年版，第 206 页。

　　② 陈高庸：《论理学》，周云之主编：《中国逻辑史资料选》（现代卷上），甘肃人民出版社 1991 年版，第 337 页。

　　③ 叶青：《论理学问题》，周云之主编：《中国逻辑史资料选》（现代卷上），甘肃人民出版社 1991 年版，第 296 页。

反映出当时国内理论界的逻辑水平有欠发达，另一方面亦说明在中国的具体历史文化背景下，逻辑意识的培养和发展殊非易事。当然，以下这一历史事实需要指出，即其他"逻辑"对于传统逻辑传播的影响，在当时亦确曾受到个别有识之士的批评。例如，汪震在《论理学》一书中认为："论理学的范围只限于知识的形式，至于指导人生实用，世界上还另有其他的科学。人生实践之学以及思想心理学都不能视为论理学。"[①] 牟宗三在《逻辑与辩证逻辑》一文中指出，"逻辑却只有一个"，"只有这么一个逻辑（指形式逻辑——引注）"。"质量互变"、"对立之统一"、"否定之否定"三法则，只是"描写事实的律，是元学原则"，它们不是"逻辑原则"，不是"推理律"。因此，"它（辩证逻辑——引注）只是一种解析世界的理论，它不能成为一个逻辑。"[②]

114

第五节　晚期传播（下）

中国近代时期西方逻辑传播的晚期第二阶段，历史跨度从1940年到1949年。这是西方逻辑在中国近代时期传播的最后10年，亦是经历了20世纪二三十年代的批评、反批评之后，西方逻辑继续传播的10年。其间所出现的新现象以及存在的问题，在一定意义上孕育着当代中国逻辑学传播的某些特点。

一、现代逻辑的继续传播

20世纪40年代，数理逻辑在原有基础上继续得到传播。其

---

① 汪震：《论理学》，周云之主编：《中国逻辑史资料选》（现代卷上），甘肃人民出版社1991年版，第250页。

② 牟宗三：《逻辑与辩证逻辑》，张东荪编：《唯物辩证法论战》，民友书局1934年版，第115页。

中，有的学者撰写著作予以介绍、研究。例如，牟宗三的《逻辑典范》一书，1940 年由商务印书馆出版，这是一部内容广泛的著作，正文共分 4 卷。第 1 卷逻辑哲学，第 2 卷真理值系统，第 3 卷质量系统，第 4 卷逻辑数学与纯理。其中，第 2 卷真理值系统主要介绍了怀特海和罗素的合著《数学原理》中的命题逻辑系统，以及 H. M. 舍弗的竖记号系统。此外，还有部分学者发表有关论文。例如，倪青原在《斯文》1942 年第 2 卷第 11、12、14 期发表论文《符号逻辑学派》，胡世华在《学原》1947 年第 1 卷第 5 期发表论文《再现算术新统及其逻辑常词》等等。在晚期第二阶段出版的某些传统逻辑著作中，亦有部分学者介绍了一些关于数理逻辑方面的基础知识。例如，1940 年中华书局出版的林仲达之《论理学》，1947 年和平出版社出版的李相显之《逻辑大纲》。

　　从 1940 年到 1949 年，数理逻辑的传播比以前有较大进展。这一点，从 1947 年由正中书局出版的景幼南所著《名理新探》一书中即可以得到佐证。在该书中，作者对数理逻辑曾有这样的一段评价："国人习趋时髦，年来有持此以相炫耀之势。颇多文理不通思路未晰之士，而高谈数理逻辑者，误谬百出，而莫识其非，令人有画狗马难，画魑魅易之叹。"① 景幼南的慨叹，一方面说明他对数理逻辑的传播持消极态度，另一方面反映出当时的数理逻辑传播确实大有发展——景幼南描述当时有关状况时所用的言语可以说明这一点："时髦"、"年来有……之势"、"颇多"。虽然数理逻辑在 20 世纪 40 年代的传播获得较大进展，但是，这一时期逻辑学传播的主流仍然是传统逻辑，数理逻辑并未取得优势地位。更令人遗憾的是，数理逻辑在这一时期的传播还遭到不

---

　　① 景幼南：《名理新探》，周云之主编：《中国逻辑史资料选》（现代卷上），甘肃人民出版社 1991 年版，第 424 页。

少学者误解、批评乃至否定。例如，吴俊升、边振方在《理则学》一书中谈到"'形式逻辑'和'数理逻辑'的缺点"时这样指出："即使承认形式法则是可能的，而形式离实质自成关系，其结果必至'玄之又玄'，不能回到思想行为的实质。这是'形式逻辑'或'数理逻辑'已经发现的困难。抽象之抽象，便要回到具体的事实，当然不是很便利的事。这样的理则学至多不过和高深的数学一样，自成一种系统，整齐好玩，要求其有裨于实际的思想和行为，是很困难的。"① 景幼南在《名理新探》一书中亦认为，数理逻辑或符号逻辑"虽以数理为护符，而绝无如数理之成织（积）。……凡所证明者，大抵为无须证明，旧话重提，或增加若干新符号而已。"② 可以说，吴俊升、边振方和景幼南所表现出来的否定数理逻辑倾向，并非仅仅反映了20世纪40年代中国学术界部分学者的思想认识，在一定意义上，亦可以认为它是中国传统思维方式中所固有的轻形式、重内容、重实质这些特点在新形势下的表现。③ 吴俊升、边振方在《理则学》一书中就表述有这样的观点："形式并不是实质很忠实的代表，实质是特殊的、个别的；形式是共同的，普遍的；用形式代表实质，必然要埋没实质的个性，往往因此而发生谬误。"④ 这种情况表明，西方逻辑在中国社会的传播，必须正视几千年来所形成的中国传统思维方式之具体特点。

116

---

①④　吴俊升、边振方：《理则学》，周云之主编：《中国逻辑史资料选》（现代卷上），甘肃人民出版社1991年版，第380—381、381页。

②　参见景幼南：《名理新探》，周云之主编：《中国逻辑史资料选》（现代卷上），甘肃人民出版社1991年版，第423页。

③　当然，我们并不否定这种思想倾向受到"试验论理学"和"辩证逻辑"主张的影响。

二、传统逻辑的继续传播

西方逻辑在中国近代时期的传播发端于传统逻辑的介绍，其间虽有现代逻辑引入，但始终未能形成主流。20 世纪 40 年代，作为中国社会逻辑传播主流的传统逻辑，和现代逻辑一样，在原来基础上继续传播。其中，有的学者通过撰写学术著作来介绍逻辑知识。例如，1940 年，汪奠基的《逻辑十略》在西北大学印行。1941 年，他的《理则学》又被国民党中央训练委员会印行。1942 年，苏渊雷的《名理新论》由重庆黄中出版社出版，韩志琴的《名理学》在国立北京师范大学印行，刘仲容的《实用理则学》被成都拔提书店出版。1943 年，吴俊升、边振方的《理则学》由正中书局出版，柴熙的《论理学大纲》由协和印书局出版，殷福生的《逻辑学讲话》以及陈大齐的《实用理则学八讲》由中国文化服务社出版。1946 年，朱章宝的《高中论理学》由中华书局出版。1947 年，李相显的《逻辑大纲》由北平和平出版社出版，聂远中的《当代论理学》由重庆成丰印刷厂出版，景幼南的《名理新探》由正中书局出版。1948 年，谢幼伟的《逻辑要义》由上海华夏图书出版公司出版。同一年，常守义的《论理学》、郎淳的《理则学大纲》亦公开发行。有的学者通过在期刊杂志撰写论文来传播逻辑知识。例如，倪青原在《斯文》1941 年第 2 卷第 2 期发表论文《释逻辑——论历史法》，一欧在《大学》1942 年第 1 卷第 10 期发表论文《论形式论理学》，王范之在《时代精神》第 6 卷第 2 期发表论文《静的逻辑与动的逻辑》，陈康在 1943 年《文史哲季刊》第 1 卷第 1 期发表论文《判断分析》，孙道升在《说文》1944 年第 4 卷发表论文《论理学中附性法之扩充》，牟宗三在《思想与文化》1947 年第 8 期发表论文《传统逻辑与康德的范畴》。有的学者则继续关注国外逻辑研究成果在中国学术界的介绍和传播。例如，1941 年，辅仁大学印行李世繁翻译的《正确思考之学——逻辑》，该书原作者系美国学者毕德。1949 年，解放社出版曹保华、谢宁翻译的《逻辑学研究提纲》，该书原著由苏联学者米丁担任主编。

与 20 世纪 40 年代以前相比，晚期第二阶段的传统逻辑传播具有以下特点：

（一）数理逻辑的指导作用明显增强

在 20 世纪二三十年代的传统逻辑传播中，已经出现运用现代逻辑知识的萌芽。40 年代，萌芽长成新苗，愈来愈多的学者开始把传统逻辑的介绍与数理逻辑结合起来。这种情况，可从以下两个方面说明：（1）把逻辑学基本规律的介绍置于数理逻辑背景之上。1944 年，吴恩裕所著的《政治思想与逻辑》一书由中国文化服务社出版。在该书中，作者批评了那种把同一律、矛盾律理解为否认事物矛盾、运动、变化的观点。其中，关于同一律，他认为："同一律是说：'如果 x 是 a，它就是 a'。此处的 x 表示具体的东西；a 代表那个东西的名称。在此命题中，同一律对于 x 是 a，或不是 a，没有表示意见。它所要说的唯一意见，就是 a 必须是 a，即 a 必须等 a。a 既然是 x 的名称，则'假如 x 是 a，它就是 a'这个命题，仅涉及 a 的意义问题，而没有涉及事物本身（即 x）的行为问题。"① 换言之，吴恩裕认为，同一律并不涉及事物本身的存在状况，只和事物名称的意义相关。关于矛盾律，他认为："矛盾律所指述的，与同一律一样，乃是语言中的意义问题，并不是事物发展的法则。"② "矛盾律的说法：'x 不能同时既是 a 又不是 a'。……矛盾律中的矛盾，乃指两个二分法的命题，即'x 是 a'、'x 不是 a'。……此律并没有对于实际物事中的物质矛盾加以可否。……一个物事能变成其他物事，

118

---

①② 吴恩裕：《政治思想与逻辑》，周云之主编：《中国逻辑史资料选》（现代卷上），甘肃人民出版社 1991 年版，第 407、408 页。

但这却与矛盾律无关。因为矛盾律对于物事的行为，并没有表示意见。"① 1947 年，李相显所著《逻辑大纲》一书由和平出版社出版。在该书中，李相显对同一律亦提出了自己的理解。他认为："同一律普通用'一件东西与它本身相同'这一命题去表示，这个根本说不通。……同一律普通又用'甲是甲'这个公式去表示，这个也有毛病。……比较说得通的办法是把具体的东西与名称完全分开，如果以 x 代表具体的东西，则可以用'如果 x 是甲，则 x 是甲'这一命题表示同一律。这样的说法对于 x 那个具体的东西没有肯定的主张，x 可以是甲也可以不是甲，可以在一时是甲，在另一时不是甲，在一地是甲，在另一地不是甲。但对于甲有主张，那就是说甲总是甲。"② 这里，李相显指出当时关于同一律的陈述一般是错误或不准确的，而他对该条逻辑基本规律的阐释，则明显地可以看出是立足于数理逻辑的背景知识。1948 年，谢幼伟的《逻辑要义》一书由上海华夏图书出版公司出版。在该书中，谢幼伟不同意把思想律（指逻辑基本规律——引注）表述为事物的规律，强调思想律是命题真假的规律。他指出："同一律是说：如任何命题是真，它即是真；矛盾律是说，无命题可同时是真又是假；排中律是说；任何命题必为非真即假。"③ 可见，以吴恩裕、李相显、谢幼伟为代表的一部分中国学者，在晚期第一阶段对于逻辑基本规律的说明、介绍是立足于数理逻辑的知识之上的。这种做法，无疑为人们正确地理解和把握逻辑基本规律之本质提供了新的平台。（2）立足于现代逻辑知

119

①　吴恩裕：《政治思想与逻辑》，周云之主编：《中国逻辑史资料选》（现代卷上），甘肃人民出版社 1991 年版，第 408 页。

②　李相显：《逻辑大纲》，周云之主编：《中国逻辑史资料选》（现代卷上），甘肃人民出版社 1991 年版，第 412—413 页。

③　谢幼伟：《逻辑要义》，周云之主编：《中国逻辑史资料选》（现代卷上），甘肃人民出版社 1991 年版，第 428 页。

识阐明逻辑学的本质。例如，谢幼伟在《逻辑要义》一书中关于"形式的逻辑"是这样解释的："逻辑必为形式的，非形式的不当视为逻辑。……命题是逻辑研究的题材，也是逻辑的单位。但逻辑之研究命题，却不是注意命题的实质，而是注意命题的形式。形式逻辑是以命题的形式为主，谋研究命题形式和命题形式间的关系，特别是它们的真假关系，使我们可从某一个或数个命题形式的真或假，而推论另一命题形式的真或假，主要目的是在获得推理的正确形式。……简言之，所谓逻辑就是论究一套正确推理的形式的学问而已。"[①] 这里，谢幼伟说明了逻辑学研究的题材、如何研究题材以及逻辑研究的目的主要是什么等一系列问题。他对这些问题的分析，非常清晰地显示其理论视野乃是符号逻辑。

需要指出的是，谢幼伟在《逻辑要义》一书中对于逻辑的形式特征之揭示，一方面反映出他对传统逻辑本质的看法，另一方面亦可视其为对包括数理逻辑在内的西方逻辑之总的认识——说明传统逻辑和现代逻辑的共同点。因为，在《逻辑要义》中谢幼伟曾明确指出："数理逻辑仍是形式逻辑。"[②]

（二）逻辑传播中依然存在一些模糊、甚至错误的观点

20 世纪二三十年代的传统逻辑传播具有一个明显特点，即对逻辑误解、甚至批评的人数和著作比较多。进入 40 年代，虽然由于数理逻辑的持续传播，加之人们的逻辑水平渐次提高，从而使传播者在传统逻辑传播过程中的学科独立性意识有所增强，[③] 但是在这一时期，仍然存在一些模糊乃至错误的思想。例如，1940 年出版的林仲达的《论理学》一书认为，论理学是教人们应该怎样思想而且应该怎样实践的学问，其"是以认识客观

---

①② 谢幼伟：《逻辑要义》，周云之主编：《中国逻辑史资料选》（现代卷上），甘肃人民出版社 1991 年版，第 427 页。

③ 这主要表现在批评逻辑的论文和著作减少，专门论述逻辑的学术成果增多。

世界与获得客观真理为目的，即知道什么是错误，什么是真理，应怎样免除错误而求得真理"①。显然，这是在用"辩证逻辑"的观点解释论理学。1943年，吴俊升、边振方的《理则学》一书中亦指出："理则学应当是'研究思想和行为的法则之学。'"②"理则学的任务，一方面使人由思想方法的正确性转变为实践行动的正确性，一方面又使人在行动的实践中去证实思想行动的正确性。所以，理则学是以研究如何使思想正确为起点的。但不以指导思想正确为唯一的任务，而是以指导正确的行动为其最终的实践任务的。"③显然，作者把理则学规定为指导正确思想和正确行动之学。这种情况表明，《理则学》一方面是在重复吴俊升20世纪二三十年代介绍"试验论理学"时的一些观点，另一方面亦带有深刻的"辩证逻辑"之烙印。

　　综合晚期第二阶段传统逻辑传播的上述两个特点可以看出，在更大范围内、在更加彻底的程度上澄清有关逻辑的错误思想，已经成为西方逻辑在中国社会进一步传播的关键所在。这一任务，历史地留给了20世纪下半叶的中国逻辑学界乃至整个学术界。

121

---

　　①　林仲达：《论理学》，周云之主编：《中国逻辑史资料选》（现代卷上），甘肃人民出版社1991年版，第364页。

　　②③　吴俊升、边振方：《理则学》，周云之主编：《中国逻辑史资料选》（现代卷上），甘肃人民出版社1991年版，第381、378页。

第四章　西方逻辑传播对哲学的影响

1840 年鸦片战争失败以后，随着社会的急剧转型，一些先进的中国人开始放眼西方、以寻找救国真理。其间，先后经历了器物层面、制度层面和观念层面的努力。作为时代精神反映的哲学，不可能漠视这一客观现实。事实上，亦正是基于这一客观现实，中国传统哲学逐渐向近代哲学嬗变。在具体的嬗变途程中，"中国的哲学向何处去？用什么思想指导前进的路向？"这一课题始终为许多思想家、哲学家所关注；"会通中西、融贯新旧"以铸造新的哲学理论体系，成为他们追求的一种理想境界。在实现该境界的过程中，谭嗣同、严复、冯友兰和金岳霖等，为把西方逻辑引入进行了积极探索。当然，这与同时期西方逻辑的传播有着直接关联。西方逻辑传播对中国近代哲学的影响，就内容而言，主要涉及哲学观念、哲学方法以及研究领域。其中，哲学观念和哲学方法，本书概称之为"哲学思想"。

第一节　西方逻辑传播对哲学思想的影响

西方逻辑在中国近代时期的传播，是伴随着 19 世纪中叶以后开始的"西学东渐"展开的，可是，其对中国哲学发生明显的影响却到了 19 世纪末。

一、西方逻辑传播对谭嗣同哲学思想的影响

谭嗣同（1866—1898），字复生，号壮飞，近代著名思想家，戊戌蒙难"六君子"之一。他曾因受儒学影响较深，而"随波逐

流，弹抵西学，与友人争辩，常至失欢"①。1894—1895 年的中日甲午战争，给谭嗣同在思想上以巨大刺激，故开始倡导新学，力主变法。1896—1897 年间，其《仁学》一书著成。该书既是他主张变法的理论根据，亦是其哲学思想的结晶。《仁学》一书的相关内容表明，谭嗣同哲学思想已经受到西方逻辑传播的影响，而这种影响的一个突出表现便是重视"界说"。

　　《仁学》一书的体系以定义方式为开端。定义，谭嗣同称之为"界说"。在"仁学界说"中，他共列举了 27 个定义。如第一条指出："仁以通为第一义。以太也，电也，心力也，皆指出所以通之具。"② 这是对"仁"进行定义。第二条认为："以太也，电也，粗浅之具也，借其名以质心力。"③ 这是对"以太"进行定义。尽管"这些界说……实际上是他的全书（指《仁学》——引注）的一些结论，并不能作为全书的大前提。把结论作为大前提那就是逻辑上所谓丐词，这一点谭嗣同是不自觉的。"④ 但若从另一角度分析，这些"界说"表明谭嗣同不仅仅认为明确概念是哲学思想确立的首要条件，还自觉地意识到"界说"即定义是明确概念的逻辑方法。在中国哲学发展史上，虽然《墨经》中已经大量地运用定义这种方式去明确概念，如"知，材也"、"虑，求也"、"行，为也"⑤ 等等，但是，它并没有明确提出"界说"这一标志着较高抽象思维水平的概念，而始终停留于"运用界说"的层面。《仁学》中"仁学界说"这一思想的提出以及 27 条具体"界说"的列举，表明谭嗣同已经开始自觉认识到"界说"是明

123

----

① 谭嗣同：《思纬氤氲台短书——报贝元征》，生活·读书·新知三联书店编：《谭嗣同全集》，生活·读书·新知三联书店 1954 年版，第 427 页。

②③ 谭嗣同：《仁学》，生活·读书·新知三联书店编：《谭嗣同全集》，生活·读书·新知三联书店 1954 年版，第 6 页。

④ 冯友兰：《中国哲学史新编》（第 6 册），人民出版社 1989 年版，第 130 页。

⑤ 《墨子·经上》。

确概念的逻辑方法，并将其实践于哲学思想的确立过程之中，换言之，他对定义这一逻辑方法的认识、运用已属于自觉行为。

谭嗣同《仁学》一书中对定义方法的自觉认识和运用，是受西方逻辑传播影响所致。这可从两方面予以说明：第一，第三章曾经指出，包括《辨学启蒙》在内的《西学启蒙》16 种在 1896年由广学会刊行，广学会系基督教当时在华的最大出版机构，影响颇大。1898 年广学会年度报告中曾经这样指出，中国人"特别是在甲午战争之后，要买我们的书；以前即使白送给他们这些书，他们也不愿看一看。在最近三年里维新派人士大量利用我们的出版物，努力促使人们觉醒到要去寻找更好的办法，而这些办法是中国一千年来从未看到过的。"[1] 在这种情况下，作为维新派重要人物之一的谭嗣同，极有可能阅读过艾约瑟的《辨学启蒙》。第二，《仁学》一书中关于"辩学"的论述，表明谭嗣同对西方逻辑已经有一定的了解。文中指出："辩对待[2]者，西人所谓辩学也，公孙龙、惠施之徒时术之，坚白异同之辩曲达之，学者之始基也。由辩学而算学，算学实辩学之演于形者也。由算学而格致，格致实辩学、算学同致于用者也，学者之中成也。"[3]这里，谭嗣同明确指出"辩学"即逻辑，是"学者之始基"，具有工具性，他结合"辩对待"、"算学"和"格致"说明了这一点。此外，他还认为"辩学"的方法、思想在中国先秦时期已经存在。[4] 这些，在一定意义上表明谭嗣同对于西方逻辑知识当已有一定程度的研习。

---

[1] 方言荫译：《广学会年报（第 11 次）》，《出版史料》1992 年第 1 期。

[2] 对立面之间的差异、矛盾，谭嗣同称之为"对待"。

[3] 谭嗣同：《仁学》，《谭嗣同全集》，生活·读书·新知三联书店 1954 年版，第 33 页。

[4] 引文中关于公孙龙、惠施以及"坚白异同之辩"的论述可以表明这一点。

二、西方逻辑传播对严复哲学思想的影响

严复是近代著名的启蒙思想家，代表着"中国共产党出世以前向西方寻找真理的一派人物"。他在西方逻辑传播方面里程碑式的工作，使得该门学科为世人所瞩目。郭湛波在《近五十年中国思想史》中曾经指出："自严先生译此二书（《穆勒名学》和《名学浅说》——引注），论理学始风行国内，一方学校设为课程；一方学者用为致学方法"①。在向学术界传播西方逻辑知识的同时，严复本人的哲学思想也受到逻辑理论、逻辑方法的影响。其中一个主要表现，便是他对传统学术（严复称之为"旧学"）思维特点的有关分析。

（一）立足概念运用的逻辑要求，分析传统学术思维特点

概念理论是形式逻辑内容的重要组成部分。在具体的哲学实践过程中，严复曾立足于这方面的有关内容，分析旧学即中国传统学术对概念的运用情况。例如，关于"气"这一概念，他指出："即如中国老儒先生之言气字。问人之何以病？曰邪气内侵。问国家之何以衰？曰元气不复。于贤人之生，则曰间气。见吾足忽肿，则曰湿气。他若厉气、淫气、正气、余气，鬼神者二气之良能，几于随物可加。今试问先生所言气者，究竟是何名物，可举似乎？吾知彼必茫然不知所对也。然则凡先生所一无所知者，皆谓之气而已。"② 可以看出，严复立足于合理思维中每一概念的内涵、外延均必须明确这一逻辑要求，发现中国传统学术中"气"范畴的使用不够精确。非仅如此，他还进一步指出："他若心字天字道字仁字义字，诸如此等，虽皆古书中极大极重要之立

125

① 郭湛波：《近五十年中国思想史》，山东人民出版社 1997 年版，第 183 页。
② ［英］耶方斯著，严复译：《名学浅说》，商务印书馆 1981 年版，第 18 页。

名，而意义歧混百出"①。有鉴于此，严复本着"用一名义，必
先界释明白"② 的学术信念，寄望于后学去努力发展中国传统学
术，改变其中概念含混不定的状况。他指出："廓清指实，皆有
待于后贤也。"③

在批评传统学术中一些基本概念不精确、缺乏逻辑分析的同
时，严复并未采取"尽去吾国之旧，以谋西人之新"的全盘否定
态度；相反，他在具体哲学实践中继续沿用一些古代学术范畴的
语词形式。我们仍以"气"范畴为例来说明。关于斯宾塞的《第
一义谛》（即《综合哲学体系》的《第一原理》——引注），他认
为是"通天地人禽兽昆虫草木以为言，以求其会通之理，始于一
气，演成万物"④；对《庄子》"夫吹万不同，而使其自己也"一
句，其批注为："一气之转，物自为变。此近世学者所谓天演
也。"⑤ 可以看出，严复在这里继续沿用"气"这一语词形式来
阐述天演之学。当然，我们亦要看到严复这里所使用的"气"已
被其赋予了新的含义："今夫气者，有质点有爱拒力之物也，其
重可以称，其动可以觉。虽化学所列六十余品，至热度高时，皆
可以化气。而今地球所常见者，不外淡轻养之物而已。"⑥ 显然，
严复在这里是运用近代物理、化学等知识来赋予"气"以确定的
内涵：由原子（"质点"）构成，原子间有吸引力和排斥力存在；
具有质量，处于运动、变化之中；常见的有氮气、氢气、氧气三

126

①③⑥ ［英］耶方斯著，严复译：《名学浅说》，商务印书馆 1981 年版，第 19、
18 页。
　② 严复：《政治讲义》，卢云昆编选：《社会剧变与规范重建——严复文选》，上
海远东出版社 1996 年版，第 177 页。
　④ 严复：《原强修订稿》，卢云昆编选：《社会剧变与规范重建——严复文选》，
上海远东出版社 1996 年版，第 19 页。
　⑤ 严复：《〈庄子〉评语》，卢云昆编选：《社会剧变与规范重建——严复文选》，
上海远东出版社 1996 年版，第 469 页。

类。关于严复的这种做法，冯契先生在《中国近代哲学的革命进程》一书中曾有评议："这样给'气'作界说，基本上已成了建立在近代实验科学基础上的物质概念。"①

严复一方面立足于概念必须明确的逻辑要求，批评传统学术中一些基本概念含义模糊、游移；另一方面又沿用传统概念的语词形式，通过赋予其确定的含义来阐述自己的哲学思想。这种情况，反映出严复立足于逻辑，分析中国传统学术思维特点时的过人之处：既揭举缺陷和不足，又开示弥补缺陷和不足的正确途径。

（二）从演绎、归纳角度探究传统学术思维特点

在中国近代哲学史上，对传统学术进行回顾、反思的不乏其人，然而，自觉以西方逻辑为参照，从演绎、归纳角度探究中国传统学术思维特点的，当首推严复。他的有关探究主要涉及两个方面：

127

1. 传统学术偏重演绎，而疏于归纳

1898 年，严复在通世学堂讲演《西学通门径功用说》，指出："格物穷理之用，其途术不过二端。一曰内导；一曰外导。""内导者，合异事而观其同，而得其公例。""学至外导，则可据已然已知以推未然未知者。"② 在《论今日教育应以物理科学为当务之急》一文中，他又指出："内籀东译谓之归纳，乃总散见之事，而纳诸一例之中。""外籀东译谓之演绎。外籀者，本诸一例而推散见之事者也。自古学术不同，而大经不出此二者。"③

---

① 冯契：《中国近代哲学的革命进程》，华东师范大学出版社 1997 年版，第 160－161 页。

② 严复：《西学通门径功用说》，舒新城编：《中国近代教育史资料》（下册），人民教育出版社 1961 年版，第 1006 页。

③ 严复：《论今日教育应以物理科学为当务之急》，卢云昆选编：《社会剧变与规范重建——严复文选》，上海远东出版社 1996 年版，第 263 页。

正是基于对演绎、归纳性质的如此认识，严复对传统学术思维特点进行了具体探究。

严复认为："中国由来论辩常法，每欲求申一说，必先引用古书，诗云子曰，而后以当前之事体语言，与之校勘离合，而此事体语言之是非遂定。此术西名为 Deductive，而吾译作外籀。……内籀西名 Inductive……唯能此术，而后新理日出，而人伦乃有进步之期。吾国向来为学，偏于外籀，而内籀能事极微。"① 这里，严复指出传统学术中"诗云子曰"的思维方法，其实质就是"外籀"即演绎。此种思维方法的特点是唯古是求——"每欲求申一说，必先引用古书"——再从中推论。严复对传统学术的这种特点持否定态度，只是他从反面表述了这一点："唯能此术（内籀——引注），而后新理日出，而人伦乃有进步之期。"严复的这种价值取向，和他关于归纳法对于西方近代学术发展所起到的关键作用之认识密切相关。在《原强修订稿》中，严复曾经指出，西方"二百年学运昌明，则又不得不以柏庚（即培根——引注）氏之摧陷廓清之功为称首②。应该说，严复这里的批评至少是切中了长期以来占据统治地位的儒家旧学之要害。而严复之所以对旧学疏于归纳进行批评，目的乃在于唤起学术界对归纳法予以重视，以推动中国科学进步。严复探究传统学术的这种水平和眼光，在当时确属凤毛麟角，极为难得。仅就此而言，他便超过前后许多学者。

2. 传统学术中演绎推论之前提多本于"心成"，而非"实测"

传统学术偏重演绎，疏于归纳。关于演绎的具体运用情况，

---

① ［英］耶方斯著，严复译：《名学浅说》，商务印书馆 1981 年版，第 64 页。

② 严复：《原强修订稿》，卢云昆编选：《社会剧变与规范重建——严复文选》，上海远东出版社 1996 年版，第 31—32 页。

严复指出："因事前既无观察之术，事后于古人所垂成例，又无印证之勤，故其公例多疏，而外籀亦多漏"①。这就是说，中国传统学术中对于"外籀"的运用，因前提不是建立在观察实验的基础之上，故整个推论难免"多漏"。他具体结合"九流之学"详细说明了此种推论的前提特征。严复指出："中国九流之学，如堪舆、如医药、如星卜，若从其绪而观之，莫不顺序；第若穷其最初之所据，若五行支干之所分配，若九星吉凶之各有主，则虽极思，有不能言其所以然者矣。无他，其例之立根于臆造，而非实测之所会通故也。"② 这就是说，"九流之学"的推论看上去很有"顺序"，但其"最初之所据"即推论之原始根据因为不是通过实验、观察而所得，故属于"立根于臆造"，不能言其所以然。

此外，严复还通过对当时颇有影响的陆王心学进行分析，揭示出传统学术中演绎推论的上述特点。他指出："夫陆王之学，质而言之，则直师心自用而已。自以为不出户可以知天下，而天下事与其所谓知者，果相合否？不径庭否？不复问也。自以为闭门造车，出而合辙，而门外之辙与其所造之车，果相合否？不龃龉否？又不察也。向壁虚造，顺非而泽，持之似有效，言之若成理。其甚也，如骊山博士说瓜，不问瓜之有无，议论先行蜂起，秦皇坑之，未为过也。"③ 这里，严复认为陆王之学的立论纯属"师心自用"，根据主观臆想来推论认识对象，即"持之似有故，言之若成理"，但毕竟"向壁虚造，顺非而泽"，推论的依据本于

①　严复：《论今日教育应以物理科学为当务之急》，卢云昆编选：《社会剧变与规范重建——严复文选》，上海远东出版社 1996 年版，第 263 页。

②　［英］约翰·穆勒著，严复译：《穆勒名学》，商务印书馆 1981 年版，第 199 页。

③　严复：《救亡决论》，卢云昆编选：《社会剧变与规范重建——严复文选》，上海远东出版社 1996 年版，第 48 页。

129

"心成"，而非"实测"。这种特点，他认为"其为祸也，始于学术，终于国家"①。通过"骊山博士说瓜……秦皇坑之，未为过也"的一番议论，严复借以喻指对偏重"外籀"即演绎之学术特点的极度反感，同时，这亦从反面表明他对归纳法倾心之至。

（三）根据论说的逻辑要求，考察传统学术思维特点

关于传统学术思维特点，严复除了立足概念理论以及归纳和演绎的知识进行分析之外，还根据论说的有关逻辑要求进行考察。例如，在《名学浅说》中他曾这样指出："若以名学法例，绳吾国九流之学，则十八九皆丐问窃词。"② 所谓"丐问窃词"，是指论说过程中假设论题的逻辑错误。这种错误，严复认为不仅"九流之学"存在，"中国旧学，无论哲俗诸家，犯者尤众"③。

130

至于"丐问窃词"的具体情况，严复曾经举例说明："相传禅门机锋语，问曰：汝从何处来，答从来处来。又问曰：汝从何处去，答从去处去。又言行录载，程伊川一日与邵康节争雷起处。邵曰：子知雷起处乎？程曰：颐知之尧夫不知也。邵愕然问起于何处，程曰：起于起处。邵称善。"④ "从来处来"、"从去处去"、"（雷）起于起处"等所谓的论说，究其实质并没有对相关问题作出真正回答，而是仅以问题本身为答案。这种情况，在逻辑上属于"丐问窃词"，是非有效的。严复对此颇不以为然，他说："不佞见此，辄叹当日作此语与记此事诸公，何不默然。"此外，他还进一步说明"丐问窃词"之虚妄所在："顾此窃不祛，将一切穷理，皆同自欺。虽貌极精微，于真理实用，毫无有当。"⑤

---

① 严复：《救亡决论》，卢云昆编选：《社会剧变与规范重建——严复文选》，上海远东出版社 1996 年版，第 49 页。

②③④⑤ ［英］耶方斯著，严复译：《名学浅说》，商务印书馆 1981 年版，第109、108—109、109、109 页。

以上，我们从三个方面说明了严复对中国传统学术思维特点的分析。可以看出，作为启蒙思想家的严复在向中国学术界译介西方逻辑的同时，还身体力行，将有关知识自觉引入哲学实践之中。这种情况，在客观上对于中国哲学近代转型中逻辑意识的增强起到了催化作用。继严复之后，冯友兰和金岳霖等其他学者把西方逻辑在哲学中的应用推至崭新的阶段。

三、西方逻辑传播对冯友兰哲学思想的影响

冯友兰（1895—1990），字芝生，河南唐河人，中国近代时期著名的哲学家兼哲学史家，其哲学体系的一个重要特征便是重视逻辑在理论思维中的运用。"新理学"哲学体系中逻辑意识的高度觉解，标志着西方逻辑传播与中国近代哲学的融合达到了空前阶段。冯友兰之所以能够取得如此辉煌的成就，除了这一时期西方逻辑传播的文化大背景之外，其早年对逻辑学的浓厚兴趣亦是不可忽视的重要因素之一。

（一）早年对西方逻辑的学习

1912 年，冯友兰进入上海中国公学大学预科班学习。1915年毕业，后考入北京大学文科中国哲学门。在中国公学学习期间，学校开设有逻辑课程。冯友兰先生在回忆这段往事时曾经这样说："我有一门课程是逻辑，所用的课本，是耶方斯（又译成杰方斯）的《逻辑要义》。"[1] 遗憾的是，教员并没有完全理解《逻辑要义》这本书的基本内容，只是把它作为一本英文读本，教学生习念英文。[2]

---

① 冯友兰：《三松堂自序》，生活·读书·新知三联书店 1984 年版，第 197 页。
② 冯友兰：《冯友兰自传》，北京图书馆《文献》丛刊编辑部、吉林省图书馆学会会刊编辑部编：《中国当代社会科学家》（第 1 辑），书目文献出版社 1982 年版，第 37 页。

没有优秀的教员，冯友兰就以穆勒的《逻辑体系》和耶方斯的《逻辑要义》为蓝本，参照严复所译《穆勒名学》和《名学浅说》进行自学。《逻辑要义》一书的后面附有很多练习题，这为自学提供了很大方便。关于当时的具体情况，冯友兰先生这样回忆说："我就是自己摸索，并且照着书后面所附的练习题，自己练习。这当然不能使我完全懂得书的内容。但是我对于逻辑发生了浓厚的兴趣。"① 在中国公学得到的初步逻辑训练，为冯友兰日后在哲学实践中运用逻辑分析法奠定了一定基础。1920—1923年夏，冯友兰又赴美国哥伦比亚大学研究院攻读博士学位，这在客观上为他进一步学习西方逻辑，并将其引入哲学实践创造了良好的契机。

（二）西方逻辑传播对冯友兰哲学思想的影响

132

西方逻辑传播对冯友兰哲学思想的影响，涉及哲学观和哲学方法两个方面。

1. 西方逻辑传播对冯友兰哲学观的影响

冯友兰认为，真正的形上学与数学、逻辑学有着本质的差异，主要因为前者解释事实，而后者则根本不涉及事实。他说："形上学的工作，是对一切事物作形式底解释。……对于事实作解释，此是形上学所以不同于逻辑算学者。"② 主张不能把哲学消融于逻辑，这是冯友兰不同于逻辑实证主义者的观点之一。在逻辑实证主义者看来，一切形而上学的命题均是不可证实的、无意义的，因此，形而上学即哲学应该"拒斥"。如果哲学还要求存在，它就必须放弃探究什么是世界的本原之类的问题，去对科

① 冯友兰：《冯友兰自传》，北京图书馆《文献》丛刊编辑部、吉林省图书馆学会会刊编辑部编：《中国当代社会科学家》（第1辑），书目文献出版社1982年版，第37页。

② 冯友兰：《新理学在哲学中之地位及其方法》，冯友兰：《三松堂学术文集》，北京大学出版社1984年版，第515页。

学进行逻辑分析。

指出哲学与逻辑的差异性，固然是冯友兰哲学观中的一个方面，但事实上他却更为强调二者的一致性，可以说这是冯友兰对哲学与逻辑关系的更为重要观点。

（1）哲学中的观念、命题及其推论，多是形式的、逻辑的。

冯友兰认为，逻辑实证主义并没有完全取消形上学，它所取消的只是"坏底形上学"，"真正底形上学"和维也纳学派的批评毫无关系。在他看来，"真正底形上学"或哲学就是以一切事物的共相为根本对象，以逻辑分析为主要方法的思维活动及其产物，即"哲学乃自纯思之观点，对于经验作理智底分析、总括及解释，而又以名言说出之者"①。"哲学中之观念、命题及其推论，多是形式底、逻辑底，而不是事实底、经验底。"②关于这里后一句话的意义，冯友兰认为必须了解"逻辑之特点"，然后才可以明白。他所谓"逻辑之特点"即逻辑的形式特点。

133

关于逻辑的形式特点，冯友兰曾有详细例释。例如，"凡人皆有死，甲是人，甲有死。"在这一个三段论中，形式逻辑对于事实上凡人是否皆有死，以及甲是否是人，均无肯定。"于此推论中，形式逻辑所肯定者只是：若果凡人皆有死，若果甲是人，则甲必是有死底。于此推论中，逻辑所肯定者，可以离开实际而仍是真底。假令实际中没有人，实际中没有是人之甲，这个推论，所肯定者，还是真底。不过若使实际中没有人时，没有人说它而已。不仅推论如此，即逻辑中之普通命题，亦皆不肯定其主词之存在。不过旧逻辑中，未明白表示此点，所以易引起误会。新逻辑中普通命题之形式与旧逻辑中不同。例如'凡人皆有死'之命题，在新逻辑中之形式为：'对于所有底甲，如果甲是人，

①② 冯友兰：《新理学》，《贞元六书》，华东师范大学出版社 1996 年版，第 7、10 页。

甲是有死底。'此对于实际中有否是人之甲，并不作肯定，但肯定：如果有是人之甲，此是人之甲是有死底。"① 可以看出，冯友兰在这里是吸收了现代逻辑中关于三段论、全称命题的思想来阐释逻辑的"形式"特点，而逻辑之"形式"特点的阐明又直接服务于其"哲学中之观念、命题及其推论，多是形式底、逻辑底，而不是事实底、经验底"这一思想。

（2）逻辑的发展可以促使哲学进步。

冯友兰认为，哲学（主要是形上学）的发展不可能是全新的，不可能完全超出前人的轮廓。其中原因，一则"哲学只对真际有所肯定，但肯定真际有某理，而不必肯定其理之内容"②。哲学家"以心观大全"，"并不要取真际之理，一一知之，更不必将一理之内容，详加研究"。不像科学家今日格一物，明日格一物，可以不断地获得新知。二则"哲学中之道理由思得来"，而"人之思之能力是古今如一，至少亦可说是很少有显著底变化。思之运用所依之工具，如言语文字等，亦不能有甚多甚新底进步"③。这样，从研究对象以及研究方式、思维能力及其凭借两个不同方面，冯友兰解释了哲学的发展为何不可能是全新的。

哲学的发展虽然不能是全新的，但却可以是较新的。关于较新的哲学之所以可能有的理由，冯友兰认为具体涉及三个方面：语言与文法方面、经验方面和逻辑方面。关于逻辑方面，冯友兰指出："人之思之能力虽古今如一，而人对于思之能力之训练则可有进步。逻辑为训练人之思之能力之主要学问。今人对于逻辑之研究，比之古人，实大有进步。故对于思之能力之训练，今人可谓优于古人。用训练较精底思之能力，则古人所见不到者，今

134

---

①②③　冯友兰：《新理学》，《贞元六书》，华东师范大学出版社 1996 年版，第 10—11、17、17 页。

人可以见到，古人所有观念之不清楚者，今人可使之清楚。"①
他还进一步运用譬喻说明了这一点："若今人之上南岳者，其目
力因特殊底训练，可较前人为好，则其所见或可较前人为多。"②
关于哲学的存在，冯友兰认为依靠人之思与辩。所谓"辩"，即
以名言辩论，亦即说出或写出道理。而所以能够得到道理，则由
于思。③ 因此，思对于哲学的存在具有最为根本的作用。这样，
逻辑的进步必然会引起哲学之发展。关于逻辑对哲学发展所起到
的作用，冯友兰归结为两个具体方面：思之成果扩大即哲学内容
愈加丰富；思之结果更加清晰，即使已有的概念、命题等更加清
楚、准确。可以说，冯友兰在这里实际上看到了逻辑的创新功能
和明确思想功能，而二者均体现了逻辑学的工具性质。

（3）逻辑是哲学的组成部分。

1924 年，冯友兰的博士论文《天人损益论》改名为《人生
理想之比较研究》由上海商务印书馆出版。在该书《绪论》中，
他认为哲学的组成应该包括三个部分：宇宙论——关于世界之道
理；人生论——关于人生之道理；知识论——关于知识之道理。
其中，宇宙论、人生论和知识论又分别包括两个部分。知识论的
两个部分是：知识论——研究知识之性质，（狭义的）论理学——
研究知识之规范。④ 这里，冯友兰把逻辑学归入哲学之组成部分，
似有缩小了逻辑学应有地位之嫌。作为一门基础理论学科，逻辑
学的地位是独立的，它有专门的研究对象、研究内容和研究方
法。但这是问题的一个方面，如果从冯友兰哲学思想所受西方逻

135

①② 冯友兰：《新理学》，冯友兰：《贞元六书》，华东师范大学出版社，1996
年版，第 19—20、20 页。

③ 参见冯友兰：《新理学·绪论》，《贞元六书》（上），华东师范大学出版社
1996 年版，第 9 页。

④ 参见冯友兰：《人生哲学》，《三松堂全集》（第 1 卷），河南人民出版社 1985
年版，第 353—355 页。

辑影响的角度分析，关于逻辑学的上述定位又体现着逻辑在冯友兰哲学观中有着重要地位——逻辑是研究知识之规范的。

2. 西方逻辑传播对冯友兰哲学方法的影响

逻辑学和冯友兰哲学观的密切联系，直接影响到他在哲学实践中对于具体方法的择取。在《新知言》中他曾明确提出，一门学问的性质与其方法有着密切关系。真正形上学的方法包括两种：一种是正的方法，一种是负的方法。其中，负的方法即道家、禅宗等所运用的"破"的方法，其特点是讲形上学不能讲。"讲形上学不能讲，即对于形上学的对象，有所表显。既有所表显，即是讲形上学。"① 正的方法即以逻辑分析法讲形上学。虽然在《中国哲学简史》一书中，冯友兰阐述了他关于两种方法之间关系的观点，即"正的方法与负的方法并不是矛盾的，倒是相辅相成的。一个完全的形上学系统，应当始于正的方法，而终于负的方法。如果它不终于负的方法，它就不能达到哲学的最后顶点。"② 而事实上，把逻辑引入哲学实践则是冯友兰更为倾心的选择，并且，新理学的真正贡献亦正是它将逻辑分析方法运用于中国哲学，使得蕴藏在传统哲学中的理性精神得到发扬。③

1934 年，冯友兰在布拉格第八次国际哲学会议上的发言中指出："我们期望不久以后，欧洲的哲学思想将由中国哲学的直觉和体会来予以补充，同时中国的哲学思想也由欧洲的逻辑和清晰的思维来予以阐明。"④ 在《中国哲学简史》一书中，冯友兰

136

---

① 冯友兰：《新知言》，《贞元六书》，华东师范大学出版社 1996 年版，第 869 页。

② 冯友兰著，涂又光译：《中国哲学简史》，北京大学出版社 1996 年版，第 295 页。

③ 参见冯契：《〈新理学〉的理性精神》，《学术月刊》1991 年第 2 期。

④ 冯友兰：《中国现代哲学》，《三松堂学术文集》，北京大学出版社 1984 年版，第 289 页。

更进一步强调逻辑方法对于中国哲学发展之必要。书中指出："在中国哲学史中，正的方法从未得到充分发展；事实上，对它太忽视了。因此，中国哲学历来缺乏清晰的思想，这也是中国哲学以单纯为特色的原因之一。由于缺乏清晰思想，其单纯性也就是非常素朴的。单纯性本身是值得发扬的；但是它的素朴性必须通过清晰思想的作用加以克服。清晰思想不是哲学的目的，但是它是每个哲学家需要的不可缺少的训练。它确实是中国哲学家所需要的。"①

　　冯友兰之所以更加强调把逻辑学引入哲学实践，除了他对中西方哲学的差异进行深入思考之外，还有一个重要原因，即他认为哲学的存在和逻辑密不可分。《新知言》中曾经这样指出："哲学之有，靠人的思与辩。"②"思"就是作分析，而将分析以名言说出，即为"辩"。可见，哲学之有，首要靠人的思，而逻辑学是思学。关于逻辑学是思学，冯友兰曾经有这样的说明："西洋逻辑学初入中国时，有人译为辩学（其实与其译为'辩'学，不如译为'辨'学）。西洋人固然很少说逻辑学是辩学，但很有人说，逻辑学所讲底，是思的规律，或推理的规律。这就是以逻辑学为思学。"③

137

　　总之，哲学的方法固然有两种，但负的方法相对于中国哲学而言，早已为道家所运用，后来佛家的传入又加强了它。唯独逻辑分析法是"西方哲学对中国哲学的永久性贡献"，它是"西方哲学家的手指头，中国人要的是手指头"。该方法的传入，对中

---

　　① 冯友兰著，涂又光译：《中国哲学简史》，北京大学出版社 1996 年版，第295 页。

　　②③ 冯友兰：《新知言》，《贞元六书》，华东师范大学出版社 1996 年版，第 927页。

国哲学的发展极其重要，它使中国哲学的整个思想为之一变。[①]

　　标志着冯友兰将逻辑分析法引入哲学实践的一个典型事实是"新理学"体系的创立。其中，《新理学》之完成尤为显然。在《新理学在哲学中之地位及其方法》一文中，冯友兰指出："《新理学》的方法，就是真正形上学的正底方法。"[②]

　　"新理学"中逻辑方法的引入主要有以下几种情况：

　　（1）基本概念的含义清楚、明确

　　在合理思维过程中，基本概念的含义必须清楚、明确，这是逻辑学关于概念使用的起码要求。中国传统学术由于逻辑意识不发达，所以，许多概念往往含义不清、模糊混乱。这一点，严复曾经明确地指出并身体力行，以矫其弊。继严复之后，冯友兰在其哲学实践过程中，对基本概念含义必须明白、清楚这一逻辑要求亦有着明显自觉。其中一个突出的表现是：当他运用一些传统哲学中的术语来阐述思想时，既考察这些术语的历史含义，又指出"新理学"中的具体规定。

　　以"道"为例。"道"是中国传统哲学中的重要术语，几乎所有流派均有论及。冯友兰首先分析了这一术语在历史上曾经有过的几种含义：①本义为路，"人之道"即人在道德上当行之路；②指真理，或最高真理，或全体真理之义，如孔子所说"朝闻道，夕死可矣"；③道家所谓道，无形无名，能生成万物；④指"宇宙间一切事物变化所依照之理"，如程朱所言"形而上者谓之道"。接着，他指出：在"新理学"中，"无极，太极，及无极而太极，换言之，即真元之气，一切理，及由气至理之一切程序，

---

　　① 参见冯友兰著，涂又光译：《中国哲学简史》，北京大学出版社1996年版，第282—283页。

　　② 冯友兰：《新理学在哲学中之地位及其方法》，《三松堂学术文集》，北京大学出版社1984年版，第518页。

总而言之，统而言之，我们名之曰道。"此"道"指动的宇宙。《新理学》中又进一步指出："我们亦常以道特别指无极而太极之程序。无极而太极，此'而'即是道"，这是宋儒所谓道体，亦就是《易·系辞》所说的"一阴一阳之谓道"中的"道"，包括实际世界的阴阳变化之程序。[①]这样，冯友兰既分析了"道"在历史上曾经有过的一些含义，又指明"新理学"中对它的具体规定。两相对比，"新理学"中对"道"的使用可谓一目了然，界说清楚。此外，像"气"、"天"、"理"、"性"、"命"、"心"、"德"、"仁"、"义"等传统哲学中的其他一些重要术语，冯友兰在《贞元六书》所架构的"新理学"体系中亦均作了细致说明。"经过这样的逻辑分析，一方面说明了历史上各派哲学在使用这些范畴、术语时的本来意义，另一方面又为它们在'新理学'系统中的含义作了明确的规定，使哲学思想克服了素朴性和意义含混之病，得到净化而显得清楚明晰了。"[②]

（2）观念的提出讲求逻辑推导

在整个"新理学"体系中，最核心的观念涉及四个："理"、"气"、"道体"和"大全"。在这些观念的提出过程中，逻辑推导饰演着重要角色。

以"理"和"气"为例。在《新知言》中，冯友兰这样指出："形上学的工作，是对于经验，作形式底释义。在我们的经验或可能底经验中，有如是如是底事物。"[③]从如是如是的事物出发，形上学对于实际所作的第一肯定，也是唯一肯定，即事物存在。"我们对于事物及存在，作形式底分析，即得到理及气的

---

①　参见冯友兰：《新理学》第二章和第三章，《贞元六书》，华东师范大学出版社 1996 年版。

②　冯契：《〈新理学〉的理性精神》，《学术月刊》1991 年第 2 期。

③　冯友兰：《新知言》，《贞元六书》，华东师范大学出版社 1996 年版，第 918页。

观念。"①

在"理"观念的得到过程中,冯友兰提出了新理学形上学系统的第一组命题:

"凡事物必都是甚么事物。是什么事物,必都是某种事物。某种事物是某种事物,必有某种事物之所以为某种事物者。"②
"某种事物之所以为某种事物者",冯友兰称之为"理"。这一组命题肯定有"理"。

关于"理"观念的得出,冯友兰实质上是进行了如下概念推演:

事物涵蕴什么事物,什么事物涵蕴某种事物,某种事物涵蕴某种事物之所以为某种事物者;事物存在;所以,有某种事物之所以为某种事物者即"理"。

以上推演可以符号表示为:

$$(\forall_x)((T_x \rightarrow S_x) \wedge (S_x \rightarrow K_x) \wedge (K_x \rightarrow W_x))$$

$$(\exists_x) T_x$$

$$\therefore \quad (\exists_x) W_x$$

(T:事物;S:什么事物;K:某种事物;W:某种事物之所以为某种事物者。)

在"气"观念的得到过程中,冯友兰提出了新理学形上学系统的第二组命题:

"事物必都存在。存在底事物必都能存在。能存在底事物必都有其所有以能存在者。"③
能存在的事物"其所有以能存在者",新理学谓之"气"。

这里,关于"气"观念的得到实质上亦是进行了概念推演:

---

①②③　冯友兰:《新知言》,《贞元六书》,华东师范大学出版社 1996 年版,第919、920、921 页。

　　事物涵蕴存在的事物，存在的事物涵蕴能存在的事物，能存在的事物涵蕴其所有以能存者；事物存在；所以，有其所有以能存在者即"气"。

　　以上推演同样可以符号表示为：

$$(\forall_x)\ ((T_x \to E_x) \wedge (E_x \to A_x) \wedge (A_x \to H_x))$$

$$(\exists_x)\ T_x$$

$$\therefore\quad (\exists_x)\ H_x$$

　　（T：事物；E：存在的事物；A：能存在的事物；H：能存在的事物所有以能存在者。）

　　新理学体系中主要观念的提出和逻辑推导有着密切关系，这不仅体现在观念的得到程序上，而且体现在观念的刻画方面。以"气"观念为例。新理学所谓"气"，并不是有些中国哲学家所谓的"体"，亦不是有些西方哲学家所谓的"本体"。新理学指出："我们不能说气是甚么。其所以如此，有两点可说。就第一点说，说气是甚么，即须说存在底事物是此种甚么所构成底。如此说，即是对于实际有所肯定。此是一综合命题，但是无可证实性，照维也纳学派的标准，此命题是无意义底，不是命题。就第二点说，我们若说气是甚么，则所谓气即是一种能存在底事物，不是一切事物所有以能存在者。新理学所谓气，是'一切事物'所有以能存在者，所以决不是一种事物。"[1] 这里，冯友兰明显地两次运用反证法以证明"我们不能说气是甚么"：如若说气是什么，则须说存在的事物是此种什么所构成；此为无意义的命题（照维也纳学派观点），所以，不能说气是什么。如若说气是什么，则所谓气是一种能存在的事物；新理学所谓气不是这样；所以，不

——————
　　① 冯友兰：《新知言》，《贞元六书》，华东师范大学出版社 1996 年版，第 923 页。

141

能说气是什么。

除了"气"以外，新理学对"道体"、"流行"等观念的刻画亦同样运用了反证法。

（3）利用类的知识阐述哲学思想

类是逻辑学中的基本概念，其含义是指具有相同属性的事物之汇集。在康托尔集合论发展初期，类与集合是不加以区分的，均指由对象所组成的整体。集合论悖论出现以后，人们把类区分为集合与真类，前者是指能作为其他类的元素的类，后者是指不能作为其他类的元素的类。类和它所包括的事物即分子的关系是属于关系。根据是否有分子存在，类分为实类与空类。冯友兰在其哲学实践中，对类概念及其有关知识予以相当重视。新理学体系中的一些思想，可以明显看出是在类知识的参照下确立的。

①"理"、"性"与类

142

"理"和"性"是冯友兰哲学思想中的重要内容。关于"理"，《新理学》指出："某一类中之事物，必依照某理，方可成为某一类中之事物。某理为某一类中之事物所必依照而不可逃。""从类之观点说，某理即某类事物之所以成为某类事物者。"① 这里，冯友兰实际上是从"理"与类分子、类属性两个层面来说明新理学所谓"理"：某一类中之分子必具有"理"方可谓"某一类之分子"，"理"又必然为某一类之分子所具有。之所以认为"理"和类分子之间具有对应关系，这和冯友兰关于"理"是决定某类存在的根本原因这一思想②直接牵连。

把类知识引入"理"的说明，这在冯友兰"新理学"体系中

---

① 冯友兰：《新理学》，《贞元六书》，华东师范大学出版社 1996 年版，第 88 页。

② 关于这一思想冯友兰曾有例释："人理即人之所以为人者，马理即马之所以为马者。"（冯友兰：《新理学》，《贞元六书》，华东师范大学出版社 1996 年版，第 88 页。）

不止一处。如《新理学》一书中又曾指出："一种即一类物有一种物之理，一种事有一种事之理，一种关系有一种关系之理。""就事说，每种事，亦皆有其所以为此种事者；此即其理，为其类之事，所必依照者。依照某理之事，即其理之实际底例，亦即其事之类之实际底份子也。"[①] 譬如动之一种事，必有其所以为动者，这亦就是动之所以然之理，为一切动之事所必依照。依照动之理之实际的动之事，即动之理之实际的例，亦即动之事之类之实际的分子。

关于冯友兰在"理"的说明中运用类知识之实际情况，可以图示如下：

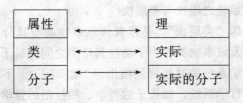

143

关于"性"，《新理学》指出："某类事物之性，即某类事物所依照于某理，而因以成为某类事物者。"[②] 例如，人性即人之所依照于人之所以为人者，而因以成为人者；马性即马之所依照于马之所以为马者，而因以成为马者。"凡事物依照某理，即有某性，有某性即入某类。"[③] 在这里，冯友兰是从"理"、"性"、"类"相同一的角度来说明"性"的。此外，他还从某类中个体所具有的属性角度，来进一步分析每一事物之性的具体情况。

《新理学》指出，每一事物，从其属于任何一类的观点看，均有其正性、辅性和无干性，即"每一事物，从其所属于之任何一类之观点看，其所以属于此类之性，是其正性，其正性所涵蕴

---

①②③ 冯友兰：《新理学》，《贞元六书》，华东师范大学出版社 1996 年版，第 35、88、89 页。

之性，是其辅性，与其正性或辅性无干之性，是无干性"①。例如，若一人是白的，则其属于白物类。如果从白物类的观点看，则此人所具有的白性是其正性；白性所蕴涵之性，如颜色等，是其辅性；其所具有的人性以及动物性等，是无干性。可以看出，冯友兰在这里所谓正性、辅性和无干性的划分，实质上是基于类分子所具有的属性和其所属某类之所以为某类的分析之上，即类属性在具体分子上的直接呈现、类属性在分子上直接呈现的涵蕴之性（推出之性）、既非类属性之直接呈现，又非其所涵蕴之性。可以认为，正性、辅性以及无干性的思想，正是冯友兰关于分子与类关系认识的直接产物。

②哲学系统之层次与类层次

这里所谓"类层次"，是指具体的事物类与其分子之间的属于关系，以及该事物类作为子类与其母类之间的属于关系。冯友兰在谈到哲学系统的时候曾经指出："就实际、形下方面说，有一家一家底哲学系统，如孔子的哲学、柏拉图的哲学等。有一种一种底哲学系统，如亚里士多德的哲学、朱熹的哲学，虽是两家的哲学系统，但俱属于一种哲学系统。一种哲学系统有一类，属于一种哲学系统之一家一家底哲学系统，是其类中之实际底分子。一种一种底哲学系统之类之上又有一共类，此共类之理，即'哲学系统'或'哲学'。"②在这里，冯友兰其实是以类层次来透析哲学系统中的层次问题。他认为，一种哲学系统代表一个事物类，其分子即为属于该哲学系统中的一家一家哲学系统；同时，该种哲学系统之上另有一"共类"即母类，该哲学系统是其中一个分子。关于冯友兰所分析的哲学系统之层次，可以图示如下：

144

---

①② 冯友兰：《新理学》，《贞元六书》，华东师范大学出版社 1996 年版，第 92、160 页。

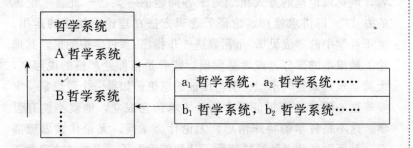

与上图相应的类层次又可以图示如下：

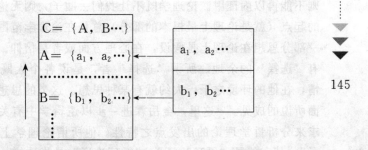

比较以上两图可以看出：冯友兰关于哲学系统的思想，其实源自
逻辑学中类层次的直接借鉴。

四、西方逻辑传播对其他学者哲学思想的影响

除了冯友兰之外，同一时期的其他学者如金岳霖、张申府、
张岱年、贺麟、牟宗三等，他们的哲学思想亦明显受到西方逻辑
传播的影响。现以金岳霖和张申府为例进行说明。

（一）西方逻辑传播对金岳霖哲学思想的影响

1. 哲学观及其阐释受到影响

在回答"什么是哲学"这一问题时，金岳霖指出："我以为
哲学是说出一个道理来的成见。"而"所谓'说出一个道理来'

者，就是以论理的方式组织对于各问题的答案。"① 此言"论理的方式"，即讲求推理、论证等逻辑方法在理论思维中的运用。关于哲学中的"成见"，金岳霖进一步指出："哲学中的见，其理论上最根本的部分，或者是假设，或者是信仰：严格的说起来，大都是永远或暂时不能证明与反证的思想。如果一个思想家一定要等这一部分的思想证明之后，才承认它成立，他就不能有哲学。这不是哲学的特殊情形，无论什么学问，无论什么思想都有，其所以如此者就是论理学不让我们丢圈子。现在的论理学还是欧几里得'直线式'的论理学，我们既以甲证乙，以乙证丙，则不能再以丙证甲。论理学既不让我们丢圈子，则无论什么思想的起点（就是论理上最根本的部分）总是在论理学范围之外。这一部分思想在论理上是假设，在心理方面或者是信仰。各思想家有'选择'的余地。所谓'选择'者，是说各个人既有他的性情，在他的环境之下，大约就有某种思想。这类的思想，就是上面所说的成见。"② 这里，金岳霖进一步以逻辑学中有关论证的要求来分析哲学理论的出发点之特性。他所谓论理学上的"丢圈子"，其实就是"循环论证"。"循环论证"是指这样一种错误论证：论题的真实性要依靠论据来证明，而论据的真实性却又反过来依靠论题去证明。这种论证，由于论据违犯了逻辑规则，不是先于论题而是依赖论题被证明为真，因此，起不到证明论题的效果，只能是原地"兜圈子"。

2. 具体哲学思想的说明受到影响

这包括如下两种情况：

（1）自觉接受逻辑学对于概念的明晰性要求

金岳霖认为，中国哲学的一个特点便是认识论和逻辑意识不

①② 金岳霖：《冯友兰〈中国哲学史〉审查报告》，刘梦溪主编：《中国现代学术经典·金岳霖卷》，河北教育出版社 1996 年版，第 1173、1171—1172 页。

发达，并进而影响到概念的准确、明晰。他说："中国哲学家没有一种发达的认识论意识和逻辑意识，所以在表达思想时显得芜杂不连贯，这种情况会使习惯于系统思维的人得到一种哲学上料想不到的不确定感，也可能给研究中国思想的人泼上一瓢冷水。"① 这里所谓"表达思想时显得芜杂不连贯"，就包括对一定语境中同一语词的含义应有明确界定缺乏自觉意识。此外，金岳霖还进一步指出，中国传统哲学中的概念往往是"同样型而不同意义"，如"'道其所道'这句话中间的两道字"②。有鉴于此，金岳霖比较注意在建构自己哲学体系的过程中保持概念的明晰性，认为"理想的办法是只给一个字一个意义"③。以"知识论"这一概念为例。金岳霖首先提出"知识论"是"以知识为对象而作理论的陈述"；其次，分析"对于知识作理论的陈述"的意义，不在于"指导我们怎样去求知识"，而在于"理解知识"；再次，分析知识本身的对象有两种，"一是普遍的，一是特殊的；前者是普通所谓'理'，后者是普通所谓'事实'"；第四，与知识的两种对象相联系，知识的内容亦包括两种，"一是普遍的理，一是特殊的事实"。经过这样层层解析，便获得一个关于"知识论"的明确定义："知识论即研究知识底理底学问。"④ 有学者曾撰文指出："可以说，在金岳霖那里，已达到了近代哲学所要求的概念的明晰性。"⑤ 事实上确实如此。

147

（2）辩证运用有关逻辑知识

《论道》是金岳霖先生的一部著名哲学著作。该书第三章的

① 　金岳霖：《中国哲学》，刘梦溪主编：《中国现代学术经典·金岳霖卷》，河北教育出版社 1996 年版，第 1224 页。

②③④ 　金岳霖：《知识论》，刘梦溪主编：《中国现代学术经典·金岳霖卷》，河北教育出版社 1996 年版，第 1011、228 页。

⑤ 　陈卫平：《中国哲学近代化的一个侧面——析严复、胡适、金岳霖改造传统哲学概念的理论》，《哲学研究》1986 年第 9 期。

标题为"现实底个体化",其中第三条指出:"现实的具体化是多数可能之有同一的能"。关于这一条,金岳霖的具体解释是:"普通所谓具体是与抽象相反的。它有两成分:(一)它是可以用多数谓词去摹它底状的,(二)无论用多少谓词去摹它底状,它总有那谓词所不能尽的情形。后面这一成分似乎是哲学方面的一个困难问题。如果具体的东西没有后面这一成分,我们可以说它就是一大堆的共相,或一大堆的性质,或一大堆的关系质;但具体的东西既有后面这一成分,它不仅是一大堆的共相,或一大堆的性质,或一大堆的关系质。它有那非经验所不能接触的情形,而这情形就是普通所谓'质'、或'体'、或'本质'、或'本体'。"① 这里的解释表明,"多数可能"是谓词所能摹状之情形,而"同一的能"却是谓词所不能尽或不能达之情形。"现实底个体化"是《论道》一书中的一个重要思想,冯友兰在《中国现代哲学史》中指出,它是"从可能到现实的历程中的一个重要环节"②。从以上引文及其分析中可以看出,金岳霖在阐述这一思想的过程中直接运用了逻辑学上关于谓词的一些知识。在逻辑学中,谓词是表示个体性质或个体间关系的词。金岳霖把谓词对于个体的性质或个体间关系的表示称之为"摹状"。他在这里不仅看到谓词摹状具有积极作用,而且看到这种作用中的局限与不足之处。换言之,他对逻辑中谓词知识既有直接照用的一面,即谓词是摹状的,又有间接反用的一面,即借谓词所不能摹之状言其所谓"同一的能"。

（二）西方逻辑传播对张申府哲学思想的影响

张申府不仅是西方逻辑的积极传播者,而且是努力将西方逻

148

---

① 金岳霖:《论道》,刘梦溪主编:《中国现代学术经典·金岳霖卷》,河北教育出版社 1996 年版,第 71—72 页。

② 冯友兰:《中国现代哲学史》,广东人民出版社 1999 年版,第 182 页。

辑引入哲学领域的探索者。这可从以下两个方面进行说明：

1. 自觉引入定义方法

在《方法与工具》一文中，张申府谈到"方法"时曾经这样指出："在哲学中许多常用而意谓却广泛不定的名词里，一个便是所谓'方法'。""什么是方法呢？实在至今还没有什么定论。因此哪个是方法哪个不是方法的问题遂也弄得争个不休。当然要解决哪个是方法哪个不是方法的问题，先要知道什么是方法，就是先要对于方法有个确切的界说。可惜这是虽在专讲方法的书里也很少有的。许多专讲方法的书只是举例，就是只说有什么什么方法，但却不明白说定什么是方法。"[①] 这里，张申府先生首先指出对"方法"予以"界说"即定义的必要性，然后说明许多书中对"方法"的举例并不等于给"方法"进行定义。那么，究竟"方法"的定义是什么呢？他指出："照界说的老规则，要界说方法不可不先找它所属的类。"[②] 而把方法归属于"东西"、"事情"、"性质"、"活动"、"关系"、"命题"、"手术"等范畴均不可行，由此他得出结论："我很疑心方法乃是一个独立范畴，本是不能界说的，是找不着它所属的类的，因为它并无所属。"[③]接着，张申府进一步指出："方法虽不可界说，但并非不可解说。总括种种意思，极赅括言之，我以为可说方法就是循着一些东西达到一种目的者"[④]。这样，在《方法与工具》一文中，张申府先生从逻辑学上所谓定义的重要性及其方法、规则出发，逐层解析，最后得出"方法"是一个独立范畴，不可"界说"。该范畴虽然不可"界说"，但并非不可以解说。可以看出，张申府对"方法"的解析可谓开始于逻辑之定义，而终归于逻辑定义之外，逻辑上的定义成为其解析方法时的重要凭借。

2. 对逻辑分析法进行分析

149

---

①②③④　张申府：《方法与工具》，《清华周刊》第 43 卷第 2 期。

在哲学实践过程中，张申府对逻辑分析法保持着理性的自觉。他曾经指出："凡是解析大概都是把一种东西所包含的或概括的，分别出来，爬梳出来，条理出来。"① 哲学上的解析有泛言的与专门的，前者开始于笛卡儿，后者在一定意义上由苏格拉底、柏拉图开其端绪。关于专门的哲学解析，张申府进一步指出："现代专门哲学解析就是逻辑解析。它的对象本有三种，一是字或名词，二是句子或命题，三还有学问的系统。"② 以字或名词为对象的逻辑解析，其目的在于得出关于字或名词的解析之定义；以句子为对象的逻辑解析，其目的在于找出句子的切实意谓；以学问系统为对象的逻辑解析，其目的在于组成逻辑的系统，以显示该系统之所依据。总之，"逻辑解析都在把意思弄清楚。即在还元（原）于每人的直接经验，就是诉每人所能直接经验者，说什么最后要能找出个什么来。所以也可说逻辑解析就是由逻辑而到经验，法似抽象，而其实，找的是具体。"③ 以上，张申府先生具体论述了逻辑分析法的所属范畴、分析对象以及分析目的等不同方面。此外，他还对逻辑分析法的功用特点进行了说明："哲学解析乃是理性的极致，在根本上，是与科学法一致的，都在认问题可以分着解决，分开而得的解决，就是真解决。反对解析的，便以为问题不纯分着解决。或则总解决，或则不解决。分着解决而得的答案也都是部分的，并不完全对。但是现代的逻辑，实是近代科学的自觉。除非科学自己完全圆满，逻辑解析总是会有其需要的。"④ 可以看出，张申府先生在这里既看到了逻辑分析法的局限性，又同时指出该种分析法具有现实必要性。

①②③④ 张申府：《解析的解析》，《清华周刊》第 44 卷第 9 期。

第二节　西方逻辑传播对哲学领域的影响

随着西方逻辑在 19 世纪中叶以后的持续传播，中国学术界逐渐对该门学科进行哲学层面的思考。1927 年和 1928 年，张申府在《哲学评论》上发表译作《名理论》，其原著即当代西方逻辑哲学的奠基人——维特根斯坦（L. Wittgenstein，1889—1951）在 1921 年出版的《逻辑哲学论》一书。更加可贵的是，这一时期我国的一些学者如金岳霖、沈有鼎、胡世华和王宪钧等，他们在传播西方逻辑的同时自觉开始逻辑哲学研究，这为中国近代哲学的发展输入了新鲜血液，标志着新的研究领域——逻辑哲学开始出现。

逻辑哲学是研究由逻辑学所引发的哲学问题之学科。英国逻辑哲学家苏珊·哈克（Susan Hacck）曾经这样指出："逻辑哲学的任务，就是研究逻辑中提出的哲学问题——如同科学哲学的任务是研究科学中提出来的哲学问题，数理哲学的任务是研究数学中提出来的哲学问题一样。"[1] 逻辑哲学是一门既古老而又年轻的学科。就前者而言，是指该门学科的有关问题早在古希腊时期就曾经有学者涉及，例如柏拉图、亚里士多德以及麦加拉——斯多葛学派的一些学者；就后者而言，是指即使在当代西方，该门学科目前依然正处于形成和发展阶段，尚未完全成熟。关于逻辑哲学的研究领域，从已有的研究成果来看可以大致划分为：（一）关于逻辑整体的一些哲学问题，例如逻辑是什么？其中又涉及一系列子问题，包括：逻辑与非逻辑的划界标准怎样确定？一个形式系统成为逻辑系统的根据是什么？逻辑是一元的还是多元的？

151

---

[1]　［英］苏珊·哈克著，罗毅译：《逻辑哲学》，商务印书馆 2003 年版，第 8 页。

逻辑与思维、语言以及现实的关系如何？等等。（二）关于逻辑的一些概念，例如意义、命题、命题联结词、量词、谓词、界说等等的哲学问题。广义的逻辑哲学，还包括元逻辑。

一、金岳霖对逻辑哲学的研究

作为"使认识论和逻辑学在现代中国发达起来的第一个人"[①]，金岳霖先生除了在近代时期积极传播西方逻辑基础知识，并将其引入哲学实践之外，还对该门学科本身进行理性审视。其中，突出的表现便是他对逻辑哲学展开自觉研究。《逻辑》一书的第四部分是"关于逻辑系统之种种"。金岳霖先生在该书序言中曾经这样指出："我们似乎可以说它的内容不是逻辑，而是一种逻辑哲学的导言。我把它列入教科书的理由，一方面是因为它讨论逻辑与逻辑系统的性质，另一方面也因为它给有志研究逻辑的人们一种往下再研究的激刺。"[②] 这里，金岳霖实际上已经谈到了逻辑哲学的研究对象及其意义。可以说，他的逻辑哲学研究，正是基于"给有志研究逻辑的人们一种往下再研究的激刺"，进而推动中国逻辑事业进一步发展这一目标而开展的。

金岳霖对逻辑哲学的研究，并不局限于《逻辑》一书的第四部分，在其他一些著作如《论道》、《知识论》中亦有论述，只是《逻辑》一书第四部分的论述最为集中、最为系统。以下试从有关逻辑整体的理论思考和关于逻辑基本概念的研究两个层面，对金岳霖的逻辑哲学思想进行初步分析。

（一）关于逻辑整体的理论思考

1. 逻辑的界定

逻辑究竟是什么？这是不同时代的逻辑学家所不能回避的，

---

① 参见冯友兰：《怀念金岳霖先生》，《哲学研究》1986 年第 1 期。

② 金岳霖：《逻辑·序》，生活·读书·新知三联书店 1961 年版，第 1 页。

亦可谓逻辑哲学领域的第一问题。当然，要确切地回答这一问题是有困难的，因为不同时期乃至生活在不同文化背景中的人们对这一问题均会有各自的理解，诚如金岳霖所指出的："逻辑究竟是什么的确不容易说。它不像天文与物理，一说即懂。一个人可以费许多时候去研究逻辑，然而仍不知道逻辑是什么。"①　虽然这种情形客观存在，但人们总得对自己所论及的具体逻辑有一明晰的思想，这是有效思维存在的必要条件。对此，金岳霖先生在《论不同的逻辑》一文中指出："要说明逻辑究竟是什么的确是一件困难的事。但是，一个人论逻辑，总应有他自己认为是什么的逻辑，不然他的讨论毫无论域。"②

　　基于以上认识，金岳霖对自己所论及的逻辑究竟是什么这一问题进行了回答。《逻辑》一书第四部分指出："逻辑的实质就是必然，必然既不能不是必然，逻辑也不能没有它的实质。"③　逻辑是有根本属性的，金岳霖对其根本属性的界定是"必然"，这就在一定意义上使逻辑"的确不容易说"的特点在其思维中烟消云散，进而为他进一步开展有关讨论创设了逻辑前提。此外，在《释必然》一文中，金岳霖亦表达了类似的思想："论理的性质就是必然。"④

153

　　关于"必然"，金岳霖有着进一步的分析。他认为，"必然"二字的意义颇不容易讲解清楚。普通生活中所用的"必然"二字，意义似乎有极不一致的情形，它们至少可以分作三类：心理方面，事实方面和论理方面。⑤　关于论理方面的"必然"，金岳霖曾经有这样的说明："作者（指金岳霖——引注）在十九年前

①②　金岳霖：《论不同的逻辑》，《清华学报》第 13 卷第 1 期。
③　金岳霖：《逻辑》，生活·读书·新知三联书店 1961 年版，第 237 页。
④　金岳霖：《释必然》，《清华学报》第 8 卷第 2 期。
⑤　参见金岳霖：《释必然》，《清华学报》第 8 卷第 2 期。

与同学清谈时，就不免表示对于算学家有十分的景仰。尤其使他五体投地的就是算学家可以坐在书房写公式，不必求合于自然界而自然界却毫不反抗地自动地承受算学公式。近年经奥人维特根斯坦与英人袁梦西的分析才知道纯粹数学，至少他们所称为'纯粹算学'的算学或逻辑学，有一种特别的情形。此情形即为以上所称为逻辑的必然，或穷尽可能的必然。"[1] 可以看出，金岳霖所谓论理方面的必然，是指"究尽可能的必然"。此外，他在另一处关于论理方面的必然之解释为这一观点又作了进一步的注解。他指出："论理方面的必然是两命题或多数命题的关系。"[2]

这样，可以看出金岳霖所理解的逻辑本质就是命题间必然关系之揭示，而命题间所谓的必然关系又指穷尽可能，即承认任何可能的必然关系。这里所谓承认任何可能的命题间之必然关系，其实亦就是今天所说的具有逻辑必然性的命题之情形。该类命题对于具体事实或自然界情形根本就无所谓肯定或者否定。它们既然不具体限制到某一个可能而承认所有的可能，那么，无论在什么情形下该类命题都可以引用。例如，"P∨→P"就是二值逻辑中的一个必然命题，它承认所有的可能，任何可能（真或假）均不能逃出这一命题形式。

以上可以说是金岳霖先生对于"必然"所进行的实质分析，此外，他又从形式方面对"必然"亦即逻辑进行了研究。关于必然的形式，金岳霖称之为"必然之形式"。他指出："此处'形式'二字的意义与普通的不同，它们所指的是我们用以表示必然的工具的形式。此处说'必然之形式'而不说'必然的形式'者是因为我们所要提出的是'Form of Tautology'而不是'Tau-

---

① 金岳霖：《逻辑》，生活・读书・新知三联书店 1961 年版，第 245 页。

② 金岳霖：《释必然》，《清华学报》第 8 卷第 2 期。

tological form'，必然之形式是相对的。"① 可以看出，金岳霖所谓"必然之形式"就是用以表示必然或逻辑的工具，而表示逻辑的工具，即逻辑系统。在 1934 年发表的《不相融的逻辑系统》一文中，金岳霖先生曾经明确地指出："逻辑是逻辑系统所要表示的实质，逻辑系统是表示逻辑的工具。对于逻辑系统，逻辑可以说是'Type'或者暂名之为'义'；对于逻辑，逻辑系统可以说是'Token'，或者暂名之曰'词'。这两个名称或容易起误会。所谓'Type'有似'美金一元'，所谓'Token'有似美国的银元，或美元一元的钞票。逻辑与逻辑系统的关系有似前者与后者的关系。"② 这里，金岳霖借用形象的比喻来说明逻辑系统是表示逻辑的工具，"没有以上所说的'词'或'token'，我们不能或不容易表示逻辑。那就是说，不容易或不能表示'必然'。表示'必然'就要'词'，换句话说，就要系统。表示'必然'之系统为逻辑系统。"③

155

　　逻辑系统既然是表示逻辑的工具，那么，对该工具本身特性的分析对于理解逻辑当不无助益。金岳霖对逻辑系统特征的分析是密切联系演绎系统进行的，换言之，他是把逻辑系统置于演绎系统的属概念之下进行讨论的。

　　金岳霖关于演绎逻辑和逻辑系统的集中论述，是在《逻辑》一书的第四部分。主要内容如下：

　　演绎系统作为一种系统，其紧凑程度比其他非演绎系统要高，主要特点是：（1）出发点大都是任意选取的若干命题，称之为基本命题。对于这些命题，"我们既不必证明或假设其为真，我们选择的范围比较的广，而究竟那些命题为我们所选择，就很

① 金岳霖：《逻辑》，生活·读书·新知三联书店 1961 年版，第 234 页。
②③ 金岳霖：《不相融的逻辑系统》，《清华学报》第 9 卷第 2 期。

有武断的成分夹杂其间。"① （2）系统中的概念，除最初利用几个系统之外的以外，其他均可以运用系统中的基本概念加以规定。这种情况，称之为演绎系统的"自生"性。（3）系统的各部分彼此关联进而形成一个有机整体，系统内部不能有彼此不相融洽之处。以上三个特点，金岳霖认为"已经可以表示它（演绎系统——引注）之所以异于其他系统者何在"。

演绎系统多数分为两大部分：演绎干部和演绎支部。其中，前者包括系统的基本概念和基本命题，后者包括演绎干部所推论出来的命题。稍作比较不难看出，金岳霖先生对于演绎系统的有关讨论，其实亦就是关于公理系统的一般描述。

在以上说明的基础上，金岳霖进一步对逻辑的表示工具即逻辑系统进行了分析。关于这类系统，他认为与其他演绎系统的差别不是原子的差异、运算的差异或者关系的差异。《逻辑》第四部分指出："逻辑系统可以说是没有特殊的原子（'原子'在金岳霖那里指一个系统所要对付的对象即基本概念，如类、关系、命题等等——引注），它的独有情形不在原子而在它的系统所要保留的'东西'"②。至于一个逻辑系统所要保留的"东西"究竟是什么，金岳霖关于逻辑系统特点的若干说明可谓对其进行了阐释。逻辑系统的特点是：（1）"逻辑系统有保留的标准，保留的工具，与所要保留的情形。"一个逻辑系统所要保留者，是必然的情形。（2）"逻辑系统有淘汰的标准，淘汰的工具，与所要淘汰的情形。"一个逻辑系统所要淘汰的情形，是"矛盾的情形"。具体就命题而言，一个逻辑系统所要淘汰的是"矛盾的'命题'"。（3）"保留与淘汰可以说是同时并进"③。以上三点，实际上说明了决定逻辑系统之所以为逻辑系统的根本原因，在于"它

156

①②③　金岳霖：《逻辑》，生活·读书·新知三联书店1961年版，第225、232、233页。

所要保留者，是必然的情形"。而所谓一个逻辑系统要淘汰的情形，其实亦是从反面说明了逻辑系统所要保留的情形。

　　除了对逻辑系统进行上述分析之外，金岳霖还进一步论述了现代逻辑中所谓的逻辑系统之完全性、独立性和一致性。

　　作为演绎系统的一种，逻辑系统亦包括演绎干部和演绎支部。其中，演绎干部包括基本概念和基本命题，基本命题现在通称为公理。金岳霖指出，基本命题的条件大都涉及三条：（1）够用；（2）独立；（3）一致。"基本命题之能满足此三条件与否，似乎只能表示或证实而不能证明。这个问题似乎是系统范围之外的问题，而不是系统范围之内的问题。我们似乎不能以一系统范围之内的方法证明那一系统的基本命题满足这三个条件。"[①] 关于"够用"、"独立"、"一致"三个问题，金岳霖曾有如下描述："够用与不够用的问题，当然要看一系统所要达到的目的是什么。所谓目的就是得到所要得到的命题。""命题的独立与否，也不是证明的问题，而是表示或证实的问题。这个问题比较够用与不够用的问题似乎简单，因为它似乎有一种已经承认的方法。此方法即利用各种不同的事实以之为基本命题之解释。""所谓一致者即无矛盾，空泛一点的说，即无冲突。"[②]

　　基本命题的"够用"问题其实亦就是系统的完全性问题。上面这些描述，可以说是完全性、独立性以及一致性问题的一个相当精确的描述。"把逻辑系统的完全性、独立性及一致性问题提出来讨论，这对于提高数理逻辑的水平和增进以后的研究是一个很好的刺激。作为提出这些讨论的第一人，金岳霖对数理逻辑在

157

我国的发展作出了很好的贡献。"①

当然，金岳霖关于逻辑系统的完全性、独立性和一致性的论述亦存在不足之处。例如，没有清楚地说明三者对于公理系统的不同关系。现代逻辑哲学的研究成果表明，完全性、独立性和一致性这三个条件对于一个逻辑系统而言并非无主次的并列关系。其中，一致性被认为是绝对必需的，并且被人们表述得更加严格——不仅要求不能在系统中发现矛盾，而且要求证明系统不可能出现矛盾。其中原因，乃在于罗素的蕴涵怪论表明从一个矛盾命题能够推出某领域的任何命题，而这亦就意味着可接受的真命题与不可接受的假命题之间不再存在任何区别。相反，完全性和独立性（如果一个公理系统的不同公理之间彼此不能相互推出，则这些公理是独立的）的要求却并非十分严格。金岳霖先生没有明确地指出完全性、独立性和一致性这三者在公理系统中的不同作用，当是不足之处。

158

综合以上分析可以看出，金岳霖认为逻辑的本质是必然，而必然又包括实质和形式两个方面。围绕必然之形式，他探讨了一些有关演绎系统和逻辑系统的问题。层层解析，步步关联，金岳霖先生关于"逻辑是什么"这一问题的回答可谓鞭辟入里、思路严密。随着认识的愈益深入、细致，他关于这一问题的思考力度亦愈益增强。可以说，金岳霖关于"逻辑是什么"这一问题的研究，在中国近代思想史上少有学者能够达到其深度。

此外，在关于"逻辑是什么"这一问题的分析上，金岳霖先生还另辟蹊径，从逻辑和逻辑学的关系角度予以辨析。他指出，逻辑和逻辑学是不同的。逻辑是逻辑学的对象，逻辑学则是研究此对象进而有所得的内容。由于逻辑究竟是什么"的确不容易

---

① 李匡武主编:《中国逻辑史》（现代卷），甘肃人民出版社 1989 年版，第24—25 页。

说"，因此，"一个人也许不知道逻辑是什么，然而他知道逻辑学是什么：逻辑学即研究逻辑的学问。"① "逻辑学即研究逻辑的学问"，在一定意义上可以视为对"逻辑是什么"这一问题的另外一种方式回答。

2. 逻辑的功用

在中国近代时期西方逻辑传播过程中，从严复开始，逻辑的功用就引起了知识界有识之士的理性思考。作为引介现代西方逻辑的杰出代表，金岳霖在对逻辑本质进行哲学研究的同时，对其功用亦予以关注。在《序》② 一文中，他认为逻辑对生活、认识和哲学均必不可少。文中指出："逻辑是哲学的本质，逻辑是科学的结构，正是通过逻辑将感觉数据组成事实，而且逻辑是生活寻求满足其愿望的实际工具。"③ 可以看出，逻辑在金岳霖心目中具有非常崇高的地位。当然，这种状况和他认为中国文化传统中认识论和逻辑意识不发达，渴望能够早日打破这种局面的心态直接相关。

（1）逻辑与哲学

金岳霖认为，逻辑是哲学家的有效工具，在哲学思想的展开过程中具有重要作用。他指出："不同的人根据不同理由一直批评符号逻辑，但是无论这些批评可能会怎样，至少可以声称符号逻辑有一种优越性：它能够比传统逻辑的范围更大。一方面它允许更大的概括，另一方面，它可以化减到很少几个初始思想。它是前所未有的封闭系统，也许它十分深奥、技术性很强，以致问

---

① 金岳霖：《论不同的逻辑》，《清华学报》第13卷第1期。

② 《序》是金岳霖先生为自己一本书所写的绪序，原载于《哲学评论》第1卷第1—2期，王路译。刘培育先生在《哲意的沉思》（金岳霖著，刘培育编，百花文艺出版社，2000年版）一书中，将该文标题改拟为《逻辑对生活、认识、哲学的作用》。

③ 金岳霖：《序》，《哲学评论》第1卷第1—2期。

津者极少，但是由于它不再是一些肤浅的哲学家手中简单的玩物，它成为严肃的哲学批评和构造的空前可靠的工具。"① 金岳霖认为，逻辑学的发展经历了传统和现代两个阶段，其中，后者是前者的"进步"和"修改"。他更为倾心的是"今天的逻辑"，即符号逻辑。这一点，通过他对传统逻辑与现代逻辑（符号逻辑）功能的比较可以说明。他认为，传统的三段论逻辑是"一些肤浅的哲学家手中简单的玩物"，而符号逻辑却是"严肃的哲学批评和构造的空前可靠的工具"。换言之，金岳霖认为，在今天逻辑对于哲学具有批评和构建两个方面的功能。

关于逻辑的哲学批评功能，金岳霖指出："逻辑技术的完善是对哲学批评的帮助。通过严格的逻辑分析，可以彻底澄清或清除含混、模糊或无意义的思想。随着逻辑的改进，可能不会把含含糊糊的意见当做哲学的深奥见解而忽略。首先对一个命题分为其词项，看它们是不是清晰明确，就是说，看它们是否有确切的意义。然后再把它们重新组成原来的命题，看它是否有意义。它可能有意义，却不是真的，这就是说，与其他命题不一致。"② 这里，金岳霖指出逻辑能为哲学批评提供严密的分析方法，并进一步对这一方法的具体运用程序进行了说明。

关于逻辑的哲学构造功能，涉及体系构造和概念构造两个方面。其中，前者主要指，逻辑不仅"可能帮助我们判定哪些思想与一组给定的思想是一致的"，而且可以通过对某派哲学"基本的哲学思想进行逻辑分析"，进行而构造出它们的体系，就像逻辑系统或者几何学那样。金岳霖指出："随着逻辑的发展，不同的哲学体系可能变得与不同的几何学有些相似了；推理可能是相同的，而思想却是不同的。"③ 后者主要指，逻辑分析法对一些基本概念的处理，可以使它们获得确切、清楚的含义，从而有利于

160

---

①②③　金岳霖：《序》，《哲学评论》第 1 卷第 1—2 期。

被人们广泛接受。金岳霖先生指出，在逻辑所受到的诸种批评中，有一种认为逻辑不能处理一些非常基础的概念，例如"芝诺的问题，康德的二律背反，以及无穷和连续概念被认为是逻辑没有能力解决的问题"。但是，事实上这里所谓的逻辑意指传统的三段论逻辑。随着数理逻辑的发展，"那些所谓在逻辑上不可能解决的问题，有些毕竟在逻辑上已经解决了。现在通过逻辑分析确切地构造了无穷和连续的概念，并且我们很可能依然使用它们，除非在哲学中发生一场像数学、物理学中的相对论一样的革命，使之必然彻底清理我们的基础概念。我们关于时间和空间，变化和运动的概念尚未得到任何广泛接受的表述，但是今天比以往任何时候都更加可能提出这样的批评或接受的表述。"①

逻辑对哲学的批评功能和构造功能，在一定意义上主要是逻辑的推理、论证性之表现；并且亦正是从这个意义上讲，金岳霖先生认为"逻辑是哲学的本质"。他指出："哲学主要与论证有关，而不是与这里或那里任意拼凑的一些思想有关。"②论证性可谓哲学的生命，缺乏论证性，任何独断专横的哲学都是不会具有说服力的，而论证性的核心则是有效性，因此，对哲学家而言逻辑有效性是至关紧要之事，其观点能否站得住脚，"必定由他们的推理的可靠性来决定，就是说由逻辑来决定"。一些哲学家之所以受到批评，"往往不是因为他们的思想，而是因为他们发展这些思想的方式，许多哲学体系都是由于触到逻辑这块礁石而毁灭的"。

（2）逻辑与科学、认识

逻辑的本质就是必然，它一方面是"对"的标准，另一方面亦是"不对"的标准。在思想或知识方面，逻辑的功用是保留"对"的、淘汰"不对"的，这可以说是金岳霖先生对逻辑与科

---

①②　金岳霖：《序》，《哲学评论》第1卷第1—2期。

学、认识关系的一个概括说明。具体而言，他认为逻辑能够为科学提供帮助，其中的主要表现即提供"大量的纯科学方法"（主要是指符号化、形式化的方法），逻辑概括和分析方法，以及组织、系统化科学内容的方法。《序》一文中这样写道："科学不仅仅是知识的化身。它也不像人们常常声称的那样，仅仅是经验知识。如果科学有别于古代巫医的实践或没有文化的农民所做的天气预报，那么它一定有某种专属于自己的性质。它似乎暗含着秩序、组织和系统化。它不仅是它所包含的东西，还包括使它的内容相互联系起来的方法。事实上，科学成功的荣誉主要应归功于它的方法论。但是科学方法意谓十分严格的程序，而这个程序仍然是逻辑的，尽管它不仅仅是三段论。"① 正是在这个意义上，金岳霖认为"逻辑是科学的结构"。

关于逻辑与认识，金岳霖认为逻辑的静态性质并不能反驳逻辑对认识具有作用，相反，逻辑却是认识所不能逃，是知识发展的动力。他指出："我们的认识若要对我们的生命是有用的，那么与已知的世界相比，它就必须是更静止的。它的名字、符号或用词必须至少暂时具体地形成统计概括或严格的概念，它们的关系必然是具有相对持久性质的一般概括，因此它们可用作进一步的更复杂的推论的数据。如果我们的认识是绝对的和抽象的，则它包含概率和命题系列的关系；如果它是统计的和描述的，则它包含概率计算。无论哪种方式，认识都不能逃避逻辑；它可能包含不同的逻辑种类或不同的逻辑系统，但是没有某种逻辑或某个逻辑系统，认识就不能发展。"②

（3）逻辑与生活

在金岳霖看来，逻辑不仅与哲学、科学、认识相关，而且与生活亦保持着密切联系。他认为，只要我们活着，"我们追求便

---

①②　金岳霖：《序》，《哲学评论》第 1 卷第 1—2 期。

利，避免障碍。换言之，我们遵循阻力最小的方向，然而这种方向是历史确定的。人们发现，在我们与世界打交道时，无论我们考虑什么，遵循阻力最小的方向只能是遵循自然界或人类思想中蕴涵的某种确切的关系，就是说，遵循逻辑。"[①] 如果没有逻辑，金岳霖认为我们的生活就会十分沉重，以致几乎不可能。他指出："逻辑在生活中仅以一例职能就充分建立起它的重要性。'如果——那么'这一关系归根结底乃是一种逻辑关系；因此它是这样一种关系，如果我们要满足我们的自我保护的愿望，就必须认真考虑它。"[②]

关于"如果——那么"，金岳霖认为普通人和哲学家同样懂得这个关系，只是哲学家能够比普通人更加详细地描述、阐明其中所包含的具体步骤。他指出："不论如何，这是一种方便我们生活的关系，我们大多数人都能亲身看到，当我们恰巧有了某种愿望，而与这种愿望有关的关系一旦被发现，就会指明我们行为的方向时，发现这样的关系，就解除了我们身上的负担。"[③]

163

（二）关于逻辑基本概念的研究

关于逻辑基本概念的研究，金岳霖所论及的具体范围是比较广泛的，以下主要从有关逻辑规律和联结词两个方面进行分析。

1．关于逻辑规律方面基本概念的研究

在传统逻辑学中，同一律、排中律和矛盾律是关于逻辑规律的三个基本概念。金岳霖在其逻辑哲学的研究过程中，对这三个概念分别从个体层面和整体层面进行了分析。

（1）个体层面

同一律

①同一律的价值

这集中体现在金岳霖有关同一律有用无用问题的讨论方面。

---

①②③　金岳霖：《序》，《哲学评论》第 1 卷第 1—2 期。

他认为，有用或无用是相对于具体要求而言的，没有一种普遍的有用或无用之事物。"如果我们的要求是说话要有意义，则'同一'原则是不能缺少的。如果知识须用命题表示，则同一原则也是不可少的。如果科学是条件化的知识，而它的表现又是一组有系统的命题，则同一原则又是不可缺少的。"① 其中，关于同一律和意义的关系，金岳霖又有专门论述。他认为，同一律是"意义可能底最基本的条件"。意义大都可以划分为事实上或系统外的意义、论理上或系统内的意义。"一句话可以没有系统外的意义，不能没有系统内的意义。无论系统外的意义也好，系统内的意义也好，只要我们所说的话有意义，我们就不能不承认同一律。"② 亦就是说，一句话"遵守此原则不必有意义，可是违背此原则，决不能有意义"③。可见，同一律在逻辑上先于意义而存在。

164
②同一律的表述及其界释

金岳霖认为，如果以 x 代表具体的东西，可以用"如果——则"形式的命题表示"同一"思想，即"如果 x 是甲，x 就是甲"。这样的表述，对于 x 那个具体的东西并没有肯定的主张，它可以是甲亦可以不是甲，可以在一时间是甲，在另一时间不是甲，可以在一地是甲，在另一地不是甲。但是，它对于甲却有主张，即甲总是甲。④

同一律的"同"，涉及"同"字的意义。在实际当中，该字的意义涉及不同情形。例如，甲与乙相同，这种相同实即相似；

① 金岳霖：《逻辑》，生活·读书·新知三联书店 1961 年版，第 244 页。
② 金岳霖：《思想律与自相矛盾》，《清华学报》第 7 卷第 1 期。
③ 金岳霖：《知识论》，刘梦溪主编：《中国现代学术经典·金岳霖卷》，河北教育出版社 1996 年版，第 637 页。
④ 参见金岳霖：《逻辑》，生活·读书·新知三联书店 1961 年版，第 240 页；《思想律与自相矛盾》，《清华学报》第 7 卷第 1 期。

又如，甲₁与甲₂相同，这种相同包含时间上关系的变迁，性质即令相等而关系不同。这两种同可以说是同中有异，异中有同，均非同一律之"同"。"同一律中之同，是甲与甲之同。这样的同只有普遍的抽象的思想有之，而具体的个体的东西不能有这样的同。"① 同一律的这种性质，决定了它只能引用到普遍的抽象的思想或名称，亦即该规律"在时空范围之外"。

③同一律的证明及其真假

关于同一律的证明，金岳霖先生的认识先后经历了两个阶段。在 1932 年的《思想律与自相矛盾》一文中，他提出"同一律既不能证明，又不能否证"②。同一律之不能证明可以从两个方面分析。从形式方面而言，若要证明同一律，必须用比同一律更为根本的一条原则或者一个命题作为根据。一方面，似乎可以说没有此条原则或这一命题，另一方面，即使假设有如此命题或原则，其本身亦要服从同一律。"我们不能以一本身包含同一律的原则去证明同一律。"③ 从实质方面而言，一个具体的东西在时间点空间点上之所以能够完全与自己相同，只是因为在时间点空间点上不能有变迁。"这种相同也就是由定义得来的，根本就不是经验中的情形。"④ 因此，从实质方面而言，"同一律也就是不能证明的"⑤。

1937 年，金岳霖所著《逻辑》一书由商务印书馆出版。在该书中，他认为同一原则是可以证明的。书中指出："证明是不能离开系统的问题，所以一谈到证明，就谈到一特殊系统。在一特殊系统范围之内，同一原则是可以证明的。"⑥ 显然，这里的观点已与《思想律与自相矛盾》一文中的认识产生了差异。金岳霖对此曾经有所解释。他指出："形式方面的证明不能离开命题。

165

---

① ② ③ ④ ⑤　金岳霖：《思想律与自相矛盾》，《清华学报》第 7 卷第 1 期。
⑥　金岳霖：《逻辑》，生活·读书·新知三联书店 1961 年版，第 240 页。

引用任何的命题来证明同一律等于'先'承认同一律而'后'再证明'同一律'。这个意见，作者从前也相信，现在思想似乎问题全在'先''后'两字。普通先后两字有时间方面的先后与逻辑方面的先后两意义。我们现在所要注意的当然仅是逻辑方面的先后，而逻辑方面的先后也有两个不同的意义。"① 所谓"逻辑方面的先后也有两个不同的意义"，是指"逻辑方面的先后"有成文的和不成文的先后两种。其中，前者是一个系统内以语言文字或者符号所表示的命题之先后，后者是一个系统内所有的命题彼此所能有而未以文字或者符号表示的先后。在一个系统范围内，只有成文之先后才是那一个系统所能承认的先后。鉴于这一考虑，所以同一律是可以证明的。例如"P. M. 的基本概念中没有'同一'的思想，基本命题中也没有'同一'的原则；但'同一原则'与所谓'同一律'者在 P. M. 均是推论出来的命题，那就是说它们都是得到证明的命题。"②

关于同一律的真假，金岳霖指出，真假包括两个方面，一方面是不必真之真，不必假之假，另一方面是必真之真，必假之假。同一原则是逻辑命题，是"无往而不真"的必然命题。它对于事实毫无断定，对于可能莫不分别地予以承认。所以，根本不能假，"没有普通所谓真假的问题"③。

排中律

①排中律的表述及其实质

关于排中律的表述，金岳霖先生在《思想律与自相矛盾》一文中认为可以有三种形式：[1] A 一定是 B 或者不是 B；[2] 两个矛盾命题之间没有第三种可能；[3] 一个命题一定是真的或者不是真的。金岳霖认为，这三个说法都可以说得通，而"似乎以

---

① ② ③ 　金岳霖：《逻辑》，生活·读书·新知三联书店 1961 年版，第 241、240、244 页。

第一说为宜"。因为，第一种说法最普通，其形式与矛盾律一致，既简单又便利；第二种说法虽然把排中的情形限制到矛盾方面，同时亦把矛盾的情形限制到命题上去，但如果把矛盾律写成"A不能是 B 与不是 B"，"则第二说法与矛盾律的说法不一致"。第三种说法"可以表示排中律在二分法的论理学①与矛盾律一样是不能否认的"，但是，其"毛病是没有前两说的普遍。前两说没有限制到任何特种的矛盾，而第三说限制到命题之真与假的矛盾。"②

　　在《逻辑》一书的第四部分，金岳霖先生亦表述了与上述观点类似的思想。关于排中律的实质，他认为是表示可能之拒绝遗漏，所谓"排中"实即"排外"。他指出："这个原则（排中律——引注）与其说是'排中'不如说是'排外'。排中原则的可能是彼此穷尽的可能。如把可能分为两类，则此两可能之外没有第三可能；排中原则所排的是第三可能。如把可能分为三类，则三可能之外没有第四可能；排中原则所排的是第四可能。如把可能分为 n 类，则 n 类可能之外没有（n＋1）可能；排中原则所排的是（n＋1）可能。所以说所谓'排中'实即'排外'。这个原则不过表示可能之拒绝遗漏而已。"③ 可以看出，金岳霖关于排中律实质的思考不仅仅囿于二值逻辑系统，他更加深刻地看到了二值逻辑系统与多值逻辑系统之间所存在的排中律之贯通性。当然，这和他"排中"不如说是"排外"的思想出发点密切相关。

　　②排中律的作用

　　金岳霖认为，"排中律是一种思议上的剪刀，它一剪两断，

167

---

①　即二值逻辑。

②　参见金岳霖：《思想律与自相矛盾》，《清华学报》第 7 卷第 1 期。

③　金岳霖：《逻辑》，生活·读书·新知三联书店 1961 年版，第 258—259 页。

它是思议上最根本的推论"①。其中原因,"从意念之为接受方式着想,最是容易清楚"。如果指出任何一个所予,我们总可以说它或者是甲,或者不是甲。这亦就是说,或者以甲方式去接受,或者不以甲方式去接受。"如果它是甲,它就不能不是甲,如果它不是甲,它就不能是甲。如果我们以甲方式去接受它,我们就不能又不以甲方式去接受它,如果我们不以甲方式去接受它,我们不能又以甲方式去接受它。"②

③排中律的证明及其有效性

金岳霖认为,"排中"原则的证明问题与"同一"原则、"矛盾"原则的证明问题"稍微有点不同"。这是因为,"逻辑系统所要保留的都是,或都要是,必然命题。而必然命题都表示'排中'原则。既然如此,每一必然命题的证明都间接地是'排中'原则的证明。所以整个逻辑系统的演进可以视为'排中'原则的证明。"③ 从金岳霖关于"排中"原则证明的观点,可以看出他是坚持排中律在逻辑中之有效性的。这一思想,和他"有人以三质系统(即三值逻辑系统——引者注)为根据,说排中原则取消。这实在是不能成立的说法"④。之观点是彼此一致的。在金岳霖看来,在三值逻辑系统中排中原则并未取消,只是"表示此原则的形式底形式,和两质系统(即二值逻辑系统——引注)中所有的,不同而已"。他说,如果把二分法变作一种三分法,即把说话的对象分作 [1] A, [2] $\overline{A}$, [3] X, 而 X 等于 1−($A+\overline{A}$),则 $A+\overline{A}=1$ 可以取消。⑤ 这亦就是说,排中律在二值逻辑中的表现形式在三值逻辑系统中失效。但是,金岳霖先生并

---

①②④　金岳霖:《知识论》,刘梦溪主编:《中国现代学术经典·金岳霖卷》,河北教育出版社 1996 年版,第 637、637、638 页。

③　金岳霖:《逻辑》,生活·读书·新知三联书店 1961 年版,第 258 页。

⑤　参见金岳霖:《思想律与自相矛盾》,《清华学报》第 7 卷第 1 期。

未因此而否认排中律具有普效性。他进一步指出："我们要注意：A 与 $\overline{A}$ 的排中情形虽然取消，那就是说 $A+\overline{A}\neq1$；而 $(A+\overline{A})$ 与 x 的排中情形没有取消，那就是说 $(A+\overline{A})+x=1$。"[①] 这里的意思是，在三值逻辑系统中，排中律的作用对象已不再是 A 与 $\overline{A}$，而变为 $(A+\overline{A})$ 与 x；排中律之排中情形的表现形式为 $(A+\overline{A})+x=1$，其含义是 A 是真的，或 $\overline{A}$ 是真的，或 x 是真的，这是承认所有可能的命题，故属于"必然的命题"。

矛盾律

①矛盾律的表述

金岳霖认为，矛盾律的表述形式相对于逻辑系统而言是相对的，因为"一系统的原子不同，利用以为表示矛盾的工具也可以不同"[②]。例如，"一命题不能是真的与不是真的"，该说法完全是以命题方面的真假两可能为表示矛盾律的工具。"这在以命题为原子的逻辑系统范围之内是直接的相干的表示，而在以类为原子的逻辑系统范围之内它虽仍表示矛盾，而无直接的用处。"[③] 又如，"X 不能是 B 与非 B，（'B 与非 B'为不可能的类）"，该说法是以类称方面的正反两可能为表示矛盾律的工具，可谓是以类为原子的逻辑系统中矛盾律之直接表示。再如，"X 不能是 B 与不是 B"，这是以类表示矛盾律，亦可以说是以命题表示矛盾律。"在以类为原子的系统里，它有直接的用处，在以命题为原子的系统里，它也有直接的用处。"[④]

总之，由于逻辑系统本身具有相对性，所以，矛盾律在各个系统中的显现形式就各有差异，矛盾律的表述具有相对性。此外，金岳霖先生还指出矛盾律表述的相对性不仅仅受到逻辑系统

169

①　金岳霖：《思想律与自相矛盾》，《清华学报》第 7 卷第 1 期。

②③④　金岳霖：《逻辑》，生活·读书·新知三联书店 1961 年版，第 255、254、254 页。

制约。他说:"矛盾的表示,对于二分法也是相对的;如果我们利用三分法或 n 分法,则表示矛盾的方式与引用二分法的方式不同。"① 这里,金岳霖实际上提出了矛盾律的普效性问题,认为它不仅仅适用于二值逻辑系统,只是在多值逻辑系统中,该规律的表述形式又有差异,而这亦就说明,金岳霖先生认为矛盾律的表述方式还要受到不同逻辑类型(根据命题的值确定)的影响。

②矛盾律的性质及其作用

金岳霖认为,要正确理解矛盾律的性质,必须分清矛盾律之"矛盾"和一般所用"矛盾"两字的不同。他指出:"我们常听见什么情感矛盾,什么生活矛盾,也许这用法底来源是逻辑学,然而这用法本身与逻辑毫不相干。这两个字如此地用也许有好处,听起来似乎一下子就抓住了什么似的;但是,我们最好不要把这用法的矛盾两字和逻辑学中的矛盾两字相混。"② 此外,他还主张"关于所谓'对立',所谓'统一'底讨论,我们也最好不牵扯到矛盾和矛盾原则上去,它们与矛盾原则也毫不相干。"③ 这里,金岳霖实际上强调了逻辑学上的矛盾律和哲学上的矛盾关系是两码事,不应彼此混淆。

在《逻辑》之第四部分,金岳霖先生认为"矛盾原则"是表示可能之拒绝兼容。他指出:"逻辑方面的可能不仅彼此穷尽,而且彼此不相容。如把可能分为两类,则此两可能不能同时承认之。如把可能分为三类,则此三可能不能同时承认之。如把可能分为 n 类,则此 n 可能不能同时承认之。矛盾原则可以说是表示可能之拒绝兼容。"④ 此外他还认为,"从消极方面说矛盾是否认

---

① 金岳霖:《逻辑》,生活·读书·新知三联书店 1961 年版,第 256 页。

②③ 金岳霖:《知识论》,刘梦溪主编:《中国现代学术经典·金岳霖卷》,河北教育出版社 1996 年版,第 638 页。

④金岳霖:《逻辑》,生活·读书·新知三联书店 1961 年版,第 259 页。

所有的可能，从积极方面说它是所有可能的兼容。矛盾是逻辑之所要淘汰的，那就是逻辑之所舍。"[1] 可以看出，金岳霖在这里不但指出了矛盾律的实质是什么，并且进一步说明矛盾律所要排斥的逻辑矛盾具有什么特点。

关于矛盾律"表示可能之拒绝兼容"这一性质，金岳霖在《思想律与自相矛盾》一文中亦曾有过论述。文中指出："矛盾律是说不相容者不能兼备于一件东西或一个名称。"[2] 此外，金岳霖有关矛盾律性质的认识，还体现在他对"矛盾律与天演"关系的分析方面。事物的变迁是不能否认之事实，变迁本身亦如此。"但是承认事物的变迁与承认矛盾律完全是两件事。它们根本没有冲突，根本就用不着发生问题。"[3] 变迁有两个条件：具体的个体的东西以及不同的时点或时间或时期（地点情形同样）。所谓变迁，是"具体的个体的事物在两不同的时点或时间或时期的一种情形"。而矛盾律与事物的名称有直接关系，和事物本身并没有此种关系，它是一种"引用名称的方法"，可以是而不必是事物本身的状态。这就是说，"天演律与矛盾律的范围根本不同"，前者是不同时不同地之情况，后者则相反。此外，天演律是由归纳法以及其他科学方法所发现的自然律，而矛盾律则属于"思想的假设"[4]。

171

关于矛盾律的作用，金岳霖称之为"最基本的排除原则"。他指出："矛盾原则是排除原则，它排除思议中的矛盾。矛盾不排除，思议根本就不可能。"[5]

③矛盾律的证明

① 金岳霖：《逻辑》，生活·读书·新知三联书店 1961 年版，第 259 页。
②③ 金岳霖：《思想律与自相矛盾》，《清华学报》第 7 卷第 1 期。
④ 参见金岳霖：《思想律与自相矛盾》，《清华学报》第 7 卷第 1 期。
⑤ 金岳霖：《知识论》，刘梦溪主编：《中国现代学术经典·金岳霖卷》，河北教育出版社 1996 年版，第 638 页。

金岳霖认为："矛盾律似不能有实质方面的证明，但是我们普通以为它可以有形式方面的证明，那就是说，可以由别的原则推论出来。"① 这里所谓"形式方面的证明"，亦就是逻辑的证明，而逻辑的证明都是逻辑系统内的证明而不是证实。不在任何逻辑系统的立场上（即不在任何秩序的立场上），不能说逻辑的证明。在一个逻辑系统范围之内，所要证明的原则实际上是在那一个系统范围内该原则的表示方式。"矛盾原则可以有不同的表示方式。每一方式在一相当的系统范围之内才能证明，否则不能。"②

尽管金岳霖认为矛盾律"似不能有实质方面的证明"，但是，因为逻辑系统中的命题都是必然命题，所以，矛盾律的逻辑证明亦就"等于"证实。③

（2）整体层面

172

金岳霖对于同一律、排中律和矛盾律三个基本概念的分析，除了从个体层面进行之外，还立足于整体层面予以考察。

①名称

同一律、排中律和矛盾律这三个概念，在当时的传统逻辑著作中大多称之为"思想律"。金岳霖认为，"思想律这一名称的确有问题"④。其中原因，"律"字的意义包括两个方面，一为"Jus"，一为"Lex"；若以这两个意义为标准，则"普通所谓思想律者不是律"。有些"思想"似乎不遵守思想律。有理性的思想的确遵守它们，但是有理性的思想等于遵守这三律的思想。结果，遵守这三律的思想才遵守这三律。"思想律"的"律"与其

---

① 金岳霖：《思想律与自相矛盾》，《清华学报》第 7 卷第 1 期。

② 金岳霖：《逻辑》，生活·读书·新知三联书店 1961 年版，第 257 页。

③ 参见金岳霖：《逻辑》，生活·读书·新知三联书店 1961 年版，第 257 页。

④ 金岳霖：《知识论》，刘梦溪主编：《中国现代学术经典·金岳霖卷》，河北教育出版社 1996 年版，第 634 页。

他的律大不相同。"它所谓律的律，决不是自然律所谓律那样的律。违背自然律的事不会发生，违背思想律的思议虽错，然而不会因此就不发生。此所谓律，既不是普通法律底所谓律，也不是道德律底所谓律，这二者都可以说是表示意志，虽然所牵扯的意志和表示的方法都不同。"① 他认为："为免除误会起见，最好是把思想律这名称根本取消。"② 在《知识论》一书中，金岳霖称"思想律"为"思议原则或思议规律"；在《思想律与自相矛盾》一文中，他又称"思想律"为"论理学中的三个假设"。

②和充足理由律的关系

在 1949 年以前，金岳霖先生是只承认同一律、排中律和矛盾律是逻辑基本规律的。至于为何不把充足理由律列入逻辑基本规律，他在 1932 年的一篇文章中曾有解释："论理学中有所谓思想律者，一是同一律，一是矛盾律，一是排中律。现在有人加上莱布尼茨的'充分理由律'把它当做第四思想律，但它与演绎法没有多大的关系，所以我们可以不必讨论。"③ 另外，在《逻辑》一书 1961 年版的序言《对旧著〈逻辑〉一书的自我批判》中，金岳霖先生又指出："在形式逻辑思维规律当中，解放前我只承认前三个规律。我当时认为充足理由律是另外一回事。""原来的理由是我那时还不能够把它无对化、形而上学化。"④ 这里，金岳霖所谓的"无对化、形而上学化"其实就是形式化。这样就不难看出，金岳霖先生之所以认为"思想律"只包括同一律、排中律和矛盾律，而与充足理由律并无关涉，主要原因乃在于他认为

173

---

① 金岳霖：《知识论》，刘梦溪主编：《中国现代学术经典·金岳霖卷》，河北教育出版社 1996 年版，第 634 页。

② 金岳霖：《逻辑》，生活·读书·新知三联书店 1961 年版，第 239 页。

③ 金岳霖：《思想律与自相矛盾》，《清华学报》第 7 卷第 1 期。

④ 金岳霖：《对旧著〈逻辑〉一书的自我批判》，《逻辑》，生活·读书·新知三联书店 1961 年版，第 4 页。

充足理由律和演绎法关系不大，不易于形式化。这种情况，反映着金岳霖认为逻辑学是研究逻辑的学问，逻辑的本质是必然这一思想，以及他立足于形式逻辑的现代发展去审视有关逻辑问题的理论视角。

③地位及其作用

同一律、排中律和矛盾律是传统逻辑学中的三大基本规律，在逻辑学发展到现代阶段以后，它们的地位和作用引起了人们的不同看法。"习于传统逻辑的人以'思想律'为无上的'根本'思想，而从事于符号逻辑的人又以为'思想律'与其他思想两相比较孰为'根本'一问题，完全为系统问题。"① 对此逻辑学发展中的重大问题，金岳霖先生立足于现代逻辑，纵览逻辑发展的两个阶段，提出了其深邃的思想。

关于"三原则"② 在逻辑学中的寻常性。这可从逻辑系统化和逻辑命题之必然性两个方面进行分析。就前者而言，首先，仅仅在传统逻辑学范围之内，不容易看出三段论原则和"三原则"之间的相同之处，而逻辑学演绎系统化之后，它们的相同之处则显而易见，即均为逻辑命题。"如果同一，排中，矛盾是思想律，三段论原则也是。"③ 其次，在传统逻辑中"三原则"特别重要，可是在逻辑学演绎系统化之后情况却不然。"一系统有一系统底排列，而此排列有此排列底先后。根据此先后也许有所谓重要底

---

① 金岳霖：《逻辑》，生活·读书·新知三联书店1961年版，第258页。

② 这里所谓"三原则"是指同一律、排中律和矛盾律。（参见金岳霖：《知识论·第七章》，刘梦溪主编：《中国现代学术经典·金岳霖卷》，河北教育出版社1996年版。）

③ 金岳霖：《知识论》，刘梦溪主编：《中国现代学术经典·金岳霖卷》，河北教育出版社1996年版，第635页。

等级。"① 如果这样，同一、排中和矛盾"三原则"可能并不重要，因为它们不必是基本命题，而在推出的命题中亦不必首先出现。可以说，"三原则"重要与否是完全相对于系统的秩序而言的。就后者而言，任何逻辑命题都是必然命题，即都是穷尽可能而不以任何可能为事实，仅仅以其为可能的命题。不但"三原则"属于这样的命题，其他逻辑命题亦如此。所以，从必然性的实质而言，"三原则"和其他逻辑命题是相同的，即"就逻辑命题之所以为必然命题着想，没有任何逻辑命题比别的逻辑命题重要，也没有任何逻辑命题比别的逻辑命题基本"②。

此外，逻辑命题的必然性亦决定了任何逻辑命题均为其他逻辑命题之必要条件。如果否认一个逻辑命题，那么就否认任何其他逻辑命题。这就是说，如果否认一个逻辑命题，就是承认矛盾；而如若承认矛盾，亦就意味着取消思议。金岳霖先生指出：

"不但如果我们否认三思想律，我们也就否认三段论原则，而且如果我们否认三段论原则，我们也否认三思想律。总而言之，无论我们否认三思想律也好，或三段论原则也好，结果一样，它总是取消思议。从这一点着想，任何逻辑命题都是思想律。"③ "任何逻辑命题都是思想律"，这在一定意义上恰好反映了"三原则"与其他逻辑命题之间的平等性，亦即三原则具有寻常性。

关于"三原则"在逻辑学中的非寻常性。金岳霖先生既看到了在现代逻辑面前传统逻辑对"三原则"进行特殊肯定所面临的挑战，同时，他又立足新的高度对传统观点有所回归。他指出："原来（传统逻辑——引注）以同一，排中，矛盾，三原则为思

①②③ 金岳霖：《知识论》，刘梦溪主编：《中国现代学术经典·金岳霖卷》，河北教育出版社1996年版，第635、635、635—636页。

想律仍有理由。"① 这主要是指就推论方式而言，"逻辑命题不一样的重要"。虽然从逻辑命题之为逻辑命题等不同方面来看，"三原则"并无特殊性，可是若从思议角度而论，重要的不是逻辑命题之为必然命题，而是逻辑命题之为推论方式。从逻辑命题之为推论方式亦即思议的基本规律考虑，"三原则"是"的确比其他的逻辑命题，来得基本"。"这三原则基本，也许是因为它们特别地简单，也许因为我们底思议能力最基本的表现，是这些原则，而不是其他的逻辑命题。无论如何，这三原则的确和别的逻辑命题不一样。"②

金岳霖先生对于同一律、矛盾律、排中律这"三原则"非寻常性的阐释，在一定意义上肯定了传统逻辑学的价值。当然，这种肯定是立足于逻辑科学新的发展基础上的肯定。

2. 关于联结词方面基本概念的研究

金岳霖关于联结词方面基本概念的研究，具体内容是比较丰富的，这里主要分析他对"蕴涵"和"是"的一些探讨。

蕴涵

无论在传统逻辑或现代逻辑中，蕴涵都是一个十分重要的基本概念。金岳霖先生对这一概念的分析主要体现在以下几个方面：

（1）蕴涵的定义

金岳霖认为："蕴涵的问题太大，牵扯出来的问题太多"③，"提出蕴涵可真是非同小可。恐怕没有人敢说事实上'蕴涵'的意义究竟是什么一回事。"④ 尽管如此，他还是努力尝试着对蕴涵

---

①② 金岳霖：《知识论》，刘梦溪主编：《中国现代学术经典·金岳霖卷》，河北教育出版社 1996 年版，第 636 页。

③④ 金岳霖：《逻辑》，生活·读书·新知三联书店 1961 年版，第 137、261 页。

进行界定。他指出："'蕴涵'是命题与命题的关系。这关系在普通言语中以'如果——则'的方式表示之。"[1] 蕴涵包括不同的种类，其中，最流行的有四类：a. 路易斯的严格蕴涵关系。b. Moore 的 Entailment 或意义蕴涵关系。c. 形式蕴涵关系。d. 真值蕴涵关系。这四类蕴涵关系的共同特点，是"前件真后件亦真，后件假前件亦假，但各有其特殊情形"[2]。此外，金岳霖还认为蕴涵是逻辑系统中重要的推行工具。他指出："一系统中由一命题推到另一命题，由一部分推到另一部分，须有它的推行的工具。推行的工具不止一种，如'同'、'等''代替'等等均同时是推行的工具；但最重要的一方面是'蕴涵'，一方面是'所以'。"[3]

（2）蕴涵的类型

金岳霖认为，蕴涵的类型主要包括四种：

①真值蕴涵"p⊃q"

177

这是 PM 系统中最基本的蕴涵，其定义是："p⊃q"等于"～p∨q"，亦就是说"p 是假的或 q 是真的"。"p 是假的或 q 是真的"这句话等于"p 是假的而 q 是真的，或者 p 是假的而 q 也是假的，或者 p 是真的，q 也是真的"。所以，只要 p，q 所代表的命题事实上都为真，或都为假，或 p 假而 q 真，就可以说"p⊃q"。真值蕴涵具有如下特点：首先，一个假命题蕴涵（⊃）任何命题，即"～p·⊃·p⊃q"；同时，任何命题蕴涵（⊃）一个真命题，即"q·⊃·p⊃q"。这种情形，金岳霖先生称之为"真值蕴涵的古怪情形"，它反映出金岳霖对真值蕴涵怪论的一定认识。其次，真值蕴涵关系不是说 p，q 两命题在意义上具有任何关系，它所表示的仅仅是"p 真而 q 假"事实上为假命题。换

---

①②③　金岳霖：《逻辑》，生活·读书·新知三联书店 1961 年版，第 261、136、261 页。

言之，真值蕴涵关系是根据事实上两个命题的真或假而确立的。

②形式蕴涵或"（x）·∅x⊃ψx"

这种蕴涵，可以说是由真值蕴涵归纳得来的，亦可以说是无量普遍化或抽象化的结果。金岳霖认为，如此两种说法的差异很大，"究竟是那一解释代表形式蕴涵呢？这问题颇不容易答复"。"我们现在恐怕只能说所谓'形式蕴涵'者至少有以上不同的两种蕴涵关系。"[①]

如果按照第一种解释，即"（x）·∅x⊃ψx"中的"（x）"表示任何限于时地的东西，那么，命题"（x）·∅x⊃ψx"在语言方面可以有如下几个不同的表述方式：（甲）所有的∅是 ψ；（乙）无论是那个 x，x 是∅它就是 ψ；（丙）无论是那个 x，x 是∅是真的，x 是 ψ 是假的是假的。以上三个不同表述，金岳霖认为（丙）属于严格。因为，（甲）与传统逻辑的"A"命题不同，它是"An"；（乙）亦有毛病，"它与普通的'如果——则'的命题不同"。同时，形式蕴涵如若依照此解释，"似乎免不了真值蕴涵的古怪情形"[②]。

如果按照第二种解释，即"（x）·∅x⊃ψx"中的"（x）"表示无时地限制的东西，那么，可以利用形式蕴涵作为定义的工具。金岳霖指出："如果我们利用它（第二种解释的形式蕴涵——引注）以为定义的工具，形式蕴涵就表示'∅'与'ψ'的意义上的关系。如果'∅'与'ψ'有意义上的关系，形式蕴涵就与意义的上'如果——则'的命题接近了。"[③]换言之，如果按照第二种解释，"真假值的蕴涵关系可以变成意义上的蕴涵关系"。同时，金岳霖还进一步强调指出，具有如此解释的形式蕴

①②③　金岳霖：《逻辑》，生活·读书·新知三联书店 1961 年版，第 264、263、264 页。

涵，"虽可以是而不必就是意义上'如果——则'的命题"①。

③穆尔蕴涵或 Entailment

假设有两个命题 p、q，它们之间有时存在一种关系使我们能够说"q 可以由 p 推论出来"，穆尔蕴涵就是将"可以推论出来"这一关系倒过来的关系。穆尔蕴涵具有以下特点：没有真值蕴涵的古怪情形，即一个假命题不蕴涵（Entail）任何命题，任何命题亦不蕴涵一个真命题；不会出现路易斯严格蕴涵的古怪情形，这种蕴涵可谓意义方面的蕴涵；穆尔蕴涵与真值蕴涵根本不能进行比较，和第一义的形式蕴涵亦可谓全异，它可以说是第二义的形式蕴涵之一部分。

④严格蕴涵或路易斯的"p→q"

假设有 p、q 两个命题，p"严格蕴涵（→）q"就是说"p是真的而 q 是假的是不可能的"。可以看出，严格蕴涵的定义中包含有"不可能"的思想。关于"不可能"，金岳霖先生认为，它被视为简单命题所可能有的各值中之一值，其意义不是矛盾，"似乎也不是'不一致'的意思"。总之，在路易斯系统里，它是一个基本概念，尽管其"究竟是什么颇不易说"②。

179

严格蕴涵有与真值蕴涵相似之处，即同样存在"奇怪情形"："一不可能的命题'严格蕴涵'任何命题"。"任何命题'严格蕴涵'一必然的命题"③。此外，严格蕴涵亦可以说是意义上的蕴涵，不过它不仅仅是意义上的蕴涵，因为，严格蕴涵有"奇怪情形"，而"奇怪情形"又不表示两个命题意义上的关系。可以说，"严格蕴涵虽可以是而不必是意义上的蕴涵"④。

（3）蕴涵与推论

---

①②　参见金岳霖：《逻辑》，生活·读书·新知三联书店 1961 年版，第 264、266 页。

③④　同上书，第 266 页。

　　金岳霖对蕴涵的分析通常是结合推论进行的。所谓推论，在《逻辑》一书中是指演绎推论，并不包括归纳推论。在《逻辑》的第四部分，金岳霖曾经这样指出："所谓推论者大都是承认一命题之后，承认它所蕴涵的命题。"[①] "'所以'是演绎方面的'Inference'，它根据于蕴涵。能说所以的时候总有蕴涵关系。"[②]这里，金岳霖先生实际上谈到了蕴涵与推理之间的同一性——蕴涵是推论的内在根据，推论可以说是蕴涵的运用。除了同一性，金岳霖先生认为蕴涵和推论之间还存在着差异性，即"推论说得通的时候定有蕴涵关系；但有蕴涵关系的时候，不必有推论"[③]。此外，蕴涵表示命题之间的无间断关系，可以用符号"→"表示；而推论则表示命题之间的间断关系，可以用符号"†"表示。金岳霖指出："'蕴涵'可以成一串无量的练子，而'所以'可以说是打断那一串练子的动作。"[④]

　　是

　　在传统逻辑学中，"是"是一个很重要的联结词，这是因为传统逻辑中的命题都属于主宾词式命题。"所谓主宾词式的命题者可以用［'甲'是'乙'］的形式代表。此中'甲'与'乙'均代表名词，而二者之间有'是'字以为联系。'甲'即是主词，'乙'即是宾词。"[⑤]

　　金岳霖认为，"甲是乙"这个命题中的"是"字，"其意义非常不清楚"。他以"All men are mortal"为例，具体分析了"是"的不同含义。（1）如果把主词、宾词均视为类词，则"是"表示两类之间的包含关系。上述命题的意义在此种情况下为："人"类包含于"有死"类之中。（2）如果主词代表具体个体，宾词代表类词，则"是"表示什么样的个体属于"有死"之类。

---

①②③④⑤　金岳霖：《逻辑》，生活·读书·新知三联书店1961年版，第275、267、166、299、8页。

这样，上述命题等于说"赵钱孙李等等"均是有死类的分子。金岳霖先生强调指出："份（分）子与类的关系与类与类的关系根本不同。"[①]（3）如果把主词视为具体的东西而把宾词视为属性，则"是"字表示宾词所代表的属性可以形容主词所代表的东西。这样，上述命题等于说："具体的人"有"有死"的属性。（4）如果把主词、宾词视为两种概念，则"是"表示两种概念之间的关系。这样，上述命题的意义是"人"概念在"有死"概念之中，换言之，无论有人与否，凡是能以"人"概念去形容的东西，亦是能以"有死"概念去形容的东西，"是"表示无条件的两个概念之间的当然关系。（5）如果以主词的存在为条件，而宾词为概念、类词或表示属性的名词，那么，上述命题在此条件满足之下才有意义，否则无意义。这时，"是"表示在相当条件之下的一种一定情形。（6）如果主词的存在为事实而宾词如前述（5）中所述，那么，上述命题表示事实，"是"表示一种实然情形。（7）"All"一字可以当做"所有已往及现在的"解释，如此，则上述命题中的"是"有"已经是"与"仍是"两种含义，至于以后如何则不曾涉及。（8）"All"一字可以当做"所有已往，现在及将来的"解释，如此，则上述命题中的"是"字已无时间限制。（9）"All"一字亦可以当做"一集团的"解释。如果用此解释，则"是"字的意义与以上诸义不同，它又有各种不同的意义可能。

金岳霖先生对"是"的多种含义进行分析，这在一定意义上揭示出传统逻辑具有一个缺陷——在使用逻辑联结词方面"太混沌"，缺乏精细的分析。

金岳霖有关逻辑联结词方面基本概念的研究，除了涉及"蕴涵"、"是"之外，还包括"非"、"与"、"或"等等。他对这些概

181

---

① 　金岳霖：《逻辑》，生活·读书·新知三联书店 1961 年版，第 9 页。

念的研究，是从逻辑系统中"运算"的角度展开的。只是有鉴于"蕴涵"和"是"属于逻辑学中最具关键性的两个基本范畴，所以，这里主要对金岳霖先生有关它们的研究予以介绍。

二、其他学者对逻辑哲学的研究

在中国近代时期，自觉对逻辑哲学进行研究的除了金岳霖以外，还有其他一些学者，例如沈有鼎、王宪钧和胡世华等。他们和金岳霖先生一道，为逻辑哲学这一崭新的哲学领域之开拓作出了贡献。

（一）沈有鼎的《意义的分类》

1943 年，沈有鼎在《哲学评论》第 8 卷第 6 期发表论文《意义的分类》。文中指出：心理现象分为理智的和非理智的两类。其中，唯有前者可以为辞本身所直接表现。理智的心理现象，又进一步包括（广义的）思想作为与意念两种。作者在文章中对思想作为、意念以及辞的分类，其具体根据是意义。

关于辞的分类。辞包括整全的和非整全的两种；整全的辞可以分为纯呼叹的和非纯呼叹的两种，亦可以分为成句的和不成句的两种；成句的辞包括感叹的和非感叹的两种，不成句的辞包括纯呼叹的辞和名词两种；名词包括主格的和呼格的两种；非感叹的成句的辞包括纯实践的和理论的两种，或者疑问的和非疑问的两种。沈有鼎先生在文中指出："主格的名词与非疑问的理论的成句的辞，这两种辞与逻辑知识论最有密切关系。"[1]

关于名词和名词性的意义之分类。这里所论名词，仅仅指主格名词。主格的名词的辞所表现的是名词性的意念，或称"观念"。观念的"内容"即名词的"意义"称之为名词性的意义。名词包括常项和变项、单数和非单数四类。相应地，名词性的意

---

① 沈有鼎：《意义的分类》，《哲学评论》第 8 卷第 6 期。

义亦包括四类：单数而常项的、单数而变项的、非单数而常项的以及非单数而变项的。进一步，沈有鼎先生又根据名词的辞所表现的思想有无对象、对象是否确定以及对象是否唯一，把四类名词具体划分为 13 种。[①]

除了上述有关分类之外，名词又可以分为假定有对象本身的（"措定名词"）和不假定有对象本身的（"非措定名词"）两大类。

关于命题性的意义。非疑问的成句的辞统称为"命题性的辞"，其意义称之为"命题性的意义"。命题性的意义与命题性的对象（事实或道理）不同。根据是否有与之相应的命题性对象，命题性的意义可以分为"真"的和"妄"的两种。

（二）王宪钧的《语意的必然》

1944 年，王宪钧在《哲学评论》第 9 卷第 1 期论文发表论文《语意的必然》。在该文中，作者认为语言里的字句和语句都是一些符号或符号序列；语言并非都是严格组成的，一个严格组成的语言有语意规律。语意规律的作用，在于规定语言的符号以及符号序列的意义，亦即规定意义条件和真假条件。一个符号序列有无意义可以由语意规律得知，有些语句的真假亦可以由语意规律得知。两个不同的严格组成的语言，可以有不同的意义条件与真假条件。

根据语言的语意规律可以发现必然为真的语句，这种语句的必然称之为语意的必然。虽然语意规律有发现必然为真的语句之功用，但是，语意规律之内容不必就是这些必然语句的内容。

在文章中，王宪钧先生又指出语句中都有字句，某一字句可以在不同语句中出现。如果某一语句的某一字句之替换可以使该语句之真值改变，则该字句在这一语句中有要素的出现；否则，

---

① 参见沈有鼎：《意义的分类》，《哲学评论》第 8 卷第 6 期。

为空出现。如果某一字句在某一语句中有要素的出现，则该语句对于这个字句之所指有所断定。

总之，语意规律是关于语言文字的断定，是发现必然语句的根据。语意必然语句是关于文字之所指的断定。语句作为符号串，本无所谓必然与否，只是有了意义之后才有此种情形。就知识的程序而言，根据语意规律就可以知道某一语句之必然性。不过，语意必然语句所断定的是语言以外的事物，因此，在解释其内容时又必须假设它的意义亦具有某种必然性。

（三）胡世华的《命题演算之所指》

1944 年，胡世华在《哲学评论》第 9 卷第 2 期发表论文《命题演算之所指》。在该文中，作者建立了一个严格的演绎理论 A 系统。任何系统为一个命题演算的必要与充分条件，是其可以是 A 的指谓系统。文中指出，每个命题演算中包括三个最重要的概念——"命题变词"、"有意义的式子"和"真的式子"。它们是三个类，其中的每一个分子均可以用来指称 A 系统中的命题。一个命题演算只有实际上是这样一个系统，才有其逻辑的意义，才是一个涉及命题的理论。

A 系统是一个抽象的关于命题及伪真的理论，并非某一个特殊的关于命题系统的理论。命题演算是由这样一个理论的语法之一部分，公理化后成立的一个自足的演绎系统。换言之，A 系统是一个命题演算所指事物的抽象理论系统。

除了沈有鼎、王宪钧和胡世华之外，牟宗三先生亦对逻辑哲学这一新的研究领域进行了探索。其有关成果，主要集中在 1941 年出版的《逻辑典范》[①] 一书中。在该书中，作者认为纯粹理性即逻辑之理。逻辑之理只限于别是非所显之推理过程的对或

---

① 牟宗三：《逻辑典范》，商务印书馆 1941 年版。

不对。虽然表达逻辑之理的系统可以多种多样，但是逻辑之理只能有一个。此外，对于蕴涵等其他问题，牟宗三先生在该书中亦有比较深入的探讨。

185

第五章　西方逻辑传播对史学的影响

在中国传统学术的衍变过程中，史学可谓是发育得比较完满的学科之一。其历史之久远，遗产之丰富以及社会文化功能之发挥，在世界文明史上鲜有可比。鸦片战争以后出现的空前社会危机和民族危机，使得富有经世致用精神的传统史学比其他学科受到更强烈的刺激。在西学似潮水般涌入的过程中，传统史学最终在新的凭借诱发下，加速了其本身已有的嬗变历程。

在近代史学的具体嬗变历程中，理性精神得到发扬。这一时期的史学家在史学实践中，大都尊重理性的认知要求。他们认为，历史可以通过人的心智来分析、论证和阐明。历史研究要实事求是，重视实证；要依靠理性推导、逻辑分析，而不是靠比附、臆想、感悟或者信仰。这种精神，早在乾嘉史学中即已呈现端倪，而在西学输入的浪潮中，特别是伴随着西方逻辑的传播而更为彰显。

西方逻辑传播对中国近代史学的影响，除了表现在史学观念、史学方法以外，还表现在史学研究领域。史学观念和史学方法，本书称之为"史学思想"。

第一节　西方逻辑传播对史学思想的影响

西方逻辑在中国近代传播的过程中，其工具性逐渐引起史学界注意。以梁启超、王国维等为代表的一些史学家，为将逻辑科学引入中国史学之发展进行了积极探索。他们的史学观念，以及在具体史学实践中所运用的方法均明显受到西方逻辑影响。

一、西方逻辑传播对梁启超史学思想的影响

梁启超是中国近代史学发展过程中的一个典型学者。他不仅是"新史学"的积极倡导者，更是"新史学"的卓越实践者，被称为"影响最为广泛的现代史林泰斗"[①]。他的史学思想，许多是经由学习、引进西方近代学术观点而形成，其中包括形式逻辑。《新史学》(1902)、《中国历史研究法》(1924)、《中国历史研究法补编》(1926)、《清代学术概论》(1921) 以及《中国近三百年学术史》(1929) 等著作中的一些内容，均明显地说明了这一点。

（一）西方逻辑传播对梁启超史学观念的影响

作为近代"新史学"的开创者，梁启超非常注意逻辑尤其是归纳逻辑和史学的关系。他在《研究文化史的几个重要问题——对于旧著〈中国历史研究法〉之修补及修正》一文中指出："现代所谓科学，人人都知道是从归纳研究法产生出来，我们要建设新史学，自然也离不了走这条路。"[②] 其在《中国历史研究法》一书中"极力提倡这一点，最近所讲演《历史统计学》等篇也是这一路精神"。事实亦确实如此。在《历史统计学》、《统计学之原理与应用·序》等文章中，梁启超大力倡导史学研究中运用以归纳法为基础的"统计研究法"，他把这种方法解释为"用统计学的法则，拿数目字来整理史料推论史迹"，并确信这是"研究历史的一种好方法，而且在中国史学界尤为相宜"。其中原因，他认为："欲知历史真相，决不能单看台面上几个大人物几桩大

---

① 许冠三：《新史学九十年》(上册)，香港中文大学出版社 1986 年版；转引自张越：《梁启超后期史学思想的变化》，《河北学刊》2001 年第 6 期。

② 梁启超：《研究文化史的几个重要问题——对于旧著〈中国历史研究法〉之修补及修正》，《中国历史研究法》，华东师范大学出版社 1995 年版，第 174 页。

事件便算完结，最要的是看出全个社会的活动变化。全个社会的活动变化，要集积起来比较一番才能看见。往往有很小的事，平常人绝不注意者，一旦把他同类的全搜集起来，分别部居一研究，便可以发见出极新奇的现象而且发明出极有价值的原则。"[①]

"新史学"和逻辑的密切关系，和梁启超对"历史"的界定、理解直接相关。在《中国历史研究法补编》中他提出："历史的目的在将过去的真事实予以新意义或新价值，以供现代人活动之资鉴。"[②] "求得真事实"，是梁启超整个"新史学"理论体系的基石和精魂。他的取自西方，用以改造中国旧史的所谓"科学精神"集中体现于此，其所提倡的史学研究中排除主观偏见，摈弃种种外在目的干扰的宗旨，亦正是为了"求真"，为了使"历史"成为一门科学的学问。至于如何求得真事实，梁启超认为，逻辑学和这一目标之实现具有直接关联。他指出："论理学为一切学问之母。以后无论做何种学问，总不要抛弃了论理的精神。那么，真的知识自然日日加强了。"[③]

梁启超不仅对"历史"目的的理解和逻辑具有关联，他对"史"所下定义亦体现了这一点。《中国历史研究法》中指出："史者何？记述人类社会赓续活动之体相，校其总成绩，求得其因果关系，以为现代一般人活动之资鉴者也。其专述中国先民之活动，供现代中国国民之资鉴者，则曰中国史。"[④] 梁启超认为，今日理想之史著，必须既能再现出昔日人类活动的"体相"，又能显示出历史演进之因果关系，最终可为国民生活提供借鉴。这里，他把获取因果关系作为史学的一个重要特征，认为这是为国

---

① 梁启超：《历史统计学》，《饮冰室合集》，中华书局1989年版，第70页。
② 梁启超：《中国历史研究法补编》，商务印书馆（五）1944年版，第6页。
③ 梁启超：《墨子学案》，《饮冰室合集》（八），中华书局1989年版，第61页。
④ 梁启超：《中国历史研究法》，华东师范大学出版社1995年版，第1页。

民生活提供资鉴的主要依据，而因果关系的发现，又与归纳法有着密切联系。在《墨子之论理学》一文中，梁启超通过介绍培根的思想表明了这一点。文中指出："倍根（即培根——引注）以为演绎法之三段式，不过语言文字之法耳，既寻得真理而叙述之，则大适于用。若欲由此以考察真理之所存，未见其当也，是以特创归纳法。如吾心中欲提示一原理，未敢遽自信也，乃即凡事物诸现象中，分别其常现之象及偶现之象，而求其所以然之故，反复试验，参伍错综，积之既久，则能因甲知乙，必见有一现象与他现象常相伴而不可离者，夫然后定理出焉。"①

　　梁启超史学观念受到西方逻辑传播的影响，还表现在他关于史家的一些认识上。他认为，历史运动是由怀着彼此不同目的的个人之活动总体所构成，在有意无意、错综复杂之间，它们形成了似乎是向着共同目的的前进，即"合无量数互相矛盾的个性，互相分歧或反对的愿望与努力，而在若有意若无意之间乃各率其职以共赴一鹄，以组成此极广大极复杂极致密之'史网'。人类之不可思议，莫过是矣。"② 有鉴于此，梁启超提出："史家之职责，则在此种极散漫、极复杂的个性中而觑见其实体，描出其总相，然后因果之推验乃可得施。"③ 这里，梁启超明确强调史家要通过千差万别的个人动机，去探求历史运动的"总相"，从中发现因果规律，而历史运动"总相"之探求，因果规律之发现，其中一个重要方面亦就是逻辑归纳法的运用。

　　刘知几和章学诚曾经论述过史家应当具备的修养，具体包括史学、史才、史识和史德。梁启超在《中国历史研究法补编》中专设《史家的四长》一章，继承刘知几、章学诚之提法而又有新

189

　　① 梁启超：《墨子之论理学》，《饮冰室合集》（八），中华书局1989年版，第68—69页。

　　②③ 梁启超：《中国历史研究法》，华东师范大学出版社1995年版，第153页。

的发展。他从近代学术要求的角度阐述了史家应当具有的修养，既有鲜明的民族特色，又具浓厚的时代气息。其中，对"史识"的有关论述明显体现出归纳法对梁启超思想认识的一些影响。

所谓"史识"，是指"历史家的观察力"。这具体表现在两个方面：第一，"由全部到局部"。虽然所研究的是局部问题，但不要忘记局部是整体的一部分。第二，"由局部到全部"。局部的事件或者个人，要考察它对全体的影响。关于观察力的培养，一是不要为因袭传统的思想所遮蔽。具体而言，对前人的说法，既要充分尊重其价值，又不可盲从；遇有必要修正的，无论是怎样有名的前人所讲，均要加以修正。二是不要为自己的成见所遮蔽。

190

其中，关于钻研很深的学者容易为自己所蔽之情况，梁启超这样指出："大凡一个人立了一个假定，用归纳法研究，费很多的功夫，对于已成的工作，异常爱惜，后来再四观察，虽觉颇有错误，亦舍不得取消前说。用心在做学问的人，常感此种痛苦。但忠实的学者，对于此种痛苦只得忍受；发见自己有错误时，便应当一刀两断的，即刻割舍；万不可回护从前的工作，或隐藏事实，或修改事实，或假造事实，来迁就他回护从前的工作。这种毛病，愈好学，愈易犯。"[1] 梁启超关于观察力培养中不要为因袭传统的思想所遮蔽这一方面的说明，和他介绍培根归纳法时所讲的"心观"之要求[2]一脉相承。关于"心观"的要求，前文已有涉及，主要是"当有自主的精神"，不可依赖前代经典传说，先入为主以自蔽。关于观察力培养中不要为自己的成见所遮蔽的说明，反映了梁启超对归纳法运用的具体要求有着清醒认识，即假说之成立与否要经受事实验证；客观事实所否证之假说，应该

---

① 梁启超：《中国历史研究法补编》，商务印书馆 1944 年版，第 31 页。

② 参见梁启超：《近世文明初祖二大家之学说》，葛懋春、蒋俊编选：《梁启超哲学思想论文选》，北京大学出版社 1984 年版，第 87 页。

予以放弃。梁启超在上述引文中具体谈到了违背归纳法运用的要求所可能出现的几种情况，具体涉及"或隐藏事实，或修改事实，或假造事实"，以回护原有假设。

（二）西方逻辑传播对梁启超史学方法的影响

具有什么样的思想认识，就往往会有什么样的具体行为。西方逻辑传播对梁启超史学观的影响，直接制约着其史学实践中对于具体方法的择取和应用。

1. 立足归纳法，审视清代学者的治学精神和方法

在谈到"应该用客观科学方法"去研究国学时，梁启超曾经明确指出，不仅"六经皆史"，而且"可以说诸子皆史，诗文集皆史，小说皆史。因为里头一字一句都藏有极可宝贵的史料，和史部书同一价值。我们家里头这些史料，真算得世界第一个丰富矿穴。从前仅用土法开采，采不出什么来，现在我们懂得西法了，从外国运来许多开矿机器了。这种机器是什么？是科学方法。我们只要把这种方法运用得精密巧妙而且耐烦，自然会将这学术界无尽藏的富源开发出来。"[1] 在史学中引入西方科学方法，这是梁启超史学思想的一项重要内容。而和严复一样，他同样视归纳法为重要的科学方法。[2] 因此，在具体的史学实践中他亦就予归纳法以特别重视。在谈到关于清代朴学家的治学精神时，梁启超曾这样总结："盖无论何人之言，决不肯漫然置信，必求其所以然之故；常从众人所不注意处觅得间隙，既得间，则层层逼拶，直到尽头处；苟终无足以起其信者，虽圣哲父师之言不信也。此种研究精神，实近世科学所赖以成立。"[3] 清儒严密细致

191

---

① 梁启超：《治国学的两条大路》，《饮冰室合集》（五），中华书局 1989 年版，第 111 页。

② 梁启超认为，近代科学勃兴实以归纳法为原动力，归纳法与科学之关系十分密切。（参见梁启超：《墨子学案》，《饮冰室合集》，中华书局 1989 年版。）

③ 梁启超：《清代学术概论》，东方出版社 1996 年版，第 31—32 页。

的参证精神和方法，本来颇多符合于近代科学方法，后经梁启超之总结则更加具有系统，进而成为推进中国史学近代化的一大动力。梁启超之所以能够作出如此总结，其中一个重要原因，乃在于他自觉地立足归纳方法的精神与实质。这一点，从上述引文中可以明显看出。除此以外，梁启超更有援归纳法入总结清学的直接案例。《清代学术概论》中曾这样指出："清儒之治学，纯用归纳法，纯用科学精神。"对"此法此精神"的"程序"，书中进一步概括为："第一步，必先留心观察事物，觑出某点某点有应特别注意之价值。第二步，既注意于一事项，则凡与此事项同类者或相关系者，皆罗列比较之研究之。第三步，比较研究的结果，立出自己一种意见。第四步，根据此意见，更从正面旁面反面博求论据，证据备则渐为定说，遇有力之反证则弃之。凡今世一切科学之成立，皆循此步骤，而清考证家之每立一说，亦必循此步骤也。"① 可以看出，梁启超在这里是完全立足于从假说提出到假说验证这一整套科学归纳法的过程来分析清儒的治学方法的。

192

2. 结合实际，倡导归纳法在历史研究中的运用

梁启超在史学实践中对研究方法有着高度的自觉，并注意结合实际阐述自己的研究方法。在《中国历史研究法》这部著作中，他指出："学者而诚欲以学饷人，则宜勿徒饷以自己研究所得之结果，而当兼饷以自己何以能研究得此结果之涂（途）径及其进行次第，夫然后所饷者乃为有源之水而挹之不竭也。"② 亦正是在该部著作中，梁启超曾选择如何得出"玄奘贞观元年首途留学"这一和其他史籍所载相左而为实际情况的结论之经过，向读者阐述他实际研究中所运用的方法。用梁启超自己的话来讲，即"本篇既以研究法命名，吾窃思宜择一机会将吾自己研究所历

① 梁启超：《清代学术概论》，东方出版社 1996 年版，第 56—57 页。
② 梁启超：《中国历史研究法》，华东师范大学出版社 1995 年版，第 111 页。

之甘苦委曲传出，未尝不可以为学者一助。吾故于此处选此一小
问题可以用千余言说明无遗者，详述吾思路所从入与夫考证所取
资，以渎读者之清听。"①

　　玄奘留学共 17 年，贞观十九年正月归国，这些都是"既定
之事实"。可是关于玄奘最初出游的具体时间，道宣《续高僧
传》、慧立《大慈恩寺三藏法师传》，以及其他有关资料均认为是
在贞观三年八月。梁启超"因怀疑而研究，研究之结果考定为贞
观元年"。究其怀疑之出发点，乃在于梁启超在读《慈恩传》时
见玄奘在于阗所上表中有"贞观三年出游，今已十七年"等语，
而上表时间"确知其在贞观十八年春夏之交"，所以，梁启超于
此"忽觉此语有矛盾"。从贞观十八年上溯，依据对 17 年理解之
不同，"姑立元年、二年之两种假说以从事研究"。根据《慈恩
传》中所记行程等进行推算，他"于是渐弃其二年之假说而倾向
于元年之假说"。新观点之得出并非止于如此论证，梁启超继续
"努力前进"。根据查检有关史料，得知玄奘出游"乃挽在饥民队
中，而其年之饥实因霜灾"。而取新、旧《唐书·太宗纪》，发现
贞观三年并未出现有霜灾，元年则相反。于是，"三年说已消极
的得一有力之反证"，"元年说，忽积极的得一极有力之正证矣"。
只是"二年之假说仍有存立之余地"，因为新《唐书》虽无二年
"复有河南河北大霜人饥"之语，而旧《唐书》却与之相反。所
以，梁启超决意再觅证据以决此疑。经考证玄奘途中所遇之人的
情况，主要是西突厥可汗叶护之情况，"三年说之不能成立，又
得一强有力的反证"。只是梁启超"犹不满足，必欲得叶护被弑
确年以为快"。又查《资治通鉴》，新、旧《唐书》等文献，确知
"值贞观二年突厥叶护可汗见杀"。这样，"玄奘之行既假霜灾，
则无论为元年为二年为三年皆以八月后首途，盖无可疑，然则非

193

---

①　梁启超：《中国历史研究法》，华东师范大学出版社 1995 年版，第 111 页。

惟三年说不能成立，即二年说亦不能成立。何则？二年八月后首途，必三年五月乃抵突厥，即已不及见叶护也。"所以，梁启超提出："吾至是乃大乐，自觉吾之怀疑有效，吾之研究不虚，吾所立'玄奘贞观元年首途留学'之假说殆成铁案矣！"[1]

基于以上分析，梁启超进一步指出："吾研究此问题所得结果虽甚微末，然不得不谓为甚良，其所用研究法纯为前清乾嘉诸老之严格的考证法，亦即近代科学家所应用之归纳研究法也。读者举一反三，则任研究若何大问题，其精神皆若是而已。"[2]现身说法，渴望归纳法能早日为中国史学界所理解、应用，梁启超这一良苦用心可谓至诚至真，跃然纸上。

3. 将逻辑自觉引入史料学方法论

梁启超对中国近代史学发展的一个突出贡献就在于重视研究方法之总结。在《中国历史研究法》一书中，他曾设专章论述史料的搜集和鉴别，形成了独特的史料学方法论。其中，在论述"搜集史料之法"和"鉴别史料之法"时，梁启超所受到的逻辑影响比较明显。

（1）自觉援逻辑归纳法入搜集史料之方法

梁启超认为，史料散见于各处，"非用精密明敏的方法以搜集之，则不能得"。此"精密明敏的方法"，实际上主要是指归纳法。他说："大抵史料之为物，往往有单举一事，常见其无足重轻，及汇集同类之若干比而观之，则一时代之状况可以跳活表现。此如治庭园者孤植草花一本，无足观也，若集千万本，莳以成畦，则绚烂炫目矣。又如治动物学者搜集标本，仅一枚之贝，一尾之蝉，何足以资研索，积数千万，则所资乃无量矣。吾侪之

194

搜集史料，正有类于是。"① 这里，梁启超实际上谈到了将归纳法运用于史料搜集的方法和意义。

更进一步，梁启超结合自己的一些治史实践具体阐明归纳法在搜集材料中的运用。他曾打算研究春秋以前部落林立的情况，先从《左传》和《国语》中汇录其中所述已亡之国，得六十余，又从《逸周书》中搜录，得九十余，又从《汉书·地理志》、《水经注》搜录，得七十余，又从金文中搜录，得九十余，其他散见于各书者尚有三四十。结果，"除去重复，其夏商周古国名之可著见者，犹得三百国；而大河以南，江淮以北，殆居三之二。其中最稠密处如山东、河南、湖北，有今之一县而跨有古三四国之境者。"② 经过这样一番搜集研究，可以得出结论"春秋前半部落式之国家甚多"。梁启超指出，又有一种史料，在同时代看似平常，然而经历不同时代以后情况出现变化，人们鲜能注意。治史者如若能够将其搜集起来系统排比整理，同样可以得出有价值的结论。例如，他在《战国策》和《孟子》中，发现屡屡有黄金若干镒等文字，推知其时确实已使用金属作为货币。但是，字书中有关财货之字皆从贝而不从金，"可见古代交易媒介物用贝而非用金"。再研究钟鼎款识以及《诗经》，记载用贝之事甚多，而用金者无一，殷墟所发现古物中亦有贝币而无金币，因此，"略可推定西周以前未尝以金属为货币"。再研究《左传》、《国语》、《论语》，"亦绝无用金属之痕迹"。所以，他指出"吾侪或竟可以大胆下一断案曰：'春秋以前未有金属货币。'若稍加审慎，最少亦可以下一假说曰：'春秋以前金属货币未通用。'"③

梁启超还谈到了把归纳法运用于史料搜集时所应注意之处。他指出，应用此种方法，"第一步须将脑筋操练纯熟，使常有锐

195

①②③　梁启超：《中国历史研究法》，华东师范大学出版社 1995 年版，第 87、88、91 页。

敏的感觉。每一事项至吾前，常能以奇异之眼迎之，以引起特别观察之兴味。""第二步须耐烦。每遇一事项，吾认为在史上成一问题有应研究之价值者，即从事于彻底精密的研究，搜集同类或相似之事项综析比较，非求得其真相不止。"①

（2）鉴别史料中推论意识自觉

史料以求真为尚，真的反面包括两种情况：一曰误，二曰伪。所谓鉴别，即正误、辨伪。关于史料鉴别，梁启超立足有关逻辑知识运用了推论方法。例如，在谈到"辩证伪事应采之态度"时，他明确提出了两种推论方法——"比事的推论法"和"推度的推论法"。关于"比事的推论法"，梁启超指出："有其事虽近伪，然不能从正面得直接之反证者，只得从旁面间接推断之。若此者，吾名曰'比事的推论法'。"②如鲁共王、孔安国与《古文尚书》的关系，"既有确据以证其伪"；河间献王等与《古文毛诗》的关系，张苍等与《古文左传》的关系，"亦别有确据以证其伪"；这样，当时与此三书同时受到刘歆推奖的《古文周官》、《古文逸礼》"虽反证未甚完备，亦可用'晚出古文经盖伪'之一假说略为推定矣"。可以看出，梁启超所谓"比事的推论法"，究其实质即归纳有关事实得到一种结论，然后再据此以为推断。这种推论法，"应用于自然科学界颇极稳健，应用于历史时或不免危险。因历史为人类所造，而人类之意志情感常自由发动，不易执一以律其他也。"所以，"用此种推论法只能下'盖然'的结论，不宜轻下'必然'的结论"③。

关于"推度的推论法"，梁启超指出："有不能得'事证'而

196

---

①②③　梁启超：《中国历史研究法》，华东师范大学出版社1995年版，第89—90、133、134页。

可以'物证'或'理证'明其伪者，吾名之曰'推度的推论法'。"① 例如，旧说有明建文帝逊国出亡之事，万斯同斥其伪，指出"紫禁城无水关，无可出之理"，这就是"物证"。又如，旧说有"颜渊与孔子在泰山望阊门、白马，颜渊发白齿落"之事，王充斥其伪，谓"人目断不能见千里之外"，又言"用睛暂望，影响断不能及于发齿"。"此皆根据生理学上之定理以立言，虽文籍上别无他种反证，然已得极有价值之结论。此所谓理证也。"② 关于"推度的推论法"之实际运用，梁启超进一步指出："用此法以驭历史上种种不近情理之事，自然可以廓清无限迷雾。但此法之应用亦有限制，其确实之程度盖当与科学智识骈进。"③ "今日治学，只能以今日之智识范围为界，'于其所不知盖阙如'。"④

把逻辑知识自觉地运用于史料之搜集和整理，体现了梁启超的"史料以求真为尚"这一精神。他指出："夫吾侪治史，本非徒欲知有此事而止，既知之后尚须对于此事运吾思想，骋吾批评。虽然，思想批评必须建设于实事的基础之上，而非然者，其思想将为枉用，其批评将为虚发。"⑤ 近百年来欧美史学之进步，则"能用科学的方法以审查史料，实其发轫也"。"我国治史者惟未尝以科学方法驭史料，故不知而作、非愚则诬之弊往往而有。吾侪今日宜筚路蓝缕以辟此涂，务求得正确之史料以作自己思想批评之基础"⑥。能够把逻辑知识自觉地运用于史料之搜集和整理，亦可以说恰好体现了梁启超"以科学方法驭史料"之身体力行。

综合以上分析，可以看出归纳法对梁启超史学思想确实有着较为深刻的影响。就总体而论，他是主张运用归纳法于史学研究领域的，只是梁启超的这一观点亦曾出现过动摇。他在《研究文

---

①②③④⑤⑥　梁启超：《中国历史研究法》，华东师范大学出版社 1995 年版，第 134、134、134、134、135、135—136 页。

化史的几个重要问题——对于旧著〈中国历史研究法〉之修补及修正》一文中曾经指出:"归纳法最大的工作是求'共相',把许多事物相异的属性剔去,相同的属性抽出,各归各类,以规定该事物之内容及行历何如。这种方法应用到史学,却是绝对不可能。为什么呢?因为历史现象只是'一躺过',自古及今从没有同铸一型的史迹。这又为什么呢?因为史迹是人类自由意志的反影,而各人自由意志之内容绝对不会从同,所以史家的工作和自然科学家正相反,专务求'不共相'。倘若把许多史迹相异的属性剔去,专抽出那相同的属性,结果便将史的精魂剥本净尽了。因此,我想归纳研究法之在史学界其效率只到整到史料而止。"①

寻求"不共相"确实是历史认识中的重要任务,亦是历史考察方法的基本特征之一,并且归纳法亦确实并非历史研究的唯一方法,它有着一定局限性,因此,梁启超指出归纳法的"效率"有

198

限制这一思想有值得肯定的地方。但是,他在这里以"专务求'不共相'"排斥了自己曾经指出的"史家最大任务,是要研究人类社会的'共相'和'共业'"②这一观点。这种情况,反映了梁启超认识上的偏颇,因为任何历史的发展除了具有特殊规律之外,总还表现出某种一般的、共同的规律,归纳法对一般规律的认识和把握不失为一种行之有效的工具。当然,诚如有的学者所指出的:"梁氏的这种摇摆往往并不代表其史学理论的主流思想。对此,应联系他的更多的著作和言论来全面地把握。"③

二、西方逻辑传播对王国维史学思想的影响

王国维是我国近代著名学者,他在史学,尤其是古史研究领

---

① 梁启超:《研究文化史的几个重要问题——对于旧著〈中国历史研究法〉之修补及修正》,华东师范大学出版社 1995 年版,第 175 页。

② 梁启超:《历史统计学》,《饮冰室合集》(五),中华书局 1989 年版,第 80 页。

③ 王也扬:《梁启超对史学认识论的探讨》,《长白学刊》1919 年第 2 期。

域中取得了辉煌成就，郭沫若赞称其为"新史学的开山"①。综观王国维的史学思想，可以发现他对西方逻辑予以相当重视。这不仅体现在王国维史学观中具有明显的逻辑烙印，更呈现在其具体史学研究中对逻辑知识的自觉运用、逻辑精神之充分发扬。王国维史学思想之所以受到西方逻辑浸染，和他对逻辑知识的学习、传播直接相关，而其之所以注重逻辑的学习、传播，又和他关于中西方思维方式的比较存在密切联系。

　　1905 年，王国维撰写论文《论新学语之输入》。在这篇文章中，他认为："我国人之特质实际的也，通俗的也。西洋人之特质，思辨的也，科学的也，长于抽象而精于分类，对世界一切有形无形之事物，无往而不用综括（Generalization）及分析（Specification）之二法，故言语之多，自然之理也。吾国人之所长，宁在于实践之方面，而于理论之方面，则以具体的知识为满足，至分类之事，则除迫于实际之需要外，殆不欲穷究也。夫战国议论之盛，不下于印度六哲学派及希腊诡辩学派之时代，然在印度，则足目出而从数论、声论之辩论中，抽象之而作因明学。陈那继之，其学遂足。希腊则有雅里大德勒（即亚里士多德——引注）自哀利亚派、诡辩学派之辩论中，抽象之而作名学。"但是中国，惠施、公孙龙等所谓名家者流，徒骋诡辩，"其于辩论思想之法，则固彼等之所不论，而亦其所不欲论者也。故我中国有辩论而无名学，有文学而无文法，足以见抽象与分类二者，皆我国人之所不长。"② 这里，王国维关于中西方思维方式特点的比较，从一个侧面反映出他对中国传统思维中的弱点保持着清醒认识——重视日常实用而轻视理论概括；满足于关于对象笼统、

199

---

　　① 参见郭沫若：《十批判书》，东方出版社 1996 年版，第 4 页。
　　② 王国维：《论新学语之输入》，姚淦铭、王燕编：《王国维文集》（第三卷），中国文史出版社 1997 年版，第 40—41 页。

具体的知识，而缺乏分门别类的考察和抽象思辨之色彩。究其根源，乃在于中国"无名学"亦即逻辑科学没有建立。[①] 换言之，王国维认为中西方思维方式的差异和彼此的逻辑状况有着密切关系。近代中国面临的一大主题便是学习西方、振兴民族，并且，王国维对于学习西方科学方法的重要性和迫切性又有着明确认识。在《奏定经学科大学文学科大学章程书后》中，他曾这样指出："今日所最急者，在授世界最进步之学问之大略，使知研究之方法。"[②] 这样，学习、传播、运用西方逻辑对王国维而言亦就势所必然。

（一）西方逻辑传播对王国维史学观念的影响

王国维认为，世界上的学问包括三类，即科学、史学和文学。其中，"凡记述事物而求其原因，定其理法者，谓之科学；求事物变迁之迹，而明其因果者谓之史学"[③]。科学和史学是不相同的，具体而言，"凡事物必尽其真，而道理必求其是，此科学之所有事也；而欲求知识之真与道理之是者，不可不知事物道理之所以存在之由，与其变迁之故，此史学之所有事也。"[④] 这里，寻求事物、道理"存在之由"、"变迁之故"，反映了王国维注重历史的因果关系和探求历史变化原因的思想。那么，史学实现其目标的具体途径又是什么呢？在王国维看来，"夫天下之事物，非由全不足以知曲，非致曲不足以知全，虽一物之解释，一

---

① 王国维这种认识是否恰当，这里暂且不论，只是他的这种思想认识有助于他对于西方逻辑的学习、传播，乃至引入具体学术实践。

② 王国维：《奏定经学科大学文学科大学章程书后》，姚淦铭、王燕编：《王国维文集》（第三卷），中国文史出版社1997年版，第73页。

③ 王国维：《国学丛刊·序》，姚淦铭、王燕编：《王国维文集》（第四卷），中国文史出版社1997年版，第365页。

④ 王国维：《国学丛刊·序》，姚淦铭、王燕编：《王国维文集》（第四卷），中国文史出版社1997年版，第365—366页。

事之决端，非深知宇宙人生之真相者，不能为也。而欲知宇宙人生者，虽宇宙中之一现象，历史上之一事实，亦未始无所贡献。"① 这就是说，在科学研究中，必须从个别和一般、部分和整体，亦即"曲"和"全"的相互联结上来把握特定的认识对象。具体而言，一方面必须"深知宇宙、人生之真相"，即用关于宇宙、人生的一般认识，主要是哲学世界观，来对具体的科学研究进行实际指导。如若没有这样的指导，就"不足以知曲"，就难以把握具体的认识对象。显然，这是在强调演绎法对于"知事物道理之所以存在之由，与其变迁之故"的具体作用。另一方面，如果不通过对有关对象的一个个具体研究，就"不足以知全"，就无法概括出正确的一般认识、正确的哲学世界观。显然，这里所言乃在于强调归纳法对于"求事物变迁之迹，而明其因果"的具体作用。

（二）西方逻辑传播对王国维史学方法的影响

王国维认为，中国的学术研究不可囿于中学西学之争，而要打破它们之间的界线，将中国学术纳入世界学术的范围之内进行。他指出："异日发明光大我国之学术者，必在兼通世界学术之人，而不在一孔之陋儒，固可决也。"② 事实上，王国维不仅是上述思想的积极倡导者，更是其卓越的实践者。以西方逻辑为例，该门科学的传播就对其史学方法产生了颇为显著的影响。

1. 古文字训诂中有明确的推论意识

利用文字训诂，尤其文字音韵训诂是王国维古史新证目的实现的重要手段。在《两汉古文学家多小学家说》中，他指出小学

---

① 王国维：《国学丛刊·序》，姚淦铭、王燕编：《王国维文集》（第四卷），中国文史出版社 1997 年版，第 367 页。

② 王国维：《奏定经学科大学文学科大学章程书后》，姚淦铭、王燕编：《王国维文集》（第三卷），中国文史出版社 1997 年版，第 71 页。

是"学术沟通之林也",对于古史研究颇具价值。^① 至于文字音韵训诂,王国维曾从道理上阐明其对于考史的重要意义。他指出:"凡雅俗古今之名,同类之异名,与夫异类之同名,其音与义恒相关。同类之异名,其关系尤显于奇名。""虽其流期于相别,而其源不妨相同,古人正名百物之意,于此亦略可睹矣。"^②

至于如何有效地进行古文字训诂(包括音韵训诂),王国维曾有论述。他说:"文无古今,未有不文从字顺者。今日通行文字,人人能读之,能解之。《诗》、《书》、彝器亦古之通行文字,今日所以难读者,由今人之知古代不如知现代之深故也。苟考之史事与制度文物以知其时代之情状,本之《诗》、《书》以求其文之义例,考之古音以通其义之假借,参之彝器以验其文字之变化。由此而之彼,即甲以推乙,则于字之不可释、义之不可通者,必间有获焉。"^③ 王国维认为,今人之所以对于古文字不易了解,其中一个重要原因乃在于今人对于古文字的变化脉络不完全清楚。因为古代文字数量有限,故多用假借;又从周代至汉代,字音屡屡发生变化,而被借用的字又不能一一推求本原,所以,对于古文字的考析必须从如下几个方面入手:首先,分析和把握古文字形成和运用的时代背景;其次,从义、声、形三个方面进行分析、比较。在这一过程中,研究者应有明确的逻辑推论意识,其所谓"考之……以知其……"、"本之……以求其……"、"考之……以通其……"以及"参之……以验其……"等语言的运用充分显示了这一点,而"由此而之彼,即甲以推乙"可谓是

① 参见王国维:《两汉古文学家多小学家说》,《观堂集林》(第七卷),商务印书馆1940年版,第14页。

② 王国维:《尔雅草木虫鱼鸟兽名释例》(下),《观堂集林》(第五卷),商务印书馆1940年版,第2页。

③ 王国维:《毛公鼎考释·序》,姚淦铭、王燕编:《王国维文集》(第四卷),中国文史出版社1997年版,第111页。

对此类推论的抽象概括，"则于字之不可释，义之不可通者，必间有获焉"。可谓是对此类推论运用结果的揭示。

2. 把充足理由律引入史学实践

（1）关于充足理由律的阐述

在《释理》一文中，王国维阐述了他对充足理由律的理解。他认为，"理"包括广义和狭义两种。其中，广义的"理"即"理由"，"天下之物，绝无无理由而存在者。其存在也，必有所以存在之故，此即物之充足理由也。"[①]"充足理由"表现在"知识界"即人的认识和思维中，则为"既有所与之前提，必有所与之结论随之"；表现在"自然界"即客观事物中，则为"既有所与之原因，必有所与之结论随之"。所以，"充足理由律"为"世界普遍之法则"和"知力普遍之形式"。

王国维关于充足理由律"就主观上言之，乃吾人之知力普遍之形式也"的观点，实际上已经说明了逻辑学中该条规律具有普适性。此外，他还另有更加详细的阐述。王国维指出："世界各事物，无不入此形式者（指充足理由原则作为知力普遍之形式——引注），而此形式，可分为四种：一、名学上之形式。即从知识之根据之原则者，曰既有前提，必有结论。二、物理学上之形式。即从变化之根据之原则者，曰既有原因，必有结果。三、数学上之形式。此从实在之根据之原则者，曰一切关系，由几何学上之定理定之者，其计算之成绩不能有误。四、实践上之形式。曰动机既现，则人类及动物不能不应其固有之气质，而为唯一之动作。此四者，总名之曰充足理由之原则。"[②]其中，第四种形式可以归入第二种形式。这样，充足理由原则实际上主要包括三种形式。至于它们的共同性质，王国维指出："此三种之公

203

---

①② 王国维：《释理》，姚淦铭、王燕编：《王国维文集》（第三卷），中国文史出版社 1997 年版，第 254、255 页。

共之性质，在就一切事物而证明其所以然，及其不得不然。即吾人就所与之结局观之，必有其所以然之理由；就所与之理由观之，必有不得不然之结局。"① 这样，王国维一方面明确指出充足理由律有"名学上之形式"，即承认在逻辑学中存在充足理由律应有之位置；另一方面又具体刻画了充足理由律的逻辑要求：理由或前提、推断或结论应是"所与"的，即断定为真；它们之间的关系表现为"所以然及其不得不然"的必然关系。

以上是王国维关于逻辑学中充足理由律的有关阐述。在具体的历史研究中，他比较自觉地将该条逻辑规律视为思维准则。

（2）充足理由律在史学研究中的直接运用

在《释理》一文中，王国维阐述了逻辑学上充足理由律的具体思想，这可以说是他对充足理由律在理论方面的分析。在实际的治史过程中，王国维则以该条逻辑规律作为确保"思之得其真，纪之得其实"② 的有效手段。梁启超在评论王国维的古史研究著作时曾经这样指出，王国维的古史著作"所讨论之问题，虽洪纤繁简不一，然每对于一问题，蒐集资料，殆无少遗失"③。对于每一个研究的问题，"蒐集资料，殆无少遗失"这在一定意义上可以视为对王国维在历史研究中运用充足理由律的一个总体概述，而王国维在《鬼方、昆夷、猃狁考》一文中对鬼方、昆夷、薰育、猃狁之间关系的阐述，则体现出充足理由律其史学研究中的具体运用情况。王国维指出："混夷之名亦见于周初之书，《大雅·緜》之诗曰：'混夷駾矣'。《说文解字·马部》引作昆夷。《口部》引作犬夷。而《孟子》及《毛诗·采薇序》作

----

① 王国维：《释理》，姚淦铭、王燕编：《王国维文集》（第三卷），中国文史出版社 1997 年版，第 255 页。
② 王国维：《国学丛刊·序》，姚淦铭、王燕编：《王国维文集》（第四卷），中国文史出版社 1997 年版，第 367—368 页。
③ 梁启超：《国学论丛第 1 卷第 3 号（王静安先生纪念号）·序》。

昆。《史记·匈奴传》作绲。《尚书大传》则作畎夷。颜师古《汉书·匈奴传·注》云，畎音工犬反，昆、混、绲并工本反，四字声皆相近。余谓皆畏与鬼之阳声，又变而为荤粥，为薰育，为獯鬻，又变而为狎狁，亦皆畏鬼二音之遗。畏之为鬼，混之为昆，为绲，为畎，为犬，古喉牙同音也。畏之为混，鬼之为昆、为绲、为畎、为犬，古阴阳对转也。混、昆与荤、薰，非独同部，亦同母之字。狎狁则荤薰之引而长者也，故鬼方、昆夷、薰育、狎狁，自系一语之变，亦即一族之称，自音韵学上证之有余矣。"①"自音韵学上证之有余矣"，这反映出王国维对所得结论符合充足理由律的明确认识。可是，他并没有满足于从文字学、音韵学上获得证明，而是继续考察各种材料中有关史事的记载，以及该族活动的地理范围，以便进一步作出论证。他指出："故自史事及地理观之，混夷之为畏夷之异名，又为狎狁之祖先，盖无可疑，不独有音韵上之证据也。"②从音韵学上论证已是"证之有余"，这里又指出"不独有音韵上之证据"，可见，充足理由律在王国维史学实践中的运用是何等的认真、何等的严肃！

205

　　1923 年，在新郑出土数百件铜器，其中仅一件有识文七字："王子婴次之□卢。"王国维考证出该件铜器乃春秋时期楚公子子重所遗留。这一具体考证过程，亦足以显示充足理由律在王国维史学研究中的具体运用情况。在《王子婴次卢跋》② 一文中，他是这样考证的：铭文七字中，"婴次"二字最为难识，但是按照古音通假原则，"婴次"即"婴齐"；再引《史记》、《战国策》等书中的有关材料，可以进一步肯定"婴次"即"婴齐"。在春

　　①② 王国维：《鬼方、昆夷、狎狁考》，《观堂集林》（第十三卷），商务印书馆1940 年版，第 6、7 页。

　　② 王国维：《王子婴次卢跋》，《观堂集林》（第十八卷），商务印书馆1940 年版，第 9 页。

秋同一时期，名"婴齐"者不止一人，何以认定此"婴齐"即楚公子，而非郑公子呢？王国维举出两件事实证明该器确为楚器：①铭文为"王子婴齐……"，当时只有楚"婴齐"假称"王子"；②此器品质制作和同时所出其他铜器不类，这说明此器出于郑地，而非该地产物（王国维解释此器乃鄢陵之役楚师宵遁时遗留于郑地）。以上两点既证明该件铜器为楚器，则铭文中的"婴齐"乃楚公子"婴齐"，而非郑公子亦即获得证明。可以看出，为了考证该件铜器的真实情况，王国维从古音通假原则之运用，《史记》等史书中记载，当时楚、郑等诸侯国政治制度，以及该件铜器的品质制作等不同方面广泛搜求证据，最后归纳出其乃春秋时期楚公子子重所遗留之物这一结论。这一具体过程，可以说充分体现了王国维治史实践中"就所与之结局观之，必有其所以然之理由；就所与之理由观之，必有不得不然之结局"这一鲜明的逻辑理性精神。

206

（3）充足理由律和二重证据法

史料是过去人类的思想和行为所遗留下来的一些痕迹，是史学研究赖以进行的重要依据。其中，包括文献和实物两大部分。前者主要有经史子集、档案、方志等等；后者主要有人类化石、陶器、石器、金属器皿以及诸种遗址等等，当然，亦包括实物上的各种铭刻文字。在传统史学研究中，往往偏重文献记载而忽视实物资料。

19世纪末20世纪初，我国近代的考古发掘和科学整理文物资料标志着史学研究领域在逐步扩大。同时，这些整理的成果反过来又为史学研究提供了新的资料和手段。人们关于史料的理解不再局限于"著述之林"的纸上材料，甲骨卜辞、金文以及其他新发现的材料，亦远远超出旧日金石学范围。在这种形势下，一些史学家便开始把新的史料引入相关研究领域。与此同时，如何处理两类史料之间的关系便亦成为新史家所面临的一个理论问题。就此，王国维提出了著名的"二重证据法"这一观点。

"二重证据法"是王国维用来概括自己研究中国古史即今天所谓先秦史的方法。他正式提出这一方法是在《古史新证》之中。《古史新证》是1925年王国维在清华学校国学研究院担任导师时编写的讲义，其中第一章总论就专门论述这一方法。他指出："研究中国古史，为最纠纷之问题。上古之事，传说与史实混而不分。史实之中，固不免有所缘饰，与传说无异；而传说之中，亦往往有史实为之素地：二者不易区别，此世界各国之所同也。……至于近世，乃知孔安国本《尚书》之伪，《纪年》之不可信。而疑古之过，乃并尧、舜、禹之人物而亦疑之。其于怀疑之态度及批评之精神，不无可取。然惜于古史材料，未尝为充分之处理也。吾辈生于今日，幸于纸上之材料外，更得地下之新材料。由此种材料，我辈固得据以补正纸上之材料，亦得证明古书之某部分全为实录，即百家不雅驯之言亦不无表示一面之事实。此二重证据法，惟在今日始终得为之。虽古书之未得证明者，不能加以否定，而其已得证明者，不能不加以肯定：可断言也。"[1]

207

"二重证据法"在一定意义上可以说是王国维立足于充足理由律，结合研究先秦史的实际情况，主要是史料运用情况而提出的一种方法论。"研究中国古史，为最纠纷之问题。上古之事，传说与史实混而不分"、"二者不易区别"，这实际上是在讲充足理由律运用于古史研究的必要性和困难（"上古之事"研究的充足理由难以确定）。对于疑古派过失之评述即"于古史材料，未尝为充分之处理"，可谓是借此以阐明运用充足理由律之重要性——运用充足理由律是史学研究中正确观点提出的重要保证。"惜"字之用，表达了王国维对疑古派"怀疑之态度及批评之精神"中缺

---

① 王国维：《古史新证》，姚淦铭、王燕编：《王国维文集》（第四卷），中国文史出版社1997年版，第1—2页。

乏充足理由律的遗憾。今日治史者"幸于纸上之材料外，更得地下之新材料"，实则在暗示具体研究工作中运用充足理由律之途径，即从纸上材料与"地下之新材料"的结合上入手。王国维所谓的"纸上之材料"与"地下之新材料"各有所指。其中，前者系指《尚书》、《诗》、《传》、《易》、《五帝德》、《帝系姓》、《左氏传》、《国语》、《世本》、《竹书纪年》、《战国策》以及周秦诸子、《史记》；后者系指殷甲骨文字和殷、周金文。由后者"补正"前者，"亦得证明古书之某部分全为实录"，此言充足理由律在治史过程中表现于不同史料的应有运作情况。"补"者，增其缺遗；"正"者，改其错误。地下材料是实物材料，埋藏于地下，属未经后人转抄、修饰的古代当事人之记载。文献记载的材料则在传流过程中，会被后人有意、无意地加以修饰。前者之真实性要往往高于后者，以前者是正后者之误，在一定意义上亦可谓为研究工作寻得较为充足（真实可靠）之理由。"亦得证明古书之某部分全为实录"，是言不同的观察者彼此之观点相互契合，亦即两种材料所载内容彼此一致。相对于特定观点建立在单一论据之基础上，这里论及的情况可以说提供了更为充足的理由。"虽古书之未得证明者，不能加以否定，而其已得证明者，不能不加以肯定：可断言也。"这是谈论研究工作中充足理由律运用之结果：否定性思想的提出，要纳于充足理由的前提之下，换言之，古书记载虽"未得""地下之新材料"的证明，但若其反证尚未有足够理由，亦"不能加以否定"；肯定性思想的提出亦要依凭于充足理由之前提，换言之，二重证据彼此相一致者，即古书之"已得证明者"，不能不予以肯定。

以上分析表明，"二重证据法"作为王国维提出的研治中国上古史的一种方法，究其实质，反映着充足理由律对王国维史学实践中学术方法构架的深刻影响。关于这一方法中所显示的充足理由律精神，前人已有论及。郭沫若在《十批判书》中曾经指出："卜辞的研究要感谢王国维，是他首先由卜辞中把殷代的先公先王剔发了出来，使《史记·殷本纪》和《帝王世纪》等书所传的殷代王统得到了物证，并且改正了它们的讹传。"[1] 王国维先生的弟子徐中舒亦指出："先生凡立一说，必本于新材料与旧材料完备齐集之后，然后再加以大胆的假设、深邃的观感、精密的分析、卓越的综合，务使所得的结论与新材料、旧材料恰得一个根本的调和。这种实证的方法、忠实的态度，只有在先生著述里可以看到。"[2] 近人萧艾在《王国维评传》中亦指出："研究古代史，离开二重证据法，就有误入歧途的可能。但凭想象，不重证据，固然不对；证据薄弱，仅是书上略有记载，或是出土器物上稍见铭刻，都不能立论。必须是考古发现与文献相对应，确凿可信，才符合二重证据法原则。"[3]

3. 归纳法、演绎法在史学实践中的运用

归纳法和演绎法是两种主要的逻辑方法。梁启超在谈到王国维为学时曾经指出，王国维"虽好从事于个别问题，为窄而深的研究，而常能从一问题与他问题之关系上，见出最适当之理解，绝无支离破碎专已守残之蔽"[4]。可见，王国维在包括史学在内的学术实践中运用归纳法的情况，前人已有评论。其中，通过"个别问题"研究，得出"一问题与他问题之关系上""最适当之理解"，这其实是在谈及归纳法运用的具体步骤。

在《最近二三十年中中国新发见之学问》一文中，王国维认为，自古以来，学问家有所成就的，大多是由于新材料的发现和使用。他指出："古来新学问起，大都由于新发现。有孔子壁中

209

①　郭沫若：《十批判书》，东方出版社 1996 年版，第 4 页。

②　徐中舒：《追忆王静安先生》，《文学周报（王静安先生追忆专号）》。

③　萧艾：《王国维评传》，浙江古籍出版社 1987 年版，第 153 页。

④　梁启超：《国学论丛第 1 卷第 3 号（王静安先生纪念号）·序》。

书出，而后有汉以来古文家之学；有赵宋古器出，而后有宋以来古器物、古文字之学。惟晋时汲冢竹简出土后，即继以永嘉之乱，故其结果不甚著。然同时杜元凯注《左传》，稍后郭璞注《山海经》，已用其说"①。这里，王国维立足于"孔子壁中书出"、"赵宋古器出"、"汲冢竹简出"及其后果，归纳证成了其原有立论，即"古来新学问起，大都由于新发现"。此外，在论及"古今言语文章，无不根据于前世之言语"时，王国维同样运用了归纳这一逻辑方法。他指出："古今言语文章，无不根据于前世之言语。今之言语中，有元明之成语；元明言语中，有唐宋之成语；唐宋言语中，有汉魏六朝之成语；汉魏言语中，有三代之成语。"②

210

　　需要指出，王国维在运用归纳法论证了"古今言语文章，无不根据于前世之言语"这一观点之后，又援引演绎法，据其推出"若夫《诗》、《书》为三代言语，其中必有三代以上之成语"③这一结论。这种情况表明，王国维在史学研究过程中，既有单独运用归纳法的情况，又有对归纳、演绎同时引入之例子。后种情况无独有偶。例如，关于《诗·鄘风》中"子之不淑，云如之何"一语中之"淑"字，王国维指出："《传》、《笺》均以'善'训'淑'。不知'不淑'乃古之成语。《杂记》载诸侯相吊辞曰：'寡君闻君之丧，寡君使某，如何不淑。'《左》庄十一年传，鲁吊宋辞曰：'天作淫雨，害于粢盛，若之何不吊。'襄十四年传，鲁吊魏辞曰：'寡君使瘠闻君不抚社稷，而越在他境，若之何不吊'。古'吊''淑'同字，若之何'不吊'即如何'不淑'也。是

---

　　① 王国维：《最近二三十年中中国新发见之学问》，姚淦铭、王燕编：《王国维文集》（第四卷），中国文史出版社1997年版，第33页。

　　②③ 王国维：《致沈兼士——研究发题》，姚淦铭、王燕编：《王国维文集》（第四卷），中国文史出版社1997年版，第38、39页。

'如何不淑'一语，乃古吊死唁生之通语。'不淑'犹言不幸也；'子之不淑，云如之何'者，言夫人当与君子偕老，而宣公早卒，则子之不幸，将如之何矣。《王风》'遇人之不淑'，亦犹言遇人之不幸，与遇人之艰难同意也。"① 通过对有关古籍中使用"不淑"（"不吊"）的情况分析，王国维归纳得出"'如何不淑'一语，乃古吊死唁生之通语。'不淑'犹言不幸也"这一观点，并据此演绎分析"子之不淑，云如之何"以及"遇人之不淑"的应有含义。

三、西方逻辑传播对其他学者史学思想的影响

西方逻辑传播对中国近代史学思想的影响，除了涉及梁启超、王国维之外，还包括其他一些学者，例如胡适、郭沫若、陈介石等等。下面简略介绍胡适和郭沫若的一些有关情况。

（一）西方逻辑传播与胡适的史学思想

胡适是中国近代时期史学发展中的著名学者，其《中国哲学史大纲》（卷上）"开创性地建成了中国哲学史学科体系，并由此标志了中国哲学史的崭新时代"②。在史学观以及史学实践（尤其是中国哲学史研究）中所运用的方法方面，西方逻辑传播对胡适的影响均较为明显。

史学观方面：这里结合胡适对哲学以及哲学史的分析来考察其史学观。胡适认为，关于哲学的定义是"从来没有一定的"。"凡研究人生切要的问题，从根本上着想，要寻一个根本的解决：这种学问，叫做哲学。"③ 关于哲学的门类，胡适具体列举了六

211

---

① 王国维：《致沈兼士——研究发题》，姚淦铭、王燕编：《王国维文集》（第四卷），中国文史出版社 1997 年版，第 39 页。

② 耿云志、周黎明编：《现代学术史上的胡适》，生活·读书·新知三联书店 1993 年版，第 28—29 页。

③ 胡适：《中国哲学史大纲》（卷上），东方出版社 1996 年版，第 1 页。

大类。其中，第二大类为"知识思想的范围、作用及方法（名学及知识论）"。关于哲学史，胡适指出："若有人把种种哲学问题的种种研究法和种种解决方法，都依着年代的先后和学派的系统，一一记叙下来，便成了哲学史。"① 关于哲学史的种类，胡适认为主要包括"通史"和"专史"。其中，"专史"又包括四种，第四种专史即"专讲哲学的一部分的历史，例如《名学史》、《人生哲学史》、《心理学史》"。可以看出，胡适不但认为逻辑是哲学的一个构成部分，而且认为哲学史的外延中亦包括逻辑发展史。此外，他还明确地指出："逻辑方法的发展"是"每一部哲学史的最主要部分"②。哲学史的发展状况受制约于逻辑史的发展状况。在《先秦名学史》中，胡适这样写道："哲学是受它的方法制约的，也就是说，哲学的发展是决定于逻辑方法的发展的。这在东方和西方的哲学史中都可以找到大量的例证。"③ 例

212

如，欧洲大陆和英格兰近代哲学的发展"就是以《方法论》和《新工具》开始的"。而回顾中国哲学九百年来的发展，胡适认为"不能不深感哲学的发展受到逻辑方法的制约影响"。"近代中国哲学与科学的发展曾极大地受害于没有适当的逻辑方法。"④

史学方法方面：除了史学观领域，胡适在具体的史学实践中所运用的方法方面亦明显地表现出受到西方逻辑传播影响。例如，胡适曾自觉地运用逻辑学的一些知识来分析和总结清代学者的治学方法。在《清代学者的治学方法》一文中，关于清代学者的治学方法，他曾这样指出："这种方法，先搜集许多同类的例，比较参看，寻出一个大通则来：完全是归纳的方法……当我们寻

---

① 胡适：《中国哲学史大纲》（卷上），东方出版社1996年版，第2页。

② 胡适著，先秦名学史翻译组译：《先秦名学史·前言》，学林出版社1983年版，第3页。

③④ 胡适著，先秦名学史翻译组译：《先秦名学史·导论》，学林出版社1983年版，第4、7页。

得几条少数同类的例时，我们心里已起了一种假设的通则，有了这个假设的通则，若再遇同类的例，便把已有的假设去解释他们，看他能否把所有同类的例都解释的满意。这就是演绎的方法了。演绎的结果，若能充分满意，那个假设的通则便成了一条已证实的定理。这样的办法，由几个（有时只须一两个）同类的例引起一个假设，再求一些同类的例去证明那个假设是否真能成立：这是科学家常用的方法。"[1] 显然，胡适在这里立足于形式逻辑中有关归纳法和演绎法的具体知识，认为清代朴学方法的实质是综合运用归纳和演绎，即从归纳到演绎再到归纳。又如，1927 年，胡适在《戴东原的哲学》一书中指出，顾炎武以后的新经学之长处表现为："主观的臆说，穿凿的手段，一概不中用了。搜求事实不嫌其博，比较参证不嫌其多，审察证据不嫌其严，归纳引申不嫌其大胆"[2]。这里，胡适主要是立足于逻辑归纳法来分析顾炎武以后新经学之长处。其中，"搜求事实"、"比较参证"、"审察证据"等等，实质上是在以另外一种方式说明归纳法应用中的一些具体环节和详细步骤。

213

除了援引逻辑方法入直接的治史实践之外，胡适还在其提出的史学方法论，主要是史料学方法论之阐明中运用了逻辑的一些基本知识和方法。例如，在《中国哲学史大纲》（卷上）一书之《导言》中，胡适提出哲学史研究存在三个目的，即"明变"、"求因"和"评判"。为了达到这三个目的，又必须具备"述学"功夫。所谓"述学"，是指"用正确的手段，科学的方法，精密的心思，从所有的史料里面，求出各位哲学家的一生行事、思想

---

① 胡适：《清代学者的治学方法》，《胡适文存》（一），黄山书社 1996 年版，第 292 页。

② 胡适：《戴东原的哲学》，姜义华主编：《胡适学术文集·中国哲学史》，中华书局 1991 年版，第 1006 页。

渊源沿革和学说的真面目"①。"述学"工夫之真正完成，具体体现在胡适所提出的史料学的如下几个步骤当中，即"第一步须搜集史料。第二步须审定史料的真假。第三步须把一切不可信的史料全行除去不用。第四步须把可靠的史料仔细整理一番"。② 以上四个步骤的实现，均有赖于"正确的手段，科学的方法，精密的心思"，而这中间包含、渗透着逻辑的方法和精神。如审定史料。胡适认为它是史学家第一步之根本工夫。西方近百年来史学的发展，大都由于审定史料的方法更趋严密。他指出："凡审定史料的真伪，须要有证据，方能使人心服。"③ 这种证据，大概可以分为五种："史事"、"文字"、"文体"、"思想"和"旁证"。胡适在这里所谓审定史料之真伪"须要有证据"的思想，明显受到逻辑学中充足理由律的影响。在《先秦名学史》中，他有关对"原始资料"进行选择的论述更加清楚地说明了这一点。书中指出："既然本书要进行历史的研究，首先必须解决的问题就是原始资料的选择。我在写这本书时所认为必须抛弃的繁重的资料负担，是西方读者所不能想象的。我始终坚持这一原则：如无充分的理由，就不承认某一著作，也不引用某一已被认可的著作中的段落。"④ "如无充分的理由，就不承认某一著作，也不引用某一已被认可的著作中的段落。"其含义亦正是：如要承认某一著作，或引用某一已被认可的著作中的段落，就必须具备"充分的理由"。又如整理史料。胡适认为："无论古今哲学史料，都有须整理之处。"⑤ 至于具体的整理史料方法，胡适列举出"校勘"、"训诂"以及"贯通"三种。其中，"训诂"包括三种不同途径。三

214

①②③⑤　胡适：《中国哲学史大纲》（卷上），东方出版社1996年版，第7、25、15、19页。

④　胡适著，先秦名学史翻译组译：《先秦名学史·前言》，学林出版社1983年版，第1页。

种不同途径中关于"根据文法的研究",胡适说明了引入归纳方法的一些情况。他指出:"古人讲书最不讲究文法上的构造,往往把助字、介字、连字、状字等都解作名字代字等等的实字。清朝训诂学家最讲究文法的,是王念孙、王引之父子两人。他们的《经传释词》用归纳的方法,比较同类的例句,寻出各字的文法上的作用,可算得《马氏文通》之前的一部文法学要书。这种研究法,在训诂学上,别开一新天地。"① 这里,胡适以《经传释词》为例,说明了"根据文法的研究"中引入归纳法的具体步骤,即"比较同类的例句,寻出各字的文法上的作用",并认为这种方法的引入,在训诂学领域"别开一新天地"。

（二）西方逻辑传播与郭沫若的史学思想

郭沫若（1892—1978）,近代著名学者,在史学研究领域曾经作出了卓越贡献,其《中国古代社会研究》（1930 年）一书被早期马克思主义史学工作者誉为嚆矢。在具体的学术实践过程中,郭沫若和同时期的其他不少学者一样,史学思想亦受到西方逻辑传播影响。

1947 年,郭沫若在评论"有几分证据,说几分话"这一观点时指出:"真正的科学是更谦虚,然而也更勇敢的。它有时有十分证据只能说一分的话,而有时有一分证据却敢说十分的话。当其我们探求物象的关系时,我们要有无数的证据然后才能归纳得出一个规律。但当其这个规律一被揭发,我们依据它便可以解决不少的未知的问题。"② 这里,郭沫若其实谈到了归纳法和演绎法在包括史学在内的科学研究中的运用情况。"有时十分证据只能说一分的话,而有时有一分证据却敢说十分话",这中间隐

---

① 胡适:《中国哲学史大纲》（卷上）,东方出版社 1996 年版,第 22 页。

② 郭沫若:《春天的信号》,郭沫若著作编辑出版委员会编:《郭沫若全集·文学编》（第 20 卷）,人民文学出版社 1992 年版,第 251 页。

215

含着根据一定的前提，得出一定的普遍性结论这一归纳法运用思想。"探求物象关系时，我们要有无数的证据然后才能归纳得出一个规律"，这是在明确强调归纳法具有能够使认识从特殊上升到普遍这一工具性作用，以及运用归纳法时结论的可靠性保证。当某个规律被揭示后，"依据它便可以解决不少的未知的问题"，这是在指出演绎法在包括史学在内的科学研究中，具有由普遍知识推论特殊现象的认知功能。在《古代研究的自我批判》一文中，郭沫若在反驳有些新史学家"西周是大封建社会"或"初期封建社会"的观点时，指出他们犯了"不着边际的循环论证"之错误。① "循环论证"在逻辑上是非有效的、不符合有关论证的规则。

定义（或称界说），是明确概念内涵的一种重要逻辑方法。郭沫若在史学研究过程中，能够自觉地运用这一逻辑方法去分析

某些具体问题。在对先秦名辩思潮批评时，他曾这样指出，孟子在当世是以"好辩"而著称，他本人亦颇为自信，认为自己能够"知言"——"诐辞知其所蔽，淫辞知其所陷，邪辞知其所离，遁辞知其所穷"（《孟子·公孙丑上》）。关于孟子之"知言"，郭沫若这样评论道："甚么是诐辞、淫辞、邪辞、遁辞，可惜他没有给予一定的界说。所蔽、所陷、所离、所穷是怎样，他也只是心照不宣，没有加以说明。而如何去'知'的方法，他也没有透露一点出来。这应该是可惜的事。"② "诐辞"、"淫辞"、"邪辞"、"遁辞"等是孟子"知言"思想中的重要概念，对它们的内涵予以揭示是人们准确理解孟子思想的可靠途径。郭沫若在评论中对"可惜"一词的运用，一方面反映出他对定义在明确概念内涵方面具有重要作用的自觉意识，另一方面亦反映出他对孟子由于缺

---

① 参见郭沫若：《十批判书》，东方出版社 1996 年版，第 36 页。

② 郭沫若：《十批判书》，东方出版社 1996 年版，第 274 页。

乏对相关概念进行界说进而给后人理解其思想时所带来困难表示遗憾。在论及《庄子·天下篇》所存惠施"历物之意"时，郭沫若明确指出，"大一"是黄老学派的本体，亦就是"道"，超越了空间和时间的范畴，"故而它的定义是：'至大无外'"。"小一"的观念，是惠施的独创，这很类似于印度古代思想中的极微和希腊的原子。"这个东西也小到超越了空间和时间，故定义为：'至小无内'"①。可以看出，定义这一逻辑学中的基本术语和逻辑方法，已经成为郭沫若史学研究中的一种自觉凭借。

把定义这一逻辑方法自觉引入史学实践，还表现在郭沫若能够自觉运用一些逻辑方法，去探求古代思想史上一些基本范畴的定义。以"仁"为例。在孔子的思想体系中，"仁"字最被强调，这可以说是孔子思想体系的核心。"仁"字是春秋时代的新名词，在春秋以前的真正古书里找不出这个字，在金文和甲骨文里亦找不出这个字。这个字不必是孔子所创造，但孔子特别强调了这个字却是事实。"仁的内函（涵）究竟是怎样呢？虽然没有一个明确的界说，我们且在《论语》里面去找寻一些可供归纳的资料吧。"②在分析"仁"的内涵过程中，孔子援引了《论语》中的如下 9 项史料：

217

1. 樊迟问仁，子曰"爱人"。（《论语·颜渊》）

2. 子贡曰："知有博施于民而能济众，何如？可谓仁乎？"子曰："何事于仁？必也圣乎，尧舜其犹病诸。夫仁者，己欲立而立人，己欲达而达人，能近取譬，可谓仁之方也已。"（《论语·雍也》）

3. 子张问仁于孔子。孔子曰："……恭、宽、信、敏、惠。恭而不侮，宽则得众，信则任焉，敏则有功，惠则足以使人。"（《论语·阳货》）

①②　郭沫若：《十批判书》，东方出版社 1996 年版，第 277—278、87 页。

4. 颜渊问仁。子曰:"克己复礼为仁。……非礼勿视,非礼勿听,非礼勿言,非礼勿动。"(《论语·颜渊》)

5. 司马牛问仁。子曰:"仁者其言訒也。……为之难,言之得无訒乎?"(《论语·颜渊》)

6. 刚毅木讷近仁。(《论语·子路》)

7. 巧言令色鲜矣仁。(《论语·学而》,《论语·阳货》)

8. 志士仁人无求生以害仁,有杀身以成仁。(《论语·卫灵公》)

9. 仁者先难而后获。(《论语·雍也》)

基于对如上9项史料含义的逐项考察,郭沫若运用逻辑归纳法,从个别上升到一般,从特殊上升到普遍,进而确立了《论语》一书中"仁"的应有界说。他指出:"从这些辞句里面可以看出仁的含义是克己而为人的一种利他的行为。简单一句话,就是'仁者爱人'。"①

218

遵守矛盾律以保证思维具有一致性,这是逻辑学所揭示的正确思维基本特征之一。郭沫若在具体的史学实践中,对这一逻辑知识亦有明确的认识和自觉运用。在《十批判书》中谈到墨子的思想体系时,他指出:"只是墨子这位大师是一位爱走极端的天才,他在生活上和言论上都爱走极端,有时候每每自相矛盾。"②例如,"节葬"和"明鬼"主张冲突,这一点,东汉末年的王充已经指责过,而墨子的"节用"和"尚贤"亦构成冲突。"《尚贤》里面讲王天下正诸侯者必须置三本。所谓三本是:'高予之爵,重予之禄,任之以事,断予之立。'他在那儿晓得说:'爵位不高则民不敬也,蓄禄不厚则民不信也,政令不断则民不畏也'(《尚贤中》)。但他说到节用节葬上来,却要采取平均主义,瘠毁

_____

①② 郭沫若:《十批判书》,东方出版社1996年版,第88、119页。

到万分，不仅是于事行不通，而且是于理也说不通的。"① 《实庵字说》是陈独秀关于文字学上的作品，曾在《东方杂志》连续发表。郭沫若在《驳〈实庵字说〉》中指出："其实陈独秀的《字说》，在其本身已含有一个极大的矛盾。……假使承认了我的'民人'就是奴隶的说法，那便只好承认我的周代是奴隶制的结论；假使不高兴承认这个结论，那就应该先证明'民人'不是奴隶。陈独秀不承认中国有过奴隶制，论理他应该不承认'民人'就是奴隶了。然而恰恰相反，他自己却是承认'民人'就是奴隶的。……请看《字说》的作者，不是在自行'以子之矛攻子之盾'吗？他自己明白承认'俘民以之助牧畜耕种而已'，而他偏偏说'与古希腊、罗马委以全部生产事业异趣'，这文字是合乎逻辑的吗？"② 可以看出，在具体的史学研究过程中，郭沫若先生已经自觉地把逻辑学上的矛盾律及其要求视为一种研究工具和手段，其中包括阐述自己的观点，驳斥论敌之主张。

219

需要指出，西方逻辑传播对郭沫若史学思想的影响，除了涉及具体的史学研究方法之外，还有一个重要表现，即郭沫若立足于自己对西方逻辑和中国名辩的理解，对二者进行了比较研究。关于《墨辩》，郭沫若认为《小取》篇列举出的或、假、效、辟（譬）、侔、援、推，是关于辩论的七种方法。七种方法里面，只有譬、侔、援、推四种是真正的辩术。四种辩术被墨者视为"不可不审"、"不可常用"，进而"可知墨家辩者并没有把这些视为必须遵守的规律，他们只是把一般通用的法门略作敷陈而已"。基于这种认识，郭沫若先生对当时《墨辩》研究中的一些现象进行了批评。他指出："近时学者每多张皇其说，求之过深，俨若

　　① 郭沫若：《十批判书》，东方出版社 1996 年版，第 119 页。
　　② 郭沫若：《驳〈实庵字说〉》，郭沫若著作编辑出版委员会编：《郭沫若全集·历史编》（第 3 卷），人民出版社 1984 年版，第 240 页。

近世缜密之逻辑术，于墨辩中已具备。……所谓援、所谓推，并不是专为寻求真理的法门，而是辩敌致胜之术数。"① 关于《荀子》，《非相》篇中提出有"小人之辩"、"士君子之辩"和"圣人之辩"。针对其中"圣人之辩"，郭沫若先生认为："所谓'圣人之辩'应该是达到了'从心所欲不逾矩'的那种境地者的言论，见理已经明澈，无须乎预备，横说顺说，都正当而有体统。这是侧重在内容——伦理，并不是侧重在形式——论理。"② 可以看出，郭沫若先生在这里是立足于形式逻辑的重要特点即侧重在形式，来审视荀子所谓的"圣人之辩"的。比较的结果，他把荀子所谓的"圣人之辩"排除到逻辑的范畴之外，认为两者之间存在明显差异。关于《正名》篇，这一中国古代名辩学的重要作品，郭沫若先生认为，它除了对名实期命说辩进行界说等之外，"对于名学的方法依然没有什么发明"。"所谓命即是名，所谓期当是形容之意，这些程序也是常识。说辩要怎样才能合理，怎样便是悖理，他（指荀子——引注）在方法论上毫无建树，而只注重在所说的内容，便是所谓'道'"③。"他（指荀子——引注）不是想探索名辩法则的论理以寻求真理，而只是根据一种主观观念的伦理放为说辞而已。故尔他的方法也和墨家《经上》派差不多，至多只做到了一点正名与推类的工作。"④ 郭沫若先生进一步明确指出："在名学方法上虽然没有用到什么工夫，荀子的兴趣却是偏向在心理揣摩的方面去了。"⑤ 这种倾向待至荀子的弟子韩非，有了进一步的发展，《说难》以及《难言》诸篇便是从这儿滥觞起来。"但这种探索只能属于宣传术或所谓雄辩术的范围，而异于所谓逻辑学了。"⑥

220

---

①②③④⑤⑥　郭沫若：《十批判书》，东方出版社 1996 年版，第 313、320、324、324、324、325 页。

第二节　西方逻辑传播对史学领域的影响

中国近代时期西方逻辑传播对史学的影响，除了表现在一些史学家的史学观念、史学方法受到影响之外，还表现在新的研究领域即中国逻辑史的开辟方面。其中，主要包括以西方逻辑为参照系对先秦名辩学中逻辑理论、逻辑思想的开掘、整理，以及中国名辩学、印度因明和西方亚氏逻辑三大逻辑传统之间的比较研究。

根据目前的资料，首开中国逻辑史研究先河的可追溯至孙诒让。光绪二十三年（1897年），亦即《墨子间诂》最后定本的那一年，孙诒让致书梁启超。其书略云："尝谓《墨经》揭举精理，引而不发，为周名家言之宗，窃疑其必有微言大例，如欧士论理家雅里大得勒（即亚里士多德——引注）之演绎法，培根之归纳法，及佛氏之因明论者。惜今书譌（讹的异体字——引注）缺，不能尽得其条理，而惠施公孙龙窃其绪余，乃流于儇诡口给，遂别成流派，非墨子之本意也。拙著印成后，间用近译西书，复事审校，似有足相证明者。……以执事研综中西，当代魁士，又夙服墨学，辄剌一二奉质，觊博一哂耳。……贵乡先达兰浦、特夫两先生，始用天算光重诸学，发挥其恉；惜所论不多，又两君未遘精校之本，故不无望文生训之失。盖此学咳举中西，邮彻旷绝，几于九译乃通，宜学者之罕能津逮也。近欲博访通人，更为《墨诂补谊》；觊得执事赓续陈、邹两先生之绪论，宣究其说，以饷学子，斯亦旷代盛业，非第不佞所为望尘拥慧，翘盼无已者也。"① 孙诒让对《墨经》中"微言大例"的自觉，在一定程度上可以视为其引西方逻辑为参照，援因明为凭借，在研治墨学过程中对三大逻辑传统之共通性的初步认识。这种情况，为其后中国逻辑史的发展奠定了早期基础。孙诒让高瞻远瞩，启迪后学，鼓励梁启超凭借西学对墨学予以崭新研究的殷切希望，更成为日后中国逻辑史研究事业发展的有力推动。事实上，梁启超确实不负前辈学者的深切厚望，继孙诒让之后在中国逻辑史研究方面作出了显著成绩。此外，胡适、章太炎、章士钊等诸多学者，亦为这一时期中国逻辑史研究的发展进行了积极探索。

一、梁启超对中国逻辑史的研究

222

梁启超是中国近代时期比较早地自觉立足于西方逻辑，分析、总结中国逻辑史的学者，其中包括先秦名辩学的逻辑透视以及三大逻辑传统之间的比较。梁启超对中国逻辑史的研究，主要集中在《论中国学术思想变迁之大势》、《墨子之论理学》、《墨经校释》、《墨子学案》等文章和著作中。当然，在将近二十年的中国逻辑史研究（主要是墨家逻辑研究）历程中，梁启超的有关认识经历了由简单至复杂、从粗糙到精致的逐渐演变过程。

梁启超以西方逻辑为参照系，分析中国古代逻辑状况的思想最早出现在其 1902 年发表的著作《论中国学术思想变迁之大势》之中。他在该书第三章第四节谈到与希腊学派比较，"先秦学派之所短"时指出："凡在学界，有学必有问，有思必有辩。论理者，讲学家之剑胄也。故印度有因明之教。而希腊自芝诺芬尼、悛格拉底，屡用辩证法，至亚里士多德，而论理学蔚为一科矣。

---

① 孙诒让：《籀庼述林》，卷十。方授楚在《墨学源流》（初版于 1937 年）中首次摘引此信，但把原文"微言大例"误为"微言大义"。参见程仲棠：《从诠释学看墨辩研究的逻辑学范式》，《学术研究》2005 年第 1 期。

以此之故，其持论常圆满周到，首尾相赴，而真理愈析而愈明。"① 返观中土，则情况有异："中国虽有邓析、惠施、公孙龙等名家之言，然不过播弄诡辩，非能持之有故，言之成理。而其后亦无继者。"② 这在一定程度上表明：与希腊学派比较，"先秦学派之所短"的一个重要方面即"论理 Logic 思想之缺乏"。至于其中缘由，梁启超从学者为学旨趣、古汉语语法缺乏、学者授学方式三个不同方面进行分析。他说："推其（论理思想——引注）所以缺乏之由，殆缘当时学者，务以实际应用为鹄，而理论之是非，不暇措意，一也；又中国语言文字分离，向无文典语典 Languge grammar 之教，因此措辞设句之法，不能分明，二也。又中国学者，常以教人为任，有传授而无驳诘，非如泰西之公其说以待人之赞成与否，故不必定求持论之周到，三也。"③

　　1904 年，梁启超《墨子之论理学》一文发表。该文原作为《饮冰室读书录》登载于《新民丛报》第 3 卷第 1、2、3 号之"谈丛"栏目，后民间书坊将其与梁启超的另一作品《子墨子学说》汇集一起，刻成《墨学微》一书。在《墨子之论理学》这篇文章中，梁启超的思想比以前发生了明显改变，认为中国亦有像西方那样的逻辑学。《墨子之论理学》讲到四个方面的问题：（一）释名；（二）法式；（三）应用；（四）归纳法之论理学。梁启超认为，在周秦诸子中"持论理学最坚而用之最密者，莫如墨子。《墨子》一书，盛水不漏者也，纲领条目相一贯，而无或抵牾者也。何以故？有论理学为之城壁故。"④ 他并且指出："欲论

―――――――

　　①②③　梁启超：《论中国学术思想变迁之大势》，《饮冰室合集》（一），中华书局 1989 年版，第 33、33、34 页。

　　④　梁启超：《墨子之论理学》，《饮冰室合集》（八），中华书局 1989 年版，第 55 页。

墨子全体之学说,不可不先识其所根据之论理学。"① 梁启超对上述四个方面问题的阐述,在一定意义上可视为他对墨子论理学的初步理解。

"释名"就是立足于西方逻辑,对《墨子》一书中的一些术语给予诠释,亦即建立墨子论理学的逻辑概念体系。梁启超在这里第一次明确揭示并论述了如下一些概念:"辩(论理学)"、"名(名词)"、"辞(命题)"、"或(特称命题)"、"假(假言命题)"等等。梁启超的有些解释与后来学者之理解差异颇大。例如,"说"是"前提",更确切地讲是"小前提";"类"为"媒词"(即"中词");"援"是三段论的联合式。在"法式"部分,梁启超着墨较多。他认为《墨经》中的"效",若对照西方逻辑而言便相当于三段论的格。他指出:"墨子所谓效,殆含法式之义,兼西语 Form,Law 两字之意,专求诸论理学,则三段论法之格Figure 足以当之。苟不中格者,则其论法永不得成立也。"② 在这一部分,梁启超主要是运用西方逻辑中的内涵、外延及其反变关系,主、谓项的周延性,换位以及三段论规则等内容,来阐明墨家的概念理论以及演绎推理。尽管他的一些理解存在有偏差,但其中亦不无中肯之处。例如,《经说下》曾经谈到从"牛有齿"和"马有尾"不能推出"牛非马"。梁启超认为:这便相当于"若前提中有四个项便无法推出结论"这一三段论规则。又如,从"牛有齿"、"马有齿"不能推出"牛是马"或"牛非马",这是因为中词("齿")两次都不周延,故无法推出结论。第三部分"应用",讲述《墨子》一书怎样运用逻辑来论证诸如"兼爱"、"非攻"、"尚贤"、"尚同"等学说。第四部分"归纳法之论理学",主要阐述《非命》上、中、下三篇中谈到的三表法中有归

---

①②　梁启超:《墨子之论理学》,《饮冰室合集》(八),中华书局1989年版,第56、57页。

纳论法，即上本于先圣大王之事，下察诸众人耳目之情实，发而
为刑政以观其是否能中国家人民之利。梁启超认为："墨子每树
一义明一理，终未尝凭一己之私臆以为武断也。必繁称博引，先
定前提，然后下其断案。又其前提亦未始妄定，必用其所谓三表
三法者，一一研究之，而求其真理之所存。"[1]　有鉴于此，梁启
超提出归纳法并非属于西方学者所专有，"我祖国二千年前，有
专提倡此论法以自张其军者，则墨子其人也"[2]。

《墨子之论理学》中明确肯定墨家亦有自己的逻辑体系，这
种情况较之梁启超先前的有关认识已经大有发展。只是由于梁启
超当时对西方逻辑和墨家文献（尤其是《墨经》）缺乏深入、具
体的研究，致使其一些认识难免粗糙、甚或错误之处。但是，由
于梁启超思想敏锐，勇于以今天之我批判昨日之我，故其包括中
国逻辑史在内的学术研究常能有所创新。1921 年，梁启超相继
写成《墨经校释》、《墨子学案》两书，其时，他的学术观点又有
所发展。

225

《墨经校释》主要是《经上》、《经说上》、《经下》、《经说下》
四篇的材料整理和分析，它在客观上为其后梁启超全面深入地研
究墨家逻辑，奠定了扎实的文献理解基础。当然，在《墨经校
释》中，梁启超亦有关于墨辩逻辑体系的零散论述。《墨子学案》
由商务印书馆于 1921 年 11 月公开刊行。该书包括八章，其中第
七章"墨家之论理学及其他科学"明确提出了墨家辩学的逻辑体
系。该章共有六个子目，其中三个分别为"论理学的界说及其用
语"、"论理的方式"、"论理的法则"。在"论理学的界说及其用
语"一目中，梁启超将墨家之"辩"释为"逻辑"。他指出："西

　　①②　梁启超：《墨子之论理学》，《饮冰室合集》（八），中华书局 1989 年版，第
70、69 页。

语的逻辑，墨家叫做'辩'。"① 并认为墨家亦有"概念"、"判断"、"推论"之说。他指出："论理学家谓，'思惟作用'有三种形式，一曰概念，二曰判断，三曰推论。《小取》篇所说，正与相同。（一）概念 Concept＝以名举实（二）判断 Judgement＝以辞抒意（三）推论 Inference＝以说出故"② 。这里谈到三种基本思维形式墨家均有说明。此外，梁启超更明确地指出："'名'，是概念的表示"③ ，"'名'，在论理学上叫做名词 Term。'辞'，在论理学上叫做命题 Proposition。"④ 除了"名"、"辞"、"说"，梁启超还提出"举"、"意"、"故"等其他概念。在"论理的方式"一目中，梁启超主要比较了墨辩、亚氏逻辑和印度因明之异同。他认为："墨经论理学的特长，在于发明原理及法则。若论到方式，自不能如西洋和印度的精密。但相同之处亦甚多。"⑤ 关于三种论式间的相同之一，梁启超举例说明它们均由"三支"构成，只是因明、墨辩的三支顺序为"宗"、"因"、"喻"，亚氏逻辑的三支顺序为"大前提、小前提、断案"。除此之外，梁启超还将《墨经》与西方逻辑的三段论式进行了比较，认为"墨经中亦有这形式的"。例如：

226

大前提＝"假必非也而后假"。

小前提＝"狗假虎也"。

断案＝"狗，非虎也"。

梁启超进一步指出："这种三支法（三段论——引注），可以积迭起来变成王六支。其法，是一个大前提，一个断案，中间夹著无数的小前提，层累而下。"⑥ 这里，梁启超实际上是在讲复合三段论式。他曾将《墨经》中"非诽者悖。说在弗非"一条解释为如下形式的复合三段论式：

---

①②③④⑤⑥ 梁启超：《墨子学案》，《饮冰室合集》（八），中华书局 1989 年版，第 41、43、44、47、48、50 页。

一：弗诽者悖。

二：何以故？无是非之心故。

三：有非者则吾从而非之，是诽也。

四：非诽者，谓不可诽人也。

五：谓不可诽人，则是虽有非亦不可非也。

六：然则非诽是教人无是非之心，故悖。

梁启超认为，《墨子》全书中关于三段论式之运用较为普遍，"可见墨家的主义，都是建设在严密的论理学基础之上了"[1]。在"论理的法则"一目中，梁启超主要论述了"或"、"假"、"效"、"辟"、"侔"、"援"、"推"。他认为，这是"墨家论理学最精彩的部分"，体现了墨家对论理学上"公用的法则"之提揭。梁启超在对上述七个"法则"进行说明的过程中，西方逻辑依然是其重要的参照系。例如，他认为"或"即"论理学上特称命题"，"假"即"论理学上假言命题"，"推""是讲归纳法"。除了对论理学上"公用的法则"进行说明之外，梁启超还在这一部分分析了墨家的归纳逻辑。他指出："墨子的论理学，不但是讲演绎法，而且讲归纳法。他的归纳法，不能像二千年后的穆勒约翰那样周密，自无待言。但紧要的原理，他都已大概说过"[2]。具体而言，他认为"同：异而俱于此一也。法同则观其同。法：法取同，观巧转。"这是讲"求同法"。"法异则观其宜。法：取此择彼，问故观宜。以人之有黑者有不黑者正黑人，与以有爱人者有不爱人者正爱人，是孰宜？"这是讲"求异法"。"同异交得知有无。"这是讲"同异交得法"，即"求同求异并用法"。至于其他两法，梁启超认为，"共变法不过求异法的附属，求余法不过求同法的附

①②　梁启超：《墨子学案》，《饮冰室合集》（八），中华书局 1989 年版，第 51、61 页。

属"，所以，"有这三种已经够了"。[①]

总之，以"论理学的界说及其用语"、"论理的方式"、"论理的法则"三个章目为标志，梁启超在《墨子学案》中继《墨子之论理学》之后，再一次比较清晰地构建起了墨辩逻辑体系。这一体系的构建，是他自 1902 年发表《论中国学术思想变迁之大势》之后，将近二十年研治墨学而不辍的结晶。在这一过程中，尽管梁启超的有关思想认识不尽全是，以西方逻辑诠释名辩学进而构建墨辩逻辑体系的方法运用中存在比附、牵强之处，但是，他与其他学者一道，在开创中国逻辑史研究领域上的筚路蓝缕之功是应该得到充分肯定的。并且在《墨子学案》的有关史料[②]中亦已经可以看到，梁启超在参照西方逻辑研究中国逻辑史的过程中，并非只是一味地完全套用外来观念，而是注意到了被参照物的特殊性。

228

二、胡适对中国逻辑史的研究

在中国近代学术史上，胡适是最早对先秦逻辑发展史进行系统研究的学者。1917 年，他在美国哥伦比亚大学用英文完成的博士论文即《先秦名学史》，英文名称是 The Development of the Logical Method in Ancient China[③]。此外，他有关中国古代逻辑的研究著作还涉及《墨家哲学》、《中国哲学史大纲》（卷上）和《〈墨子·小取篇〉新诂》等。统观胡适对中国古代逻辑的研究，可以发现具有两个明显特点——注重（先秦）逻辑思想的整体走势把握以及对墨家逻辑有较为深入的探讨。

---

① 梁启超：《墨子学案》，《饮冰室合集》（八），中华书局 1989 年版，第 64 页。

② 例如，梁启超强调指出"墨经论理学的特长"，并对其予以分析；他认为墨家的归纳法不如穆勒约翰之周密，"自无待言"。

③ 该书 1922 年由上海亚东图书馆刊行，先后发行三版。1983 年，该书译本由学林出版社出版。

（一）关于先秦逻辑发展历史的整体把握

胡适认为，中国先秦存在着系统的逻辑思想，这一思想经历了逐渐演化的过程。在系统的逻辑思想产生之前，存在着一个"辩者"的酝酿时期。辩者的主要代表人物是邓析和老子。其中，老子尤其为胡适所推崇，被认为是当时"最大的辩者"，"古代中国的普罗塔哥拉"。至于老子在"名实"之辩中所提出的"无名"论主张，胡适认为，这表明"思想已经越过了散漫的阶段而进入使它本身受到审查和考虑的阶段。诡辩时代正演变为逻辑时代。"① 辩者时代对中国逻辑学发展所起的作用，主要体现在前者诱导了后者之新阶段。胡适指出："启蒙时代人类思想的解放为更加建设性的思考的时代铺平了道路。而破坏性的批评的急流，正如邓析和老子的教导所列示的那样，使逻辑的加速产生成为必要。"②

胡适认为，古代中国系统的逻辑思想之产生始于孔子，而孔子最基本的逻辑思想是"正名"。他指出："我们对孔子的逻辑的研究是从正名的学说这一儒家的中心问题开始的。"③ 为此，他对孔子"正名"逻辑产生的历史背景、基本目的、性质和重要性等均有论述。孔子"正名"逻辑的最终目的，是"要在天下重建理想的社会关系，做到君君、臣臣、父父、子子。"④ 这表明，"正名"的实质"在于使真正的关系、义务和制度尽可能符合它们的理想中的含义。"⑤ 关于"正名"的具体方法，胡适指出正名和正辞两个方面的问题——"要慎审地、而且严正地使用书面上的字和辞，以便寄寓伦理上的判断，像一个国家的法规应给的褒贬一

①②③④⑤　胡适著，先秦名学史翻译组译：《先秦名学史》，学林出版社 1983 年版，第 24、24、44、44、29 页。

样去作褒贬。"① 他举《春秋》为例，说明它是孔子有意用来体现他的"正名、正辞"和"拨乱世、反之正"这些目的一部著作。他指出："《春秋》远非一个只是日期和事件的年表，它有着深远的逻辑意义。……它的逻辑意义是双重的：首先，使语言的严谨的意义成为改进逻辑的工具；其次……这种语言的严谨性正是孔子的逻辑哲学的一个主要部分。"②

在论述孔子的逻辑时，胡适包括了《易经》的内容，认为它"包含着孔子逻辑的基本学说"③。胡适所说的《易经》，现在一般称之为《周易》，包括经和传两部分。目前学术界大多认为《易传》系战国或秦汉之际的作品。胡适亦承认《易传》不可能全部出于孔子之手，然而他还是把它作为分析孔子逻辑思想的直接素材。如果从另一角度看，虽然肯定《易经》中蕴涵有逻辑思想的始自严复，但严复对《易经》的逻辑没有给予系统的论述。胡适在这一方面比严复有明显发展，他对《易经》做了语法、语义与语用的全面论述。④ 此外，胡适对《易经》中逻辑思想的说明，在一定意义上可以说是他对"正名主义"逻辑与"易经"逻辑之间相通性、联系性的初步探索。他认为，《易经》中关于"象"或"意象"的学说，为孔子的"正名"学说提供了理论基础。《易经》中"象"这一概念的主要含义，是"能用某种符号表示的、或者在某些活动、器物中所能认知的意象或者观念"⑤。而"名"是意象的最好的符号，因为迄今能追溯、能恢复的意象只存在于它们之中。因此，正名意味着使名的意义按照它们所体现的原有意象而意指它们应该意指的东西。"当名的意义和它们

230

———

①②③⑤　胡适著，先秦名学史翻译组译：《先秦名学史》，学林出版社1983年版，第46、47—48、30、36页。

④　参见温公颐主编：《中国逻辑史教程》，上海人民出版社1988年版，第390—391页。

的原来的意象一致时，名才是'正'的；名正，则'言顺'；否则，'事不成'。"① 显然，胡适在这里是想借助《易经》中的"意象"概念来对孔子"正名主义"进行深入的抽象分析，这是对正名方法实质的一种新视角透视。用"意象"说解释"正名"方法，可以说胡适是在以另外一种方式说明古代中国思想家对同一律在名词运用中逻辑要求的存在方式（每个"名"应当有其确定的"意象"）之认识。

继"孔子的逻辑"之后，胡适论述了"墨家逻辑"。他在《先秦名学史》中着力强调对非儒学派进行研究，认为"中国哲学的未来，似乎大有赖于那些伟大的哲学学派的恢复，这些学派在中国古代与儒家同时盛行"②。在诸多非儒学派中，胡适尤其重视墨家学派（墨子及其后学）。其中道理，他认为，儒学方法根本无力适应发展现代科学方法之需要，而墨家学派的方法则可视为现代科学方法的古代先驱，是可以适应"在各方面的研究中充分地发展科学的方法"之需要。

231

墨翟是墨家学派的创始人，其开创墨家学派的原因乃在于对儒学方法产生"不满"。胡适指出："墨翟不满儒家的方法，要寻求一个借以检验信念、理论、制度和政策的真伪和对错的标准。他发现这个标准就存在于信念、理论等所要产生的实际效果之中。……因此，为了理解这些事物的意义，就必须问它们要产生什么样的实际效果，它们的实际效果构成了它们的价值，同时也构成了它们的意义。"③ 或者简单地说，"墨翟的主要见解是：每一个制度的意义，就在于它有利于什么；每一个概念或信念或政

①②③　胡适著，先秦名学史翻译组译：《先秦名学史》，学林出版社1983年版，第40、9、61—62页。

策的意义，就在于它适合于产生什么样的行为或品格"①。胡适对墨翟思想的阐释固然存在着实用主义的局限性，但是，他对三表法在墨翟思想体系中重要性的分析是中肯的，并且，胡适是对三表法的逻辑意义最早予以充分关注的学者。他指出，墨翟的"论辩理论，即是他关于推理和论证方法的思想，这可以称为'三表法'"②。

关于墨子在墨家逻辑体系演进过程中的历史地位，胡适指出："虽然墨翟确曾提出一个极为重要的逻辑方法，可是他不能同时是逻辑体系的创始人。"③墨家的逻辑体系是在《经上》、《经说上》、《经下》、《经说下》、《大取》、《小取》中体现出来的。胡适非常肯定地认为："现在《墨子》书中这六篇，绝非墨子所作。"④墨子死后，墨家的发展朝向两个不同的方面，一方面建立了以"巨子"为首领的宗教组织，另一方面出现了科学和逻辑的墨家，他们是《墨辩》六篇的作者，即所谓"别墨"。亦就是说，胡适认为"别墨"继墨子之后而创立了《墨辩》逻辑体系。在《墨辩》六篇文章之中，胡适认为《小取》"是一篇关于逻辑的完整的论文"。

在《先秦名学史》中，胡适认为"惠施、公孙龙不是形成'名家'的孤立的'辩者'，而是别墨学派合法的代表人物"⑤。根据惠施、公孙龙的观点，胡适认为可以从中得到不同于儒家"正名"论的新学说。他指出："正名不是回到其理想的意义，也不是像孔子和儒家所教导的那样'贤明地'使用名，使它经常含有伦理的判断。而是按照事物的实际个体特性命名。为了以这种意义正名，所以有必要首先了解这些个体特性，它们的相似和相

①②③④⑤　胡适著，先秦名学史翻译组译：《先秦名学史》，学林出版社1983年版，第62、66、76、76、111页。

异——这是一个只能借归纳法和科学分类去完成的任务。"① 在对惠施、公孙龙的逻辑思想进行肯定的同时,胡适亦指出了它们对中国逻辑的发展所带来的负面影响。他认为:"在惠施和公孙龙的反论在继承和发展别墨逻辑理论的同时,又对别墨(特别是其逻辑学)的不名誉以及随之而来的没落,在某种程度上负有不小的责任。……反论如此不必要地变得不可捉摸,……就被儒家以及重实用的政治家弄得不可信了。……'合乎逻辑的'完全被用作'奇谈怪论的','思辨的'则与'不可理解的'同日而语了。"② 虽然认为惠施和公孙龙属于观点基本相同的一派,即所谓"别墨"学派,"胡适的这种观点基本上没有被后来的一些学者所接受"③。但是,认为以"反论"的形式阐述自己的逻辑思想,由此引发人们对真正逻辑思想的误解,这是惠施、公孙龙逻辑思想受到诽谤、攻击以及"随之而来的没落"之重要原因,胡适的这一见解可谓入木三分,发人深思。

除了孔子、墨子及其后学之外,胡适还对先秦晚期的一些哲学家、思想家的逻辑思想进行了分析。关于庄子,胡适认为可以用"不遣是非"(《天下篇》)来总结其关于逻辑的思想。这种思想"认为真理与谬误、对与错全是相对的"④,亦就是说"一切逻辑的区别都是不真实的和虚幻的"⑤。因此,胡适实际上认为庄子的逻辑在本质上并不是逻辑。关于荀子,胡适指出:"他的名学理论是在后来非儒家学派的影响下,对孔子的名学思想的很大修改。"⑥ 例如,他"否认名的神秘起源,代之以感觉经验和理

---

① ②④⑤⑥ 胡适著,先秦名学史翻译组译:《先秦名学史》,学林出版社 1983 年版,第 110、111—112、120、124、133 页。

③ 杨芾荪主编:《中国逻辑思想史教程》,甘肃人民出版社 1988 年版,第 403 页。

智活动产生名这种理论"①。关于"荀子名学的精髓",胡适认为由以下三个方面的基本问题构成:1. 为什么需要名;2. 为什么名有同异;3. 什么是制名的基本原则②。关于荀子在中国古代逻辑发展史上的作用,胡适首先指出他极力非难名辩:"凡邪说辟言之离正道而擅作者,无不类于三惑者矣。故明君知其分而不与辩也。夫民易一以道而不可与共故;故明君临之以势,道之以道,申之以命,章之以论,禁之以刑;故其民之化道也如神,辩势恶用矣哉?"③在此基础上,胡适进一步指出:"人们不难从这些引语中,看出中国思想最灿烂时代衰落的征兆。"④可以看出,胡适认为荀子的反辩、非辩思想是有碍于中国古代逻辑继续发展的。世界古代三大逻辑传统产生、发展的一个重要共同原因,就在于当时社会论辩之风的强烈刺激,胡适在这里对荀子的有关评述,从反面表明他已经认识到了这一点,故而其思想不可谓不深邃。

234

　　胡适对韩非逻辑思想的讨论,是结合"法治逻辑"来展开分析的。法家有一套与儒家明显不同的逻辑方法,该方法可以归纳为如下三条原则:1. 普遍性原则,这是指"法要没有差别地应用于一切阶级:贫富一样,有德无德一样"⑤。2. 客观性原则,这是指统治者从个人统治的重大责任中解脱出来,任法而弗躬,凡事断于法,赏功罚罪,不以心裁轻重。3. 强调效果的原则,这是法治逻辑最重要的原则,它是指法是预见结果的明确表示,不能预见结果的法亦就无法实施,进而亦就不再成为法。胡适指出,韩非是强调实际效果的思想家,并且其方法扩展到一切言行,不再仅仅局限于法这一范围。韩非的这种情况,对中国古代逻辑的发展是有不利影响的。胡适指出:"溯源到荀子特有的人

　　①②③④⑤　胡适著,先秦名学史翻译组译:《先秦名学史》,学林出版社1983年版,第133、134、139、139、148页。

性论和墨子的应用主义的韩非的重实效的方法，包含了中国哲学最光辉的时代衰落的原因。"[1]　其中原因，乃在于"对实用或实际的功用作了太狭义的解释"，韩非和荀子甚至墨子一样，"具有不能容忍和忍受并非直接实用的东西的精神"[2]。从胡适对法家逻辑，尤其是韩非逻辑的分析、评价来看，胡适实际上已经意识到过分重视实用的思维方式是有碍于发展逻辑科学的。因此，这在一定程度上亦就否定了"法治逻辑"属于逻辑。

　　通过以上分析，胡适勾勒出了中国古代逻辑（先秦时期）的大致走势：酝酿——→发展——→高峰——→衰落，这亦就是《先秦名学史》一书所包含的四编，即"历史背景"、"孔子的逻辑"、"墨翟及其学派的逻辑"、"进化和逻辑"之间的内在联系。应当看到，胡适的这一学术观点，在其后中国逻辑史研究领域确曾产生了深远的影响。例如，他关于墨家逻辑历史地位的评价，基本上仍为当今的学术界所认同。

235

　　（二）对墨家逻辑学的深入研究

　　在对中国古代逻辑的总体研究过程中，墨家逻辑学（包括墨翟及墨家后学所创立和发展了的逻辑学说）引起了胡适充分的关注。在《先秦名学史》中，作者花了差不多全书一半的篇幅来论述墨家的逻辑学说；在《中国哲学史大纲》（卷上）中，关于这方面的内容又有一百多页。胡适认为，在墨家逻辑的发展史上，墨翟"确曾提出一个极为重要的逻辑方法"，即关于推理、论证的三表法，可是他"不能同时是逻辑体系的创始人"。这里所谓"逻辑体系"，是指《墨辩》六篇中体现出来的逻辑内容。至于《墨辩》六篇的作者，胡适认为是墨子的弟子或再传弟子，统称"别墨"，这些人"继承了墨翟伦理的和逻辑的传统，并在整个中

―――――――――

　　①②　胡适著，先秦名学史翻译组译：《先秦名学史》，学林出版社 1983 年版，第 152 页。

国思想史上，为中国贡献了逻辑方法的最系统的发达学说"①。有鉴于此，胡适对墨家逻辑的探讨，其重点和精彩之处亦就自然落在对《墨辩》六篇内容的开掘、整理方面。

在对《小取》篇的分析中，胡适指出"逻辑推理被认为完全以类同的原理为基础"，即所谓"以类取，以类予"，而作为推理的"以说出故"，就是要为结论判明其前提或原因，所以，"'故'与结论的关系是因果关系"②。在此基础上，胡适强调"要从因果关系概念着手研究别墨逻辑"③。关于"故"与"法"，他又认为二者"是一致的，是一回事，只不过观察的角度不同罢了。一事物的法就是一事物已知的，为了推论而明确表达的故"④。这样，胡适亦就实际上意识到了"类"、"故"、"法"是墨家逻辑学中的三个基本范畴。事实上，他对墨家逻辑体系的具体阐述过程亦正是围绕这三个范畴而展开的。

236　　　　胡适评价"别墨"学派"在整个中国思想史上，为中国贡献了逻辑方法的最系统的发达学说"，这主要是指归纳法和演绎法。《先秦名学史》中曾经这样指出："这（指"别墨"——引注）是发展归纳和演绎方法的科学逻辑的唯一的中国思想学派。"⑤因此，他比较详细地叙述和分析了"别墨"学派的演绎法和归纳法理论。"效"是"别墨"用以代表演绎法的名称，其意思就是"效法"⑥。"法"可以分为三种类型：1. 反映事物的概念或思想；2. 制作事物的工具；3. 一类事物中的典型事物。⑦"法"和"故"其实是一致的，只是观察角度并不相同。演绎法的任务，就是根据"法"或已知的、被明确论述的"故"进行推论。在这一过程中，"故"提供"结论据以形成的模范"，而"法"就

①②③④⑤⑥⑦　胡适著，先秦名学史翻译组译：《先秦名学史》，学林出版社1983年版，第111、84、84、85、58、86、86页。

在于"主词所属的种或类"①。换言之，在推论中，要找到"法"就是要确定主辞的类。胡适曾列举出演绎法的如下一个例子：

苏格拉底必死，

因为他是人。

这里，推理式（"效"）的第二句"他是人"是法，是已阐明之"故"，亦即表明结论中的主词"苏格拉底"所属的种类——"人"。

在分析墨辩的演绎法时，胡适认为它不是三段论式。他指出："别墨演绎法的理论不是三段论的理论，基本上是一种正确地作出论断的理论。"②他进一步解释其中的原因，"因为'法'或'模范'只不过是主辞所属的类名。'苏格拉底必死，因为他是人'或'苏格拉底必死，因为凡人必死'。这两种形式都是正确的演绎法，因为二者都指出了苏格拉底所属的类：'人'。不必同时具有大前提和小前提，因为在推论中我们总是使用类的原理：当只提到小前提时，类就作为大前提；当只提到大前提时，类就作为小前提。"③可以看出，胡适对墨辩演绎法的分析是明显参照了西方逻辑中的三段论理论，可是，他并没有完全囿于三段论理论来框架墨辩的演绎法。他认为，墨辩演绎法赖以进行的凭借，是在推论中"使用类的原理"，"只需要故必须与法一致"。这种情况，事实上可以收到类似于西方逻辑中三段论式之效果，而这亦就是胡适关于墨辩演绎法之进行"不需要三段论的形式"之理由。"不需要"，其中的含义包括有"不是必须不可少"的内容。应当说，胡适关于"别墨演绎法的理论不是三段论的理论"这一观点及其分析，对于人们今天认识中西方逻辑的共同性和差异性，科学分析中国古代逻辑的性质和状况具有一定的史鉴价

237

①②③　胡适著，先秦名学史翻译组译：《先秦名学史》，学林出版社 1983 年版，第 86、87、87—88 页。

值。我们并不否定中国古代存在有运用三段论的思维实践，但作为逻辑理论中所讨论的三段论应当具有相应的语言形态，否则，有关认识就会失去明确的参照。胡适结合《墨子》一书中的一些推理，说明"别墨的演绎法并不采取三段论的形式"实际上已经表明，他认为有关逻辑的讨论应该结合语言的实际来进行，否则，进行推测性的认识是不可靠抑或说服力不强的。

在《小取篇》中，胡适除了分析"效"之外，还对"辟"、"侔"、"援"、"推"四种推理式进行了说明。"辟"是比喻或者说明的方法，"侔"是比较的方法，"援"是类推的方法，这三种都可以归入类比推理，而"推"则是归纳法。胡适认为，类比和归纳法的区别只是程度上的不同，二者在本质上有相通之处。①

在具体分析墨辩逻辑体系中的归纳法时，胡适指出："别墨既把归纳法看作归类的方法，也看成估计原因的方法。"②他认为，墨辩的归纳法包含"同"法、"异"法和"同异交得"法三种方法。关于同法：《经上》云："同，异而俱于之一也"，这说明"观察的诸体，虽是异体，却都有相同的一点。寻得这一点，便是求同。"③关于异法：《墨辩》中没有"异"的定义，胡适根据《经上》对"同"的定义，相应地增补了一条："异，同而俱于是二也"，以此说明"所观察的诸例，虽属相同，但有一点或几点却不相同，求得这些不同之点，便是求异法"④。关于同异交得法：《经上》云："同异交得知有无"，这是讲述"参用同异两术以求知有无的方法"。在同法、异法和同异交得法三种方法中，"对于别墨，同异交得法是真正的归纳法"⑤，"物的同异有

---

①②⑤　胡适著，先秦名学史翻译组译：《先秦名学史》，学林出版社1983年版，第90、91、93页。

③④　胡适：《中国哲学史大纲》（卷上），东方出版社1996年版，第195页。

无很不易知道，须要参用同异两种才可不致走入迷途"①。

　　以上是胡适对墨辩逻辑体系中的演绎法和归纳法的主要分析。在此基础上，他进一步指出演绎法和归纳法是密不可分的。他说："正确的演绎法必须依靠正确的分类。可是，演绎法本身是不能使我们懂得'以类行'的。居维叶说：'为了好好地命名，你就必须好好地认识。'而这是属于归纳法的范围了。"②这是讲演绎法对于归纳法的依赖；"归纳概括的可靠性恰恰就在它适于成为演绎的前提；在于它具有使人们能解释特殊和多方面事实的实用价值。"③这亦就是说，归纳法结论的可靠性必须依赖于它和演绎法进行结合。

　　胡适对墨家逻辑的研究，除了对逻辑体系（演绎法、归纳法以及二者之间的关系）进行探讨之外，还注意运用比较的方法进行有关分析。1. 相对于其他学派，胡适认为墨家在中国历史上第一次把"名"的问题，从主要是本体论的问题变成一个严格意义上的逻辑问题。他指出："儒家极重名，以为正名便可以正百物了。当时的个人主义一派，如杨朱之流，以为只有个体的事物，没有公共的名称：'名无实，实无名，名者伪而已矣'。这两派绝对相反：儒家的正名论，老子、杨朱的无名论，都是极端派。'别墨'于两种极端派之间，别寻出一种执中的名学。他们不问名是否有实，实是否有名。他们单提出名与实在名学上的作用。故说：'所谓，实也；所以谓，名也。'实只是'主词'（Subject)，名只是'表词'（Predicable)，都只有名学上的作

　　①②　胡适：《中国哲学史大纲》（卷上），东方出版社 1996 年版，第 195、88 页。

　　③　胡适著，先秦名学史翻译组译：《先秦名学史》，学林出版社 1983 年版，第 94—95 页。

用，不成为'本体学'① 的问题了（别墨以前的实，乃是西洋哲学所谓 Substance，名即所谓 Universals，皆有本体学的问题，故有'有名'、'无名'之争)。"② 2. 相对于西方逻辑和印度因明，胡适认为墨家逻辑具有自己的特点。他指出，墨家逻辑"法式的（Formal）一方面，自然远不如印度的因明和欧洲的逻辑"。其中原因，主要是因为"印度和欧洲的'法式的逻辑'都经过千余年的补绽工夫，故有完密繁复的法式"。墨家逻辑前后的发展历史大概至多不出 200 年，"二千年来久成绝学"，所以难以形成"发达的法式"。但是，胡适认为墨家逻辑"所有法式上的缺陷"，"未必就是他的弱点，未必不是他的长处"，这主要是指"墨家的名学虽然不重法式，却能把推论的一切根本观念，如'故'的观念，'法'的观念，'类'的观念，'辩'的方法，都说得很明白透切。有学理的基本，却没有法式的累赘"。③ 这里，胡

240

适认为中西方逻辑的重要差异即表现在一个重视"学理"，一个重视"法式"，这个思想是非常深刻的。遗憾的是，胡适认为"法式"（形式）为逻辑之"累赘"，这在一定意义上并不符合西方逻辑发展的历史事实，即逻辑科学的形式化有利于对推理过程进行精密、细致的刻画和分析。此外，胡适还从归纳与演绎方面对墨家逻辑和其他逻辑进行了比较。他指出："印度希腊的名学多偏重演绎，墨家的名学却能把演绎归纳一样看重。《小取》篇说'推'一段及论归纳的四种谬误一段，近世名学书也不过如此说法。墨家因深知归纳法的用处，故有'同异之辩'，故能成一科学的学派。"④ 这样，通过墨辩逻辑与其他两大逻辑传统在归

---

① 胡适原文附有注释："本体学原名 Ontology，谕万物本体的性质与存在诸问题"。

②③④ 胡适：《中国哲学史大纲》（卷上），东方出版社 1996 年版，第 199、198、198—199 页。

纳、演绎方面的比较，胡适实际上揭示了墨家逻辑具有另外一个明显特点——"把演绎归纳一样看重"。正是基于上述分析，胡适明确提出："墨家的名学在世界的名学史上，应该占一个重要的位置。"①

三、其他学者对中国逻辑史的研究

除了梁启超、胡适之外，中国近代时期的其他一些学者如章炳麟、章士钊、郭湛波等，亦为中国逻辑史研究领域之开辟进行了积极探索。

（一）章炳麟对中国逻辑史的研究

章炳麟（1869—1936），浙江余杭人，20世纪初著名的学者和思想家，初名学乘，字枚叔（一作"梅叔"），因慕明清之际顾炎武之为人，曾改名绛，别号太炎。章炳麟对中国逻辑史研究的主要贡献之一，是在《国故论衡·原名》中自觉地进行西方逻辑、印度因明和墨辩的比较研究。梁启超的中外逻辑比较研究，虽然亦曾涉及三大逻辑传统，但主要局限于墨家逻辑与印度因明以及和西方逻辑分别对照，缺乏对三者之间的总体分析。章炳麟的中外逻辑比较研究，其眼界比梁启超更加开阔，能够统摄三源，察其异同。

241

《国故论衡·原名》指出："辩说之道，先是其旨，次明其枢。取譬相成，物故可形，因明所谓宗因喻也。印度之辩，初宗，次因，次喻。（兼喻体、喻依。）大秦（即古希腊——引注）之辩，初喻体，（近人译为大前提。）次因，（近人译为小前提。）次宗。其为三支比量一矣。《墨经》以因为故，其立量次第，初

---

① 胡适：《中国哲学史大纲》（卷上），东方出版社1996年版，第198页。

因，次喻体，次宗，悉异印度、大秦。"① 这里，章炳麟对三大
逻辑传统中的推论形式进行了具体比较。首先，他确立了比较的
出发点，即章炳麟所谓的"辩说之道"，然后对印度因明、亚氏
逻辑和墨辩进行具体考察。三大逻辑传统中的推论均由宗、因、
喻三支构成，这是它们的共同点。其中，喻体对应于西方逻辑中
的大前提，因对应于西方逻辑中的小前提，《墨经》亦"以因为
故"。在具体的思维进程即"立量次第"上，三大逻辑传统各有
异趣：

    1.1 印度因明   宗

                       因

                       喻（喻依、喻体）

    1.2 亚氏逻辑   喻体（大前提）

                       因（小前提）

                       宗

    1.3《墨经》论式   因（故）

                       喻体

                       宗

关于三大逻辑传统立量次第之不同，章炳麟除了从抽象理论层面
进行分析之外，还进一步给出了具体的案例说明：

    1.11 印度因明   声是无常，   （宗）

                     所作性故。   （因）

                     凡所作者，皆是无常。喻如瓶。

                     （喻）

    1.21 亚氏逻辑   凡所作者皆无常，   （喻体）

                     声是所作，   （因）

---

① 章炳麟：《国故论衡·原名》，姜玢编选：《革故鼎新的哲理——章太炎文
选》，上海远东出版社 1996 年版，第 345 页。

　　　　　　　　　故声无常。　　（宗）

1. 31《墨经》论式　声是所作，　　（因）

　　　　　　　　凡所作者皆无常，　　（喻体）

　　　　　　　　故声无常。　　（宗）

需要指出，章炳麟对《墨经》中的"故"，除了将其对应于因明中的"因"之外，还有进一步的补充，即"小故"相当于西方逻辑中的"小前提"，"大故"相当于西方逻辑中的"大前提"。[①]这样，"《墨经》以因为故"的准确说法实际上应当是"《墨经》以因为小故"。三大逻辑传统的推理论式在具体思维进程上所呈现出来的差异，直接影响到它们的优劣长短。《国故论衡·原名》指出："喻依者，以检喻体而制其款言，因足以摄喻依，谓之同品定有性。负其喻依者，必无以因为也，谓之异品遍无性。（并取因明论说。）大秦与墨子者，其量皆先喻体后宗，先喻体者无所容喻依。斯其短于因明。"[②]喻依是喻体提出的依据以及检验具体喻体是否成立的凭借，西方逻辑中的亚氏三段论和《墨经》论式，由于在立量顺序上皆先出喻体，后显示宗，"先喻体者无所容喻依"，所以，章炳麟断言亚氏逻辑和《墨经》论式"短于因明"。从章炳麟对三大逻辑传统推理论式的优劣长短比较来看，其心目中理想的"辩说之道"，在推理类型应是归纳和演绎的有机结合。

243

　　章炳麟综合比较三大逻辑传统的具体成果固然存在可以进一步探讨之处，但其中所蕴涵的方法论思想却给今天的中国逻辑史研究留下了深刻启示：比较中外逻辑的前提，首先是确立不同逻辑传统的同一参照对象，而不可视其中之一为衡量准则；三大逻辑传统之间的共同性和特殊性，应当是具体比较中不可忽视的两

　　①②　参见章炳麟：《国故论衡·原名》，姜玢编选：《革故鼎新的哲理——章太炎文选》，上海远东出版社 1996 年版，第 345、346 页。

个基本方面。此外，仅就章炳麟的中外逻辑比较引起了胡适、章士钊、谭戒甫等其他学人的赞同抑或批评而言，他的工作在客观上对于中国逻辑史研究已经具有一定的价值，至少是提出了一家之言。例如，胡适曾经这样评价《国故论衡·原名》的比较逻辑思想："章炳麟先生在他 1910 年出版的《国故论衡》中，认为墨家也有三段论的学说。……他把'大故'和'小故'解释为三段论法的大前提和小前提。章先生认为墨家的三段论法采取如下形式：

$$M — P \quad （大前提）$$
$$S — M \quad （小前提）$$
$$\overline{}$$
$$S — P \quad （结论）\quad （第 178、179 页）$$

我不同意这种说法。"[①] 至于之所以不同意章炳麟观点的理由，胡适列举了三条：第一，作为章炳麟立论根据的《墨经》中的相应原文，"无疑是有关因果关系的讨论，而不是有关演绎法的讨论"。第二，别墨"演绎法的理论不需要三段论的形式，只需要故必须与法一致"。第三，别墨的演绎法并不采取三段论的形式。[②]

（二）章士钊对中国逻辑史的研究

章士钊（1881—1973），字行严，湖南长沙人，是中国近代史上对中西逻辑都有深入研究的学者。1907 年，他在英国苏格兰大学师从戴维森教授（Prof. Devidsen）学习逻辑，"自是践履了逻辑涂（途）径，步步深入，兴会亦相缘而高"[③]。回国后，他先后在北京大学和沈阳东北大学教授逻辑。和严复、章炳麟等其他学者一样，章士钊在学术实践中亦努力将中国名辩、印度因明和西方逻辑结合起来进行研究，进而为中国逻辑史的学科建设

①② 胡适：《先秦名学史》，学林出版社 1983 年版，第 87 页。
③ 章士钊：《逻辑指要·自序》，时代精神社 1943 年版，第 15 页。

作出了贡献，诚如有的学者所指出的："《逻辑指要》是一本具有以西道中、以中论西（即"以欧洲逻辑为经、本邦逻辑为纬"）特色的逻辑学专著。"① "作者（指章士钊——引注）运用西方逻辑理论，对中国名辩逻辑进行了有创见性的研究，对中国名学、西方逻辑和印度因明学加以对比研究，做了有益的开创工作。"②

在《逻辑指要》一书中，章士钊首先否定了所谓"中国无逻辑"的主张。《自序》中指出："寻逻辑之名，起于欧洲，而逻辑之理，存乎天壤。其谓欧洲有逻辑，中国无逻辑者，訾言也。其谓人不重逻辑之名，而即未解逻辑之理者，尤妄说也。"③ 他认为"逻辑起于欧洲，而理则吾国所固有"④。"先秦名学与欧洲逻辑，信如车之两轮，相辅而行。"⑤ 至于先秦名学与欧洲逻辑何以"信如车之两轮，相辅而行"，章士钊关于中西逻辑史的一段说明可以作为一个注解。他指出："且欧洲逻辑外籀部分，自雅理士多德以至17世纪，沉滞不进，内籀则雅理诸贤，未或道及。自倍根著《新具经》，此一部分，始渐开发，逻辑以有今日之仪容。若吾之周秦名理，以墨辩言，即是内外双举，从不执一以遗其二。惜后叶赓绍无人，遂尔埋塞到今。"⑥ 章士钊先生不仅从理论上明确指出中国古代存在有逻辑，而且由于他在《逻辑指要》一书中阐述有关逻辑原理时，几乎处处引述《墨经》以及其他中国古代典籍中的有关内容，因此，从另一角度而言，这可谓章士钊先生在对中国古代逻辑状况进行具体探讨。例如，在第三章《思想律》中，他援引中国古代的思想实例来阐释同一律、矛盾律和排中律这三条形式逻辑的基本规律，明确指出《墨经》之"不俱

245

①② 周云之主编：《中国逻辑史资料选·现代卷》（下），甘肃人民出版社1991年版，第306、307页。

③⑥ 章士钊：《逻辑指要·自序》，时代精神社1943年版，第15、15—16页。

④⑤ 章士钊：《逻辑指要·例言》，时代精神社1943年版，第17、18页。

当必或不当"就是矛盾律，而非排中律。关于同一律、矛盾律和排中律，章士钊还有一段综合说明："请试综三律而论之。《墨经》曰：'合与一，或复否，说在拒。'此即《墨辩》上所以律思想者也。'合'，合同，'一'，重同。此明同之极诣，昭同一律也。或者正之，否者负之，既正又负，显非辞理。此明矛盾之当戒，昭毋相反律也。'拒'者即不容中之谓。……墨家提出拒字，意在以后律释前二律，以三律之脉络固贯通也。故曰：'说在拒'。"① 仅就这一段引文而言，章士钊先生完全是在中西互释，力图沟通中国名辩与西方逻辑。此外，在第十二章"三段论式"以及其他论著中，章士钊还论证了《公孙龙子》所谓的"他辨"与《墨经》中所言"三物必具，然后足以生"以及"争彼"，究其实质，就是西方逻辑中的"三段论法"②。

246　　在具体的学术研究中，章士钊不仅探讨了中国名辩学与西方逻辑的相通之处，而且还进一步分析了西方逻辑与印度因明，乃至三大逻辑传统之间的相通之处。在《逻辑指要》中他曾这样指出："因明论式，依量而立；作法以五支为之，比于三段，多出两项，所谓宗、因、喻、合、结是也。以例明之：

一、彼山有火。 ……………………………………… 宗

二、有烟故。 ……………………………………… 因

三、凡有烟处必有火，——如灶。 ……… 喻

四、今彼山有烟， ……………………………… 合

五、故彼山有火。 ……………………………… 结"③

其中，"宗者，断案（即结论——引注）也。因，与媒词（即中词——引注）相当。喻，视大前提。于是以三段式部勒之，其道

① ③ 章士钊：《逻辑指要》，时代精神社1943年版，第38、162页。
② 参见章士钊：《逻辑指要》中的第十二章及"名学他辨"，时代精神社1943年版。

亦通。"① 这里，章士钊既说明了印度因明与西方逻辑中三段论之差异，又谈到了它们之相同。1923 年，章士钊先生在《东方杂志》发表论文《名学他辨》。文中指出："《大取篇》曰：'语经，语经也。白马非马，执驹马说求之。……三物必具，然后足以生。'语经，孙氏训为言语之常经。以三物论事，号为常经，可见当时立论之体制，与逻辑三段、因明三支相合。吾家太炎谓墨家亦立三支，诚然。特太炎所谓三支，与愚见有不同耳（见《国故论衡·原名》）。三支者三物也，在论法曰三支，在端词曰三物。（英语 term，严译作端词。）今白马与马与驹，是为三物，而驹为第三物，执以为说而求之，即所谓彼，或又曰他。"② 这里，章士钊先生谈到了三大逻辑传统的相通之处，即均存在共同的"立论之体制"。可以看出，章士钊的比较逻辑研究，倾向于三大逻辑传统之间的相通性分析。当然，这种情况与他"寻逻辑之名，起于欧洲，而逻辑之理，存乎天壤"的思想认识有着密切关系。

247

（三）郭湛波对中国逻辑史的研究

郭湛波，河北人，1932 年毕业于北京大学哲学系，他亦是中国近代时期对逻辑学，尤其中国逻辑史进行积极探索的一位学者，曾经撰写《论理学十六讲》、《先秦辩学史》等著作。其中，1932 年由中华书局刊行的《先秦辩学史》是中国近代学术史上第一本以中文出版的先秦逻辑史专著。今人陈正英先生在《中国逻辑史》一书中这样指出："郭湛波的《先秦辩学史》明确肯定了惠施、公孙龙、《墨辩》和《荀子》等在中国逻辑史上的历史地位和贡献，提出了不少独到的见解，至今仍不失（为）一本全

---

① 章士钊：《逻辑指要》，时代精神社 1943 年版，第 162 页。
② 章士钊：《名学他辨》，《逻辑指要》，时代精神社 1943 年版，第 444 页。

面系统研究先秦辩学较有成就的中国逻辑史专著。"① 在《先秦辩学史》这部著作中，郭湛波先生认为形名学"就是中国逻辑学（Logic）"，"中国治学的方法，就是中国逻辑学——形名学"②。他并且认为，中国的哲学方法经历了不同阶段的演变："一、古代，自古代至秦，是'辩学'；二、自汉至明末，是'因明'；三、自明末至现在，是'逻辑'。"③ 其中，因明本是印度的哲学方法，逻辑本是西洋的方法，二者都属于舶来品。"所谓中国方法，就是专指古代的'辩'学。"④ 基于上述认识，郭湛波系统地探讨了先秦逻辑史即"先秦辩学史"⑤。关于先秦逻辑史的具体发展过程，郭湛波认为上起邓析下至荀子。他说，中国的"辩学"并非源起于孔子和老子，而是始自邓析，邓析以后的墨子、杨朱都没有"辩学"，"到惠施，始盛行，颇为当时一般人所注意"⑥。惠施之后，首推公孙龙。公孙龙集"辩学"之大成，创立了"系统的学说"，"可以说是中国的亚里士多德（Aristotle）"。公孙龙以后，各家都受到"辩学"的影响，而其中"墨辩和荀子"尤著。"荀子以后，辩学中断，成了绝学。"⑦

在对"先秦辩学史"的具体论述过程中，郭湛波比较自觉地运用西方逻辑作为分析工具。例如，在解释惠施的"同异"学说时，他认为"'大同'就是所谓'同而有异'；西洋逻辑的演绎法（Deductive Method），印度因明的三支作法，都是这个'大同'原则的应用。"⑧ "'小同'就是所谓'异而有同'，这是培根（Bacan）归纳法（Inductive Method）的应用。归纳法是不同的

① 周云之主编：《中国逻辑史》，山西教育出版社 2004 年版，第 429 页。

②⑦ 郭湛波：《先秦辩学史》，中华印书局 1932 年版，第 3、264 页。

③④⑥ 郭湛波：《先秦辩学史·自序》，中华印书局 1932 年版，第 1、1、6 页。

⑤ 在《先秦辩学史》这部著作中，郭湛波在同一意义上使用"形名学"、"名学"和"逻辑（学）"三个术语。

⑧ 郭湛波：《先秦辩学史》，中华印书局 1932 年版，第 72 页。

（异）找出同的出来。"[①]　显然，这里运用了西方逻辑中的演绎法
和归纳法思想来说明古代名辩中的"大同"、"小同"观点。在解
释公孙龙的"白马非马"观点时，郭湛波运用了西方逻辑中概念
内涵、外延的有关知识。书中指出："拿现在的形式逻辑来讲，
'白马非马'是从概念（Concept）来讲。白马是个体，马是共
相。白马的内容（内涵——引注）多故外延小于马。马的外延
大，故内容（内涵——引注）小于白马。所以'白马非马'"[②]。
郭湛波还曾就这一解释给出了下列图示：

显然，这里运用了概念的内涵、外延之定义及其反变关系原理，
所给出的图示则属于运用欧拉图对"白马"和"马"两个概念之
间外延关系的正确说明。关于"白马非马"的概念角度分析，郭
湛波在《先秦辩学史》中还有如下另外一段说明："白是白，马
是马；'白所以命色，马所以命形'，'马'与'白'无关。'马'
是形，白马兼形色。所以'白马非马'。"[③]关于这一段内容，作
者曾以下列图形表示：

249

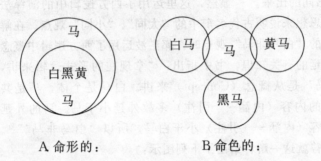

A 命形的：　　　　　　　　B 命色的：

可以看出，郭湛波在这里主要分析了"白马"和"马"两个概念在具体内涵——所反映的具体内容——上的差异。通过上述有关分析，郭湛波对公孙龙的"白马非马"论提出了如下断语："《墨经》是主张'白马，马也。'与公孙龙'白马非马'不同。其实两者都对；不过《墨经》从推理来讲，所以说'白马，马也。'公孙龙从概念来讲，所以说'白马非马'。"①

此外，在分析墨辩、荀子等的辩学内容时，郭湛波同样自觉地运用了一些西方逻辑知识。关于墨辩，郭湛波认为，中国辩学在墨辩以前虽然已经形成，但是"辩"之一词，至墨辩才开始有明确的说明。"'辩'就是'争彼'，……'彼'即论理学所谓'他词'（Middle terms）。墨辩所谓'争彼'，即公孙龙所谓'他辩'"②。这里，谈到了墨辩之"辩"、公孙龙之"他辩"以及西方逻辑的相通性。关于墨辩中辩的方法，郭湛波认为，"以名举实，以辞抒意，以说出故"属于演绎的方法（Deductive Method），"以类取，以类予"属于归纳的方法（Inductive Method）③。关于墨辩中辩的种类，郭湛波认为，（1）"或"："'或'

---

①②③　郭湛波：《先秦辩学史》，中华印书局 1932 年版，第 102、222、224 页。

即古域字，有限于一部分之意。即论理学上所讲的'特称命题'"①。（2）"假"："'假'即假设，即论理学的假言命题。"②（3）"效"："'法'即是法则，照着法则做去，便是'效'。与法则相不合的，就是'不中效'。"③（4）"辟"："'辟'，即譬喻，……'辟'的用处，就在所以使人知之。"④（5）"侔"："这也是'使人知'的方法，不过'侔'是这种辞说明那种辞，'辟'是用这个物说明那个物。"⑤（6）"援"："'援'就是援例，……'辟'用于概念，'侔'用于判断；而'援'用于推理。"⑥（7）"推"：即《小取》篇所讲的"以其所不取之同于其所取者予之也。是犹谓也（他）者同也，吾岂谓也（他）者异也。"郭湛波认为，"这就是归纳的方法"⑦。关于荀子的辩学，郭湛波认为，荀子虽然反对辩者，可是由于他承继辩者时代之后，所以，其学说方法受到辩者非常明显的影响。具体而言，"他的治学方法虽是'正名'，可是与孔子所谓'正名'不同，孔子所谓'正名'只有伦理的政治的意味，没有论理的意味。荀子则不同，一方含有伦理的政治意味，一方却有论理的意味；荀子的'正名'是一方承继儒学的思想，一方受辩者学说的影响，其方法实是辩学，却反对辩学；成一个矛盾的现象，却照着辩证的发展，到了一个高的阶段。"⑧

251

①②③④⑤⑥⑦⑧　郭湛波：《先秦辩学史》，中华印书局 1932 年版，第 231、231、232、233—234、234、236、227、254 页。

第六章　西方逻辑传播对科学的影响[①]

15世纪以前，中国的科学曾经处于世界领先地位。著名的英国科学史专家李约瑟博士谈到在古代和中古代，中国人对于科学、科学思想和技术的发展所作出的贡献时曾经指出，中国人"在许多重要方面有一些科学技术发明，走在那些创造出著名的'希腊奇迹'的传奇式人物的前面，和拥有古代西方世界文化全部财富的阿拉伯人并驾齐驱，并在公元3世纪到13世纪之间保持一个西方所望尘莫及的科学知识水平……中国的这些发明和发现往往远远超过同时代的欧洲，特别是在15世纪之前更是如此。"[②] 可是，16世纪后情况发生了不同的变化。在西方科学飞速发展的新时代，中国的科学进步缓慢。延至近代，二者之间的距离业已拉开。18世纪中叶和19世纪前半叶，西方科学呈突飞猛进之势，特别是由于由蒸汽机所引发的技术革命，把尚处于封建时代的中国远远抛置于后。

鸦片战争爆发后，随着闭关自守大门的被迫打开，西方先进的科学逐渐传入中国。魏源（1794—1857）"师夷长技以制夷"（《海国图志叙》）思想的提出，标志着一些有识之士开始把寻求民族富强、摆脱国家危亡局面的目光投向西方科学，尽管这一时期人们对西方科学的理解主要囿于坚船利炮等具体的器物技术层

---

① 本章所言"科学"主要系指自然科学。

② ［英］李约瑟：《中国科学技术史》（第1卷第1分册），科学出版社1975年版，第3页。

面。梁启超在评议这一时期的西方科学输入情况时这样指出："中国官局旧译之书，兵学几居其半"[①]。洋务运动阶段，虽然人们对西方科学的主流理解依然局限于器物技术，但是，一部分基础理论科学已经渐次引起人们的注意。1866年，京师同文馆增设天文、算学馆。总理各国事务奕䜣等在陈述采取这一措施的实际理由时指出："今中国议欲讲求制造轮船、机器诸法，苟不藉西士为先导，俾讲明机巧之原，制作之本，窃恐师心自用，徒费钱粮，仍无裨于实际"[②]。墨海书馆、同文馆、广方言馆、江南制造局等不同机构，组织翻译了大量有关西方科学的书籍，其中，微积分、概率论、牛顿力学三定律、几何光学、元素化学、有机化学、分析化学、日心说、赖尔地质学说以及医学知识等均有介绍。同一时期，《六合丛刊》、《格致汇编》等一些综合性科学刊物开始出现。近代西方基础理论科学的传入，及其所固有的和西方逻辑之间的密切关系，为中国近代时期部分学者的科学思想受到西方逻辑传播之影响提供了极大可能，进一步促成这一可能转化为现实的，当首推"清季输入欧化之第一人"（梁启超语）——严复。

253

1900年，严复开始翻译《穆勒名学》，历时两年多，译出其中主要部分，后于1905年出版。1908年，他又翻译了《名学浅说》，后由商务印书馆于次年刊行。《穆勒名学》和《名学浅说》两部西方逻辑著作的出版，在当时的中国学术界产生了颇大影响。郭湛波曾经在《近五十年中国思想史》一书中这样指出，《穆勒名学》和《名学浅说》翻译出版后，"论理学始风行国

[①]　梁启超：《变法通议·论译书》，《饮冰室合集》（一），中华书局1989年版，第68页。

[②]　中国史学会主编：《洋务运动》（第2册），上海人民出版社1961年版，第23—24页。

内"①。论理学的"风行",客观上为人们立足于逻辑去审视科学提供了现实可能,而严复本人对于西方逻辑和科学之间关系的分析,则在一定意义上直接催化了中国近代知识分子的逻辑与科学思想。在《穆勒名学》中,严复认为,逻辑之所以称为逻辑者,"以如贝根(培根——引注)言,是学为一切法之法,一切学之学;明其为体之尊,为用之广,则变逻各斯为逻辑以名之。学者可以知其学之精深广大矣。"②"一切法之法,一切学之学",这种观点凸显了西方逻辑对于包括自然科学学科在内的诸种学科之根本作用。在《政治讲义》中,严复指出,"科学入手,第一层工夫便是正名",③ 这是"科学要紧事业,不如此者,无科学也"。做到了"正名",则"于科学所得,已不少矣"④。继严复之后,蔡元培、竺可桢、张君劢、丁文江等一批学人的科学思想均明显受到西方逻辑传播影响。可以这样说,众多学者的科学思想受到西方逻辑传播影响,构成了中国近代时期科学发展过程中的一个重要侧面。

第一节　西方逻辑传播对蔡元培科学思想的影响

蔡元培(1868—1940),字鹤卿,号子民,浙江绍兴人,中国近代史上著名的思想家、教育家和科学家。西方逻辑的传播,尤其是严复的有关活动对他影响颇大。在《五十年来中国之哲学》一文中,他曾经这样指出:"严氏于《天演论》外,最注意的是名学。……严氏觉得名学是革新中国学术最要的关键。所以

---

① 郭湛波:《近五十年中国思想史》,山东人民出版社1997年版,第183页。

② [英]约翰·穆勒著,严复译:《穆勒名学》,商务印书馆1981年版,第2页。

③④ 严复:《政治讲义》,卢云昆编选:《社会剧变与规范重建——严复文选》,上海远东出版社1996年版,第181、220页。

他在《天演论》自序及其他杂文中，常常详说内籀外籀的方法。"① 关于西方逻辑对蔡元培科学思想的影响，以下试从两个方面说明。

一、逻辑学是科学的重要组成部分

方法，是指解决思考、说话、行为等一系列问题的门径和程序，方法论和科学知识共同构成了科学的两大支柱。深谙科学的蔡元培，清楚地认识到方法论的重要性要远远超过具体知识。他多次讲到"点石成金"的故事——"从前有人讲过一段仙人吕洞宾的故事，说是吕仙遇到一个穷人，向他求助，他就用手指点石成金，送给这人，这人不要，吕仙想这人不贪，很可学道；就问他不要的缘故，他说是要吕仙的指头，可以点出无数的金子，可以不必要这块金子了。"② 基于这一故事，蔡元培指出："我们得知识是得金，得方法是指头，自然是方法更重要了。"③

蔡元培认为，逻辑学属于重要的科学研究方法。他指出："自然科学为我国所最缺乏，亦最所需要，亟宜提倡，……学自然科学者，倘毫无哲学上知识，其所见不免狭隘，其造就恐不易深邃。且研究科学，不可不知研究科学的方法，即不可不学论理学。"④ 关于逻辑学对于科学重要性的具体表现，他这样说明："凡一科学之成立，必先有事实，然后有学理。以无事实，则无

255

---

① 蔡元培：《五十年来中国之哲学》，高平叔编：《蔡元培全集》（第4卷），中华书局1984年版，第352页。
② 蔡元培：《〈读书指导〉第1辑·序》，高平叔编：《蔡元培全集》（第6卷），中华书局1988年版，第588页。
③ 蔡元培：《人的研究·序》，高平叔编：《蔡元培全集》（第4卷），中华书局1984年版，第383页。
④ 蔡元培：《筹办杭州大学的建议》，高平叔编：《蔡元培全集》（第4卷），中华书局1984年版，第314页。

经验可言；无经验，则学理亦无由发生。"① 这是讲归纳法对科学成立的重要性。蔡元培对归纳法的具体理解是，"致曲而会其通"②，"由博而之约之谓也"③。在《科学之修养——在北京高等师范学校修养会演说词》中，蔡元培指出："若科学，则均由实验及推理所得唯一真理，不容以私见变易一切。"④ 这里，蔡元培实际上谈到了归纳和演绎对于科学形成的重要性。关于"实验"，他具体强调的是归纳法之运用。蔡元培指出："凡实验之事，非一次所可了。盖吾人读古人之书而不慊于心，乃出之实验。然一次实验之结果，不能即断其必是，故必继之以再以三，使有数次实验之结果。如不误，则可以证古人之是否；如与古人之说相刺谬，则尤必详考其所以致误之因，而后可以下断案。"⑤

256

关于逻辑学对于科学的具体作用，蔡元培是通过归纳法和演绎法来说明的。他指出："科学大法有二：曰归纳法，曰演绎法。归纳者，致曲而会其通，格物是也。演绎者，结一而毕万事，致知是也"。并着重说明，"《礼记大学》称：格物致知。学者类以为物理之专名，而不知实科学之大法也。"⑥ 这里，蔡元培一方面指出归纳法和演绎法同是科学方法中的两个重要方面，另一方面又以之诠释"格物致知"这一中国传统哲学的基本概念，从而使"科学之大法"获得了汉民族语言的固有表达形式。这种情况，客观上为归纳法和演绎法进一步融入近代中国科学的发展历程，

① 蔡元培：《北大新闻学研究会第一次期满式训词》，高平叔编：《蔡元培全集》（第3卷），中华书局1984年版，第348页。

②⑥ 蔡元培：《化学定性分析·序》，高平叔编：《蔡元培全集》（第1卷），中华书局1984年版，第119页。

③ 蔡元培：《西洋科学史·序》，高平叔编：《蔡元培全集》（第5卷），中华书局1988年版，第227页。

④⑤ 蔡元培：《科学之修养——在北京高等师范学校修养会演说词》，高平叔编：《蔡元培全集》（第3卷），中华书局1984年版，第292、291页。

创设了便利条件。

关于科学中的归纳法，蔡元培在《西洋科学史》（尤佳章译，商务印书馆 1928 年出版）之中译本《序》中又有阐释。文中指出："科学中有所谓归纳法焉。归纳者，由博而之约之谓也。"[1]蔡元培还具体以达尔文学说的建立为例，说明科学中运用归纳法的一些情况："昔达尔文倡'物竞天择，适者生存'之说，以名于世。其为此言，实得力于五载之航游。当其出游时，遍历异邦，所见动植矿物，何止千万？而人情风俗，处处足以增长其见识；见闻既博，乃归纳而成此前人所未发，历万古而不磨之至论，——此岂非博学之功哉？且达氏尝曰：'余之工作，悉依据于培根之原理，未尝自立学说，惟采集事实不厌繁多'。"[2]

关于归纳法和演绎法在科学方法中的具体位置，蔡元培首先肯定了归纳法的重要性。他指出："独辟之智必取径于归纳"[3]，"培根以后，欧洲科学勃然以兴，名家林立，究其源，培根之功不可掩也。"[4]同时，蔡元培又具体说明了演绎法的价值。他指出："科学上的新发明，不能不先有假定，科学的理论，不能不加以推想。不能全废演绎法。"[5]蔡元培对归纳法和演绎法在科学方法中不同位置的说明，和在这一问题上辩证法的观点彼此吻合。恩格斯在《自然辩证法》中曾经指出："归纳和演绎，正如分析和综合一样，是必然相互依赖着的。人们不应当牺牲一个而把另一个捧到天上去，应当设法把每一个都用到该用的地方，而人们要能够做到这一点，就只有注意它们的相互联系、它们的相

257

---

①②④ 蔡元培：《西洋科学史·序》，高平叔编：《蔡元培全集》（第 5 卷），中华书局 1988 年版，第 227、227、226 页。

③ 蔡元培：《化学定性分析·序》，高平叔编：《蔡元培全集》（第 1 卷），中华书局 1984 年版，第 120 页。

⑤ 蔡元培：《真善美》，高平叔编：《蔡元培全集》（第 5 卷），中华书局 1988 年版，第 185 页。

互补充。"① 尤须指出的是，蔡元培明确地肯定了演绎法在科学中的作用和地位，这是西方逻辑在中国近代时期传播过程中的一种远见卓识，可谓是对当时重视归纳而忽略抑或贬低演绎在科学中作用这一倾向的一种矫正。

二、逻辑学在科学发展过程中占有重要位置

在科学发展史上，科学的独立化经历了一个演变过程。在古代，科学包括在哲学范围之中。蔡元培指出："古代演绎法盛行之时，但有哲学之名；今之所谓科学者，悉包于哲学之中焉。"② "其在古代，所谓哲学者，常兼今日之所谓科学而言之。如柏拉图分哲学为三大类：一曰辨学，二曰物理，三曰伦理，而以辨学为纲。雅里士多德则分哲学为理论、实际二大类，其属于理论者，为分析术（论理学）、玄学、数学、物理学、心理学；其属于实际者，为伦理学、政治学、辨论学、诗学。此等观念，至近世哲学家，如培根、特嘉尔辈，亦尚仍之。"③ 16 世纪以后，学术界之观念逐渐与中古时代不同，科学从哲学中分化出来，成为独立专精之学问。关于各种科学分别成立的原因，蔡元培认为最显著的涉及以下三个方面："（一）培根于论理学极力提倡归纳法，因得凌驾雅里士多德之演绎法，而凡事基础于实地之观察；（二）自一千五百九十年，发明显微镜，千六百零九年，发明远镜，其后寒暑风雨电气等表，次第发明，而实验之具渐备；（三）分工之理大明，渐由博综之哲学，而趋于专精之科学。"④ 这里，蔡元培把逻辑学的发展作为引起科学各部门独立发展的首要原因，而

---

① 恩格斯著，于光远等译编：《自然辩证法》，人民出版社 1984 年版，第 121 页。

②③④ 蔡元培：《哲学与科学》，高平叔编：《蔡元培全集》（第 3 卷），中华书局 1984 年版，第 249、250、252 页。

逻辑学的发展又集中体现在培根创立的归纳法"凌驾"于亚里士多德之演绎法。这种观点，即肯定归纳法在近代科学发展中的重要作用，和爱因斯坦的观点存在类似之处。1953 年，爱因斯坦在给 J. E. 斯威策的信中写道："西方科学的发展是以两个伟大的成就为基础，那就是：希腊哲学家发明形式逻辑体系（在欧几里得几何学中），以及通过系统的实验发现有可能找出因果关系（在文艺复兴时期）。"[①]

　　在分析归纳法对于西方近代科学发展所起到的重要作用之同时，蔡元培又将视域移向了中国的科学发展状况。他指出："惟是数千年来，纯以哲学之演绎法为事，而未能为精深之观察，繁复之实验，故不能组成有系统之科学。美术则自音乐以外，如图画、书法、饰文等，亦较为发达，然不得科学之助，故不能有精密之技术，与夫有系统之理论。"[②]　显然，蔡元培把逻辑归纳法的欠缺、演绎法的占据绝对统治地位，作为中国近代科学发展之所以落后于西方的关键原因之所在，非仅如此，他还进一步指出了这种状况对音乐、图画、书法、饰文等不同领域的影响。

第二节　西方逻辑传播对竺可桢科学思想的影响

　　竺可桢（1890—1974），字藕舫，浙江绍兴人，中国近代地理学和气象学的奠基者，在气候变迁、物候、农业气候、自然区划等领域均作出了杰出成就。中国近代时期西方逻辑科学的传播，对竺可桢的科学思想亦产生了明显影响。

------

　　① 赵中立、许良英编译：《纪念爱因斯坦译文集》，上海科学技术出版社 1979 年版，第 46 页。

　　② 蔡元培：《华法教育会之意趣》，高平叔编：《蔡元培全集》（第 2 卷），中华书局 1984 年版，第 416 页。

一、归纳法和演绎法就是近代西方的科学方法

竺可桢认为，近代科学的起源在西方只是 16 世纪以后的事情，"探求真理"是其追求的目标。为了实现"探求真理"这一目标，近世科学运用了一定的方法，即逻辑上所谓的归纳法和演绎法。1941 年，竺可桢在《思想与时代》第 1 期撰写论文《科学之方法与精神》。文中指出："所谓科学方法，就是科学上推论事物的分类。亚里士多德分推论为三类，就是（1）从个别推论到个别，如说这物有重量，就推想到那物也有重量，这称类推法。（2）从个别推论到普遍。如说这物有重量，那物也有重量，就推论到所有物件统有重量，这称归纳法。（3）从普遍推论到个别。假如我们断定凡物统有重量，就推论到某一物亦必有重量，这称演绎法。这三种推论中，第一种用不着多少理智，而第二、三种却因为有概括的观念，必须用理智。"[①] 竺可桢所理解的"近世科学的方法"，并不包括"类推法"。他指出："科学方法可说只限于归纳法和演绎法。以大概而论，数学上用的多是演绎法。而实验科学如化学、生理等所用的多是归纳法。"[②] 虽然竺可桢在这里谈及"近世科学的方法"时，认为仅仅局限于归纳法和演绎法，但是，从他具体的科学研究实践来看，还是对"类推法"有所运用，这一点，下文再予以例说。

在《科学之方法与精神》一文中，竺可桢分析了归纳法在近代西方科学上的运用情况。他认为："最初主张用归纳法的人，要算培根。他并主张观测以外加以有系统的试验，详尽的记录，

260

---

①② 竺可桢：《科学之方法与精神》，《竺可桢文集》，科学出版社 1979 年版，第 229 页。

梓行出版，以公诸世，此即培根之所谓新法。"① 可是，培根虽然提倡归纳和试验，但他本人并未亲自运用。在科学史上，最早把归纳法引入科学实践的，当推开普勒（John Kepler，1571—1630）。竺可桢指出："首先用归纳法来证明亚里士多德错误的，是刻卜勒（开普勒）。他的老师第谷（Tycho Brahe），在丹麦和波兰天文台尽毕生之力，测定星辰的位置。第谷死后，刻卜勒（开普勒）继续他老师的工作。从他们师生三十多年所观测火星的位置，决定火星的轨道，决非为正圆而为椭圆。太阳并不在轨道中心而在椭圆焦点之一。这才使刻卜勒（开普勒）怀疑亚理（里）士多德权威的不足恃，而成为哥白尼日为中枢说的信徒，刻卜勒（开普勒）的行星运行的三大定律，不久也就成立了。"②在谈到伽利略（G. Galilio，1564—1642）的科学研究时，竺可桢同样指出了归纳法的运用情况。关于比萨斜塔试验，他这样评说："伽利略的试验不但证明了亚理（里）士多德的错误，而且发现物体下降时之加速度是有一定规则的。这类收获完全是归纳法和应用实验的成效。"③

261

竺可桢不但分析、肯定了归纳法在近代西方科学发展过程中的作用，亦还同时明确地指出演绎法之不可或缺地位。他说："近世科学又称归纳科学或实验科学，但是科学从事工作，演绎法与归纳法必得并用。有许多结果，一定要用演绎法才能得出来。譬如讲到日食的预告吧，从归纳法我们可以断定一个不透明的物体，走到一无光体与一有光体之间，则无光体上必将投有黑影。但是几百年以前天文学家就可以算出 1941 年 9 月 21 日中午左右我国沿海从福建福鼎一直到西北兰州、西宁这一条线上，统可以见到日全食，那是要应用演绎法算出来的。又如刻卜勒（开

---

　　①②③　竺可桢：《科学之方法与精神》，《竺可桢文集》，科学出版社 1979 年版，第 229、230、230 页。

普勒）何以能知火星轨道非正圆而为椭圆，牛顿何以能从刻卜勒（开普勒）的三条定律，来发现万有引力定律，这都是从演绎法得来的。相反，数学上有许多简单方程式，如甲加乙等于乙加甲，须得用归纳法来证明的。"① 有鉴于此，竺可桢明确主张："近世科学，须是归纳演绎二法并用，才能收相得益彰之效。"②明确提出"归纳演绎二法并用"对于近代科学发展的重要作用，竺可桢的这种认识相对于蔡元培"不能全废演绎法"之思想可谓又明显前进了一步。应当说，竺可桢的这种观点，更加接近于爱因斯坦的相关主张。

二、具体的科学实践中运用逻辑方法

在具体的科学研究实践中，竺可桢自觉运用演绎、归纳、类比等不同逻辑方法来解决一些实际问题。1921 年，《科学》杂志第 6 卷第 4 期登载了竺可桢的论文《杭州西湖生成的原因》。在这篇文章中，竺可桢分析杭州附近冲积平原的性质时有这样一段说明："西湖的地形，南、西、北三面均为山所围绕，唯有东面是一个冲积平原，浙江省城就在这个冲积平原之上，所有泥土，统是钱塘江带下的沉淀积成。大凡河流所带泥沙到了河口，一部分就要沉下来，一则因为河流入海受了海水的阻力，速率减缩。二则因为海水含盐分，盐分能减少河水分子的凝聚力。有了上述两层原因，凡是大江大河，如埃及的尼罗河，印度的恒河，以及我国黄河、长江，到了入海地方，均成有三角洲。照这样看来，杭州附近冲积平原，不过是钱塘江所成的一个三角洲。"③ 这里，

---

① ② 竺可桢：《科学之方法与精神》，《竺可桢文集》，科学出版社 1979 年版，第 230 页。

③ 竺可桢：《杭州西湖生成的原因》，《竺可桢文集》，科学出版社 1979 年版，第 18 页。

竺可桢首先提出西湖东面的冲积平原"统是钱塘江带下的沉淀积成"，然后运用了三段论式进行相关论证。具体的思维过程是：①凡大江大河均在入海地方有三角洲，所以，钱塘江入海处有三角洲。②钱塘江入海处的冲积平原是钱塘江所形成的三角洲，杭州附近冲积平原位于钱塘江入口处，所以，杭州附近冲积平原是钱塘江形成的一个三角洲。可以看出，在这里，竺可桢连续运用了两个三段论推理。

1925 年，竺可桢在《科学》杂志第 10 卷第 2 期发表《南宋时代我国气候之揣测》一文。其中，他在解释杭州在南宋时入春多雪的原因时有这样一段分析："依美国气象学家库尔默（Kullmer）氏之研究，知日中黑子多，则美国风暴亦愈多。且风暴所行之路径，亦视日中黑子数多寡而有不同。日中黑子多，则风暴趋向美国南部（北纬 20°左右），黑子少，则风暴趋向美国北部。我国风暴途径与日中黑子之关系，虽尚乏研究，但在同一带内，度其影响亦必类似。若然，则南宋时代既为历史上日中黑子发现最盛之时期，则风暴固应频仍，而南趋长江流域（北纬 30°左右）。此当时杭州之所以入春多雪也。"[①] 这里，竺可桢对"当时杭州之所以入春多雪"的原因进行分析的过程，其实质即为运用类比推理：由美国日中黑子与风暴的关系，推论出中国日中黑子与风暴的关系，推理的依据是"类同"，即中国和美国"在同一带内"。关于类比推理，竺可桢称之为"类推"，其特征表现为"从个别推论到个别"。

263

1936 年，竺可桢在《气象杂志》第 12 卷第 4 期发表论文《冬寒是否为水灾之预兆》。在这篇文章中，竺可桢在批驳当时有许多人相信"今年（1936 年——引注）的黄河、长江一定会酿

---

① 竺可桢：《南宋时代我国气候之揣测》，《竺可桢文集》，科学出版社 1979 年版，第 56 页。

成极严重的水灾"这一观点的根据之一，即"今年（1936年——引注）冬季的雪特别多"时，运用了归纳推理。文中指出："我国南部已入副热带和热带，一冬很少见雪。""我国黄河、长江流域，冬天降雪数日后即蒸发净尽。今年（1936 年——引注）2 月间甘肃酒泉所报告十五、六年未有之大雪，亦只平地积到三、四厘米，两星期以后就蒸发不见了。至于黄河、长江上游的高山，如南山、大雪山、积石山，山上的雪是历年积下来的，每年夏季统要溶解一部分，虽足以资长江、黄河之挹注，但不足以酿成水灾。""本年（1936 年——引注）冬天拉萨虽曾降过几次雪花，但平地未见积雪。黄河、长江流域各处本年冬季（即1935 年 12 月和 1936 年 1、2 月）的降水量（雨量和雪量），亦不比往年特别丰富"[①]。根据上述情况，竺可桢在文中进一步得出结论："说今冬多雪，夏季必有水患是无稽之谈"[②]。这样，他就明确否定了"今冬（1936 年冬——引注）多雪"的观点。这一否证的具体思维过程，属于归纳法在竺可桢科学研究中的自觉运用。关于归纳法，前文曾有提及，竺可桢将其特征归结为"从个别推论到普遍"。

第三节　西方逻辑传播对张君劢、丁文江
科学思想的影响

20 世纪 20 年代初，在中国思想界发生了一场著名的辩论——科学与玄学论战，或称"科学与人生观论战"、"人生观论战"。1923 年 2 月，张君劢在清华大学作了题为《人生观》的讲演，认为人生观的特点是"主观的"、"直觉的"、"综合的"、"自

---

①② 竺可桢：《冬寒是否为水灾之预兆》，《竺可桢文集》，科学出版社 1979 年版，第 222 页。

由意志的”、“单一性的”，所以，“科学无论如何发达，而人生观
问题之解决，决非科学所能为力，惟赖诸人类之自身而已”①。
同年 4 月，丁文江在《努力周报》上发表《玄学与科学——评张
君劢的〈人生观〉》一文，反对张君劢的主张，认为“凡是心理
的内容，真的概念推论，无一不是科学的材料”②。人生观要受
论理学的公例、定义、方法的支配，论战遂战。在这场论战中，
“科学派”的主要代表人物是丁文江，“玄学派”的主要代表人物
是张君劢。虽然张君劢和丁文江在人生观与科学的关系问题上，
观点彼此相左，但是，关于西方逻辑与科学的关系，二人则均持
肯定态度。张君劢和丁文江二人对于西方逻辑与科学关系的看
法，在一定程度上反映着近代时期西方逻辑传播对中国学者科学
思想所产生的影响。

一、西方逻辑传播对张君劢科学思想的影响

　　张君劢（1887—1968），原名嘉林，字士林，号立斋，别署
世界室主人，江苏宝山人。在科学与人生观论战中，张君劢先后
发表《再论人生观与科学并答丁在君》、《科学之评价》等论文。
这些论文的一些内容，涉及西方逻辑传播对张君劢科学思想的影
响。作为一门基础性、工具性学科，张君劢认为逻辑学对于科学
具有直接支配作用。《科学之评价》一文指出：“论理上之公例”、
“因果律”等属于“各种科学最高原则”③。《再论人生观与科学

---

　　①　张君劢：《人生观》，张君劢、丁文江等：《科学与人生观》，山东人民出版社
1997 年版，第 38 页。
　　②　丁文江：《玄学与科学——评张君劢的〈人生观〉》，张君劢、丁文江等：《科
学与人生观》，山东人民出版社 1997 年版，第 50 页。
　　③　张君劢：《科学之评价》，张君劢、丁文江等：《科学与人生观》，山东人民出
版社 1997 年版，第 224 页。

并答丁在君》一文指出："科学家以理智（即论理公例）解释一切"①。可见，张君劢是明确承认逻辑学的基本规律，即同一律、排中律和矛盾律为各门具体科学所遵循，而且亦是科学家解释活动的凭借。在谈及"论理学上之公例"时，张君劢曾经这样说明，"曰同一，曰矛盾，曰排中"②。

张君劢认为，逻辑学对于科学的支配作用，并非仅仅体现在三个逻辑基本规律的作用方面，亦还体现在基本逻辑方法，即归纳法和演绎法对于科学的作用方面。他在《人生观》一文中指出："科学为论理的方法所支配，……科学之方法有二：一曰演绎的，一曰归纳的。归纳的者，先聚若干种事例而求其公例也。如物理化学生物学所采者，皆此方法也，至于几何学，则以自明之公理为基础，而后一切原则推演而出，所谓演绎的也。"③关于归纳法和演绎法，张君劢称其为"论理学上之两大方法"④。

逻辑学对于张君劢科学思想产生影响的另一个表现，即运用逻辑二分法对科学进行分类。他认为，"世界科学家、哲学家，无不承认科学之可以分类"⑤。例如，斯宾塞、孔德、托马斯、冯特、槐特亨（Whetham）都有他们各自的科学分类法。至于张君劢本人的科学分类，他指出："若夫我之分类曰物质科学与精神科学之分，取材于翁特氏（即冯特——引注）论理学中之二分法，曰确实科学（Exakte Wissenschaft），曰精神科学（Geiste Wissenschaft）。吾所以不取确实科学之名者，以物质二字与精神相对待，为明晓计，故取而代之。然各科学之所隶属，则吾与翁特（冯特——引注）所见，绝无二致。"⑥这里，张君劢明确

---

①②④⑤　张君劢：《再论人生观与科学并答丁在君》，张君劢、丁文江等：《科学与人生观》，山东人民出版社1997年版，第99、80、80、64、64—65页。

③　张君劢：《人生观》，张君劢、丁文江等：《科学与人生观》，山东人民出版社1997年版，第35—36页。

地指出他的科学分类依据系"翁特氏论理学中之二分法",并选择"相对待"的"物质"与"精神"二词以显示二分法的作用——"明晓",即明白易懂。

二、西方逻辑传播对丁文江科学思想的影响

丁文江(1887—1936),字在君,江苏泰兴人,近代地质学家,对开拓我国的地质事业作出了积极贡献。在科学与人生观论战中,丁文江先后发表《玄学与科学——答张君劢》、《玄学与科学的讨论的余兴》等论文。这些论文的一些内容,涉及西方逻辑传播对丁文江科学思想的影响。

丁文江认为,逻辑学即所谓科学方法。他在《玄学与科学——评张君劢的〈人生观〉》一文中指出:"我们所谓科学方法,不外将世界上的事实分起类来,求他们的秩序。等到分类秩序弄明白了,我们再想出一句最简单明白的话来,概括这许多事实,这叫做科学的公例。事实复杂的当然不容易分类,不容易求他的秩序,不容易找一个概括的公例,然而科学方法并不因此而不适用。不过若是所谓事实,并不是真的事实,自然求不出什么秩序公例。"[1] 这里,丁文江指出所谓科学方法就是运用分类、归纳等逻辑方法于"真的事实",以求出"科学的公例"[2]。其中,"分类是科学方法的第一步"[3]。关于科学方法中归纳法的运

267

---

[1] 丁文江:《玄学与科学——评张君劢的〈人生观〉》,张君劢、丁文江等:《科学与人生观》,山东人民出版社 1997 年版,第 42—43 页。

[2] 丁文江的这一思想,在他于《玄学与科学——评张君劢的〈人生观〉》一文中所给出的另一个科学方法之解释中曾有明确说明。他指出:"科学的方法,是辨别事实的真伪,把真事实取出来详细的分类,然后求他们的秩序关系,想一种最简单明了的话来概括他。"

[3] 丁文江:《玄学与科学——答张君劢》,张君劢、丁文江等:《科学与人生观》,山东人民出版社 1997 年版,第 192 页。

用，丁文江曾有明确说明："我们说物质科学同精神科学没有根本的分别，因为他们所研究的材料同为现象，研究的方法同为归纳。"① 关于科学方法对于逻辑方法的依赖关系，丁文江在后来的《科学化的建设》一文中有着直接论述。文中指出："所谓科学方法是用论理的方法把一种现象，或是事实来做有系统的分类，然后了解它们相互的关系，求得它们普遍的原则，预料它们未来的结果。"②

丁文江认为，逻辑方法不仅是科学方法之凭借，而且是科学知识得以确立的必要前提。他指出，"科学的目的"乃在于"要屏（摒）除个人主观的成见"，以"求人人所能共认的真理"③。"凡是真的概念推论，科学都可以研究，都要求研究。"④ 关于"真的概念推论"如何确立，丁文江指出，科学认为"凡不可以用论理学批评研究的，不是真知识"⑤。此外，丁文江还具体说明了如何"用论理学批评研究"以确立"真的概念推论"之情况。他指出："凡概念推论若是自相矛盾，科学不承认他是真的。"⑥ 这是讲矛盾律对于"真的概念推论"具有规范、制约作用——大凡违反矛盾律即出现"自相矛盾"现象的概念和推论，均不可能成为科学上的真概念、真推论。"凡推论不能使寻常有论理训练的人依了所根据的概念，也能得同样的推论，科学不承认他是真的。"⑦ 这是讲具体的"推论"何以能够成为科学的"推论"。关于这一点，丁文江曾有进一步的详细解释。他指出："我们审查推论，加了'有论理训练'几个字的资格，因为推论是最容易错误的。没有论理的训练，很容易以伪为真。戒文士（Jev-

268

---

① 丁文江：《玄学与科学——答张君劢》，张君劢、丁文江等：《科学与人生观》，山东人民出版社 1997 年版，第 199 页。

② 丁文江：《科学化的建设》，《独立评论》第 151 号。

③④⑤⑥⑦ 丁文江：《玄学与科学——评张君劢的〈人生观〉》，张君劢、丁文江等：《科学与人生观》，山东人民出版社 1997 年版，第 53、53、49、47、47 页。

ons）的《科学原则》（Principles Science）讲得最详细。"① 这里，丁文江强调了"有论理训练"对于确立推论为真的必要性，其实这亦就是在说明逻辑学有关推论的一系列规则和要求，是保证推论为科学所"承认"即为真的必要前提。换言之，科学"承认"为真的所有推论，均必须符合逻辑学中的有关推论规则和推论要求。

第四节　西方逻辑传播对其他学者科学思想的影响

中国近代时期西方逻辑传播除了对蔡元培、竺可桢、张君劢、丁文江等学人的科学思想产生影响之外，还对其他学者的科学思想亦产生了一定影响。下面以胡明复、任鸿隽、王星拱三人为例，作一简略介绍。

269

一、西方逻辑传播对胡明复科学思想的影响

胡明复（1891—1927），名达，江苏桃源人，和胡敦复（1886—1978）、胡刚复（1892—1966）一起，在 20 世纪中国教育史上有"胡门三俊"之称。1917 年，胡明复自美国哈佛大学毕业，以论文《具有边界条件的线性微积分方程》（Linear Integral Differential Equation With A Boundary Condition，由 W. A. Hurwitz 指导），获该校中国学生在数学科的第一个博士学

---

① 丁文江：《玄学与科学——评张君劢的〈人生观〉》，张君劢、丁文江等：《科学与人生观》，山东人民出版社 1997 年版，第 48 页。

位。作为中国的第一位数学博士，胡明复在中国科学社刊物《科学》杂志积极撰写文章，向国人传播科学，具体涉及物理、数学、生物、卫生诸多方面的具体知识，以及科学方法、科学精神等等。其中关于科学方法，胡明复强调了其对于科学的决定作用。他指出："科学必有所以为科学之特性在，然后能不以取材分。此特性为何？即在科学方法。"[2] 至于科学方法具体意指什么，胡明复的思想范围涉及逻辑上的归纳和演绎。他指出："归纳之法，其首据之事理为实事，而其归纳之结果则为通理，即实事运行之常则也，自此性质上区别观之，科学之方法当然为归纳的。……盖演绎必有所本，今所究为外界，则所本必不可人造。是以演绎之先，必有归纳为之基。"[3] 这里，胡明复把科学方法的外延首先指向了归纳法。当然，关于归纳法的局限性胡明复亦有清楚的认识。他指出："严格言之，事变不尽，则归纳之理不立"[4]。他具体以明东升西落之理为例予以阐释："明东升西落之常理，亦不得谓为绝对之归纳，其理之永远确实与否终在不可知之列。"[5] 在胡明复看来，真正的科学方法之特点，乃在于归纳法和演绎法两者的综合运用。他指出："科学之方法，乃兼合归纳与演绎二者。先作观测，微有所得，乃设想一理以推演之，然后复做实验，以视其合否。不合则重创一新理，合而不尽精切则修补之，然后更试以实验，再演绎之，如是往返于归纳演绎之间。……归纳与演绎既相间而进，故归纳之性不失，而演绎之功可收，其可为科学方法之特点。"[6] 基于对科学方法的上述理解，胡明复分析了科学律例之形成过程。他指出："事变之通则，谓

270

---

① 中国科学社筹建于 1914 年夏，正式成立于 1915 年 10 月 25 日，是由胡明复、赵元任、周仁、秉志、章元善、过探先、金邦正、杨铨、任鸿隽等留学美国的中国学生发起的。1918 年随社员大批回国而迁至国内，1960 年宣告结束。
②③④⑤⑥ 胡明复：《科学方法论一》，《科学》第 2 卷第 7 期。

之科学之律例。科学观察事变，辨其同违，比较而审查之，分析而类别之，得其事之常，理之通，然后综合会通成律例，此科学律例之由来也。"① 换言之，科学律例的形成依赖于归纳法和演绎法的正确运用，其中涉及观察、比较、分析、综合等不同方面。

二、西方逻辑传播对任鸿隽科学思想的影响

任鸿隽（1886—1961），字叔永，祖籍浙江吴兴，出生于四川垫江县。他是中国科学社和《科学》杂志的主要负责人，曾在《科学》、《新青年》、《建设》等刊物发表许多文章；1926 年，其编著的《科学概论》（上篇）又作为中国科学社丛书之一出版。在这些论著中，任鸿隽积极地向中国文化界传播科学文化，具体涉及科学的特性和目的、科学方法、科学精神、科学与道德和人生等诸多方面。其中，关于什么是科学，《〈科学〉发刊词》一文指出："科学者，缕析以见理，会归以立例，有翩理可寻，可应用以正德利用厚生者也。"② 《说中国无科学之原因》一文指出："科学者，智识而有统系者之大名。就广义言之，凡智识之分别部居，以类相从，井然独绎一事物者，皆得谓之科学。自狭义言之，则智识之关于某一现象，其推理重实验，其察物有条贯，而又能分别关联抽举其大例者谓之科学。是故历史、美术、文学、哲理、神学之属非科学也，而天文、物理、生理、心理之属为科学。今世普通之所谓科学，狭义之科学也。"③ 比较上述两个定义，可以看出其中存在一个共同之处，即强调逻辑方法对于科学

271

　　① 胡明复：《科学方法论二》，《科学》第 2 卷第 9 期。
　　② 任鸿隽：《〈科学〉发刊词》，《科学》第 1 卷第 1 期，樊洪业、张久春选编：《科学救国之梦——任鸿隽文存》，上海科技教育出版社 2002 年版，第 14 页。
　　③ 任鸿隽：《说中国无科学之原因》，《科学》第 1 卷第 1 期，樊洪业、张久春选编：《科学救国之梦——任鸿隽文存》，上海科技教育出版社 2002 年版，第 19 页。

的支配作用和基础地位。关于这一点，任鸿隽在《科学概论》一书中有更加明确的说明："科学是根据于自然现象，依论理方法的研究，发见其关系法则的有统系的智识。"[①] "科学之所以为科学，不在他的材料，而在他的研究方法。他的材料无论是自然界的现象也好，是社会上的情形也好，是生理上的作用也好，是心理上的表现也好，只要能应用科学的方法，做严密的有系统的研究，都可以成立一种新科学。"[②] 当然，任鸿隽强调的逻辑方法是指归纳法而非演绎法，他在《五十自述》一文中曾经这样明确指出："所谓科学者，非指一化学一物理学或一生物学，而为西方近三百年来用归纳方法研究天然与人为现象所得结果之总和。"[③]

强调归纳法对于科学方法的决定作用，任鸿隽的这一思想还体现在他关于演绎逻辑（形式逻辑）和归纳逻辑的比较方面。在《科学方法讲义》一文中，他这样指出："形式逻辑何以不中用呢？（一）因为形式与实质是决然两物，形式虽是对了，实质错不错，逻辑还是不能担保。……（二）就算实质形式皆不错了，但是应用这种逻辑来解释事理，仍旧靠不住。……所有的演绎逻辑，总离不了这个法门。这个法门为何？就是先立一个通论，然后由通论以推到特件。只要把通论立定，这逻辑的方法就成了一种机械作用。譬如车在轨道上，自然照着一方向进行，至于方向的对不对，逻辑是不管了的。现在要挽救这个弊病，自然唯有反其道而行之。一方面是暂时不下通论，而从特件入手，由特件以推到通论。一方面是用观察及试验，先求特件的正确。这从特件

272

---

①② 任鸿隽：《科学概论》（上篇），樊洪业、张久春选编：《科学救国之梦——任鸿隽文存》，上海科技教育出版社 2002 年版，第 323、348 页。

③ 任鸿隽：《五十自述》，樊洪业、张久春选编：《科学救国之梦——任鸿隽文存》，上海科技教育出版社 2002 年版，第 683 页。

以归到通论的办法，就是归纳逻辑。"① 基于以上分析，任鸿隽得出如下结论："归纳逻辑虽不能包括科学方法，但总是科学方法根本所在，我们须得详细研究归纳逻辑的真义。"②

需要指出，在强调归纳逻辑在科学方法中具有"根本"地位的同时，任鸿隽亦并未完全否定演绎逻辑的价值。在《说中国无科学之原因》一文中，他曾这样指出："吾谓归纳法为研究科学之必要，吾固未言演绎法非研究科学之必要也。"③

三、西方逻辑传播对王星拱科学思想的影响

王星拱（1887—1949），字抚无，安徽怀宁人。1906 年赴英国留学，进伦敦大学皇家学院学化学，后获硕士学位，1916 年回国。回国后曾任北京大学化学教授、安徽大学校长、武汉大学校长、中山大学校长等职务。从 1918 年开始，王星拱先后在《新青年》、《少年中国》、《新潮》等刊物撰写文章，宣传科学知识，论述科学精神、科学方法。1920 年，北京大学出版部出版了王星拱的著作《科学方法论》，"这是国内出版的第一部完整的科学方法论专著"④。与同一时期的其他许多学者一样，王星拱的科学思想亦明显受到西方逻辑传播影响。

273

1919 年，王星拱在《新潮》第 2 卷第 2 号发表文章《科学的真实是客观的不是》。文中指出："科学乃是人类智慧的出产品。在心的方面，他和思想律相符；在物的方面，他又适宜于外界。内界思想之动作，有思想律可以管理他；外界宇宙之进行，

---

①② 任鸿隽：《科学方法讲义》，《科学》第 4 卷第 11 期，樊洪业、张久春选编：《科学救国之梦——任鸿隽文存》，上海科技教育出版社 2002 年版，第 194 页。

③ 任鸿隽：《说中国无科学之原因》，《科学》第 1 卷第 1 期，樊洪业、张久春选编：《科学救国之梦——任鸿隽文存》，上海科技教育出版社 2002 年版，第 21 页。

④ 袁伟时：《中国现代哲学史稿》（上卷），中山大学出版社 1987 年版，第 593 页。

有天然律可以管理他。这两界的现象都是有定的，然后我们可以构造科学。"① 这里，实际上指出科学具有两重性质，即既需要符合客观外界的天然律，又需要符合人类思维的普遍规律——逻辑规律。这两种规律都是"有定的"，并非人们随心所欲创设出来。强调逻辑规律对正确认识的制约作用，这一点是为王星拱所反复强调的。在《科学的真实是客观的不是》这篇文章中，他又曾这样指出："从我们的经验，知道外界（天然界）的进行，有一定的定律管理他，我们的智慧，若是遵循思想律，一步一步的前进，可以渐渐的寻出这些定律。"② 这里，王星拱又在明确强调逻辑规律乃正确认识形成的必要条件。

西方逻辑传播对王星拱科学思想的影响，在其《科学方法论》一书中尤其明显和集中。在《科学方法论》一书中，王星拱基于如下理论认识——因果联系具有客观性和普遍性——提出了科学研究的首要任务是发现客观世界的因果联系。他指出："科学最注重因果律——科学之成立就是靠因果律作脊椎，当然承认宇宙是有定的。"③ 为了实现科学研究的目标，王星拱认为除了需要获得充分的材料，注意从事物的变化发展中去寻求事物的内在规律以外，尚需要运用一系列正确的方法。这些方法，具体包括归纳和演绎、分析和综合、假定、比较、推理等等。

（一）分析和综合

关于分析，王星拱强调要选择具有典型意义的事物，他指出："我们解剖植物，每类……之中，分个之数，可谓为无穷的，我们只能取出一二可为表式的而解剖之。又如我们分析有机化合物，每类……之中，分个之多，也是不胜数的，我们只能取出一二可为表式者而分析之。即如研究一国一时代之思潮，也须取一

---

①② 王星拱：《科学的真实是客观的不是》，《新潮》第 2 卷第 2 号。

③ 王星拱：《科学方法论》，北京大学出版部 1920 年版，第 313—314 页。

二有势力的学说以为表式，为研究之门径。"① 分析的对象确定之后，王星拱认为要把事物分到"最小的部分"予以观察。他指出："当我们研究外界现象的时候，这现象必定呈具复杂纷纭的状况，我们必须把他分析到最小的部分……才能着手。而且如此分析之后，纵云有什么错误，也易于发见出来。"② 至于分析的具体内容，他认为必须同异兼顾，即"我们研究众多的现象，求出同点，综合起来。然而他们的异点，都在未曾收录之列。若是到了一个特别的现象，我们仍然要分析研究这个特别的现象之本身。——便是现象之异点，也是必须研究的。"③ 关于综合，王星拱认为其实际上是一种推理，构成了归纳的一个环节。他指出："从分个推论到共总，叫做综合。"④ "归纳之中必有综合。"⑤ 至于综合的内容和要求以及必要性，王星拱指出，在分析事物个别特性的基础上，进一步总结出事物的共性之处；否则，"森罗万象，异不胜异，若将分个记录起来，那就劳而无功了。……所以每次综合，都在科学进步上加一个头衔。"⑥

275

（二）假定

假定，或称"假设"，王星拱在《科学方法论》一书中曾以专章论述这一逻辑方法，即"假定之用法"。王星拱在该章中首先谈到了假定对于科学的重要性。他说："培根以'从事实之征集之中构成定律'，为研究之唯一的方法；穆勒以'从此推彼'为推论之正宗。这都是轻视假定的。"⑦ 这里，对培根、穆勒贬抑逻辑假定在科学中的作用进行了否定。至于假定的直接作用，王星拱指出："大凡我们总是遇着若干事实，似乎有和旧有的定律假定不符的地方，我们方才构造一个和旧有定律假定相冲突的新

①②③④⑤⑥⑦　王星拱：《科学方法论》，北京大学出版部 1920 年版，第 291、316、257、244、262、258、199 页。

假定，……那（哪）有桎梏新事实于旧理论（假定）之下的道理呢！"① 其次，王星拱还谈到了假定的构造原则。他说："笛卡尔（Deskartes）的哲学方程式，是'我想故我是'。引申出来说，就是心里构造起来的理论，（就是假定）只要是根据于最简约的原理，自然会和外物相符。这就是以为假定是真实的，无须有试验的证明。"② 王星拱认为，笛卡尔的主张存在"有偏见"。肯定假定的作用，这是他和笛卡儿的共同之处，但认为假定之提出和验证均须依据客观事实，这又构成了他区别于笛卡尔的地方。换言之，王星拱认为，假定的提出要以事实为基础，同时，又须用事实去验证一定假定的正确性。同时，王星拱在该章中还指出了假定提出过程中矛盾律的作用问题。他说："我们构造假定，不能和已承认为真实而永未曾失误过的定律相冲突，如果冲突，必先证明此定律之非真实。"③ 这里，王星拱明确地指出假定的"构

276

造"必须以矛盾律为准绳——新的假定和已有定律之间必须彼此协调，不构成冲突；否则，必先证明已有定律"非真实"。唯有如此，新的假定方可能成立。

---

①②③　王星拱：《科学方法论》，北京大学出版部 1920 年版，第 207—208、200、206 页。

第七章　西方逻辑传播对教育的影响

中国教育的发展自 19 世纪中叶以后开始由传统向近代转变。促成这一转变的契机，乃在于"向西方学习"这一认识逐渐成为时代潮流。当然，在这一过程中人们对究竟应该向西方学习什么，以及如何学习等诸多问题的认识经历了若干渐次深化阶段。

随着西方逻辑的传播，逻辑学这一西方文化发展中的重要因素逐渐为中国近代时期的一些思想家、教育家和政治家所认同，并尝试着将其引入新教育事业的发展之中。总体而言，西方逻辑传播对中国近代时期教育发展的影响主要涉及教育观念、教育方法和教育内容。其中，教育观念和教育方法本书统称之为"教育思想"。

第一节　西方逻辑传播对教育思想的影响

西方逻辑在中国近代时期的传播，是伴随着鸦片战争后"西学东渐"的浪潮而展开的。其间，该门科学真正引起有识之士的高度重视，并被自觉引入教育实践的，当始自严复。继严复之后，王国维、孙中山、徐特立等其他一些先进人物，为西方逻辑在中华民族新教育建设事业中的应有地位进行了卓有成效的探索。

一、西方逻辑传播对严复教育思想的影响

严复是近代时期第一个系统译介西方逻辑著作的启蒙思想家，西方逻辑的传播对其教育思想有着直接影响。当然，就广义

而言，积极传播西方逻辑本身亦就体现了严复教育思想中对于逻辑学的高度重视。

严复认为，西方诸国之所以强盛，是因为它们的教育做到了"以瀹智慧、练体力、厉德行三者为之纲"①。相反，中国却"民力已苶，民智已卑，民德已薄"②。因此，他力主改革教育："是以讲教育者，其事常分三宗：曰体育，曰智育，曰德育。三者并重，顾主教育者，则必审所当之时势而为之重轻"③。三育之中，严复在《原强》一文中认为，根据中国的实际情况，当以智育为首重。文中指出："第由是而观之，则及今而图自强，非标本并治焉，固不可也。不为其标，则无以救目前之溃败；不为其本，则虽治其标，而不久亦将自废。标者何？收大权、练军实，如俄国所为是已。至于其本，则亦于民智、民力、民德三者加之意而已。……然则三者又以民智为最急也。"④ 在《与〈外交报〉主人书》中，严复亦表达了类似的思想。他指出："今吾国之所最患者，非愚乎？非贫乎？非弱乎？则径而言之，凡事之可以瘳此愚、疗此贫、起此弱者皆可为。而三者之中，尤以瘳愚为最急。何则？所以使吾日由贫弱之道而不自知者，徒以愚耳。"⑤ 为此，严复大声疾呼："继自今，凡可以瘳愚者，将竭力尽气鞭手茧足以求之。惟求之能得，不暇问其中若西也，不必计其新若故也。有一道于此，致吾于愚矣，且由愚而得贫弱，虽出于父祖之亲，

①② 严复：《原强修订稿》，卢云昆编选：《社会剧变与规范重建——严复文选》，上海远东出版社 1996 年版，第 19、22 页。

③ 严复：《论教育与国家之关系——在环球中国学生会演说》，卢云昆编选：《社会剧变与规范重建——严复文选》，上海远东出版社 1996 年版，第 146 页。

④ 严复：《原强》，卢云昆编选：《社会剧变与规范重建——严复文选》，上海远东出版社 1996 年版，第 17 页。

⑤ 严复：《与〈外交报〉主人书》，卢云昆编选：《社会剧变与规范重建——严复文选》，上海远东出版社 1996 年版，第 537 页。

君师之严，犹将弃之，等而下焉者无论已。有一道于此，足以瘉愚矣，且由此而疗贫起弱焉，虽出于夷狄禽兽，犹将师之，等而上焉者无论已。"① 严复所主张开启民智的重要凭借，即"西学"。在《原强修订稿》中，他这样指出："欲开民智，非讲西学不可。"② 在《与〈外交报〉主人书》一文中，严复这样指出："今日国家诏设之学堂，乃以求其所本无，非以急其所旧有。中国所本无者，西学也，则西学为当务之急明矣。"③ "西学"之中，严复所意指的一个重要方面即科学。在《与〈外交报〉主人书》一文中，他曾这样建议中国的教育发展，"中国此后教育，在在宜著意科学，使学者之心虑沈潜，浸渍于因果实证之间，庶他日学成，有疗病起弱之实力，能破旧学之拘挛，而其于图新也审，则真中国之幸福矣。"④ 而关于西方科学，严复认为逻辑学构成了其中一个重要方面。他指出："名（逻辑学）、数（数学）、质（化学）、力（力学和物理学），四者皆科学也。"⑤ 这里，严复把"名学"即逻辑学置放于其他科学之首，这在一定意义上反映出他对于该门学科的重视程度。至于"名、数、质、力"的具体作用，严复认为："不为数学、名学，则吾心不足以察不遁之理，必然之数也；不为力学、质学，则不足以审因果之相生，功效之互待也。"⑥ 类似的思想，即强调逻辑学的作用，在严复的著述中曾经不止一次地出现。在《西学通门径功用说》这篇讲演辞中，严复根据所提供知识的运用范围差异，把科学划分为玄学（名学、数学）、玄著学（物理学、化学）、著学（天文学、地质学、医学、动植物学以及法学等）。其中，名学和数学居于群科之首，

279

---

①③④⑤　严复：《与〈外交报〉主人书》，卢云昆编选：《社会剧变与规范重建——严复文选》，上海远东出版社1996年版，第537—538、540、542、536页。

②⑥　严复：《原强修订稿》，卢云昆编选：《社会剧变与规范重建——严复文选》，上海远东出版社1996年版，第33、19—20页。

因为其他各门科学固然"其用大矣","然而虽大而未大也",它们仅能供"专门之用",即适用于某一相应的知识领域,唯有玄学"公家之用最大。公家之用者,举以炼心制事是也"①。

除了视逻辑学为科学教育中的一项重要内容之外,严复还强调在教育方法中有关逻辑知识之应用。例如,在《论今日教育应以物理科学为当务之急》这篇著名的讲演辞中,严复认为"以中国前此智育之事,未得其方,是以民智不蒸,而国亦因之贫弱"②。为了转变人们心习,挽救数千年学界之流弊,严复提出"必假物理科学为之"。他所谓的"物理科学",涵盖物理学、化学、动物学、植物学、天文学、地质学、生理学和心理学。这些学科,严复又统称之为"内籀之科学",即归纳科学。关于学习、教授物理科学,严复提出:"欲为之有效,其教授之法又当讲求,不可如前之治旧学。"③至于学习、教授物理科学之方法,严复的

280 论述分别涉及"道"、"术"两个层面。就前者而言,他提出:"道在必使学者之心,与实物径接,而自用其明,不得徒资耳食,因人学语。"④就后者而言,严复提出了如下一些主张:"其治之也,首资观察试验之功,必用本人之心思耳目,于他人无所待也。其教授也,必用真物器械,使学生自考察而试验之。且层层有法,必谨必精,至于见其诚然,然后从其会通,著为公例。当此之时,所谓自明而诚,虽有父君之严,贲、育之勇,仪、秦之辩,岂能夺其是非!"⑤"独至物理一科,其教授之法,乃大不然。公例既立之余,随地随时可以试验。如水至热表零度而结冰,空气于平面每方寸有十斤之压力,此人人可以亲试者也。又

---

① 严复:《西学通门径功用说》,舒新城编:《中国近代教育史资料》(下册),人民教育出版社1961年版,第1007页。

②③④⑤ 严复:《论今日教育应以物理科学为当务之急》,卢云昆编选:《社会剧变与规范重建——严复文选》,上海远东出版社1996年版,第268、268、268、265页。

如内肾主清血出溺而非藏精，肺不主皮毛，肝不藏魂魄，虽其事稍难，然亦可以察验者也。是故此种学科，并无主张，只有公理，人人可自用其耳目，在在得实验其不诬。但教授之顷，为之师者，必具其物与器，而令学生自籀、自推，稍蓄疑团，而信他人传说者，皆大害事。……所谓教育新法者，此耳。"① 显然，上述"道"、"术"两个方面的实质，即逻辑归纳法的基本内容及其相应要求。

二、西方逻辑传播对王国维教育思想的影响

王国维是近代时期著名的学者，他不仅在文学、哲学以及史学等诸多方面颇有造诣，而且同时兼究教育学，对中国近代教育的发展作出了一定贡献。在王国维的教育思想当中，对于西方逻辑的关注是一个重要方面。

281

王国维认为，国家的兴盛在于获得人才，"足以供驱策之用"，而高等教育乃陶冶"英雄与天才"之场所。② 可是，中国当时的高等教育在很大程度上依然属于传统封建模式之延续，有碍于人才培养。例如，张之洞等人认为，中国的大学应该成为"各项学术艺能之人才"，"中国学术日有进步，能发明新理以著成书，能制造新器以利民用"，以及"谨遵谕旨，端正趋向"③，"俾学生心术壹归于纯正"④ 之场所，所以，中国的大学应该以

① 严复：《论今日教育应以物理科学为当务之急》，卢云昆编选：《社会剧变与规范重建——严复文选》，上海远东出版社1996年版，第267页。

② 王国维：《论平凡之教育主义》，姚淦铭、王燕编：《王国维文集》（第三卷），中国文史出版社1997年版，第66页。

③ 《奏定大学堂章程》，舒新城编：《中国近代教育史资料》（中册），人民教育出版社1961年版，第578页。

④ 张百熙、荣庆、张之洞：《重订学堂章程折》，舒新城编：《中国近代教育史资料》（上册），人民教育出版社1961年版，第197页。

研习经学为主。经学科大学的分科，是按"尚书"、"毛诗"、"春秋三传"、"周礼"、"理学"等来确定的，[①] 对于哲学概论、哲学史等一些西方学科则严格加以排斥。有鉴于此，王国维本着"异日发明光大我国之学术者，必在兼通世界学术之人，而不在一孔之陋儒固可决也"[②]。这一宽阔的教育眼界和开放之学术信仰，坚决主张革新传统教育。其中主要内容，涉及以西方逻辑等取代经学，将经学科大学并入文学科大学之中等等。关于新的"文学科大学之各科"，王国维认为包括五类，具体是"一、经学科；二、理学科；三、史学科；四、中国文学科；五、外国文学科。"其中各科所教授科目，可以下列表格显示[③]：

学科名称	所 授 科 目
经学科	一、哲学概论；二、中国哲学史；三、西洋哲学史；四、心理学；五、伦理学；六、名学；七、美学；八、社会学；九、教育学；十、外国文
理学科	一、哲学概论；二、中国哲学史；三、印度哲学史；四、西洋哲学史；五、心理学；六、伦理学；七、名学；八、美学；九、社会学；十、教育学；十一、外国文

---

① 《奏定大学堂章程》，舒新城编：《中国近代教育史资料》（中册），人民教育出版社 1961 年版，第 580 页。

②③ 王国维：《奏定经学科大学文学科大学章程书后》，姚淦铭、王燕编：《王国维文集》（第三卷），中国文史出版社 1997 年版，第 71、73—74 页。

学科名称	所 授 科 目
史学科	一、中国史；二、东洋史；三、西洋史；四、哲学概论；五、历史哲学；六、年代学；七、比较言语学；八、比较神话学；九、社会学；十、人类学；十一、教育学；十二、外国文
中国文学科	一、哲学概论；二、中国哲学史；三、西洋哲学史；四、中国文学史；五、西洋文学史；六、心理学；七、名学；八、美学；九、中国史；十、教育学；十一、外国文
外国文学科	一、哲学概论；二、中国哲学史；三、西洋哲学史；四、中国文学史；五、西洋文学史；六、□国文学史；七、心理学；八、名学；九、美学；十、教育学；十一、外国文

283

从以上表格中可以看出：1. 虽然王国维名义上主张设置"经学科"，而实际上却否定了它。他以包括名学（即逻辑学）在内的10种西方学科，替代了中国传统教育中千载如一的教育内容——"十三经"。这种情况表明，西方逻辑和其他学科一起，在王国维的教育思想中首先起到了冲击、替代传统教育内容之否定作用。2. 在王国维所开列的文学科大学各科所授科目中，除了"史学科"之外，其余四种学科均教授"名学"即逻辑学。这种情况，反映出王国维对于逻辑学的工具性学科性质有着独到的认识和理解：逻辑学不仅和西学中的诸多学科如哲学概论、心理学、美学等具有密切关系，而且亦应当和中国的诸多学科，如中国哲学史、中国文学史、中国史等保持密切联系。1908年，王国维将英国学者耶方斯的《逻辑基础教程》译成中文，这在一定意义上可以视为其希望将西方逻辑引入中国教育实践这一思想的直接产物。

在上列表格中，王国维虽然没有把逻辑学列入"史学科"所授科目之中，但是，从本书前面对王国维史学思想所受西方逻辑传播影响的有关分析中可以看出：王国维实际上还是主张逻辑学对于史学具有重要作用的。

三、西方逻辑传播对孙中山教育思想的影响

孙中山（1866—1925），名文，字德明，号日新，改号逸仙，一号中山，广东香山人。作为中国近代民主革命的先行者、思想家，他曾经对于西方逻辑的传播予以关注，这主要集中体现在《孙文学说》一书中。《孙文学说》初版于 1919 年，后被编为《建国方略》之一（"心理建设"）。在《孙文学说》一书中，孙中山先生曾就西文中"logic"一词之中文译名如"论理学"、"辨学"、"名学"等进行过详细的讨论，认为这些译法均有失偏颇之处，主张"logic""当译之为'理则'者也"①。此外，关于逻辑学的性质孙中山先生亦进行了讨论。他指出："然则逻辑究为何物？……作者于此，盖欲有所商榷也。""凡稍涉猎乎逻辑者，莫不知此为诸学诸事之规则，为思想行为之门径也。人类由之而不知其道者众矣，而中国则至今尚未有其名。"②可以看出，对于逻辑学的工具性、基础性学课性质，孙中山先生有着明确的认识。

中国近代时期西方逻辑传播对于孙中山的教育思想产生了一定影响。其中一个重要表现，就是他关于作文与逻辑关系的认识。他认为，逻辑学对于作文是至关重要的："夫学者贵知其（作文——引注）当然与所以然，若偶能然，不得谓为学也。欲

---

①② 孙中山：《建国方略》，《孙中山选集》，人民出版社 1981 年版，第 144 页。

知文章之所当然，则必自文法之学始；欲知其所以然，则必自文理之学始。"① 所谓"文法之学"，即"西人之'葛郎玛'（英文 grammar 之译音——引注）也，教人分字类词，联词造句，以成言文而达意志者也。"② 所谓"文理之学"，"即西人之逻辑也"③。此外，孙中山还具体解释了他为何在谈到作文时将逻辑称作"文理"。他说："作者于此姑偶用'文理'二字以翻逻辑者，非以此为适当也，乃以逻辑之施用于文章者，即为文理而已。"④

关于逻辑学对于作文重要性的详细论证，孙中山从如下两个方面进行分析：

1. 逻辑学的缺乏，直接影响到中国历代文人作文之效率、作文之质量。在《孙文学说》一书中，孙中山回顾了中国历代的作文情况，认为长时期以来，上自帝王，下至庶民百姓，甚至山贼海盗，无不羡仰文艺。但是，因为"中国自古以来，无文法、文理之学。"⑤ 就像渡水而无津梁舟楫，必当绕行百十倍的道路，因此"中国之文人，亦良苦矣！"⑥ 关于中国文人作文之具体情况，孙中山先生曾有如下一段描述："为文者穷年揣摩，久而忽通，暗合于文法则有之；能自解析文章，穷其字句之所当然，与用此字句之所以然者，未之见也"⑦。换言之，为学之人花费数年功夫以揣摩、推测为文之道，结果，一方面久而"不通"者劳而无功，另一方面"久而忽通"者即便能够做到行文符合"文法"，但是"能自解析文章"，了悟文法、理则之本来状况者"未之见也"。因此，这种"忽通"可以说实际上是一种自发而非自觉的认识状态，更何况它又是建基于长时间的苦思冥想之上。这样，孙中山先生一方面感叹中国因为向来未有逻辑、文法之学，进而

285

①②③④⑤⑥⑦　孙中山：《建国方略》，《孙中山选集》，人民出版社 1981 年版，第 141、141、143、143、141、141、141 页。

影响到人们为文成功之情况，另一方面慨叹亦正因此中国昔日文人中成功者"不能率由捷径以达速成"。此外，他还进一步认为，那些所谓的"通"为文之道者实际上不可谓之真通。他指出："惟人类之禀赋，其方寸自具有理则之感觉，故能文之士，研精构思，而作成不朽之文章，则无不暗合于理则者；而叩其造诣之道，则彼亦不知其何由也。"① 不难看出，关于作文，孙中山先生更为欣赏的是自觉"为文"，即为文者能够明晓其中之"道"——逻辑。这种不仅要知其然，更要知其所以然的作文态度，体现了孙中山思想中鲜明的科学精神，而将"文理之学"视为"知其所以然"之凭借，则又充分体现出孙中山对于引逻辑学入作文实践之必要性的高度关注。

2. 由于逻辑学的缺乏，使得作文、著书过程中易于出现逻辑错误。孙中山指出："不知理则之学者，不能知文章之所以然也。"② 并认为这种状况进而会导致学人行文著书过程中一些逻辑错误的发生。以近人所著语法著作《文法要略》为例。该书在讲解什么是"本名字"即专有名词（proper noun）时，列举侯方域《王猛论》中的句子"亮始终心乎汉者也；猛始终心乎晋者也。"以及孔稚圭《北山移文》中的句子"蕙帐空兮夜鹄怨，山人去兮晓猿惊"，认为其中的"亮"、"猛"、"鹄"、"猿"均皆为"本名字"，即单独概念。孙中山先生指出，这种观点是错误的："此以亮、猛、鹄、猿视同一律，不待曾涉猎理则学之书者，一见知其谬。即稍留意于理则之感觉者，亦能知其不当也。"③ 具体而言，"亮"、"猛"在原文中均作为表达单独概念的专有名词，其外延中仅只涉及一个分子，而"鹄"、"猿"则表达类概念（普遍概念），其外延中非仅涉及一个分子，二者之间是存在有差异

---

① ② ③　孙中山：《建国方略》，《孙中山选集》，人民出版社 1981 年版，第 144 页。

的，而《文法要略》的作者却将这两种情况混而为一。之所以出现此种错误，关键在于逻辑自觉之缺乏。孙中山先生明确指出："然著书者何以有此大错？则以中国向来未有理则学之书，而人未惯用其理则之感觉故也。"[1]

应当看到，孙中山先生对于逻辑与作文内在联系的解释尚需完善，但这仅仅是问题的一个方面。另一方面亦是更主要的，作为伟大的民主革命先行者，孙中山于《孙文学说》以及《建国方略》中论及逻辑与作文之关系，这一事实本身已经反映出西方逻辑传播对其教育思想产生了具体而深刻的影响。这种影响，客观上对于西方逻辑在中国的进一步传播乃至卓有成效地融入教育实践，无疑会起到积极的推动作用。

四、西方逻辑传播对徐特立教育思想的影响

徐特立（1877—1968），原名懋恂，又名立华，字师陶，湖南长沙人。1919年赴法国勤工俭学。在法国4年间，他边作工边学法语，后入巴黎大学学习自然科学。1928年，赴莫斯科入中山大学学习。1940年起，先后担任延安自然科学研究院院长和中共中央宣传部副部长。中共中央在致徐特立70岁诞辰的信中，称他的道路"代表了中国革命知识分子的最优秀传统"。

作为中国近代史上一位杰出的教育家，西方逻辑传播对徐特立的教育思想产生了一定影响。在晚年回忆自己的教育经历时，徐特立先生曾经有过这样一段话："我曾经在乡间教过十年蒙馆（比之现在初级小学程度还低）……日中间总是替学生做事；自己读书，要到晚上八、九点钟以后，每日只读两三点钟的书。平日走路，同晚上睡醒了天没有明的时候，就读书。口袋常带一本表解，我的代数、几何、三角，都是走路时看表解学的；心理

---

① 孙中山：《建国方略》，《孙中山选集》，人民出版社1981年版，第144页。

287

学、论理学，都是选出中间的术语，抄成小本子，放在口袋中熟读的"①。徐特立先生在教育工作中对于知识的执著追求于此略可窥见一斑。其中，"心理学、论理学，都是选出中间的术语，抄成小本子，放在口袋中熟读的"。反映出他对于心理学、逻辑学知识的高度重视。"熟读"一词，则在一定意义上再现出徐特立先生当时渴望认真学习心理学和逻辑学，以期提高自己教育素养的迫切心情。

　　教育思想上对于逻辑的重视，直接影响到徐特立关于教育方法主张的逻辑意识。1914 年，他在《公言》1 卷 3 号发表了关于教授国文方法的文章——《国文教授之研究》。在这篇文章中，徐特立先生阐明自己思想主张时对于西方逻辑知识的借助是很清楚的。例如，谈到"字句解释"的方法时，他具体列举了八种。其中，第八种即逻辑学中的下定义。文中写道："定义法：举属性解释之法，如云人，理性动物也；三角形，三直线两两相交所形成之形也。郑康成《周礼注》，释山曰积石曰山；释丘曰土高曰丘。《尔雅》释山曰大山宫，小山霍，皆列举条件即用此法。"② 谈到"修辞教授"中"用笔"时，他提出"用笔之法，一曰偶以厚势，一曰奇以行气"③。其中，"偶之种类有三"即"迭句"、"递句"和"对句"。关于"递句"，作者认为："递句，如有夫妇然后有父子，有父子然后有君臣等句，首句之末，即次句之首，以相同之语句相递者。论理学谓之复杂的三段论法，所以推求最远之因果者也。"④ 这里，徐特立先生运用了形式逻辑中的三段论来分析、说明"递句"之实质。在"修辞教授"这一问

---

　　① 徐特立：《小学教师自学经验谈——庆贺〈小学教师〉创刊》，湖南省长沙师范学校编：《徐特立文集》，湖南人民出版社 1980 年版，第 551 页。

　　②③④ 徐特立：《国文教授之研究》，湖南省长沙师范学校编：《徐特立文集》，湖南人民出版社 1980 年版，第 8、11、11 页。

题中谈到"布局"时,他提出,日本小学在教授文章布局时包括五种类型,即"追步"、"散列"、"前括"、"后括"以及"两括"。关于"后括",文中指出包括两种方法,其中第二种是"举若干事实,由归纳研究而作成规则或概念,如《过秦论》之类"①。这里,作者运用归纳法直接说明"后括"的第二种情形。此外,关于逻辑论证的思想,徐特立在谈到教材选择之标准时亦曾有所体现。他指出:教材选择的"形式"标准可以从"字体"、"成语"和"文体"三个方面进行考虑。其中,"文体"涉及"记事文"、"叙事文"、"说明文"、"议论文"以及"日用文"。关于"议论文",文章中的解释是:"议论文:对于命题,主张自己之意见,立证以实之之文,高等科可选用。"②可以看出,这里关于议论文的解释实际上直接吸收了逻辑学中关于论证的思想——根据若干判断,通过一定的推理来确认另一判断的思维过程。

　　需要指出:徐特立在教育思想上对于逻辑学的重视,不仅仅体现在其早年的教育活动中。1943 年 1 月 14 日,《解放日报》
登载了徐特立在延安纪念牛顿诞辰三百周年的讲话。在这篇讲话中,同样可以看出徐特立先生在教育思想上对于逻辑的重视。他指出:"牛顿的学说产生已三百年了。这三百年来,在他的学说中又不知增加了多少新的东西。现在要纪念他,就要把他的东西拿来研究,批判地学习他的方法,把它变成自己的方法,以及在现时的条件下,在具体的环境里,应用它来产生、创造新的东西。"③关于牛顿的研究方法,徐特立强调了归纳法和演绎法。其中,关于归纳法,他指出:"归纳法是培根创造的,实际上一

　　①②　徐特立:《国文教授之研究》,湖南省长沙师范学校编:《徐特立文集》,湖南人民出版社 1980 年版,第 11、4—5 页。
　　③　徐特立:《对牛顿应有的认识》,湖南省长沙师范学校编:《徐特立文集》,湖南人民出版社 1980 年版,第 284 页。

切把事实转化为逻辑都是归纳法。不过培根把它应用在实验室里成为一种更具体的归纳法，即他的归纳法中的同一法、差异法、剩余法、共变法等只表示是实验室中的方法。牛顿吸收当时工业航海的经验发明物理学和微积分学，比之培根的方法更广泛。"[1]关于演绎法，徐特立指出："牛顿用数学来说明物理时，也用演绎法。所谓演绎法，就是先有了原理，然后用这原理来解决事实问题，如物理中的很多现象用数学来解释。"[2]

五、西方逻辑传播对其他学者教育思想的影响

除了严复、王国维、孙中山以及徐特立之外，中国近代时期西方逻辑传播对其他学者的教育思想亦发生了一定影响。下面以陶行知和叶圣陶为例，作一简略介绍。

（一）西方逻辑传播对陶行知教育思想的影响

陶行知（1891—1946），原名文濬，后改知行，又改行知，安徽歙县人。1910 年入南京金陵大学文学系学习，1914 年毕业后去美国留学。先入依利诺大学学习市政，获政治硕士学位。后入哥伦比亚大学研究教育，师从杜威等，获教育硕士学位。1917年秋回国。陶行知先生著作宏富，论述精当，为中国现代教育事业的发展作出了不朽贡献，堪称中国近代教育史上的"一代圣人"、"伟大的人民教育家"。

中国近代时期西方逻辑的传播，对陶行知的教育思想产生了一定影响。1918 年 4 月，陶行知在《金陵光》第 9 卷第 4 期撰文指出："吾国办学十余年，形式上虽不无可观，而教育进化之根本方法，则无人过问。……仍旧贯，只是温故；仪型他国，则吾人以为新，他人以为旧矣。空想无新可见，武断绝自新之路，

---

①② 徐特立：《对牛顿应有的认识》，湖南省长沙师范学校编：《徐特立文集》，湖南人民出版社 1980 年版，第 284 页。

尝试则新未出而已中途废矣。何怪乎吾国教育之不振也!"[1] 对中国的教育进行反思,进行批评,陶行知的这一思想在其他地方亦有显呈。1934 年 12 月,《生活教育》第 1 卷第 20 期登载了陶行知先生的另外一篇文章,文中指出:"他(指传统教育——引注)教学生读死书,死读书;他(指传统教育——引注)消灭学生的生活力、创造力;他(指传统教育——引注)不教学生动手,用脑。"[2] 基于上述认识,陶行知先生大声疾呼,"欲教育之刷新,非实行试验方法不为功"[3]。至于如何把试验方法引入新教育的建设事业之中,陶行知先生曾经进行了详细阐述,其中包括归纳(统计归纳)法的引入。

291

　　1919 年,陶行知在《时报·教育周刊·世界教育新思潮》第 8 号刊发文章《试验教育的实施》。文中指出:"建设试验的教育,约有四种主要办法。"[4] 其中第三种,就是"应当注意应用统计法"。关于统计法文中指出:"教育的原则,不是定于一人的私见,也不是定于一事的偶然。发明教育原理的,必须按着一个目的,将千万的事实征集起来,分类起来,表列起来,再把它们的真相关系一齐发现起来,然后乃能下他的判断。这种方法,就叫做统计法。"[5]关于统计归纳法引入教育的必要性,陶行知先生认为:"试验教育是个很繁杂的事体,有了这种方法,才能以简御繁,所以统计法是辅助试验的一种利器,也是建设新教育的一种利器。研究教育的人,果能把这个法子学在脑里,带在身边,

　　①③　陶行知:《试验主义之教育方法》,华中师范学院教育科学研究所主编:《陶行知全集》(第 1 卷),湖南教育出版社 1984 年版,第 14、4 页。

　　②　陶行知:《传统教育与生活教育有什么区别》,华中师范学院教育科学研究所主编:《陶行知全集》(第 2 卷),湖南教育出版社 1985 年版,第 400 页。

　　④⑤　陶行知:《试验教育的实施》,董宝良主编:《陶行知教育论著选》,人民教育出版社 1991 年版,第 44、45 页。

必定是受用无穷的。"① 至于如何将统计归纳具体落实到教育之中，陶行知先生提出了如下建议："研究教育的机关，就须按着程度的高下，加入相当分量的统计法，列为正课，使那从事研究的人，能得一个操纵事实的利器。"②1923 年 1 月 15 日，《民国日报》登载了陶行知先生的另外一篇文章《教育与科学方法》。在这篇文章中，陶行知再次强调统计归纳对于教育事业的重要性。他指出："无斧不能砍木，无剪不能裁衣，无刀不能作厨子，无工具不能作教育的事业。教育工具可以从外国运的，可以从中国找的。从外国运来的第一是统计法。有了统计法我们可以比较，可以把偶然的找出个根本原理来，如同望远镜可帮助我们眼睛看的清楚，在材料中可找出一定的线索。所以统计是不可看轻的。第二就是测验。……此种工具是不能从外国运的（就是运来也不适用）。……但没有统计，也测不出来；没有测验，也统计不出来；二者是互相为用。"③

（二）西方逻辑传播对叶圣陶教育思想的影响

叶圣陶（1894—1988），名绍钧，字秉臣，后改字圣陶，江苏苏州人。他以作家、教育家和语言学家著称，被誉为中国"语文教育史上的一代宗师"。近代时期的西方逻辑传播，对叶圣陶教育思想，尤其是语文教育思想产生了一定的影响。

叶圣陶认为，学习国文应该认定两个目标：培养阅读能力，培养写作能力④。围绕这两个目标，他在一系列的著作中反复阐述了自己的具体主张。这些主张中，逻辑的存在是明显的。例

---

①② 陶行知：《试验教育的实施》，董宝良主编：《陶行知教育论著选》，人民教育出版社 1991 年版，第 45 页。

③ 陶行知：《教育与科学方法》，董宝良主编：《陶行知教育论著选》，人民教育出版社 1991 年版，第 119—120 页。

④ 叶圣陶：《中学国文学习法》，中央教育科学研究所编：《叶圣陶语文教育论集》（上册），教育科学出版社 1980 年版，第 120 页。

如，1942 年，叶圣陶在《国文杂志》发刊辞《认识国文教学》中指出："阅读和写作两项是生活上必要的知能；知要真知，能要真能，那方法决不是死记硬塞，决不是摹仿迎合。就读的方面说，若不参考，分析，比较，演绎，归纳，涵泳，体味，哪里会'真知'读？哪里会'真能'读？就作的方面说，若不在读的功夫之外再加上整饬思想语言和获得表达技能的训练，哪里会'真知'作？哪里会'真能'作？这些方法牵涉到的范围虽然很广，但是绝大部分属于语文学和文学的范围。说人人都要专究语文学和文学，当然不近情理；可是要养成读写的知能，非经由语文学和文学的途径不可，专究诚然无须，对于大纲节目却不能不领会一些。站定语文学和文学的立场，这是对于国文教学的正确认识。"[1] 进一步，叶圣陶认为如若在实际教学中实践上述认识，"国文教学就将完全改观"。具体而言，"不再像以往和现在一样，死读死记，死摹仿程式和腔调；而将在参考，分析，比较，演绎，归纳，涵泳，体味，整饬思想语言，获得表达技能种种事项上多下功夫。不再像以往和现在一样，让学生自己在暗中摸索，结果是多数人摸索不通或是没有去摸索；而将使每一个人都在'明中探讨'，下一分工夫，得一分实益。"[2] 可以看出，叶圣陶主张新的国文教学方法中应当引入"分析，比较，演绎，归纳"等逻辑方法。这些方法的引入，有助于实现教学过程质的转变——由不自觉向自觉，由收效甚微向"下一分工夫，得一分实益"转变。1947 年，叶圣陶在《中学生手册》撰文指出："就一个高中毕业生说，阅读能力和写作能力应该达到如下的程度：阅读方面……写作方面——（一）能作十分钟的演说；（二）能写合情合理合式的书信；（三）能把自己的所见所闻所思所感记下来；

---

①② 叶圣陶：《认识国文教学——〈国文杂志〉发刊辞》，中央教育科学研究所编：《叶圣陶语文教育论集》（上册），教育科学出版社 1980 年版，第 89 页。

（四）能写类似现社会中通用的文言信那样的文言。这里所说的'能'指表达得正确明白而言，至少也得没有语法上论理上的错误。就演说和书信说，还得没有礼貌上的错误。"[①] "无论应用的或练习的写作，以写得像样为目标。记事物记清楚了，说道理说明白了；没有语法上的毛病了；没有论理上的毛病了；这就是像样。"[②] 这里，叶圣陶以中学国文学习为例，具体说明了写作的要求，其中一个重要方面即必须遵循逻辑。这一点，他在《读〈文言虚字〉》一文中亦曾有明确的说明："说话作文不通，有两种原因，一是不合逻辑，二是不合语法。一个人思路清楚，说出话来写出文章都顺当有理，又一律依照语言习惯说出，不闹什么别扭，他的话与文就是通的了。"[③] 1943 年，叶圣陶在《国文杂志》发表文章《语言与文字》。其中指出："求语言的完美，学习论理学，文法，修辞学，是一个办法。论理学告诉我们思想遵循的途径，使我们知道如何是合理，如何便不合理。文法告诉我们语言的习惯，使我们知道如何是合式，如何便不合式。修辞学告诉我们运用语言的方式，使我们知道如何是有效，如何便没有效。多数人说话往往欠完美，指摘起来虽有多端，但是总不出不合理，不合式，没有效这三项。他们决非明知故犯，只因没有意识到合理不合理等问题，就常在口头挂着破破烂烂的语言。……现在从根本着手，对合理不合理等问题考查个究竟。待到心知其故，自会检出哪些语言是不合理，不合式，没有效的，剔除它们，不容它们损坏语言的完美。"[④] 至于如何才能做到"心知其故"，叶圣

294

---

①②　叶圣陶：《中学国文学习法》，中央教育科学研究所编：《叶圣陶语文教育论集》（上册），教育科学出版社 1980 年版，第 120—121、127 页。

③　叶圣陶：《读〈文言虚字〉》，中央教育科学研究所编：《叶圣陶语文教育论集》（下册），教育科学出版社 1980 年版，第 608 页。

④　叶圣陶：《语言与文字》，中央教育科学研究所编：《叶圣陶语文教育论集》（下册），教育科学出版社 1980 年版，第 605—606 页。

陶再一次强调了学习逻辑、语法和修辞的作用。他指出："现在学校教国文，按照课程标准的规定说，要带教一点文法和修辞学，实际上带教的还很少见。如有相当机会，还要酌加一点论理学大意。例子以日常生活中的语言，读本上的文句，作文练习簿上的文句为范围。这样办，目的之一是使学生心知其故，语言要怎样才算完美。"① 这样，叶圣陶不但指出了学习逻辑、语法和修辞是"求语言的完美"的一个途径，而且分析了其中的缘由，进而他还建议在实际的国文教学过程中，究竟如何指导学生学习逻辑、语法和修辞。

中国近代时期西方逻辑传播对叶圣陶教育思想的影响，还体现在其一些具体的教育实践过程中。1924年，商务印书馆出版了叶圣陶的《作文论》一书。书中指出："分类有三端必须注意的：一要包举，二要对等，三要正确。包举是要所分各类能够包含该事物的全部分，没有遗漏；对等是要所分各类性质上彼此平等，决不能以此涵彼；正确是要所分各类有互排性，决不能彼此含混。"② 基于这一认识，叶圣陶对于历史上的文体分类情况进行了审视。他指出："文字的体制，自来有许多分类的方法。现存的最古的总集要推萧统的《文选》，这部书的分类杂乱而琐碎，不足为据。近代完善的总集要数姚鼐的《古文辞类纂》，分文字为十三类。这十三类或以文字写列的地位来立类，或以作者与读者的关系来立类，或又以文字的特别形式来立类，标准纷杂，也不能使我们满意。"③ 基于分类的逻辑要求，在对历史上的文体分类情况进行批评之后，叶圣陶提出了自己的分类，并进行相应评

295

---

① 叶圣陶：《语言与文字》，中央教育科学研究所编：《叶圣陶语文教育论集》（下册），教育科学出版社1980年版，第606页。

②③ 叶圣陶：《作文论》，中央教育科学研究所编：《叶圣陶语文教育论集》（下册），教育科学出版社1980年版，第366页。

述。他指出："可分文字为叙述、议论、抒情三类。这三类所写的材料不同，要写作的标的不同，既可包举一切的文字，又复彼此平等，不相含混。"[1] 具体而言，叙述文的材料是客观的事物，写作的标的在于传述。议论文的材料是作者的见解，写作的标的在于表示。抒情文的材料是作者的情感，写作的标的在于发抒。1939 年，开明书店出版了叶圣陶和夏丏尊合著的《文章讲话》。其中，在谈到说明文时有这样一段叙述："说明文大体也有一定的方式。开头往往把所要说明的事物下一个诠释，立一个定义。例如说明'自由'，就先从'什么叫做自由'入手。这正同小学生作'房屋'的题目用'房屋是用砖头木材建筑起来的'来开头一样。平凡固然平凡，然而是文章的常轨，不能说这有什么毛病。从下诠释、立定义开了头，接下去把诠释和定义里的语义和内容推阐明白，然后来一个结尾，这样就是一篇有条有理的说明文。"[2] 接着，作者以蔡元培的《我的新生活观》为例进行了具体说明。可以看出，叶圣陶在这里运用了逻辑学上的定义知识，从理论和实践两个不同侧面阐述其关于说明文写作的一些认识。

第二节　西方逻辑传播对教育内容的影响

中国近代时期西方逻辑传播对教育的影响，除了表现在当时人们的教育观念、教育方法之外，还涉及教育内容，这主要是指逻辑学逐渐成为学校教育中的一个组成部分。

1903 年，张百熙、张之洞和荣庆曾经拟订一份《奏定学堂

---

① 叶圣陶：《作文论》，中央教育科学研究所编：《叶圣陶语文教育论集》（下册），教育科学出版社 1980 年版，第 367 页。

② 叶圣陶：《开头和结尾》，中央教育科学研究所编：《叶圣陶语文教育论集》（下册），教育科学出版社 1980 年版，第 428 页。

章程》。在该章程中，对学校系统、课堂设置以及学校管理等均有具体规定。这是一个比较完整的，并经法令正式公布在全国实行的学校体系，史称"癸卯学制"①。该学制自从 1903 年公布起，一直延用到 1911 年清朝灭亡。"癸卯学制"是中国近代教育史上最早颁布并于全国范围施行的新学制。该学制包含从小学到大学的完整体系。从纵的方面看，整个学制划分为三段六级：第一阶段为初等教育，设初等小学堂、高等小学堂；第二阶段为中等教育，设中学堂；第三阶段为高等教育，设高等学堂或大学预科、分科大学堂、通儒院。其中，与高等学堂平行的，包括优级师范学堂、实业教员讲习所、高等农工商实业学堂。"癸卯学制"在教育内容的具体设置上，已经包括了西方逻辑知识的引入。

"癸卯学制"中关于高等学堂有这样一段说明："设高等学堂，令普通中学堂毕业愿求深造者入焉；以教大学预备科为宗旨，以各学皆有专长为成效。"② 高等学堂学期三年，学科包括三类。其中，第一类学科预备入经学、政法、文学、商科等大学，该类学科所开设的科目包括：人伦道德、经学大义、中国文学、外国语、历史、地理、辩学（即逻辑学）、法学、理财学以及体操十科。关于优级师范学堂，"癸卯学制"的说明是"以造就初级师范学堂及中学堂之教员管理员为宗旨"③。优级师范学堂的学科分为三种。其中，第一种为公共科，具体包括人伦道德、群经源流、中国文学、东语、美语、辩学、体操等八科。学习时间为一年。可以看出，西方逻辑作为一门基础学科在"癸卯学制"中已经产生了实际影响，成为高等学堂以及优级师范学堂

297

---

① 因为该章程公布于光绪二十九年，即癸卯年。

② 《奏定高等学堂章程》，舒新城编：《中国近代教育史资料》（中册），人民教育出版社 1961 年版，第 567 页。

③ 《奏定优级师范学堂章程》，舒新城编：《中国近代教育史资料》（中册），人民教育出版社 1961 年版，第 691 页。

的课程之一。如果说"癸卯学制"为中国现代形式的学校制度奠定了基础，那么，其对于西方逻辑引入教育体制的尝试，可谓开启了随后逻辑学成为中国学校教育内容之一的历史先河。

1911 年，辛亥革命推翻了清廷统治。1912 年，中华民国成立，组成了以孙中山为首的临时政府。临时政府所面临的任务之一即进行文化教育改革。在教育部召开的临时教育会议上，曾经就学制改革问题进行讨论。结果，制定了一个新的学校系统，并附加九条说明。这一学制于 1912 年 9 月公布，称"壬子学制"。延至 1913 年 8 月，各种学校规程又相继颁布，对于"壬子学制"有所补充和修改。这样，最终综合成一个更加完整的系统，即"壬子癸丑学制"，或称"1912—1913 年学制"。"壬子癸丑学制"包括三个系统：普通教育、师范教育和实业教育。其中，师范教育又分为师范学校和高等师范学校两级。高等师范学校以造就中学校、师范学校教师为目的，分预科、本科和研究科。其中，预科一年，所学科目包括伦理学、国文、英语、数学、论理学（即逻辑学）、图画、乐歌以及体操。从"壬子癸丑学制"中对于高等师范学校有关课程的上述规定可以看出，尽管新的学制根据不同的教育宗旨对于学校课程进行了重要改革，但是，"癸卯学制"中所涉及的逻辑学内容依然保留了下来。这种情况表明，西方逻辑传播对于中国教育内容所产生的影响，已经愈来愈为更多的有识之士所理解、所认可，逻辑学逐渐融入中国近代时期教育事业的发展之中。"壬子癸丑学制"从诞生起一直施行 10 年之久，其间虽亦曾经有过一些改革、修订，但并无本质上的变化。它在这一时期的巨大影响，客观上又为西方逻辑与中国新教育的进一步融合提供了有力的制度保障。

20 世纪 20—40 年代，西方逻辑在已有基础上继续保持着和中国教育内容的接轨。更为可喜的是，数理逻辑在传播的过程中亦逐渐成为教育内容之一。关于具体情况，通过这一时期出版的一些教学用书即可窥见一二。1925 年，王振瑄的《论理学》一书出版，并作为当时高级中学逻辑教科书。1926 年，吴俊升的《新高中论理学概论》一书出版，该书原系作者在东南大学附中教学时所用的讲义。1930 年，王章焕的《论理学大全》一书出版，该书原系作者在浙江某些大学、中学等教学时所撰写的讲稿。1931 年，卢广镕的《论理学教科书》出版，该书系作者根据教育部规定的授课时数（每周两学时，开课一年，共 70 多学时），在直隶第二女子师范学校讲课所用的讲稿基础上整理而成。同一年，范寿康的《论理学》一书亦出版，其"编辑大意"中注明"本书系依照教育部最近颁布高级中学师范科暂行课程标准编辑而成"，是开明师范以及一些类似学校所采用的逻辑教材。1932 年，朱章宝、冯品兰两人的《论理学纲要》一书出版，该书系作者在浙江第一师范学校、厦门大学、上海法科大学、浙江第一高中等学校讲课的教材。同一年，何兆清的《论理学大纲》一书亦出版，该书原系作者在中央大学的逻辑讲义。1934 年，刘博扬的《论理学》一书出版，该书原系作者 1929 年秋在北京大学俄文法政学院（后改为法学院）任教时的教本。1936 年，雷香庭的《理则学纲要》一书出版，该书曾被作者在国民大学、广东省立法商学院、国立中山大学以及广州大学用作课本。1937年，金岳霖的《逻辑》一书出版，该书系作者 1927 年以后在清华大学的教学用书。其中，既包括传统形式逻辑的内容，又包括现代形式逻辑的内容。1938 年，沈有乾的《高中论理学》一书出版。该书系依照教育部颁发高级中学论理学课程标准编辑而成，供高中二年级学生使用。其中，包括有数理逻辑的一些基础知识。1943 年，陈大齐的《实用理则学八讲》一书出版，该书系根据作者在国民党中央训练团的八次讲稿合编而成。1946 年，朱章宝的《高中论理学》一书由中华书局出版。通过以上所列举的一些逻辑著作情况可以看出，20 世纪 20—40 年代，西方逻辑传播依然和中国教育保持着密切联系，一些大学、师范、高中等在课程的具体设置方面都包括逻辑学。

中国近代时期西方逻辑传播对于教育的影响，以上主要从教育思想、教育内容两个方面进行分析。此外，有些学者在这一时期已经开始自觉探讨逻辑学与教育之间的关系，应当说，这亦属于西方逻辑传播对于中国近代教育产生影响的一个方面。例如，1929年，邓性初在《哲学月刊》2卷1期发表论文《归纳法和演绎法在教授上的应用》。1931年，朱兆萃的《论理学》一书由上海世界书局出版。其中，曾专设"教育论理"一篇对于逻辑学与教育的关系进行探讨，这可被视为中国近代教育史上"教育论理学"之试作。

第八章 关于近代时期西方逻辑传播的反思

第一节 关于近代时期西方逻辑传播背景的反思

　　以名家和墨家的名辩思想为代表的中国古代逻辑，曾经对春秋战国时期的文化发展产生了积极影响。但是秦汉以后，随着包括名、墨在内的诸子学说社会地位出现旁落（相对于儒家学说而言），先秦逻辑所取得的成就在其后中国文化的发展过程中没能获得充分重视。在漫长的封建社会发展中，名、墨学说几成绝学。唐代玄奘（约 600—664）虽然在传播新因明方面成绩显著，但印度逻辑亦仅是在当时兴盛一时，很快便趋于沉寂。明朝末年，《几何原本》和《名理探》的译介开启了在中国文化发展史上传播西方逻辑之先河。但是，随着其后清政府推行闭关锁国政策，中国文化的发展和西方逻辑保持进一步接触并继续受其影响的历史契机遭致丧失。此外，《名理探》译笔拙涩，《几何原本》中演绎逻辑以实际应用方式而非理论体系方式存在，这些都极大地影响到西方逻辑在中国的早期传播所可能产生的实际效果。可是，如果从另一方面分析，翻译《名理探》和《几何原本》，为1840 年以后西方逻辑在中国社会的进一步传播起到了逻辑意识的历史积淀作用。

　　鸦片战争中清朝政府的失败，迫使一些有识之士逐渐认识到：中国应该向西方学习以图自强。从魏源"师夷长技以制夷"思想的提出，到洋务运动之兴起，再至戊戌维新的改良实践，一批批先进的救亡实践者对于中国所应学习西方具体东西的把握渐次深入——由器物层面发展到制度层面。随着 1898 年戊戌维新运动的失败，残酷的现实促使部分先行者深入思考中国向西方学习的新的目标指向。在这一过程中，作为西方文化核心的思维方式之重要构成部分——逻辑学，引起了中国学人的进一步关注，其中尤以严复为典型。可以说，近代时期西方逻辑之所以能够成功地在中国社会开始传播①，乃是"师夷长技以制夷"这一社会思潮演进到部分救亡者开始关注西方文化的核心——思维方式时的必然产物。

《穆勒名学》和《名学浅说》刊行前，西方逻辑传播的作用固然不容否定，但是，那些工作可以说仅仅在一定意义上为其后中国学者开始全面、系统地传播西方逻辑，并使该门科学受到更多人们的重视奠定了基础。从对中国文化所产生的实际影响的角度而言，中国学人在近代时期西方逻辑传播过程中主导性地位的确立，更加具有重要意义。

西方逻辑在中国近代时期的传播开始引起学术界关注，体现了鸦片战争后"向西方学习"这一社会思潮发展的必然结果，而清代实学思潮中对于先秦诸子典籍（包括逻辑典籍）的整理、研究，则为这种必然性之实现创造了语言前提；同时，实学思潮中所孕育着的逻辑方法、逻辑意识，在客观上又对这种必然性之实现起到了诱发、催化作用。当然，严复关于中西文化的总体走势及其与逻辑之关系，中国文化的发展与逻辑诸问题的理性思考，为他顺应时代趋势，实现西方逻辑传播过程中由传教士的主导地位转变至中国学人的主导地位提供了认识前提。

严复在西方逻辑输入过程中对于逻辑与西方文化关系的认识，即逻辑是"一切法之法，一切学之学"，表明他已经深刻地

---

① 这里所言"成功传播"，主要是就西方逻辑传播过程中主导力量是中国知识分子而言。

意识到逻辑学对于西方文化的发展所具有的支柱作用。这一点，和西方科学发展的客观事实大体上可谓一致。1953 年，爱因斯坦（Albert Einstein, 1879—1955）在给 J. E. 斯威策的信中曾经写道："西方科学的发展是以两个伟大的成就为基础，那就是：希腊哲学家发明形式逻辑体系（在欧几里德几何学中），以及通过系统的实验发现有可能找出因果关系（在文艺复兴时期）。"① 这里，爱因斯坦谈到了演绎法和归纳法对于西方科学的发展具有"基础"作用。美国著名学者费正清（John King Faribank）在《美国与中国》一书中，曾有专门一节论及中国近代"科学的不发达"问题。他指出："科学发展的另一阻碍在于中国学者未能制订出一套比较完整的逻辑体系，使人们能够据此以概念来检验概念，并系统地将一种陈述与另一种陈述进行对比。"② 由于"未能制订出一套比较完整的逻辑体系"，进而影响到中国"科学的不发达"，这可以说从反面表明了逻辑学对于西方科学的发展所具有的重要作用。马克思亦曾指出，近代西方科学的发展和"进行研究、观察、实验"有着密切关系③，而"研究、观察、实验"一方面本身即构成了归纳法的重要环节，另一方面它们中间亦包含着归纳法、演绎法的运用。

303

　　近代时期中国学人对于西方逻辑的积极传播，是建立在他们对于西方文化发展与逻辑关系的深刻认识基础之上的，其最终目的乃在于希望从根本上改变中国科学发展落后于西方的状况。令人惋惜的是，这种认识未能始终得到人们的理解和重视。20 世

----

　　① 赵中立、许良英编译：《纪念爱因斯坦译文集》，上海科学技术出版社 1979 年版，第 46 页。

　　② ［美］费正清著，张理京译：《美国与中国》，世界知识出版社 1999 年版，第 73 页。

　　③ 参见马克思：《机器。自然力和科学的应用》，人民出版社 1978 年版，第 208 页。

纪 30 年代，中国学术界出现了对于形式逻辑的激烈批评，将其错误地划同于形而上学。1949 年以后，拯救民族危亡的局面虽然已经不复存在，而加强西方逻辑传播以促进民族科学发展的历史任务并未完成。但是，新形势下逻辑的传播道路并非平坦。20 世纪 50 年代中期至 60 年代中期，虽然由于受到苏联哲学界关于逻辑问题讨论的影响，对传统逻辑的批评态度在中国学术界已经有相当程度的改变，但是，对于现代逻辑的盲目排斥又重新笼罩了人们的思想。1966 年以后的近十年中，逻辑学再遭厄运，学校中的有关课程甚至亦被取消了。时至今日，这一问题并未得到彻底解决。这不仅是指逻辑课程和教学时数的被压缩、被取消，以及逻辑专业工作者队伍的严重萎缩，更指存在某些人提出彻底消除逻辑的论调，甚至附和"解开逻辑的铁索，消除逻辑的重压"，"打破逻辑法则的专横统治，争取思想的更自由呼吸"此类主张。①

"解开逻辑的铁索，消除逻辑的重压"，"打破逻辑法则的专横统治，争取思想的更自由呼吸"，这种主张代表了西方后现代主义哲学思潮对于逻辑学的态度，属于其反理性主义特征的一个重要表现。就西方社会而言，这种反逻辑倾向自有其不难理解的历史和文化背景。西方文化具有根深蒂固的逻辑传统，逻辑成为理性之根基，科学之工具。在西方文化中，逻辑、理性与科学三者密切联系，不可分割。丹尼尔·贝尔（Daniel Bell）曾经指出，"理性至上"的思想"统治了西方文化将近两千年"②。结果，理性、科学和逻辑的片面发展，"造成了西方文化的缺失，

---

① 参见崔清田：《逻辑与中国文化的发展和建设》，《理论与现代化》1997 年第 5 期。

② 参见［美］丹尼尔·贝尔著，赵一凡、蒲隆、任晓晋译：《资本主义文化矛盾》，生活·读书·新知三联书店 1989 年版，第 97 页。

那就是对人文科学的轻视，对人的价值、人的生存意义、人的非理性因素的忽略与排斥"[1]。西方后现代主义哲学思潮的反逻辑倾向，在一定意义上可谓是对西方文化发展过程中过分重视理性的一种反动。因此，就西方文化而言，这种倾向不失其一定的合理性。但如若东施效颦，将此种主张直接移植到中国文化建设过程当中，则难免失之恰当。究其原因，1. 在中国传统文化发展过程中，逻辑学并没有得到充分的重视，诚如梁漱溟所言："若与西方比看，固是论理的缺乏而实在不只是论理的缺乏，竟是'非论理的精神'太发达了。"[2] 中国社会在走向现代化的过程中需要引入逻辑，以取西方之长补吾人所短，这是发展科学以及推动社会进步的现实需要。2. 后现代主义哲学思潮的反逻辑倾向，和西方乃至世界科学发展的实际情况并不完全符合。联合国教科文组织在 1974 年编制学科分类时，排列出当代七大基础学科：数学、逻辑学、天文学和天体物理学、地球科学和空间科学、物理学、化学、生命科学。其中，逻辑学具体包括逻辑的应用、演绎逻辑、一般逻辑、归纳逻辑、方法论等。在七大类基础学科当中，逻辑学位居第二，可见逻辑学对于科学发展所具有的重要作用依然为人们在事实上所认同和重视。1977 年，英国不列颠百科全书的编者则更把逻辑视为知识五大分科之首。在这种情况下，如若不顾实际情况，片面移植后现代主义哲学思潮的反逻辑主张入中国文化建设之中，其结果，将会使中国文化本身所固有的弱点（逻辑意识不发达）每况愈下（相对于西方），并进而影响到中西方科学发展的实际差距将会愈益增大。

305

---

① 程仲棠：《后现代主义哲学思潮对逻辑的冲击》，《学术研究》1997 年第 8 期。

② 梁漱溟：《东西文化及其哲学》，中国文化书院学术委员会编：《梁漱溟全集》（第 1 卷），山东人民出版社 1989 年版，第 358 页。

　　总之，以严复、屠孝实、金岳霖、汪奠基等人为代表的中国近代时期的西方逻辑传播者，正是基于吸收西方文化中的逻辑精神，以推动中国科学乃至整个社会文化向前发展为目的而开始其具体传播历程的。他们的思想，体现着对于中西文化的深刻认识，反映了中国新文化建设的有效途径。可惜的是，这种文化建设的道路并非一帆风顺。这就为在今天的新文化建设当中，进一步重视逻辑学的传播和学习提出了迫切要求。

第二节　关于近代时期西方逻辑传播历程的反思

　　西方逻辑在中国近代时期的传播历程，是伴随着 19 世纪中叶以后中西文化交汇、中国文化由古至今的嬗变而逐渐展开的。从早期以传教士为传播主体的译介，到中期严复的传播引起许多中国学者的关注，西方逻辑在中国近代时期的传播发生了显著变化——传播主体实现了由以西方传教士为主向以中国学者为主的转移。在中期传播阶段，虽然仍然有马林、李杕等传教士抑或教徒的译介工作，但无论在传播信息的全面性、系统性，抑或传播途径的多样性等方面，它们均已退居次从地位。新文化运动中"德先生"和"赛先生"的奔走呼唤，一方面促进了传统逻辑在中国的迅速传播，例如大量学术著作出版，国外逻辑读本继续译介；另一方面迎来了现代逻辑发展的集大成者罗素赴华讲学，现代逻辑由此开始比较全面地传入中国。西方逻辑在中国的传播，至此亦开始进入一个新的历史时期——传统逻辑和现代逻辑同时呈现于中国学术界。但是，同一时期杜威"实验逻辑"的传播，使得中国学术界开始了对于形式逻辑的重新审视阶段。在这一过程中，一些学者放弃了逻辑为"一切法之法，一切学之学"的原有信念，转而更加倾心于"既重视内容，又重视形式"的"实验逻辑"。其中，吴俊升便是该类学者中的典型代表。这种情况的出现，标志着西方逻辑在中国近代时期的传播历程中首次遭阻，当然，这已经属于本书所理解的晚期传播阶段之内容。在晚期传播阶段，西方逻辑的传播遇到严峻挑战，"试验逻辑派"和"辩证逻辑派"对于形式逻辑进行了错误批评。批评的一个重要出发点，是认为逻辑学应该强调内容和形式的统一。

在西方逻辑传播的晚期阶段，中国学术界既有对形式逻辑的批评，又有针对批评的反批评。其中，金岳霖等学者立足于数理逻辑角度对于逻辑基本规律之阐释，在一定意义上，为20世纪40年代以后西方逻辑在中国的继续传播奠定了理性基础，它标志着中国学者对于逻辑基本规律性质的理解更加准确、更加科学。

纵览西方逻辑在中国近代时期的传播历程，发展趋势可以约略地描述为：传播者由早期的以传教士为主体逐渐过渡到后来以中国学者为主体，而中国学者则由早期的普遍持肯定态度，发展到后来有一部分学者由于立足于"试验逻辑"抑或"辩证逻辑"，进而对于形式逻辑的价值发生认识上的动摇。传播讯息由传统形式逻辑逐渐发展到传统形式逻辑和现代形式逻辑并举。近代时期现代形式逻辑传播的内容，主要是罗素的有关逻辑理论。

西方逻辑在传播过程中遭到的以"试验逻辑"和"辩证逻辑"为参照系的批评，在客观上削弱了它对于中国文化所可能产生的实际影响。这种批评之所以会出现，是有多方面原因的。其中，一个方面乃在于中国传统文化中逻辑意识不发达，致使在近代时期西方"试验逻辑"和"辩证逻辑"输入国内后，一些学者对于前此业已输入的形式逻辑之性质、作用发生了模糊乃至错误的认识。

就近代时期西方逻辑传播的实际情况来看，"辩证逻辑派"对于形式逻辑的批评具有更加深远的影响，它直接影响到20世纪后半叶西方逻辑在中国社会的传播情况。这场批评的实质，是把形式逻辑直接等同和指责为形而上学。至于导致这场批评在理论上的错误根源，主要有：1. 把逻辑学简单地等同于辩证法和认识论。2. 把形式逻辑中的同一律误解为认为事物是永远的、无差别的绝对等同以及肯定命题之惟一形式。3. 混淆辩证矛盾和逻辑矛盾两类不同性质的矛盾。① 上述错误认识的出现，固然和中国文化传统中逻辑意识欠缺有着密切联系，但更为直接的原因，乃在于当时苏联哲学界对于形式逻辑所进行的错误理解和批评指责。在当时的苏联哲学界，形式逻辑是被作为形而上学而加以批评的，这从当时编写的一些哲学著作中可以看出。例如，西洛可夫和爱森堡等所著的《辩证法唯物论教程》（中译本第三版）中这样指出："在形式论理论学，所谓否定是绝对的否定。形式论理学把否定看做完全的取消。例如，动物界中某种动物为他种动物所灭亡，这是否定。形而上学的论理学，没有看见过程之内部的矛盾的发展，过程之自己的否定；认为否定性不是发展着的矛盾之内部的起动的动因，而是外的动力。"② 米丁等著的《辩证唯物论与历史唯物论》（上册）中亦有类似观点："照形而上学和形式逻辑底观点，矛盾只在我人思维中有发生的可能，在客观现实中是不会有矛盾的。然而这种逻辑上的矛盾，照形式逻辑底见解说来，正是我们应当设法避免的毛病。根据形式逻辑底观念，矛盾是表示思维底错误，表示思维进程底不正确，它阻碍着思维底正确发展。假如说资产者认为'劳工阶级专政跟民主主义相冲突'，那么在他看来二者同时肯定就成为逻辑的矛盾了；若说'劳工阶级专政是民主主义底最高形式'，在他看来是荒谬之

308

---

① 参见李匡武主编：《中国逻辑史》（现代卷），甘肃人民出版社 1989 年版，第 106—119 页。

② 中央文献研究室编：《毛泽东哲学批注集》，中央文献出版社 1988 年版，第 119 页。

谈了。"① 所有这些，均是先把形而上学的内容强加给形式逻辑，然后再将形式逻辑视为形而上学进行批评。西洛可夫、爱森堡等的著作以及米丁等的著作在 20 世纪 30 年代被译成中文传入中国，② 这种情况不能不会影响到当时中国学术界对于西方逻辑的正确看法。以毛泽东为例。毛泽东在阅读《辩证法唯物论教程》时曾经这样认为："形式论理学的错误在于把否定看做过程与过程间的外的否定，再则看做绝对的否定，这是完全不理解现实的看法。"③ 这里所谓"形式论理学的错误"，正是形而上学之否定观，而非形式逻辑的实际观点。在阅读米丁等著《辩证唯物论与历史唯物论》（上册）中批评形式逻辑否认矛盾的地方，即上文所引那段话的旁边，毛泽东这样批注道："形式论理所谓错误正是正确，所谓正确正是错误。"④ 这些批注，一方面"表明把形式逻辑混同于形而上学，把反辩证法的形而上学内容外加于形式逻辑"⑤；另一方面亦反映了苏联哲学界的有关观点对于中国学术界、思想界之明显影响。这不能不使人们意识到，在逻辑意识不发达的中国社会，西方逻辑传播可能遭遇到的一大障碍便是有关外来思想对于学术界、思想界之干扰。排除干扰，加强对逻辑学的学习、研究，以进一步促进文化发展中逻辑意识之提升，成为西方逻辑在中国社会进行传播时需要注意的一个方面。

　　中国近代时期西方逻辑的传播历程，给今天的逻辑学传播工作提供了有益借鉴。

　　1. 重视现代逻辑的传播，同时又不可忽视传统逻辑知识之

---

　　①③④　中央文献研究室编：《毛泽东哲学批注集》，中央文献出版社 1988 年版，第 161—162、119、162 页。

　　②　西洛可夫、爱森堡等合著的《辩证法唯物论教程》，由李达、雷仲坚合译成中文，上海笔耕堂于 1935 年 6 月刊行第 3 版。米丁等著的《辩证唯物论与历史唯物论》（上册），由沈志远译成中文，商务印书馆于 1936 年 12 月刊行初版。

　　⑤　孙显元：《毛泽东逻辑观念的演变》，《江淮论坛》1993 年第 6 期。

介绍。西方逻辑的发展经历了两个历史阶段——传统形式逻辑和现代形式逻辑。如果现实的逻辑传播工作忽视了现代逻辑内容，就可能会使我们和西方逻辑学之发展现状疏远隔离，逻辑传播的讯息落后于时代发展，并进而影响到实际传播效果。但是，现代逻辑绝非凭空出现，其形成的一个重要前提，即传统逻辑在西方两千余年的持续传播所形成的肥沃逻辑土壤。离开了传统逻辑，现代逻辑的产生和发展就会成为无源之水、无本之木，其研究和传播不可能不会受到影响；此外，传统逻辑中的一些内容如词项理论、三段论理论等，尚未为现代逻辑所完全包括，而这些内容又和人们的实际思维具有密切关系。所以，现实中传统逻辑的传播并不能为现代逻辑传播所完全代替，前者具有存在的合理性。中国近代时期西方逻辑传播的主流讯息是传统形式逻辑，这在一定意义上说具有必然性。在一种缺乏逻辑传统的文化土壤里，使人们迅速而普遍地接受现代逻辑知识，似难免揠苗助长之嫌。金岳霖《逻辑》一书中所体现的西方逻辑传播特点，即既重视现代逻辑又不忽视传统逻辑，当不失为今天逻辑传播者的有益借鉴。

310

2. 在西方逻辑传播的过程中应当保持开放态势，这主要是指传播者应该注意学习和吸收国外学者的有关研究成果。从严复到田吴炤、王国维，再到金岳霖及其学生，可以说中国近代时期的一代代逻辑传播者基本上都坚持了这一方向。由于名、墨名辩思想在秦汉以后的中国社会中呈衰微态势，这就影响到中国文化在发展过程中对于逻辑的关注远远逊色于西方，并进而影响到其逻辑学研究的整体水平。有鉴于此，充分注意学习和吸收国外学者的有关研究成果，可以保证中国的逻辑学传播不失和西方保持一定联系，以撷其精华，提高我们的传播和研究水平。同时，对国外学者有关研究成果的学习和吸收，可以使我们避免或克服在传播逻辑过程中可能遇到的一些困难。20 世纪 30 年代"辩证逻辑派"对于形式逻辑的激烈批评，之所以没有能够从根本上阻止西方逻辑在中国的继续传播，其中一个不容忽视的重要原因就在于，部分学者能够自觉地立足于现代逻辑研究的有关成果，来说明和辩护传统形式逻辑的合理性。

第三节 关于近代时期西方逻辑传播
对于中国文化影响的反思

西方逻辑在中国近代时期的传播，直接缘起于鸦片战争后开始的"西学东渐"。在早期传播阶段，传教士承担了主要传播工作，西方逻辑对于中国文化在由传统走向现代过程中的价值尚未引起人们的普遍关注。戊戌维新失败后的客观现实，促使部分先进的中国知识分子把向西方学习的目光投向西方文化的至深层面——观念层面。作为启蒙思想家的严复，在这一历史时期对于逻辑与西方文化关系的认识和宣扬，使得逻辑在西方文化中所具有的作用彰显于国人面前；而前此西方科学的已有传播，更为人们直接理解逻辑与西方文化的密切关系提供了现实素材。在这种特定的历史背景下，《穆勒名学》和《名学浅说》的翻译出版进一步推动了西方逻辑与中国文化的融合。郭湛波在《近五十年中国思想史》中有关两书出版后客观效果的描述，可以视为对融合情况的一种概括。1915 年后新文化运动的兴起，更为代表西方文化中理性精神的逻辑学与中国文化建设之融合，创造了千载难逢的良机。胡适在 1923 年出版的《科学与人生观》一书《序》中曾经这样指出："这三十年来，有一个名词在国内几乎做到了无上尊严的地位；无论懂与不懂的人，无论守旧和维新的人，都不敢公然对他表示轻视或戏侮的态度。那个名词就是'科学'。这样几乎全国一致的崇信，究竟有无价值，那是另一问题。我们至少可以说，自从中国讲变法维新以来，没有一个自命为新人物

311

的人敢公然毁谤'科学'的。"① 在科学备受世人"崇信"的氛围中，作为西方科学重要组成部分的逻辑和中国文化进行融合，应当说是具有了较为有利的外部环境。"试验逻辑"输入中国后曾经引起一些学者对于形式逻辑价值认识的彷徨、动摇，20 世纪 30 年代"辩证逻辑派"对于形式逻辑的激烈批评，这些确实构成了西方逻辑传播对于中国文化产生影响历程中的障碍，但是，它们终未完全扼制住中国文化的发展继续受益于西方逻辑的引入。

1840 年后西方逻辑的传播，对于中国近代时期的哲学、史学、科学以及教育等领域均产生了一定的影响。人们的学术观念受到逻辑熏染，在具体学术方法运用方面亦注意逻辑基本规律、归纳法、演绎法以及定义等相关知识的自觉引入。尤为明显的是，西方逻辑传播在这一时期直接诱发了两个全新的研究领域——逻辑哲学和中国逻辑史。其中，金岳霖、沈有鼎、王宪钧、胡世华、牟宗三等一些学者，在逻辑哲学的研究领域起到了开拓作用。这种情况，对于在逻辑意识不发达，逻辑学传入历史短暂，西方反逻辑思想已经输入，"辩证逻辑派"对于形式逻辑发生严重误解的近代中国传播逻辑是至关重要的。梁启超、胡适、章太炎、章士钊以及郭湛波等一批学者，他们对于中国逻辑史研究领域的探索，对于人们认识中国古代文化中逻辑学的存在状况，中、西逻辑的差异，以及逻辑对于文化发展所具有的不同作用均具有重要价值。更主要的，他们的有关研究，对于人们在理解中、西逻辑共同性和差异性的基础上，利用西方逻辑之长以推进中国本土逻辑之发展，进而更加有效地推动中国文化由传统向现代转型，无疑会起到积极的推动作用。

---

① 胡适：《〈科学与人生观〉序》，张君劢、丁文江等：《科学与人生观》，山东人民出版社 1997 年版，第 10 页。

　　总之，"可以说，自鸦片战争以来，中国已逐渐地初步地形成了第二个文化传统即现代文化，它与第一个文化传统即古代文化的一个重要区别，就是引进了西方逻辑"①。中国现代文化论坛上各个方面的代表人物，包括哲学领域的谭嗣同、严复、冯友兰、金岳霖等，史学领域的梁启超、王国维、胡适、郭沫若等，科学领域的蔡元培、竺可桢、丁文江、任鸿隽等，教育领域的孙中山、徐特立、陶行知等，他们的学术观点均受到西方逻辑传播影响，并注意将有关逻辑知识融入到学术方法的运用当中。这样，就使得"中国学术由于吸收了逻辑的成果和方法而呈现出崭新的面貌。定义和划分的运用，推理和论证的讲究，成了现代学术著作有别于古代学术著作的一大特色。"②另外，逻辑哲学研究领域的开拓，为西方逻辑进一步融入中国文化建设创造了有利环境，它可以使人们对逻辑的本质和作用等一系列问题具有正确的理解，进而增强在逻辑传播过程中可能遭遇到的干扰之免疫能力；同时，这项研究亦有利于中国学术界逻辑研究水平的整体推进。中国逻辑史研究领域的开拓，则为实现中西逻辑合璧，进而更加有效地推动中国现代文化的建设和发展，在客观上增添了一臂之力。因为，西方逻辑对于中国文化的作用，从根本上而言不可能脱离开中国本土逻辑之特质。

313

　　西方逻辑在中国近代时期传播对于教育内容的影响，即逻辑学开始为教育界所接受，并视之为对学生进行教育的基本内容之一，这是这一时期西方逻辑传播所产生的重大社会效果之一。在一定意义上，它表明中国的有识之士已经开始自觉地认识到，文化构成中如若逻辑意识不发达，那将对民族文化和外国文化进行竞争是极为不利的，其中一个直接后果，便是影响到科学发展的

　　①②　程仲棠：《逻辑要与中国现代文化接轨》，《社会科学战线》1996 年第 4 期。

迟滞缓慢；而逻辑意识之培养又绝非朝夕所可致，唯有持之以恒，强化逻辑学的持续传播（即逻辑教育）方可收到成效。应当说，这是近代中国因为落后而遭致挨打受压，进而对有识之士重视发展教育内容的刺激之一。这一认识的获得，代价昂贵，发人深省。

在 20 世纪 30 年代的对形式逻辑批评浪潮中，因为主要受到苏联学术界观点影响，毛泽东对于形式逻辑产生了一定的误解。在《矛盾论》的最初讲稿中，原有"形式论理的同一律与辩证的矛盾律"一节，其中批评形式论理学"是形而上学"。随着时间的推移，毛泽东的逻辑观逐渐发生了转变。建国后，中共中央准备出版《毛泽东选集》。1951 年 3 月 8 日，毛泽东写信告诉田家英等人，《矛盾论》中"论形式逻辑的后面几段，词意不达，还须修改"[①]。后来，在《矛盾论》公开发表时，"形式论理的同一律与辩证的矛盾律"一节全部删去，这标志着毛泽东对于形式逻辑的误解最终完全消除。毛泽东逻辑观的根本转变，在一定意义上保证了 1949 年以后的一段时间内，中国的教育事业能够比较顺利地承继和延续近代百年以来所已经形成的重视逻辑之传统。1964 年春节，毛泽东又明确地提出"中学生学点逻辑"，指示学校要开设逻辑课。但令人惋惜的是，这种选择并没有在以后的教育实践中得到充分延续。延至当前，逻辑教育可谓已降至冰点。在现代化强国之梦的追求中，在民族危亡的形势紧迫中，近代中国的有识之士历经艰难曲折，方才发现了西方文化中逻辑理性之价值。他们几经奔走、几经呐喊，最终使逻辑学成为中国教育内容的重要组成部分。可以说，他们的唯一动机，乃在于增强中华固有文化中逻辑理性之成分，为发展现代科学创造良好的文化氛

314

---

① 参见龚育之、逄先知、石仲泉：《毛泽东的读书生活》，生活·读书·新知三联书店 1986 年版，第 120 页。

围乃至直接凭借。今天，新文化建设虽然不再面临亡国灭种之危难局面，但是，激烈的国际竞争形势，迫使追求现代化的进一步实现同样成为当代中国人奋斗的目标。现代化的内容是多方面的，其中一个重要方面就是科学现代化，而科学现代化的实现从根本上而言，难以离开文化土壤中逻辑理性的充分培植。这在客观上启示人们：逻辑学必须重新引起当代中国教育界，乃至整个社会的关注和重视，以接继并光大近代以来所形成的宝贵教育传统。

参考书目

1. 崔清田主编：《名学与辩学》，山西教育出版社 1997 年版。

2. 崔清田：《显学重光》，辽宁教育出版社 1997 年版。

3. 周云之、刘培育、沈剑英、周文英：《中国历史上的逻辑家》，人民出版社 1982 年版。

4. 温公颐主编：《中国逻辑史教程》，上海人民出版社 1988 年版。

5. 温公颐、崔清田主编：《中国逻辑史教程》（修订本），南开大学出版社 2001 年版。

6. 杨芾荪主编：《中国逻辑思想史教程》，甘肃人民出版社 1988 年版。

7. 李匡武主编：《中国逻辑史·近代卷》，甘肃人民出版社 1989 年版。

8. 李匡武主编：《中国逻辑史·现代卷》，甘肃人民出版社 1989 年版。

9. 周山：《绝学复苏——近现代的先秦名家研究》，辽宁教育出版社 1997 年版。

10. 周山：《中国逻辑史论》，辽宁教育出版社 1988 年版。

11. 彭漪涟：《中国近代逻辑思想史论》，上海人民出版社 1991 年版。

12. 曾祥云：《中国近代比较逻辑思想研究》，黑龙江教育出版社 1992 年版。

13. 周云之：《名辩学论》，辽宁教育出版社 1996 年版。

14. 《中国逻辑史研究》编辑小组编：《中国逻辑史研究》，中国社会科学出版社 1982 年版。

15. 李匡武主编：《中国逻辑史资料选·近代卷》，甘肃人民出版社 1991 年版。

16. 周云之主编：《中国逻辑史资料选·现代卷》（上、下），甘肃人民出版社 1991 年版。

17. 沙莲香主编：《传播学——以人为主体的图像世界之谜》，中国人民大学出版社 1990 年版。

18. ［英］丹尼斯·麦奎尔、［瑞典］斯文·温德尔著，祝建华、武伟译：《大众传播模式论》，上海译文出版社 1987 年版。

19. ［美］威尔伯·施拉姆、威廉·波特著，陈亮、周立方、李启译：《传播学概论》，新华出版社 1984 年版。

20. 宋林飞：《社会传播学》，上海人民出版社 1994 年版。

21. ［英］马林诺夫斯基著，费孝通等译：《文化论》，中国民间文艺出版社 1987 年版。

22. 李宗桂：《中国文化概论》，中山大学出版社 1988 年版。

23. 侯钧生主编：《社会学研究方法论》，南开大学出版社 1995 年版。

24. 许苏民：《比较文化研究史》，云南人民出版社 1992 年版。

25. 徐宗泽编著：《明清间耶稣会士译著提要》，中华书局 1949 年版。

26. 龚书铎主编：《中国近代文化概论》，中华书局 1997 年版。

27. 张岱年、方克立主编：《中国文化概论》，北京师范大学出版社 1994 年版。

28. 高瑞泉主编：《中国近代社会思潮》，华东师范大学出版社 1996 年版。

29. 生活·读书·新知三联书店编：《谭嗣同全集》，生活·读书·新知三联书店 1954 年版。

30. 熊月之：《西学东渐与晚清社会》，上海人民出版社 1994 年版。

31. 冯崇义：《罗素与中国——西方思想在中国的一次经历》，生活·读书·新知三联书店 1994 年版。

32. 〔英〕约翰·穆勒著，严复译：《穆勒名学》，商务印书馆 1981 年版。

33. 〔英〕耶方斯著，严复译：《名学浅说》，商务印书馆 1981 年版。

34. 〔英〕赫胥黎著，严复译，冯君豪注译：《天演论》，中州古籍出版社 1998 年版。

35. 傅汎际译义，李之藻达辞：《名理探》，生活·读书·新知三联书店 1959 年版。

36. 阮元：《畴人传》，商务印书馆 1991 年版。

37. 陈卫平：《第一页与胚胎——明清之际的中西文化比较》，上海人民出版社 1992 年版。

38. 王栻主编：《严复集》，中华书局 1986 年版。

39. 〔美〕本杰明·史华兹著，叶凤美译：《寻求富强——严复与西方》，江苏人民出版社 1996 年版。

40. 冯友兰：《中国哲学史新编》（第 6 册），人民出版社 1989 年版。

41. 冯友兰：《中国现代哲学史》，广东人民出版社 1999 年版。

42. 冯友兰著，涂又光译：《中国哲学简史》，北京大学出版社 1996 年版。

43. 冯友兰：《贞元六书》，华东师范大学出版社 1996 年版。

44. 王鉴平：《冯友兰哲学思想研究》，四川人民出版社 1988 年版。

45. 田文军：《冯友兰新理学研究》，武汉出版社 1990 年版。

46. 王中江、高秀昌编：《冯友兰学记》，生活·读书·新知三联书店 1995 年版。

47. 陈岱孙等：《冯友兰先生纪念文集》，北京大学出版社1993 年版。

48. 刘梦溪主编：《中国现代学术经典·金岳霖卷》，河北教育出版社 1996 年版。

49. 金岳霖：《逻辑》，生活·读书·新知三联书店 1961 年版。

50. 金岳霖学术基金会学术委员会编：《金岳霖文集》，甘肃人民出版社 1995 年版。

51. 中国社会科学院哲学研究所编著：《金岳霖学术思想研究》，四川人民出版社 1987 年版。

52. 杨国荣：《从严复到金岳霖——实证论与中国近代哲学》，高等教育出版社 1996 年版。

53. 王中江、安继民：《金岳霖学术思想评传》，北京图书馆出版社 1998 年版。

54. 方松华：《20 世纪中国哲学与文化》，学林出版社 1997年版。

55. 胡适：《中国哲学史大纲》（卷上），东方出版社 1996 年版。

56. 姜义华主编：《胡适学术文集·中国哲学史》，中华书局1991 年版。

57. 冯契：《中国近代哲学的革命进程》，华东师范大学出版社 1997 年版。

58. 李泽厚：《中国近代思想史论》，安徽文艺出版社 1994年版。

59. 李泽厚：《中国现代思想史论》，安徽文艺出版社 1994年版。

60. 许全兴、陈战难、宋一秀：《中国现代哲学史》，北京大学出版社 1992 年版。

61. 肖萐父、李锦全主编：《中国哲学史》，人民出版社 1983 年版。

62. 任继愈主编：《中国哲学史》，人民出版社 1979 年版。

63. 张尚水编：《当代西方著名哲学家评传》，山东人民出版社 1996 年版。

64. 梁启超：《中国近三百年学术史》，东方出版社 1996 年版。

65. 梁启超：《清代学术概论》，东方出版社 1996 年版。

66. 梁启超：《中国历史研究法》，华东师范大学出版社 1995 年版。

67. 夏晓虹编：《梁启超文选》，中国广播电视出版社 1992 年版。

68. ［美］勒文森（Levenson，J. R.）著，刘伟译：《梁启超与中国近代思想》，四川人民出版社 1986 年版。

69. 姚淦铭、王燕编：《王国维文集》，中国文史出版社 1997 年版。

70. 姜义华：《章太炎思想研究》，上海人民出版社 1985 年版。

71. 耿云志、闻黎明编：《现代学术史上的胡适》，生活·读书·新知三联书店 1993 年版。

72. 章士钊：《逻辑指要》，时代精神社 1943 年版；生活·读书·新知三联书店 1961 年版。

73. 袁伟时：《中国现代哲学史稿》（上卷），中山大学出版社 1987 年版。

74. 萧艾：《王国维评传》，浙江古籍出版社 1987 年版。

75. 姜玢编选：《革故鼎新的哲理——章太炎文选》，上海远东出版社 1996 年版。

76. 戴震著，何文光整理：《孟子字义疏证》，中华书局 1982 年版。

77. 张斌峰：《近代〈墨辩〉复兴之路》，山西教育出版社 1999 年版。

78. 戴震著，赵玉新点校：《戴震文集》，中华书局 1980 年版。

79. 张东荪编：《唯物辩证法论战》，民友书局 1934 年版。

80. 汪奠基：《逻辑与数学逻辑论》，商务印书馆 1933 年版。

81. 叶青编：《哲学论战》，辛垦书局 1934 年版。

82. ［英］罗素著，博种孙、张邦铭译：《罗素算理哲学》，商务印书馆 1924 年版。

83. 李杕译：《哲学提纲》，土山湾印书馆 1916 年版。

84. 李杕译：《名理学》，土山湾印书馆 1916 年版。

85. 张子和：《新论理学》，商务印书馆 1914 年版。

86. 王延直：《普通应用论理学》，贵阳论理学社 1912 年版。

87. 林可培：《论理学通义》，中国图书公司 1909 年版。

88. 王栻：《严复传》，上海人民出版社 1976 年版。

89. 《胡适文存》，黄山书社 1996 年版。

90. 顾长声：《传教士与近代中国》，上海人民出版社 1981 年版。

91. ［英］耶方斯著，艾约瑟译：《辨学启蒙》，广学会 1896 年版。

92. ［英］培根著，许宝骙译：《新工具》，商务印书馆 1984 年版。

93. ［意］利玛窦、金尼阁著，何高济、王遵仲、李申译：《利玛窦中国札记》，中华书局 1983 年版。

94. 徐光启撰，王重民辑校：《徐光启集》，中华书局 1963

年版。

95. 冯友兰：《三松堂自序》，生活·读书·新知三联书店1984 年版。

96. 冯友兰：《三松堂全集》（第 1 卷），河南人民出版社1985 年版。

97. 冯友兰：《三松堂学术文集》，北京大学出版社 1984 年版。

98. 金岳霖著，刘培育编：《哲意的沉思》，百花文艺出版社2000 年版。

99. 北京图书馆《文献》丛刊编辑部、吉林省图书馆学会会刊编辑部编：《中国当代社会科学家》（第 1 辑），书目文献出版社 1982 年版。

100. 胡适著，先秦名学史翻译组译：《先秦名学史》，学林出版社 1983 年版。

101. 梁启超：《中国历史研究法补编》，商务印书馆 1944 年版。

102. 梁启超：《研究文化史中的几个重要问题——对于旧著〈中国历史研究法〉之修补及修正》，华东师范大学出版社 1995 年版。

103. 梁启超：《饮冰室合集》，中华书局 1989 年版。

104. 王国维：《观堂集林》，商务印书馆 1940 年版。

105. 牟宗三：《逻辑典范》，商务印书馆 1941 年版。

106. ［英］苏珊·哈克著，罗毅译：《逻辑哲学》，商务印书馆 2003 年版。

107. 张志建：《严复学术思想研究》，商务印书馆国际有限公司 1995 年版。

108. ［日］十时弥著，田吴炤译：《论理学纲要》，生活·读书·新知三联书店 1960 年版。

109.〔日〕大西祝著，胡茂如译：《论理学》，河北译书社1906年版；泰东书局1919年版。

110.〔英〕耶方斯著，王国维译：《辨学》，生活·读书·新知三联书店1959年版。

111.张申府著译：《罗素哲学译述集》，教育科学出版社1989年版。

112.屠孝实：《名学纲要》，中华学艺社1925年版；生活·读书·新知三联书店1960年版。

113.王振瑄编：《论理学》，商务印书馆1932年版。

114.郭湛波：《论理学十六讲》，中华印书局1933年版。

115.〔美〕杜威演讲，刘伯明译：《试验论理学》，泰东图书馆1920年版。

116.吴俊升：《论理学概论》，中华书局1926年版。

117.CHAPMAN & HENLE著，殷福生译：《逻辑基本》，正中书局1937年版。

118.郭湛波：《先秦辩学史》，中华印书局1932年版。

119.郭沫若：《十批判书》，东方出版社1996年版。

120.郭沫若著作编辑出版委员会编：《郭沫若全集·文学编》（第20卷），人民文学出版社1992年版。

121.周云之：《墨经校注·今译·研究——墨经逻辑学》，甘肃人民出版社1993年版。

122.胡逢祥、张文建：《中国近代史学思潮与流派》，华东师范大学出版社1991年版。

123.张岂之主编：《中国近代史学学术史》，中国社会科学出版社1996年版。

124.史学史研究室编：《新史学五大家》，社会科学文献出版社1996年版。

125.吴怀祺：《中国史学思想史》，安徽人民出版社1996年

323

版。

126. 尹达编：《中国史学发展史》，中州古籍出版社 1985 年版。

127. 刘泽华主编：《近九十年史学理论要籍提要》，书目文献出版社 1991 年版。

128. 陈少明、单世联、张永义：《被解释的传统——近代思想史新论》，中山大学出版社 1995 年版。

129. 杜石然、范楚玉、陈美东、金秋鹏、周世德、曹婉如编著：《中国科学技术史稿》，科学出版社 1982 年版。

130. 〔英〕李约瑟著，陈立夫等译：《中国古代科学思想史》，江西人民出版社 1999 年版。

131. 〔英〕李约瑟：《中国科学技术史》（第 1 卷第 1 分册），科学出版社 1975 年版。

132. 〔美〕郭颖颐著，雷颐译：《中国现代思想中的唯科学主义》，江苏人民出版社 1995 年版。

133. 高平叔编：《蔡元培论科学与技术》，河北科学技术出版社 1985 年版。

134. 《竺可桢文集》，科学出版社 1979 年版。

135. 张君劢、丁文江等著：《科学与人生观》，山东人民出版社 1997 年版。

136. 郭湛波：《近五十年中国思想史》，山东人民出版社 1997 年版。

137. 王星拱：《科学方法论》，北京大学出版部 1920 年版。

138. 郑登云编著：《中国近代教育史》，华东师范大学出版社 1994 年版。

139. 毛礼锐、沈灌群主编：《中国教育通史》（第 4 卷），山东教育出版社 1988 年版。

140. 熊明安：《中国高等教育史》，重庆出版社 1988 年版。

324

141. 舒新城编：《中国近代教育史资料》，人民教育出版社1961年版。

142. 华东师范大学教育系编：《中国现代教育文选》，人民教育出版社1989年版。

143. 卢云昆编选：《社会剧变与规范重建——严复文选》，上海远东出版社1996年版。

144. 高平叔编：《蔡元培教育文选》，人民教育出版社1980年版。

145. 湖南省长沙师范学校编：《徐特立文集》，湖南人民出版社1980年版。

146. 华中师范学院教育科学研究所主编：《陶行知全集》（第1卷），湖南教育出版社1984年版。

147. 华中师范学院教育科学研究所主编：《陶行知全集》（第2卷），湖南教育出版社1985年版。

148. 董宝良主编：《陶行知教育论著选》，人民教育出版社1991年版。

149. 赵中立、许良英编译：《纪念爱因斯坦译文集》，上海科学技术出版社1979年版。

150. 中央教育科学研究所编：《叶圣陶语文教育论集》，教育科学出版社1980年版。

151. 《孙中山选集》，人民出版社1981年版。

152. 樊洪业、张久春选编：《科学救国之梦——任鸿隽文存》，上海科技教育出版社2002年版。

153. 高平叔编：《蔡元培全集》（第1—4卷），中华书局1984年版。

154. 高平叔编：《蔡元培全集》（第5—6卷），中华书局1988年版。

155. 恩格斯著，于光远等译编：《自然辩证法》，人民出版社 1984 年版。

156. 中国史学会主编：《洋务运动》（第 2 册），上海人民出版社 1961 年版。

157. 周云之主编：《中国逻辑史》，山西教育出版社 2004 年版。

158. ［美］费正清著，张理京译：《美国与中国》，世界知识出版社 1999 年版。

159. 中国文化书院学术委员会编：《梁漱溟全集》（第 1卷），山东人民出版社 1989 年版。

160. 龚育之、逄先知、石仲泉：《毛泽东的读书生活》，生活·读书·新知三联书店 1986 年版。

161. 中央文献研究室编：《毛泽东哲学批注集》，中央文献出版社 1988 年版。

附 录
中国逻辑史、因明研究文献索引
（1949.10—2004.4）

论文

1949—1977

1. 高亨：《〈墨经〉中的一个逻辑规律——"同异交得"》，《山东大学学报》1954 年第 4 期；文史哲杂志编辑委员会辑：《中国古代哲学论丛》，中华书局 1957 年版；高亨：《文史述林》，中华书局 1980 年版。

2. 汪奠基：《关于中国逻辑史的对象和范围问题》，《哲学研究》1957 年第 2 期；刘培育、周云之、董志铁编：《中国逻辑思想论文选（1949—1979）》，生活·读书·新知三联书店 1981 年版。

3. 沈有鼎：《评〈墨家的形式逻辑〉》（詹剑峰著，湖北人民出版社出版），《人民日报》1957 年 2 月 23 日。

4. 詹剑峰：《关于墨家和墨家辩者的批判问题——郭著〈十批判书〉质疑之一》，《学术月刊》1957 年第 4 期；刘培育、周云之、董志铁编：《中国逻辑思想论文选（1949—1979）》，生活·读书·新知三联书店 1981 年版。

5. 汪奠基：《老子朴素辩证观念的逻辑思想——无名论》，《哲学研究》1957 年第 5 期；刘培育、周云之、董志铁编：《中国逻辑思想论文选（1949—1979）》，生活·读书·新知三联书店

1981 年版。

6. 杜守素：《说"非人者必有以易之"》，《理论与实践》1958 年第 2 期；刘培育、周云之、董志铁编：《中国逻辑思想论文选（1949—1979)》，生活·读书·新知三联书店 1981 年版。

7. 李匡武：《墨家论"辟、侔、援、推"》，《理论与实践》1958 年第 7 期。

8. 李景春：《〈墨经〉辩论术的一个问题——兼与谭戒甫、高亨先生商榷》，《哲学研究》1958 年第 8 期；刘培育、周云之、董志铁编：《中国逻辑思想论文选（1949—1979)》，生活·读书·新知三联书店 1981 年版。

9. 杜国庠：《该怎样看待墨家逻辑》，《哲学研究》，1959 年第 10 期；刘培育、周云之、董志铁编：《中国逻辑思想论文选（1949—1979)》，生活·读书·新知三联书店 1981 年版。

10. 汪奠基：《略论名墨逻辑思想的特点》（一、二、三），《教学与研究》1959 年第 11—12 期，1960 年第 1 期。

11. 兆柯：《哲学会座谈中国逻辑思想史研究问题》，《光明日报》1961 年 5 月 11 日；刘培育、周云之、董志铁编：《中国逻辑思想论文选（1949—1979)》，生活·读书·新知三联书店 1981 年版。

12. 汪奠基：《丰富的中国逻辑思想遗产》，《光明日报》1961 年 5 月 21 日；刘培育、周云之、董志铁编：《中国逻辑思想论文选（1949—1979)》，生活·读书·新知三联书店 1981 年版。

13. 钱宝琮、杜石然：《试论中国古代数学中的逻辑思想》，《光明日报》，1961 年 5 月 29 日；刘培育、周云之、董志铁编：《中国逻辑思想论文选（1949—1979)》，生活·读书·新知三联书店 1981 年版。

14. 汪奠基：《略谈中国古代"推类"与"连珠式"》，《光明日报》1961 年 10 月 11 日；刘培育、周云之、董志铁编：《中国逻辑思想论文选（1949—1979）》，生活·读书·新知三联书店 1981 年版。

15. 赵纪彬：《墨子对孔门逻辑思想的批判、继承和发展》（上、下），《文史哲》1961 年第 1—2 期；赵纪彬：《困知录》（上册），中华书局 1963 年版。

16. 汪奠基：《先秦逻辑思想的重要贡献》，《哲学研究》1962 年第 1 期；刘培育、周云之、董志铁编：《中国逻辑思想论文选（1949—1979）》，生活·读书·新知三联书店 1981 年版。

17. 周文英：《魏晋南北朝时期的"推论"逻辑》，《光明日报》1962 年 2 月 16 日；刘培育、周云之、董志铁编：《中国逻辑思想论文选（1949—1979）》，生活·读书·新知三联书店 1981 年版。

18. 李世繁：《〈墨子·非攻上〉的逻辑力量》，《光明日报》1962 年 6 月 15 日。

19. 杨芾荪：《墨家论辩——读〈墨〉札记》，《中山大学学报》1962 年第 1 期；刘培育、周云之、董志铁编：《中国逻辑思想论文选（1949—1979）》，生活·读书·新知三联书店 1981 年版。

20. 李匡武：《墨家的辩学》，《形式逻辑》，广东人民出版社 1962 年版；刘培育、周云之、董志铁编：《中国逻辑思想论文选（1949—1979）》，生活·读书·新知三联书店 1981 年版。

21. 王宗华：《温公颐论"墨子的逻辑思想"》，《光明日报》1963 年 7 月 20 日。

22. 孙中原：《墨家"杀盗非杀人"的命题不是诡辩》，《光明日报》1963 年 11 月 1 日；刘培育、周云之、董志铁编：《中国逻辑思想论文选（1949—1979）》，生活·读书·新知三联书店 1981 年版。

23. 冷冉：《公孙龙的〈白马论〉和〈指物论〉——为公孙龙翻案》，《光明日报》1963 年 11 月 8 日；刘培育、周云之、董志铁编：《中国逻辑思想论文选（1949—1979）》，生活·读书·新知三联书店 1981 年版。

24. 周文英：《〈吕氏春秋〉中的逻辑思想》，《光明日报》1963 年 11 月 29 日；刘培育、周云之、董志铁编：《中国逻辑思想论文选（1949—1979）》，生活·读书·新知三联书店 1981 年版。

25. 庞朴：《〈墨经〉的辩证思想》，《山东大学学报》1963 年第 3 期。

26. 杨芾荪：《墨家论证学说述略——读〈墨〉札记之二》，《中山大学学报》1963 年第 3 期；刘培育、周云之、董志铁编：《中国逻辑思想论文选（1949—1979）》，生活·读书·新知三联书店 1981 年版。

27. 梁启雄：《荀子的正名论》，《哲学研究》1963 年第 4 期；刘培育、周云之、董志铁编：《中国逻辑思想论文选（1949—1979）》，生活·读书·新知三联书店 1981 年版。

28. 杨芾荪：《墨家思维形式学说概要——读〈墨〉札记之三》，《中山大学学报》1964 年第 1 期；刘培育、周云之、董志铁编：《中国逻辑思想论文选（1949—1979）》，生活·读书·新知三联书店 1981 年版。

29. 于惠棠：《墨家"杀盗非杀人"的命题是诡辩》，《光明日报》1964 年 1 月 17 日；刘培育、周云之、董志铁编：《中国逻辑思想论文选（1949—1979）》，生活·读书·新知三联书店 1981 年版。

30. 骆风和：《墨家"杀盗非杀人"的命题是否是偷换了概念》，《光明日报》1964 年 1 月 24 日；刘培育、周云之、董志铁编：《中国逻辑思想论文选（1949—1979）》，生活·读书·

新知三联书店 1981 年版。

31. 孙中原：《墨家的一种反驳方式——"止"》，《光明日报》
    1964 年 2 月 21 日。

32. 李世繁：《谈谈〈墨辩〉关于辩的理论》，《光明日报》1964
    年 2 月 28 日，3 月 8 日；刘培育、周云之、董志铁编：《中
    国逻辑思想论文选（1949—1979）》，生活·读书·新知三联
    书店 1981 年版。

33. 关汉亨：《关于董仲舒的先天概念说——逻辑史札记》，《光
    明日报》1964 年 4 月 3 日；刘培育、周云之、董志铁编：
    《中国逻辑思想论文选（1949—1979)》，生活·读书·新知
    三联书店 1981 年版。

34. 温公颐：《墨子的逻辑思想》，《南开大学学报》1964 年第 1
    期；刘培育、周云之、董志铁编：《中国逻辑思想论文选
    （1949—1979)》，生活·读书·新知三联书店 1981 年版。

35. 林振环：《关于公孙龙子的逻辑思想在我国古代逻辑史中的
    地位》，《学术研究》1964 年第 6 期；刘培育、周云之、董志
    铁编：《中国逻辑思想论文选（1949—1979)》，生活·读
    书·新知三联书店 1981 年版。

36. 虞愚：《因明的基本规律》，《现代佛学》1950 年第 9—11 期；
    刘培育、周云之、董志铁编：《因明论文集》，甘肃人民出版
    社 1982 年版。

37. 吕澂：《佛家逻辑——法称的因明说》，《现代佛学》1954 年
    第 2—4 期；刘培育、周云之、董志铁编：《因明论文集》，
    甘肃人民出版社 1982 年版。

38. 虞愚：《印度逻辑推理与推论式的发展及其贡献》，《哲学研
    究》1957 年第 5 期；刘培育、周云之、董志铁编：《因明论
    文集》，甘肃人民出版社 1982 年版。

39. 虞愚：《因明学发展过程简述》，《现代佛学》1957 年第 11

331

期，1958 年第 1—2 期；刘培育、周云之、董志铁编：《因明论文集》，甘肃人民出版社 1982 年版。

40. [印] 威提布萨那博士著，虞愚译：《法称〈逻辑一滴〉的分析》，《现代佛学》1958 年第 7 期；刘培育、周云之、董志铁编：《因明论文集》，甘肃人民出版社 1982 年版。

41. 虞愚：《试论因明学中关于喻支问题——附论法称对"喻过"的补充》，《现代佛学》1958 年第 8 期；刘培育、周云之、董志铁编：《因明论文集》，甘肃人民出版社 1982 年版。

42. 虞愚：《试论因明学中关于现量与比量问题》，《现代佛学》1958 年第 12 期；刘培育、周云之、董志铁编：《因明论文集》，甘肃人民出版社 1982 年版。

43. 虞愚：《因明入正理论的内容特点及其传习》，《现代佛学》1959 年第 1 期；刘培育、周云之、董志铁编：《因明论文集》，甘肃人民出版社 1982 年版。

44. 丁彦博：《略论因明正理的现代意义》，《文汇报》1961 年 3 月 28 日；刘培育、周云之、董志铁编：《因明论文集》，甘肃人民出版社 1982 年版。

45. 吕澂：《西藏所传的因明》，《哲学研究》1961 年第 2 期；刘培育、周云之、董志铁编：《因明论文集》，甘肃人民出版社 1982 年版。

46. 虞愚：《法称的生平、著作和他的几个学派》，《现代佛学》1962 年第 1 期。

47. 温公颐：《关于墨辩逻辑思想的阶级性》，《南开大学学报》1964 年第 2 期。

48. 沈有鼎：《〈墨辩〉的逻辑学》，《光明日报》1954 年 5 月 19 日，6 月 2、16、30 日，7 月 14、28 日，1955 年 3 月 9 日。

49. [苏联] 彻尔巴茨基著，虞愚译：《真实与知识》，《现代佛学》1962 年第 3 期；刘培育、周云之、董志铁编：《因明论文集》，甘肃人民出版社 1982 年版。

50. 吕澂：《因明学说在中国的最初发展》，《江海学刊》1963 年
　　3 月号；刘培育、周云之、董志铁编：《因明论文集》，甘肃
　　人民出版社 1982 年版。

51. 石村：《因明二问》，《光明日报》1963 年 10 月 18 日；刘培
　　育、周云之、董志铁编：《因明论文集》，甘肃人民出版社
　　1982 年版。

52. 吴建国：《中国逻辑思想史上类概念的发生和发展》，哲学研
　　究编辑部编：《中国哲学史论文集》（二集），中华书局 1965
　　年版；刘培育、周云之、董志铁编：《中国逻辑思想论文选
　　（1949—1979）》，生活·读书·新知三联书店 1981 年版。

1978

1. 章沛：《关于荀况的逻辑思想的探讨——读〈正名篇〉札记之
　　一》，《哲学研究》1978 年第 6 期；刘培育、周云之、董志铁
　　编：《中国逻辑思想论文选（1949—1979）》，生活·读书·新
　　知三联书店 1981 年版。

2. 章沛：《荀况反对诡辩术的斗争——读〈正名篇〉札记之二》，
　　《学术研究》1978 年第 2 期；复印报刊资料《逻辑》1978 年
　　第 10 期；刘培育、周云之、董志铁编：《中国逻辑思想论文
　　选（1949—1979）》，生活·读书·新知三联书店 1981 年版。

3. 周文英：《中国逻辑思想史稿》（一、二、三、四、五、六、
　　七），《江西师院学报》1978 年第 2—4 期，1979 年第 1—4
　　期；复印报刊资料《逻辑》1979 年第 11 期，1980 年第 2 期。

1979

1. 周谷城：《实践是检验真理的唯一标准——因明、逻辑、墨辩
　　是帮助实践的工具》，《学术月刊》1979 年第 1 期；复印报刊

资料《逻辑》1979 年第 5 期。

2. 郑伟宏：《以"烟"不能推"火"吗？——与周谷城先生商榷》，《复旦学报》1979 年第 4 期；复印报刊资料《逻辑》1979 年第 7 期。

3. 周云之：《"白马非马"纯属诡辩吗？——对公孙龙〈白马论〉一文的逻辑思想剖析》，《江西师院学报》1979 年第 2 期；复印报刊资料《逻辑》1979 年第 8 期。

4. 嵇道之：《读〈墨经·小取〉偶识》，《郑州大学学报》1979 年第 2 期；复印报刊资料《逻辑》1979 年第 9 期。

5. 王焕镳：《〈墨子〉校释商兑》（一），《杭州大学学报》1979 年第 1—2 期；报刊复印资料《中国哲学史》1979 年第 7 期。

6. 张文熊：《论孔子的正名学说》，《甘肃师大学报》1979 年第 3 期；报刊复印资料《中国哲学史》1979 年第 10 期。

7. 杨昌江：《〈公输〉里的逻辑》，《中学语文》1979 年第 3 期。

8. 孙国珍：《墨家逻辑思想略述》，《内蒙古师院学报》1979 年第 2 期。

9. 吴家国：《关于形式逻辑问题讨论的回顾》，《哲学研究》1979 年第 4 期。

10. 陆襄：《一种有说服力的论辩方法——从〈公输〉的"知类"说起》，《语文学习丛刊》1979 年第 8 期。

11. 刘宗德：《墨子的辩论艺术——读〈公输〉》，《辽宁师范学院学报》1979 年第 3 期。

12. 陈鼎如：《〈公输〉的语言技巧和逻辑力量》，《破与立》1979 年第 4 期。

13. 李世繁：《学习毛泽东同志对辩证逻辑理论的发展和应用之一——毛泽东同志论什么是辩证逻辑》，《哲学研究》编辑部编：《逻辑学文集》，吉林人民出版社 1979 年版。

14. 詹剑峰：《学习毛泽东同志的逻辑理论》，《哲学研究》编辑部编：《逻辑学文集》，吉林人民出版社 1979 年版。

15. 沈有鼎：《〈公孙龙子〉的评价问题》，《哲学研究》编辑部编：《逻辑学文集》，吉林人民出版社 1979 年版。

16. 汪奠基：《关于荀况的逻辑思想研究》，《哲学研究》编辑部编：《逻辑学文集》，吉林人民出版社 1979 年版。

17. 李建钊：《论孟子"好辩"》，北京市逻辑学会编辑组编：《全国逻辑讨论会论文选集（1979）》，中国社会科学出版社 1981 年版；刘培育、周云之、董志铁编：《中国逻辑思想论文选（1949—1979）》，生活·读书·新知三联书店 1981 年版。

18. 温公颐：《惠施、公孙龙的逻辑思想》，北京市逻辑学会编辑组编：《全国逻辑讨论会论文选集（1979）》，中国社会科学出版社 1981 年版；刘培育、周云之、董志铁编：《中国逻辑思想论文选（1949—1979）》，生活·读书·新知三联书店 1981 年版。

335

19. 周云之：《略论惠施的逻辑思想》，《江西师院学报》1979 年第 3 期；复印报刊资料《逻辑》1979 年第 11 期；刘培育、周云之、董志铁编：《中国逻辑思想论文选（1949—1979）》，生活·读书·新知三联书店 1981 年版。

20. 沈有鼎：《谈公孙龙——兼论〈墨辩〉三派》，北京市逻辑学会编辑组编：《全国逻辑讨论会论文选集（1979）》，中国社会科学出版社 1981 年版；刘培育、周云之、董志铁编：《中国逻辑思想论文选（1949—1979）》，生活·读书·新知三联书店 1981 年版。

21. 周云之：《〈墨辩〉中关于"名"（概念）的逻辑思想——"白马非马"纯属诡辩吗?》，北京市逻辑学会编辑组编：《全国逻辑讨论会论文选集（1979）》，中国社会科学出版社 1981 年版；《江汉论坛》1979 年第 4 期；复印报刊资料《逻辑》1979 年第 11 期；刘培育、周云之、董志铁编：《中国逻辑思

想论文选（1949—1979）》，生活·读书·新知三联书店 1981
年版；《哲学研究》编辑部编：《逻辑学文集》，吉林人民出
版社 1979 年版。

22. 刘培育：《论韩非的"矛盾之说"》，北京市逻辑学会编辑组
编：《全国逻辑讨论会论文选集（1979）》，中国社会科学出
版社 1981 年版；《江汉论坛》1979 年第 4 期；复印报刊资料
《逻辑》1979 年第 11 期；刘培育、周云之、董志铁编：《中
国逻辑思想论文选（1949—1979）》，生活·读书·新知三联
书店 1981 年版。

23. 周文英：《因明在印度的发生和发展》，《江西师院学报》
1979 年第 1 期；刘培育、周云之、董志铁编：《因明论文
集》，甘肃人民出版社 1982 年版。

24. 沈剑英：《略论因明的宗》，《哲学研究》1979 年第 12 期；复
印报刊资料《逻辑》1979 年第 12 期；刘培育、周云之、董
志铁编：《因明论文集》，甘肃人民出版社 1982 年版。

25. 周文英：《隋唐时期因明的输入》，《江西师院学报》1979 年
第 2 期；刘培育、周云之、董志铁编：《因明论文集》，甘肃
人民出版社 1982 年版。

1980

1. 牟钟鉴：《试论后期墨家的逻辑学》，《东岳论丛》1980 年第 3
期。

2. 吴建国：《中国逻辑思想史上类概念的发生、发展与逻辑科学
的形成》，《中国社会科学》1980 年第 2 期；复印报刊资料
《逻辑》1980 年第 3 期。

3. 南宜人：《也驳"白马非马"——谈谈种属概念》，《黑龙江日
报》1980 年 4 月 11 日；复印报刊资料《逻辑》1980 年第 4
期。

4. 孔繁：《荀况逻辑思想述评》，《贵阳师院学报》1980 年第 2 期；复印报刊资料《逻辑》1980 年第 6 期。

5. 周云之：《墨家关于"辩"的理论》，《天津师院学报》1980 年第 3 期；复印报刊资料《逻辑》1980 年第 8 期。

6. 周云之：《对〈中国逻辑思想史上类概念的发生、发展与逻辑科学的形成〉的意见》，《中国社会科学》1980 年第 4 期；复印报刊资料《逻辑》1980 年第 8 期。

7. 周云之：《先秦逻辑思想研究中提出的问题》，《光明日报》1980 年 9 月 4 日；复印报刊资料《逻辑》1980 年第 9 期。

8. 周云之：《论墨家"以类取"和"以类予"的推论性质和推论形式》，《辽宁大学学报》1980 年第 6 期；复印报刊资料《逻辑》1980 年第 11 期。

9. 李元庆：《公孙龙的逻辑思想不是朴素辩证法，而是形而上学诡辩》，《山西大学学报》1980 年第 4 期；复印报刊资料《逻辑》1980 年第 11 期。

10. 《〈墨经的逻辑学〉简介》，《人民日报》1980 年 11 月 10 日。

11. 周云之：《论墨家"以说出故"的推论性质和推论形式》，《四川大学学报》1980 年第 4 期；复印报刊资料《逻辑》1981 年第 2 期。

12. 王焕镳：《〈墨子〉校释商兑》（二），《杭州大学学报》1980 年第 1 期；报刊复印资料《中国哲学史》1980 年第 4 期。

13. 沈剑英：《论因明之三种比量与简别方法》，《社会科学战线》1980 年第 4 期；复印报刊资料《逻辑》1980 年第 11 期；刘培育、周云之、董志铁编：《因明论文集》，甘肃人民出版社1982 年版。

14. 沈剑英：《"真唯识量"略论》，《社会科学战线》编辑部编：《哲学史论丛》，吉林人民出版社 1980 年版；刘培育、周云之、董志铁编：《因明论文集》，甘肃人民出版社 1982 年版。

1981

1. 吴家珣、刘培育：《读沈有鼎著〈墨经的逻辑学〉》，《人民日报》1981 年 1 月 12 日；复印报刊资料《逻辑》1981 年第 1 期；复印报刊资料《中国哲学史》1981 年第 2 期。

2. 周云之：《〈中国逻辑史料选〉开始编辑》，《国内哲学动态》1981 年第 1 期；复印报刊资料《逻辑》1981 年第 2 期。

3. 刘坚承：《全国第一次中国逻辑史讨论会在广州召开》，《光明日报》1981 年 1 月 8 日；复印报刊资料《逻辑》1981 年第 2 期。

4. 曹三聆：《略论〈墨经〉中关于同一的逻辑思想》，《哲学研究》1981 年第 2 期；复印报刊资料《逻辑》1981 年第 3 期。

5. 温公颐：《墨辩逻辑的唯物主义基础》，《哲学研究》1981 年第 2 期；复印报刊资料《逻辑》1981 年第 3 期。

6. 周云之：《中国逻辑史的对象和方法问题——中国逻辑史第一次学术讨论会纪要》，《国内哲学动态》1981 年第 2 期；复印报刊资料《逻辑》1981 年第 3 期。

7. 周文英：《连珠的逻辑性质》，《哲学研究》1981 年第 4 期；复印报刊资料《逻辑》1981 年第 4 期。

8. 傅建增：《墨子的逻辑思想》，《南开学报》1981 年第 2 期；复印报刊资料《逻辑》1981 年第 5 期。

9. 温公颐：《墨辩逻辑的概念论》，《南开学报》1981 年第 3 期；复印报刊资料《逻辑》1981 年第 7 期。

10. 蔡尚思：《论公孙龙的违反辩证法——与冯友兰先生论"白马非马"》，《哲学研究》1981 年第 7 期；复印报刊资料《逻辑》1981 年第 7 期。

11. 刘培育：《中国逻辑思想史研究论略》，《南开学报》1981 年第 3 期；复印报刊资料《逻辑》1981 年第 7 期。

12. [印] 萨底昌德罗著，周文英译：《安维西克之成长为辩论术》，《江西教育学院学刊》1981 年第 1 期；复印报刊资料《逻辑》1981 年第 8 期。

13. 冯契：《中国古代辩证逻辑的诞生》，《中国哲学史研究》1981 年第 3 期；复印报刊资料《逻辑》1981 年第 9 期。

14. 李世繁：《试述〈墨辩〉中若干范畴的理论》，《哲学研究》1981 年第 9 期；复印报刊资料《逻辑》1981 年第 9 期。

15. 温公颐：《墨辩逻辑的判断论》，《南开学报》1981 年第 4 期；复印报刊资料《逻辑》1981 年第 9 期。

16. 刘培育：《研究〈墨辩注序〉的意义》，《光明日报》1981 年 9 月 5 日；复印报刊资料《逻辑》1981 年第 9 期。

17. 杨熙龄：《推荐一部世界〈逻辑史〉——评杜米特留著四卷本〈逻辑史〉》，《国外社会科学》1981 年第 9 期；复印报刊资料《逻辑》1981 年第 9 期。

18. 赵传蕙：《中国逻辑史第二次讨论会在津召开》，《天津日报》1981 年 11 月 4 日；复印报刊资料《逻辑》1981 年第 12 期。

19. 蔡伯铭：《试论中国逻辑史研究的对象和方法》，《黄石师院学报》1981 年第 2 期；复印报刊资料《逻辑》1982 年第 3 期。

20. 施大纲：《“白马非马”刍议》，《青海师专学报》1981 年第 1 期；复印报刊资料《逻辑》1982 年第 7 期。

21. 孙中原：《略论〈墨经〉中关于同和异的辩证思维》，《社会科学》1981 年第 4 期；复印报刊资料《中国哲学史》1982 年第 2 期。

22. 汪奠基：《唯物论者荀况的逻辑思想研究》，刘培育、周云之、董志铁编：《中国逻辑思想论文选（1949—1979）》，生活·读书·新知三联书店 1981 年版。

23. 沈有鼎：《〈墨经〉关于“辩”的思想》，刘培育、周云之、

339

董志铁编：《中国逻辑思想论文选（1949—1979)》，生活·读书·新知三联书店 1981 年版。

24. 汪奠基：《韩非的逻辑思想概述》，刘培育、周云之、董志铁编：《中国逻辑思想论文选（1949—1979)》，生活·读书·新知三联书店 1981 年版。

25. 莫绍揆：《〈墨子·小取〉篇逻辑的体系》，刘培育、周云之、董志铁编：《中国逻辑思想论文选（1949—1979)》，生活·读书·新知三联书店 1981 年版。

26. 周文英：《印度逻辑史略》（一、二、三、四、五)，《江西师院学报》1981 年第 3—4 期，1982 年第 1—3 期；复印报刊资料《逻辑》1981 年第 9 期、第 12 期，1982 年第 1 期、第 4 期、第 7 期。

27. 张春波：《玄奘对唯识学说的发展》，《社会科学战线》1981 年第 1 期；复印报刊资料《中国哲学史》1981 年第 2 期。

28. 杨化群：《藏传因明学发展概况》，《世界宗教研究》1981 年第 2 期。

29. 虞愚：《玄奘对因明的贡献》，《中国社会科学》1981 年第 1 期；刘培育、周云之、董志铁编：《因明论文集》，甘肃人民出版社 1982 年版；复印报刊资料《中国哲学史》1981 年第 2 期。

1982

1. 崔清田：《第二次中国逻辑史讨论会在天津举行》，《光明日报》1982 年 1 月 2 日；复印报刊资料《逻辑》1982 年第 1 期。

2. 屈志清：《论〈墨经〉中的逻辑问题》，《中国哲学史研究》1982 年第 1 期；复印报刊资料《逻辑》1982 年第 2 期。

3. 刘长林：《〈内经〉中的比较法和类比法》，《中国哲学史研究》

1982 年第 1 期。

4. 孙中原：《通意之悖，解心之谬——〈吕氏春秋〉逻辑思想之一》，《福建论坛》1982 年第 1 期；复印报刊资料《逻辑》1982 年第 3 期。

5. 崔清田：《中国逻辑史研究会讨论先秦时期各家的逻辑思想》，《哲学研究》1982 年第 1 期；复印报刊资料《逻辑》1982 年第 3 期。

6. 李元庆：《中国逻辑史的基本特点及其形成原因》，《晋阳学刊》1982 年第 2 期；复印报刊资料《逻辑》1982 年第 4 期。

7. 李树琦：《公孙龙正名实的"唯谓"逻辑思想》，《晋阳学刊》1982 年第 2 期；复印报刊资料《逻辑》1982 年第 4 期。

8. 蔡伯铭：《孔子正名论的逻辑思想》，《黄石师院学报》1982 年第 2 期；复印报刊资料《逻辑》1982 年第 7 期。

9. 崔清田：《〈小取〉逻辑思想浅析》，《南开学报》1982 年第 4 期；复印报刊资料《逻辑》1982 年第 8 期。

10. 钟罗：《墨辩逻辑学——我国第一个逻辑学体系》，《中学生与逻辑》1982 年第 4 期；复印报刊资料《逻辑》1982 年第 8 期。

11. 陶文楼：《浅谈先秦朴素辩证逻辑思想的发展》，《南开学报》1982 年第 5 期；复印报刊资料《逻辑》1982 年第 9 期。

12. 林铭钧：《"白马非马"逻辑思想的再探讨》，《学术研究》1982 年第 5 期；复印报刊资料《逻辑》1982 年第 11 期。

13. 周云之：《墨辩逻辑讨论会在泰安召开》，《光明日报》1982 年 11 月 1 日；复印报刊资料《逻辑》1982 年第 11 期。

14. 赵纪彬：《先秦逻辑史论稿·序论——先秦名辩思潮的逻辑果实》，《河南师大学报》1982 年第 6 期；复印报刊资料《逻辑》1982 年第 12 期。

15. ［维吾尔族］阿不都秀库尔·穆罕默德—伊明：《论艾卜·奈

斯尔·法拉比的逻辑学说》，《新疆大学学报》1982 年第 4
期；复印报刊资料《逻辑》1982 年第 12 期。

16. 柯严：《金岳霖同志从事哲学、逻辑学的教学和研究工作五
十六周年庆祝会在京举行》，《哲学研究》1982 年第 11 期；
复印报刊资料《逻辑》1982 年第 11 期。

17. 吴志雄：《王充"证验"逻辑述略——读〈论衡〉札记》，
《中山大学研究生学刊》1982 年第 3 期；复印报刊资料《逻
辑》1983 年第 2 期。

18. 冯契：《论王夫之的辩证逻辑思想》《中国社会科学》1982 年
第 4 期；复印报刊资料《中国哲学史》1982 年第 8 期；复印
报刊资料《逻辑》1982 年第 7 期。

19. 黄瑞云：《惠施命题试释》，《社会科学研究》1982 年第 5 期；
复印报刊资料《中国哲学史》1982 年第 10 期。

342

20. 谭承耕：《试论韩非的名实观》，中国社会科学院哲学研究所
《哲学研究》编辑部、中国哲学史研究室编：《中国哲学史研
究集刊》（第 2 辑），上海人民出版社 1982 年版。

21. 沈有鼎：《评庞朴〈公孙龙子研究〉的〈考辨〉部分》，中国
社会科学院哲学研究所《哲学研究》编辑部、中国哲学史研
究室编：《中国哲学史研究集刊》（第 2 辑），上海人民出版
社 1982 年版。

22. 巫百慧：《〈因明论文集〉评介》，《光明日报》1982 年 9 月
18 日；复印报刊资料《逻辑》1982 年第 9 期。

23. 法称著，王森、杨化群译：《正理滴论》，《世界宗教研究》
1982 年第 1 期。

24. 罗炤：《应当实事求是地对待"真唯识量"——与沈剑英同
志商榷》，《世界宗教研究》1982 年第 3 期。

25. 罗炤：《"真唯识量"探讨》，《学习与思考》1982 年第 2 期。

26. 沈剑英：《因明学简论》，刘培育、周云之、董志铁编：《因

明论文集》，甘肃人民出版社 1982 年版。

27. 杨百顺：《玄奘与因明》，刘培育、周云之、董志铁编：《因明论文集》，甘肃人民出版社 1982 年版。

28. 沈剑英：《因明学的产生、发展和东渐简论》，《社会科学战线》1982 年第 4 期。

1983

1. 张盛彬：《论因明、墨辩和西方逻辑学说推理理论之贯通》，《中国社会科学》1983 年第 1 期；复印报刊资料《逻辑》1983 年第 1 期。

2. 彭汶：《略论〈墨辩〉附性法的成就与不足》，《争鸣》1983 年第 1 期；复印报刊资料《逻辑》1983 年第 2 期。

3. 胡曲园、陈进坤：《先秦逻辑大师——公孙龙》，《社会科学战线》1983 年第 1 期；复印报刊资料《逻辑》1983 年第 2 期。

4. 李树琦：《关于"白马非马"的推证方法》，《河北大学学报》1983 年第 1 期；复印报刊资料《逻辑》1983 年第 4 期。

5. 罗契、郑伟宏：《"白马非马"论辩》，《学术月刊》1983 年第 2 期。

6. 孙中原：《日本学者对中国古代逻辑的研究》，《国外社会科学》1983 年第 4 期。

7. 张江：《试论古代中国与希腊逻辑各具特色的历史原因》，《江淮论坛》1983 年第 3 期；复印报刊资料《逻辑》1983 年第 6 期。

8. 胡曲园、陈进坤：《"白马非马"是名实相应的逻辑命题》，《复旦学报》1983 年第 3 期；复印报刊资料《逻辑》1983 年第 6 期。

9. 李志刚：《先秦诡辩论思想方法试析》，《天津师大学报》1983 年第 3 期；复印报刊资料《逻辑》1983 年第 6 期。

343

10. 张成权：《〈公孙龙子〉辨析》，《安徽大学学报》1983 年第 2 期。

11. 金建国：《培根归纳逻辑在中国介绍和研究的概况》，《中山大学研究生学刊》1983 年第 1 期；复印报刊资料《逻辑》1983 年第 7 期。

12. 傅建增：《荀况与〈墨辩〉的概念理论》，《天津社会科学》1983 年第 4 期；复印报刊资料《逻辑》1983 年第 8 期。

13. 孙中原：《墨家逻辑中的归纳问题》，《哲学研究》1983 年第 8 期；复印报刊资料《逻辑》1983 年第 9 期。

14. 蓝绎圣：《"白马非马"是一个诡辩命题》，《青海社会科学》1983 年第 3 期。

15. 刘培育：《荀韩逻辑思想述评》，《求是学刊》（黑龙江大学学报）1983 年第 2 期。

16. 孙中原：《中国古代逻辑学》，《自修大学》1983 年第 1 期；复印报刊资料《逻辑》1983 年第 11 期。

17. 罗契、郑伟宏：《附性推理规范化尝试——兼评墨家"杀盗非杀人"》，《复旦学报》1983 年第 4 期；复印报刊资料《逻辑》1983 年第 7 期。

18. 裘昌淞：《评庄周驳公孙龙的诡辩》，《郑州大学学报》1983 年第 3 期。

19. 刘培育：《荀况名辩思想四题》，《哲学研究》1983 年第 12 期；复印报刊资料《逻辑》1983 年第 12 期。

20. 王维庭：《谈谈从事〈墨辩集释〉的体验》，《中国哲学研究》1983 年第 4 期；复印报刊资料《逻辑》1983 年第 12 期。

21. 冯友兰：《魏晋之际关于名实、才性的辩论》，《中国哲学史研究》1983 年第 4 期；复印报刊资料《中国哲学史》1983 年第 12 期。

22. 崔清田：《关于认识〈墨辩〉逻辑的几个问题》，《中国哲学

史研究》1983 年第 4 期；复印报刊资料《逻辑》1983 年第
12 期。

23. 胡曲园、陈进坤：《〈通变论〉是公孙龙的逻辑分类理论》，
《学术周刊》1983 年第 12 期；复印报刊资料《逻辑》1984
年第 1 期。

24. 邵春林：《墨辩的概念辩证法思想初探》，《逻辑学论文选》，
上海市逻辑学会 1983 年编印。

25. 昂扬、郑伟宏：《韩非的"矛盾之说"与亚里士多德矛盾
律》，《逻辑学论文选》，上海市逻辑学会 1983 年编印。

26. 周山：《朱熹逻辑思想初探》，《逻辑学论文选》，上海市逻辑
学会 1983 年编印。

27. 何应灿：《陈亮、叶适逻辑思想刍议》，《逻辑学论文选》，上
海市逻辑学会 1983 年编印。

28. 周云之：《潘梓年传略》，《晋阳学刊》1983 年第 1 期。

29. 黄瑞云：《惠施命题试释》，《黄石师院学报》1983 年第 1 期。

30. 何应灿：《略论〈墨辩〉中类、故、理三范畴》，《华东师范
大学学报》1983 年第 2 期。

31. 孙中原：《论墨家逻辑范畴的演进》，《求是学刊》1983 年第
3 期。

32. 高银秀：《嵇康逻辑思想探索》，《晋阳学刊》1983 年第 4 期。

33. 周云之：《略论后期墨家对惠施、公孙龙名辩思想的批判和
继承》，《南开学报》1983 年第 5 期；复印报刊资料《中国哲
学史》1983 年第 9 期。

34. 高明光：《公孙龙的辩证思想与诡辩》，《青海社会科学》
1983 年第 6 期。

35. 龚维英：《〈狗非犬〉初探》，《社会科学辑刊》1983 年第 5
期；复印报刊资料《中国哲学史》1983 年第 11 期。

36. 昌文波：《略论荀子的"制名以指实"》，《广西大学学报》

1983 年第 2 期；复印报刊资料《中国哲学史》1983 年第 12 期。

37. 段景莲：《"天下之中央"命题新解》，《晋阳学刊》1983 年第 6 期；复印报刊资料《中国哲学史》1983 年第 12 期。

38. 李超元：《名家的衰没及其教训》，《江汉论坛》1983 年第 12 期；复印报刊资料《逻辑》1984 年第 2 期；复印报刊资料《中国哲学史》1984 年第 2 期。

39. 余秉颐：《〈墨经〉对思维基本规律的论述》，中国社会科学院历史研究所《中国哲学》编辑部编辑：《中国哲学》（第九辑），生活·读书·新知三联书店 1983 年版。

40. 杨俊光：《〈坚白论〉结构试探》，《历史论丛》1983 年第 4 期。

41. 沈有鼎：《〈墨子经上、下〉旁行本始于何时?》，中国社会科学院哲学研究所逻辑室编：《逻辑学论丛》，中国社会科学出版社 1983 年版。

42. 刘培育：《〈吕氏春秋〉名辩思想简论》，中国社会科学院哲学研究所逻辑室编：《逻辑学论丛》，中国社会科学出版社 1983 年版。

43. 周云之：《评严复在译释〈穆勒名学〉中的逻辑思想》，中国社会科学院哲学研究所逻辑室编：《逻辑学论丛》，中国社会科学出版社 1983 年版。

44. 袁野：《研究因明的学者及其学识的概述》，《延边大学学报》1983 年第 1 期；复印报刊资料《逻辑》1983 年第 3 期。

45. 沈剑英：《论因明之有体与无体》，《学习与探索》1983 年第 2 期；复印报刊资料《逻辑》1983 年第 6 期。

46. 孙中原：《全国首届因明学术讨论会在甘肃召开》，《哲学研究》1983 年第 11 期。

47. 沈剑英：《因明二论》，《逻辑学论文选》，上海市逻辑学会

1983 年编印。

48. 虞愚：《玄奘对因明的贡献》，《中国社会科学》哲学编辑室
　　编：《哲学论文集（1981）》，四川人民出版社 1983 年版。

1984

1. 何应灿：《孟轲逻辑思想刍议》，《华东师范大学学报》1984 年
　　第 6 期；复印报刊资料《逻辑》1985 年第 1 期。

2. 廖云龙：《〈伤寒论〉逻辑方法举隅》，《医学与哲学》1984 年
　　第 11 期；复印报刊资料《逻辑》1985 年第 1 期。

3. 刘仁衍：《略论公孙龙的“白马非马”论》，《吉安师专学报》
　　1984 年第 2 期；复印报刊资料《逻辑》1985 年第 2 期。

4. 孙中原：《印度逻辑与中国、希腊逻辑的比较研究》，《南亚研
　　究》1984 年第 4 期；复印报刊资料《逻辑》1985 年第 2 期。

5. 曲海滨：《也论墨家“杀盗非杀人”的命题》，《殷都学刊》
　　1984 年第 4 期。

6. 傅洪潮：《〈黄帝内经〉逻辑思维的特点与缺陷》，《医学与哲
　　学》1984 年第 12 期。

7. 刘培育：《韩非的形名逻辑思想》，《宁夏大学学报》1984 年第
　　1 期；复印报刊资料《逻辑》1984 年第 5 期。

8. 张静虚：《在毛泽东思想中学习辩证逻辑》，《毛泽东思想研
　　究》1984 年第 1 期；复印报刊资料《逻辑》1984 年第 5 期。

9. 吴志雄：《古代三大逻辑学说证明理论的简单比较》，《中山大
　　学学报》1984 年第 2 期；复印报刊资料《逻辑》1984 年第 6
　　期。

10. 沈有鼎：《〈墨经〉中有关原始诡辩学说的一个材料》，《社会
　　科学战线》1984 年第 2 期；复印报刊资料《逻辑》1984 年
　　第 6 期。

11. 钟罗：《中国逻辑史现代卷资料编选工作会议在西安召开》，

347

《国内哲学动态》1984 年第 5 期。

12. 朱志凯:《〈墨经〉中逻辑学说的特征》,《哲学研究》1984 年第 7 期;复印报刊资料《逻辑》1984 年第 7 期。

13. 周云之:《中国式数理逻辑象数推知法研究》,《国内哲学动态》1984 年第 6 期;复印报刊资料《逻辑》1984 年第 7 期。

14. 李树琦:《以数理逻辑解析〈指物论〉的一个尝试》,《学习与思考》1984 年第 3 期;复印报刊资料《逻辑》1984 年第 7 期。

15. 谭业谦:《先秦逻辑学的光辉遗产——〈通变论〉:公孙龙文新诠》,《江汉大学学报》1984 年第 1 期。

16. 李树琦:《论公孙龙的"正名"思想》,《社会科学》1984 年第 8 期;复印报刊资料《逻辑》1984 年第 8 期。

17. 金建国、黄恒蛟:《论王延直的〈普通应用论理学〉——云南近代的第一本普通逻辑》,《云南师范大学学报》1984 年第 3 期;复印报刊资料《逻辑》1984 年第 8 期。

18. 温公颐:《董仲舒的神学逻辑剖析》,《南开学报》1984 年第 1 期;复印报刊资料《中国哲学史》1984 年第 3 期。

19. 温公颐:《董仲舒神学逻辑的推演》,《南开学报》1984 年第 4 期;复印报刊资料《逻辑》1984 年第 9 期。

20. 冯契:《张载的天道观和逻辑思想》,《陕西师大学报》1984 年第 3 期;复印报刊资料《逻辑》1984 年第 9 期;复印报刊资料《中国哲学史》1984 年第 9 期。

21. 杜辛可:《韩非逻辑思想初探》,《西北政法学院学报》1984 年第 2 期;复印报刊资料《逻辑》1984 年第 10 期。

22. 魏宗禹、尹协理:《论傅山的逻辑思想》,《中国哲学史研究》1984 年第 2 期;复印报刊资料《中国哲学史》1984 年第 7 期。

23. 吴志雄:《王充"证验"逻辑述略》,《中国哲学史研究》

1984 年第 3 期；复印报刊资料《逻辑》1984 年第 10 期。

24. 俞瑾：《〈墨经〉中的"侔"式推论》，《镇江师专教学与进修》1984 年第 4 期；复印报刊资料《逻辑》1984 年第 12期。

25. 中国社会科学院哲学研究所：《沉痛悼念著名哲学家、逻辑学家金岳霖同志逝世》，《哲学研究》1984 年第 11 期；复印报刊资料《逻辑》1984 年第 12 期。

26. 王仲：《"白马非马"是辩证命题吗?》，《哲学研究》1984 年第 12 期；复印报刊资料《逻辑》1984 年第 12 期。

27. 陈正英：《试论邵雍的象数推演逻辑》，《中州学刊》1984 年第 5 期；复印报刊资料《逻辑》1984 年第 12 期。

28. 欧阳中石：《邓析"两可"之说试探》，中国逻辑与语言函授大学科学研究室编：《逻辑语言写作论丛》（第 1 辑），南开大学出版社 1984 年版。

349

29. 孙中原：《日本学者论中国古代逻辑》，中国逻辑与语言函授大学科学研究室编：《逻辑语言写作论丛》（第 1 辑），南开大学出版社 1984 年版。

30. 陈敏兰：《谈墨家对论说理论的贡献》，《厦门大学学报》1984 年第 1 期。

31. 李耀灿：《惠施"历物十意"说》，《南充师院学报》1984 年第 1 期。

32. 刘若瀛：《孟子的民本思想及其论辩艺术》，《沈阳师范学院社会科学学报》1984 年第 2 期。

33. 朱志凯：《〈墨经〉作者辨析》，《学术月刊》1984 年第 9 期。

34. 周瀚光：《公孙龙"二无一"辨析》，《江海学刊》1984 年第 6 期。

35. 冯契：《张载的天道观和逻辑思想》，《陕西师大学报》1984 年第 3 期；复印报刊资料《中国哲学史》1984 年第 9 期。

36. 江玉祥：《惠施"历物十事"新识》，《内蒙古师大学报》1984 年第 4 期；复印报刊资料《中国哲学史》1985 年第 1 期。

37. 刘培育：《因明和中国》，《百科知识》1984 年第 3 期；复印报刊资料《逻辑》1984 年第 3 期。

38. 沈剑英：《论因明之四种相违》，《学术月刊》1984 年第 3 期；复印报刊资料《逻辑》1984 年第 4 期。

39. 沈剑英：《论因明之喻》，《哲学研究》1984 年第 4 期；复印报刊资料《逻辑》1984 年第 5 期。

40. 巫白慧：《耆那教的逻辑思想》，《南亚研究》1984 年第 2 期；复印报刊资料《逻辑》1984 年第 8 期。

41. 巫白慧：《印度古代辩证思维》，《哲学研究》1984 年第 11 期；复印报刊资料《逻辑》1984 年第 11 期。

42. 刘培育：《藏传因明及其研究的必要性》，《国内哲学动态》1984 年第 12 期；复印报刊资料《逻辑》1984 年第 12 期。

43. 崔清田：《试析〈墨辩〉的"故"与因明的"因"、"喻"》，《南开学报》1984 年第 6 期；复印报刊资料《中国哲学史》1985 年第 1 期；复印报刊资料《逻辑》1985 年第 1 期。

1985

1. 周山：《邓析的名辩思想》，《学术月刊》1985 年第 12 期；复印报刊资料《逻辑》1986 年第 1 期。

2. 周瀚光：《论〈内经〉阴阳说的逻辑思想模式》，《学术月刊》1985 年第 12 期；复印报刊资料《逻辑》1986 年第 1 期。

3. 刘斌：《孟子"善辩"论》，《人文杂志》1985 年第 5 期；复印报刊资料《逻辑》1986 年第 1 期。

4. 乔东光：《毛泽东与〈逻辑指要〉、〈柳文指要〉》，《瞭望》1985 年总第 52 期；复印报刊资料《逻辑》1986 年第 1 期。

5. 韩忠：《读〈孟尝君传〉中的逻辑错误》，《大众逻辑》1985 年第 3 期；复印报刊资料《逻辑》1985 年第 7 期。

6. 晓兵：《〈孙子兵法〉与逻辑思维》，《大众逻辑》1985 年第 4 期。

7. 云之：《章炳麟的逻辑思想》，《大众逻辑》1985 年第 5 期。

8. 钟逻：《章士钊对中国名辩逻辑的研究与贡献》，《大众逻辑》1985 年第 5 期。

9. 蔡伯铭：《鲁胜的逻辑史观——读〈墨辩注·叙〉》，《湖北师范学院学报》1985 年第 1 期；复印报刊资料《逻辑》1985 年第 5 期。

10. 温公颐：《东汉时期逻辑的伦理化与王符的伦理逻辑》，《南开学报》1985 年第 3 期；复印报刊资料《逻辑》1985 年第 6 期。

11. 钟罗：《严复与〈穆勒名学〉》，《大众逻辑》1985 年第 2 期；复印报刊资料《逻辑》1985 年第 6 期。

12. 陈孟麟：《从类概念的发生发展看中国古代逻辑思想的萌芽和逻辑科学的建立——兼与吴建国同志商榷》，《中国社会科学》1985 年第 4 期；复印报刊资料《逻辑》1985 年第 7 期；复印报刊资料《中国哲学史》1985 年第 7 期。

13. 朱志凯：《论孔子逻辑思想在先秦逻辑史上的地位》，《复旦学报》1985 年第 4 期；复印报刊资料《逻辑》1985 年第 8 期。

14. 蔡贤浩：《毛泽东同志关于形式逻辑的理论》，《荆州师专学报》1985 年第 1 期；复印报刊资料《逻辑》1985 年第 8 期。

15. 郑龙：《侔式推论中的语言逻辑因素》，《福建师范大学学报》1985 年第 3 期；复印报刊资料《逻辑》1985 年第 8 期。

16. 田立刚：《墨辩思维形式学说的发展》，《南开学报》1985 年第 4 期；复印报刊资料《逻辑》1985 年第 9 期。

351

17. 温公颐：《东汉仲长统刘劭的伦理逻辑探析》，《南开学报》1985 年第 4 期；复印报刊资料《逻辑》1985 年第 9 期。

18. 李建钊：《〈刘子新论〉的正名逻辑思想》，《徐州师范学院学报》1985 年第 2 期；复印报刊资料《逻辑》1985 年第 9 期。

19. 彭漪涟：《严复关于归纳与演绎的基本思想》，《江汉论坛》1985 年第 9 期；复印报刊资料《逻辑》1985 年第 10 期。

20. 安人：《研究先秦名辩学说的新著》，《中国社会科学》1985 年第 6 期；复印报刊资料《逻辑》1985 年第 11 期。

21. 刘胜：《墨辩逻辑关于"名"的理论》，《黄石教师进修学院学报》1985 年第 2 期；复印报刊资料《逻辑》1985 年第 11 期；复印报刊资料《中国哲学史》1985 年第 12 期。

22. 高崇会：《邓析的"两可"辩讼逻辑思想》，《吉林大学社会科学学报》1985 年第 6 期；复印报刊资料《逻辑》1985 年第 12 期。

23. 孙中原：《归纳译名小史》，《松辽学刊》1985 年第 1 期。

24. 田力刚：《试论公孙龙概念学说的内在联系》，《河北大学学报》1985 年第 4 期；复印报刊资料《逻辑》1986 年第 3 期。

25. 陈进坤：《〈庄子·天下〉篇的辩题是名家逻辑学说的纲要》，《厦门大学学报》1985 年第 1 期；复印报刊资料《中国哲学史》1985 年第 12 期；复印报刊资料《逻辑》1985 年第 5 期。

26. 董志铁：《〈淮南子〉推理论》，《北京师范大学学报》1985 年第 2 期；复印报刊资料《中国哲学史》1985 年第 5 期。

27. 俞吾金：《读胡适〈先秦名学史〉》，《书林》1985 年第 2 期；复印报刊资料《中国哲学史》1985 年第 5 期。

28. 傅道彬：《孟子辩术简论——读孟札记》，《华中师范学院研究生学报》1985 年第 1 期。

29. 蒋以璞：《论"兼名"即复合概念》，《安徽师大学报》1985

年第 2 期。

30. 陈敏兰：《荀子"辩说"思想探胜》，《厦门大学学报》1985
年第 2 期。

31. 杨百顺：《印度逻辑论式的演变及其与西方推论式略比》，
《人文杂志》1985 年第 5 期；复印报刊资料《逻辑》1986 年
第 1 期。

32. 祁顺来：《从〈量论略义集〉看藏传因明》，《青海民族学院
学报》1985 年第 4 期。

33. 沈剑英：《论因三相》，中国哲学编辑部编：《中国哲学》（第
十三辑），人民出版社 1985 年版。

34. 叶笑雷：《精义纷披，玄机共畅——沈剑英〈因明学研究〉
略评》，《社会科学战线》1985 年第 2 期。

35. 郑奇：《一部填补空白的力作——沈剑英〈因明学研究〉推
介》，《学习与探索》1985 年第 6 期；复印报刊资料《逻辑》
1985 年第 12 期。

1986

1. 卢振芳：《毛泽东辩证逻辑思想初探》，《上海教育学院学报》
1986 年第 3 期。

2. 焦献民：《关系比性质基本，关系比性质重要——介绍金岳霖
先生的关系理论》，《平原大学学报》1986 年第 4 期。

3. 刘夏塘：《商鞅假言联锁推理探微》，《江西财经学院学报》
1986 年第 7 期。

4. ［日］加地申行：《荀子论理学之本质》，辛冠洁、衷尔钜、马
振铎、徐远和主编：《日本学者论中国哲学史》，中华书局
1986 年版。

5. 刘培育：《试论中国古代归纳逻辑思想》，北京市逻辑学会编：
《归纳逻辑》，中国人民大学出版社 1986 年版；《求是学刊》

1986 年第 2 期；复印报刊资料《逻辑》1986 年第 5 期。

6. 孙中原：《略论墨子学派的归纳逻辑思想》，北京市逻辑学会编：《归纳逻辑》，中国人民大学出版社 1986 年版。

7. 冯俊科：《从"参验说"看韩非的归纳思想》，北京市逻辑学会编：《归纳逻辑》，中国人民大学出版社 1986 年版。

8. 孙中原：《归纳译名小史及译名原则浅议》，北京市逻辑学会编：《归纳逻辑》，中国人民大学出版社 1986 年版。

9. 金观涛、刘青峰：《为什么中国古代哲学家没有发现三段论？——亚里士多德和中国古代哲学家的比较研究》，《自然辩证法通讯》1986 年第 1 期；复印报刊资料《逻辑》1986 年第 4 期。

10. 藏宏：《对中国人的逻辑思维特点的有益探索——读〈中国古代哲学的逻辑发展〉》，《社会科学》1986 年第 2 期；复印报刊资料《逻辑》1986 年第 4 期。

11. 周山：《〈小取〉推理论》，《上海社会科学院学术季刊》1986 年第 1 期；复印报刊资料《逻辑》1986 年第 4 期。

12. 董志铁：《关于"逻辑"译名的演变及论战》，《天津师大学报》1986 年第 1 期；复印报刊资料《逻辑》1986 年第 5 期。

13. 李树琦：《先秦名辩思想的两个特点》，《中州学刊》1986 年第 2 期；复印报刊资料《逻辑》1986 年第 5 期。

14. 金春峰：《也谈墨辩沉沦的原因——与包遵信同志对话》，《读书》1986 年第 6 期。

15. 惠旸：《邓析揭开了名辩思潮的序幕》，《中国史研究》1986 年第 2 期。

16. 吴士栋：《对公孙龙诡辩的逻辑分析》，《江西师范大学学报》1986 年第 1 期；复印报刊资料《逻辑》1986 年第 9 期。

17. 俞瑾：《"侔"式推论浅议》，《南京师大学报》1986 年第 2 期；复印报刊资料《逻辑》1986 年第 10 期。

18. 董志铁：《试论惠施等辩者的辩证命题及其与〈墨经〉之关系》，《殷都学刊》1986 年第 2 期；复印报刊资料《逻辑》1986 年第 10 期。

19. 吴邛：《"白马非马"不是诡辩命题》，《探索》1986 年第 2 期；复印报刊资料《逻辑》1986 年第 10 期。

20. 沈剑英：《论吕才的逻辑思想》，《学术月刊》1986 年第 7 期；复印报刊资料《逻辑》1986 年第 10 期。

21. 欧阳中石：《试析孔子"叩两端"的逻辑方法》，《北京师院学报》1986 年第 3 期；复印报刊资料《逻辑》1986 年第 11 期。

22. 孙显元：《毛泽东的论证理论》，《东岳论丛》1986 年第 5 期；复印报刊资料《逻辑》1986 年第 11 期。

23. 蔡伯铭：《王符的"明真"的逻辑思想》，《湖北师范学院学报》1986 年第 2 期；复印报刊资料《逻辑》1986 年第 12 期。

24. 彭漪涟：《试论章太炎的逻辑思想及其成就》，《上海社会科学院学术季刊》1986 年第 4 期；复印报刊资料《逻辑》1986 年第 12 期。

25. 温公颐：《论魏晋玄学逻辑的基本范畴》，《南开学报》1986 年第 2 期；复印报刊资料《中国哲学史》1986 年第 5 期。

26. 孙中原、孙茂新：《〈墨经〉中集合思想之端倪》，《社会科学战线》1986 年第 1 期；复印报刊资料《中国哲学史》1986 年第 3 期；复印报刊资料《逻辑》1986 年第 3 期。

27. 包遵信：《"墨辩"的沉沦和"名理探"的翻译》，《读书》1986 年第 1 期；复印报刊资料《中国哲学史》1986 年第 2 期。

28. 李延铸：《因明三支作法与亚氏三段论》，《成都大学学报》1986 年第 4 期。

29. 沈剑英：《因明三论》，《社会科学战线》1986 年第 1 期；复印报刊资料《逻辑》1986 年第 3 期。

30. 宋立道：《因明三支作法的逻辑性质》，《贵州大学学报》1986 年第 1 期；复印报刊资料《逻辑》1986 年第 5 期。

31. 郑伟宏：《论因三相》，《复旦学报》1986 年第 2 期；复印报刊资料《逻辑》1986 年第 6 期。

32. 杨百顺：《法称逻辑思想述评》，《殷都学刊》1986 年第 2 期。

33. 巫白慧：《印度逻辑及其源流》，《外国哲学》编委会编：《外国哲学》第八辑，商务印书馆 1986 年版。

34. 虞愚：《因明在中国的传播和发展》，《哲学研究》1986 年第 11—12 期。

35. 剧宗林：《藏传因明教学刍议》，《中央民族学院学报》1986 年第 1 期。

1987

1. 葛润林：《论墨辩中辟式推论的逻辑本质》，《商丘师专学报》1987 年第 4 期；复印报刊资料《逻辑》1988 年第 1 期。

2. 袁野：《先秦"正名"论逻辑思想初探》，《蒲峪学刊》1987 年第 3 期；复印报刊资料《逻辑》1988 年第 1 期。

3. 彭漪涟：《章太炎对西方逻辑、印度因明和墨家逻辑的对比研究》，《江汉论坛》1987 年第 11 期。

4. 李先焜：《严复在西方逻辑再输入上的重大贡献》，《湖北大学学报》1987 年第 2 期；复印报刊资料《逻辑》1987 年第 6 期。

5. 何应灿：《陈亮、叶适逻辑思想刍议》，《华东师范大学学报》1987 年第 6 期。

6. 周云之：《"白马非马"决不是诡辩命题——兼论公孙龙的逻辑正名学说》，《中国哲学史研究》1987 年第 2 期；复印报刊资料《逻辑》1987 年第 5 期。

7. 王靖华：《唐诗逻辑初探——兼谈形象思维与抽象思维的关系》，《新疆大学学报》1987 年第 1 期。

8. 张家龙：《金岳霖教授论主词存在问题》，中国社会科学院哲学所编：《金岳霖学术思想研究》，四川人民出版社 1987 年版。

9. 诸葛殷同：《试论金岳霖先生解放后的逻辑思想》，中国社会科学院哲学所编：《金岳霖学术思想研究》，四川人民出版社 1987 年版。

10. 高路：《论金岳霖区别蕴涵与推论的思想——关于金岳霖的一个重要的逻辑思想》，中国社会科学院哲学所编：《金岳霖学术思想研究》，四川人民出版社 1987 年版；《社会科学战线》1987 年第 1 期。

357

11. 闵珊华、贺仲雄：《金岳霖晚年对 Fuzzy 逻辑的认识》，中国社会科学院哲学所编：《金岳霖学术思想研究》，四川人民出版社 1987 年版。

12. 涂纪亮：《关于语言和逻辑——读金岳霖先生的〈批判唯心哲学关于逻辑与语言的思想〉有感》，中国社会科学院哲学所编：《金岳霖学术思想研究》，四川人民出版社 1987 年版。

13. 刘培育：《金岳霖先生的归纳思想》，中国社会科学院哲学所编：《金岳霖学术思想研究》，四川人民出版社 1987 年版。

14. 邱仁宗：《论金岳霖先生对归纳问题的解决》，中国社会科学院哲学所编：《金岳霖学术思想研究》，四川人民出版社 1987 年版。

15. 邵春林：《金岳霖先生在归纳问题上的贡献》，中国社会科学院哲学所编：《金岳霖学术思想研究》，四川人民出版社 1987 年版。

16. 莫绍揆：《金岳霖教授对数理逻辑的贡献》，中国社会科学院哲学所编：《金岳霖学术思想研究》，四川人民出版社 1987年版。

17. 温公颐：《金岳霖教授在普及逻辑知识上的贡献》，中国社会科学院哲学所：《金岳霖学术思想研究》，四川人民出版社 1987 年版。

18. 陈道德：《先秦类推谬误理论探新》，《湖北大学学报》1987年第 5 期。

19. 周云之：《解放前我国传统逻辑中争论的若干问题》，《哲学动态》1987 年第 5 期。

20. 沈剑英：《印度古典论证式的逻辑本质》，《上海教育学院学报》1987 年第 1 期。

21. 彭晓刚、吕伟见：《试论荀子的逻辑思想》，《开拓》1987 年第 3 期；复印报刊资料《逻辑》1987 年第 8 期。

22. 刘文英：《原始思维怎样走向逻辑化》，《哲学研究》1987 年第 7 期；复印报刊资料《逻辑》1987 年第 9 期。

23. 罗长江：《多种反驳方法的灵活运用——"诸葛亮舌战群儒"的逻辑分析》，《逻辑与语言学习》1987 年第 4 期。

24. 武乡：《〈墨经〉"一周而一不周"新解——与某些中国逻辑史论著商榷》，《宁夏社会科学》1987 年第 5 期。

25. 蒙应、甘安顺：《孔子正名学说的逻辑贡献》，《河北师专学报》1987 年第 2 期。

26. 朱志凯：《评公孙龙"白马非马"的诡辩命题》，《复旦学报》1987 年第 5 期；复印报刊资料《逻辑》1987 年第 11 期。

27. 李先焜：《试评胡适对中国古代逻辑的研究》，《湖北大学学报》1987 年第 6 期。

28. 柳路：《中国古代逻辑的概念论》，《逻辑与语言学习》1987 年第 4 期。

29. 秦豪：《试论毛泽东关于概念的辩证思想》，《苏州大学学报》

1987 年第 4 期。

30. 武宏志、陈如松：《"一周而一不周"并非论述周延性——与周云之、刘培育同志商榷》，《佳木斯师专学报》1987 年第 3 期。

31. 朱煜华：《韩非的矛盾说》，《中共浙江省委党校学报》1987 年第 1 期；复印报刊资料《逻辑》1987 年第 4 期。

32. 周宝先：《同异规律是〈墨辩〉逻辑的基本规律》，《江汉大学学报》1987 年第 4 期；复印报刊资料《逻辑》1988 年第 3 期。

33. 周云之：《论荀子的辩说逻辑体系》，《百家论坛》1987 年第 4 期；复印报刊资料《逻辑》1988 年第 3 期。

34. 袁野：《中日两国逻辑的交流》，《内江师专学报》1987 年第 2 期。

35. 杨俊光：《"墨辩"辨正》，《中国哲学史研究》1987 年第 1 期。

36. 赵哈黎：《简论墨家逻辑中的"止"》，《理论思维》1987 年第 2 期。

37. 李耀仙：《名家名称及其含义与范围刍言》，《南充师院学报》1987 年第 2 期。

38. 陈克守：《〈孟子〉的类比》，《辽宁广播电视大学学报》1987 年第 3 期；复印报刊资料《中国哲学史》1987 年第 11 期。

39. 陈孟麟：《〈墨辩〉逻辑范畴三题议》，《哲学研究》1987 年第 11 期；复印报刊资料《中国哲学史》1988 年第 1 期。

40. 孙中原、许毅力：《论墨家逻辑中的名意实诸范畴》，《中国人民大学学报》1987 年第 6 期。

41. 蔡伯铭：《〈淮南子〉的名实观与推理观》，《湖北师范学院学报》1987 年第 1 期。

42. 蔡伯铭：《董仲舒的神学逻辑思想》，《湖北师范学院学报》

359

1987 年第 3 期。

43. 林恒森：《论公孙龙的正名实思想》，《贵州教育学院学报》1987 年第 4 期；复印报刊资料《中国哲学史》1988 年第 2 期。

44. 巫白慧：《因明学在我国的复兴——评〈因明论文集〉》，《中国图书评论》1987 年第 1 期；复印报刊资料《逻辑》1987 年第 5 期。

45. 郑伟宏：《因明三支作法与逻辑三段论之比较》，《复旦学报》1987 年第 2 期。

46. 贺其叶勒图：《僧肇"不真空论"的逻辑问题》，《内蒙古大学学报》1987 年第 1 期。

47. 彭汶：《试论梁启超对墨家逻辑、印度因明和西方逻辑的对比研究》，《青海社会科学》1987 年第 2 期；复印报刊资料《中国哲学史》1987 年第 5 期。

360

48. 刘春杰：《因明三支论式与亚里士多德三段论比较》，《攀登》1987 年第 1 期。

49. 沈剑英：《堕负论札记》，《学习与探索》1987 年第 2 期。

1988

1. 孙中原：《中国古代逻辑中的判断论》，《逻辑与语言学习》1988 年第 1 期。

2. 周云之：《一本颇具新见的新作——读〈公孙龙子论疏〉》，《光明日报》1988 年 4 月 18 日。

3. 周云之：《试论我国三十年代综合逻辑的特点及其兴起的过程和原因》，《天津师大学报》1988 年第 1 期。

4. 蔡伯铭：《扬雄的逻辑辩说思想与数的演绎逻辑》，《湖北师范学院学报》1988 年第 1 期；复印报刊资料《逻辑》1988 年第 5 期。

5. 柳路：《中国古代逻辑中的推理论》（上、中、下），《逻辑与语言》1988 年第 2 期、第 4 期，1989 年第 1 期。

6. 周建设：《从先秦名学看逻辑研究的起点》，《湖南师范大学社会科学学报》1988 年第 3 期；复印报刊资料《逻辑》1988 年第 7 期。

7. 李先焜：《章太炎、梁启超、章士钊的中西逻辑的比较研究》，《湖北大学学报》1988 年第 3 期；复印报刊资料《逻辑》1988 年第 7 期。

8. 周云之：《试论先秦儒家对逻辑正名理论的发展和贡献》，《孔子研究》1988 年第 2 期；复印报刊资料《逻辑》1988 年第 7 期。

9. 周山：《中国古代逻辑中几个重要范畴的历史考察》，《上海社会科学院学术季刊》1988 年第 2 期；复印报刊资料《逻辑》1988 年第 8 期。

361

10. 周云之：《试论先秦名辩逻辑在理论上的主要贡献》，《社会科学战线》1988 年第 3 期；复印报刊资料《逻辑》1988 年第 8 期。

11. 李元庆：《论战国纵横家的诡辩术》，《山西师大学报》1988 年第 3 期。

12. 陈孟麟：《孔子在中国逻辑史上的地位》，《山东师大学报》1988 年第 4 期；复印报刊资料《逻辑》1988 年第 9 期。

13. 彭漪涟：《略论中国近代逻辑思想发展的几个主要特点》，《华东师范大学学报》1988 年第 4 期；复印报刊资料《逻辑》1988 年第 10 期。

14. 周云之：《论先秦演绎推理学说的发展和完善》，《江西社会科学》1988 年第 5 期；复印报刊资料《逻辑》1988 年第 11 期。

15. 刘文英：《论中国传统哲学思维的逻辑特征》，《哲学研究》

1988 年第 7 期；复印报刊资料《中国哲学史》1988 年第 9 期。

16. 孙金森：《从墨辩逻辑的特点看它的历史命运》，《贵州社会科学》1988 年第 10 期。

17. 赵绍鸿：《公孙龙唯物主义的"名实观"》，《孔子研究》1988 年第 2 期；复印报刊资料《中国哲学史》1988 年第 7 期。

18. 吴景山：《浅谈〈文学和出汗〉的逻辑论证》，《绥化师专学报》1988 年第 3 期。

19. 周云之：《论荀子的正名逻辑及其在中国逻辑史上的贡献和地位》，《锦州师院学报》1988 年第 1 期；复印报刊资料《逻辑》1988 年第 2 期。

20. 刘培育：《秦后八百年逻辑发展概观》，《自然辩证法研究》1988 年第 6 期；复印报刊资料《逻辑》1989 年第 1 期。

21. 钟罗：《中国逻辑史学术讨论会在成都举行》，《哲学动态》1988 年第 11 期；复印报刊资料《逻辑》1989 年第 2 期。

22. 刘宗棠：《侔式推论新解》，《贵州民族学院学报》1988 年第 4 期。

23. 石立：《中国逻辑史研究中的新探索——评介 1988 年南开大学逻辑专业的几篇学位论文》，《逻辑与语言学习》1988 年第 6 期。

24. 周云之：《论荀子"三惑"说的基本内容理论价值及学术偏见》，《江汉论坛》1988 年第 12 期。

25. 孙金森：《墨辩逻辑与亚里士多德逻辑》，《学术界》1988 年第 6 期。

26. 岳逸殿：《金岳霖逻辑思想研究 50 年》，《哲学动态》1988 年第 7 期。

27. 马全智：《略论朱熹建立理学体系的逻辑方法》，《河南大学学报》1988 年第 6 期；复印报刊资料《中国哲学史》1989

年第 2 期。

28. 杨新世:《惠施"我知天下之中央"命题新解》,《河北学刊》
1988 年第 6 期。

29. 周山:《关于"名家"的两个问题》,《中国哲学史研究》
1988 年第 2 期;复印报刊资料《中国哲学史》1988 年第 6
期。

30. 贺友龄:《试析〈孟子〉的逻辑运用》,《孔子研究》1988 年
第 3 期。

31. 刘长林:《〈易传〉的类概念和模型思想》,《中国哲学史研
究》1988 年第 3 期。

32. 翟延瑨:《庄惠"濠梁之辩"——两种思维的交叉》,《学术
月刊》1988 年第 5 期。

33. 周云之:《中国逻辑史第五次学术讨论会在成都举行》,《哲
学研究》1988 年第 9 期。

34. 胡绳生、余卫国:《〈指物论〉——文化史上第一篇符号学论
文》,《宝鸡师院学报》1988 年第 3 期;复印报刊资料《中国
哲学史》1988 年第 12 期。

35. 王一彪:《〈老子〉中的辩证命题及其形式初探》,《中国人民
大学学报》1988 年第 6 期。

36. 郑伟宏:《因明三种比量探讨》,《哲学研究》1988 年第 3 期;
复印报刊资料《逻辑》1988 年第 4 期。

37. 周云之:《因的"三相"可以缺一吗?》,《江淮论坛》1988 年
第 6 期;复印报刊资料《逻辑》1989 年第 3 期。

38. 罗炤:《有关"真唯识量"的几个问题》,《世界宗教研究》
1988 年第 3 期。

39. 韩廷杰:《玄奘对唯识学的发展》,《世界宗教研究》1988 年
第 4 期;复印报刊资料《中国哲学史》1989 年第 1 期。

40. 罗炤:《因明概述》,文史知识编辑室编:《佛教与中国文

化》，中华书局 1988 年版。

41. 郑伟宏：《陈大齐对汉传因明的卓越贡献》，《法音》1988 年第 1—2 期。

42. 郑伟宏：《熊十力〈因明大疏删注〉评介》，《法音》1988 年第 7 期。

1989

1. 刘宗棠：《〈指物论〉与指号学》，《哲学研究》1989 年第 12 期。

2. 缪四平：《辩证法能否成为逻辑？——试析我国 1930 年代逻辑讨论的一个中心问题》，《华东师范大学学报》1989 年第 4 期；复印报刊资料《逻辑》1990 年第 1 期。

3. 赵继伦：《"三物"是〈墨辩〉中论辩方法的范畴》，《齐鲁学刊》1989 年第 3 期；复印报刊资料《逻辑》1989 年第 9 期。

4. 李树琦：《中国逻辑史研究的一个新成果——评孙中原的〈中国逻辑史（先秦）〉一书》，《中国社会科学》1989 年第 4 期；复印报刊资料《逻辑》1989 年第 9 期。

5. 高家方：《是逻辑的辩证法，不是相对主义的诡辩——评邓析的"两可之说"》，《吉林师范学院学报》1989 年第 3 期。

6. 陈祖军：《论〈墨辩〉逻辑中概念的辩证法》，《求索》1989 年第 6 期。

7. 赵继伦：《〈墨辩〉是中国古典的非形式逻辑》，《天津师大学报》1989 年第 6 期；复印报刊资料《逻辑》1990 年第 3 期。

8. 楚明锟：《试论鲁迅运用选言判断的精湛技巧》，《河南大学学报》1989 年第 6 期；复印报刊资料《逻辑》1990 年第 3 期。

9. 刘慧晏：《古代中国比类方法辨析》，《青岛大学学报》1989 年第 2 期。

10. 周云之：《简论先秦对逻辑基本规律的理论表述》，《光明日报》1989 年 1 月 16 日；复印报刊资料《逻辑》1989 年第 2 期。

11. 丁煌：《墨辩逻辑与亚里士多德逻辑谬误理论之比较》，《湖北师范学院学报》1989 年第 1 期；复印报刊资料《逻辑》1989 年第 4 期。

12. 蔡伯铭：《评两汉对先秦名辩的评论》，《湖北师范学院学报》1989 年第 1 期。

13. 刘培育：《评〈中国逻辑史〉（先秦)》，《哲学研究》1989 年第 2 期。

14. 周云之：《后期墨家已经提出了相当于三段论的推理形式——论"故"、"理"、"类"与"三物论式"》，《哲学研究》1989 年第 4 期。

15. 诸葛殷同：《读〈中国逻辑思想史教程〉有感》，《哲学动态》1989 年第 3 期。

16. 周云之：《论先秦墨家对古代归纳方法（逻辑）作出的贡献》，《社会科学》1989 年第 3 期；复印报刊资料《逻辑》1989 年第 7 期。

17. 孙中原：《中国古代逻辑中的思维规律论》，《逻辑与语言学习》1989 年第 2 期；复印报刊资料《逻辑》1989 年第 8 期。

18. 冯曼东：《浅谈杜国庠先秦逻辑思想的研究》，《北京师范学院学报》1989 年第 3 期；复印报刊资料《逻辑》1989 年第 8 期。

19. 胡泽洪：《中西逻辑发展的不同特点及其原因》，《湖南师范大学社会科学学报》1989 年第 2 期；复印报刊资料《逻辑》1989 年第 8 期。

20. 冯必扬：《类概念——亚里士多德逻辑和墨家逻辑的锁钥》，《中国哲学研究》1989 年第 2 期。

21. 傅永庆：《〈指物论〉的语言逻辑思想》，《逻辑与语言学习》

1989 年第 2 期。

22. 焦志：《何以能"珠心"——鲁迅巧用归谬法》，《逻辑与语言学习》1989 年第 2 期。

23. 周云之：《中国逻辑史应坚持科学的对比研究》，《哲学动态》1989 年第 4 期；复印报刊资料《逻辑》1989 年第 6 期。

24. 陈克守：《墨辩、因明与亚里士多德的归纳逻辑比较》，《齐鲁学刊》1989 年第 6 期；复印报刊资料《逻辑》1990 年第 2 期。

25. 陈孟麟：《荀况逻辑思想对〈墨辩〉的发展及其局限》，《中国社会科学》1989 年第 6 期；复印报刊资料《逻辑》1990 年第 2 期。

26. 张俊杰：《公孙龙、墨家、荀子概念论的比较》，《内蒙古师范大学学报》1989 年第 2 期。

366

27. 章沛：《杜国庠关于中国先秦逻辑思想史的研究——杜国庠先生诞辰百年献礼》，《广东社会科学》1989 年第 2 期；复印报刊资料《逻辑》1989 年第 10 期。

28. 陈江：《墨家和亚里士多德论逻辑谬误》，《内蒙古师范大学学报》1989 年第 3 期；复印报刊资料《逻辑》1989 年第 12 期。

29. 苑成存、林卿：《先秦时期类推思想浅探》，《佳木斯师专学报》1989 年第 2 期；复印报刊资料《逻辑》1989 年第 12 期。

30. 高崇会：《中国古代的诡辩逻辑思想》，《内蒙古民族师院社会科学学报》1989 年第 1 期；复印报刊资料《中国哲学史》1989 年第 5 期。

31. 徐素华：《试评三十年代关于唯物辩证法和形式逻辑关系的争论》，《中国哲学史研究》1989 年第 1 期。

32. 董志铁：《论〈淮南子〉对〈吕氏春秋〉推类理论的继承和

发展》，《人文杂志》1989 年第 3 期；复印报刊资料《中国哲学史》1989 年第 7 期。

33. 罗翊重：《论阴阳中对和参——关于中国传统矛盾概念的数理分析》，《学术界》1989 年第 4 期；复印报刊资料《中国哲学史》1989 年第 8 期。

34. 沈有鼎：《〈公孙龙子〉考——从较早的文献考察辩者公孙龙的学说倾向性》，《中国哲学史研究》1989 年第 3 期。

35. 诸葛殷同：《说侔》，《中国哲学史研究》1989 年第 4 期。

36. 谷方：《"白马非马"与诡辩哲学》，《管子学刊》1989 年第 1 期；复印报刊资料《中国哲学史》1989 年第 3 期。

37. 周云之：《简论先秦对逻辑基本规律的理论表述》，《光明日报》1989 年 1 月 16 日；复印报刊资料《中国哲学史》1989 年第 2 期；复印报刊资料《逻辑》1989 年第 2 期。

38. 周云之：《概论先秦的逻辑正名学说》，《湖北大学学报》1989 年第 5 期；复印报刊资料《中国哲学史》1990 年第 1 期。

367

39. 张家龙：《从数理逻辑观点看〈周易〉》，《哲学动态》1989 年第 11 期；复印报刊资料《中国哲学史》1990 年第 1 期。

40. 王丽娟：《公孙龙正名原则和墨家正名原则之异同》，《上海教育学院学报》1989 年第 3 期；复印报刊资料《中国哲学史》1990 年第 1 期。

41. 陈遵沂：《严复对西方近代实证方法与逻辑方法的认识》，《理论学习月刊》1989 年第 10 期；复印报刊资料《中国哲学史》1990 年第 2 期。

42. 周云之：《中国先秦的名辩逻辑是形式逻辑的世界三大源流之一》，《中国哲学史研究》1989 年第 4 期；复印报刊资料《中国哲学史》1989 年第 12 期；复印报刊资料《逻辑》1989 年第 11 期。

43. 张忠义：《试论因明的三支论式》，《哲学研究》1989 年第 8 期；复印报刊资料《逻辑》1989 年第 10 期。

44. 吕澂：《真唯识量》，刘培育、崔清田、孙中原编：《因明新探》，甘肃人民出版社 1989 年版。

45. 王森：《因明在西藏》，刘培育、崔清田、孙中原编：《因明新探》，甘肃人民出版社 1989 年版。

46. 杨化群：《关于藏传因明的几个问题》，刘培育、崔清田、孙中原编：《因明新探》，甘肃人民出版社 1989 年版。

47. 刘培育：《因明三十四年》，刘培育、崔清田、孙中原编：《因明新探》，甘肃人民出版社 1989 年版。

48. 周文英：《印度逻辑推论式的基本性质》，刘培育、崔清田、孙中原编：《因明新探》，甘肃人民出版社 1989 年版。

49. 杨百顺：《印度逻辑与西方逻辑比较举隅》，刘培育、崔清田、孙中原编：《因明新探》，甘肃人民出版社 1989 年版。

50. 崔清田：《试析〈墨辩〉的"故"与因明的"因"、"喻"》，刘培育、崔清田、孙中原编：《因明新探》，甘肃人民出版社 1989 年版。

51. 周山：《因明与名辩》，刘培育、崔清田、孙中原编：《因明新探》，甘肃人民出版社 1989 年版。

52. 吴志雄：《古代三大逻辑学说证明理论的简单比较》，刘培育、崔清田、孙中原编：《因明新探》，甘肃人民出版社 1989 年版。

53. 沈剑英：《关于〈"因"的三相可以缺一吗?〉》，刘培育、崔清田、孙中原编：《因明新探》，甘肃人民出版社 1989 年版。

54. 沈剑英：《能立三论》，刘培育、崔清田、孙中原编：《因明新探》，甘肃人民出版社 1989 年版。

55. 李元庆、高银秀：《浅谈因明学中"量"的认识意义》，刘培育、崔清田、孙中原编：《因明新探》，甘肃人民出版社 1989

年版。

56. 高振农：《因明与佛学》，刘培育、崔清田、孙中原编：《因明新探》，甘肃人民出版社 1989 年版。

57. 孙志成：《试论因明与佛家逻辑的关系》，刘培育、崔清田、孙中原编：《因明新探》，甘肃人民出版社 1989 年版。

58. 方广锠：《因明不等于佛家逻辑》，刘培育、崔清田、孙中原编：《因明新探》，甘肃人民出版社 1989 年版。

59. 蔡伯铭：《吕才与因明》，刘培育、崔清田、孙中原编：《因明新探》，甘肃人民出版社 1989 年版。

60. ［意］杜芝教授著，巫白慧译：《论初期佛教逻辑及其有关文献》，刘培育、崔清田、孙中原编：《因明新探》，甘肃人民出版社 1989 年版。

61. ［印］M. 切迦罗伐尔蒂著，王铺、段洎译：《孟加拉和密提拉新正理的历史》，刘培育、崔清田、孙中原编：《因明新探》，甘肃人民出版社 1989 年版。

369

62. ［日］末木刚博著，孙中原译：《新因明的逻辑》，刘培育、崔清田、孙中原编：《因明新探》，甘肃人民出版社 1989 年版。

63. ［日］末木刚博著，孙中原译：《因明的谬误论》，刘培育、崔清田、孙中原编：《因明新探》，甘肃人民出版社 1989 年版。

64. 殷铭：《全国首届因明学术讨论会综述》，刘培育、崔清田、孙中原编：《因明新探》，甘肃人民出版社 1989 年版。

65. 逸欧：《介绍几种有关因明的书》，《法音》1989 年第 3 期。

66. 崔清田：《吕才的因明研究》，《河北大学学报》1989 年第 3 期。

67. 沈剑英：《吕才与因明》，《上海教育学院学报》1989 年第 1 期。

68. 虞愚：《"因明入正理论"的内容特点及其传习》，《现代佛学》1989 年第 1 期。

69. 虞愚：《"因明正理门论"简介》，《中国佛教》（三），知识出版社 1989 年版。

70. 姚南强：《因明研究四十年述要》，《哲学研究》1989 年第 11 期。

1990

1. 安崇丽：《论严复的"正名"思想及其特点》，《逻辑与语言学习》1990 年第 1 期。

2. 黄伟力：《80 年代我国归纳逻辑研究概况》，《哲学动态》1990 年第 4 期；复印报刊资料《逻辑》1990 年第 6 期。

3. 吴志雄：《因明、"墨辩"、亚里士多德逻辑比较研究》，《中山大学学报》1990 年第 2 期；复印报刊资料《逻辑》1990 年第 6 期。

4. 杨哲昆：《从公孙龙的名实理论看"白马非马"》，《逻辑与语言学习》1990 年第 2 期；复印报刊资料《逻辑》1990 年第 6 期。

5. 谭业谦：《中国逻辑与希腊逻辑相对应的一端——〈墨子·小取〉爱人待周爱人节新解》，《江汉大学学报》1990 年第 1 期。

6. 张春波、张家龙：《中国哲学中的逻辑和语言》，《吉林大学社会科学学报》1990 年第 3 期；复印报刊资料《逻辑》1990 年第 7 期；复印报刊资料《中国哲学史》1990 年第 6 期。

7. 李建钊：《〈易经〉——中国古代的符号逻辑》（上），《徐州师范学院学报》1990 年第 1 期；复印报刊资料《逻辑》1990 年第 7 期。

8. 李建钊：《〈易经〉——中国古代的符号逻辑》（下），《徐州师范学院学报》1990 年第 2 期。

9. 孙中原：《〈墨经〉的逻辑成就》,《中国人民大学学报》1990 年第 3 期；复印报刊资料《逻辑》1990 年第 7 期。

10. 俞瑾：《〈墨经〉"论证"研究之我见》,《江海学刊》1990 年第 3 期。

11. 崔清田：《三支作法与三段论辨析》,《南开学报》1990 年第 3 期。

12. 傅建增：《试论〈墨辩〉逻辑立辞的"三物"基础》,《南开学报》1990 年第 3 期；复印报刊资料《逻辑》1990 年第 8 期。

13. 彭汶：《试论王国维的"二重证据法"及其逻辑—方法论意义》,《江淮论坛》1990 年第 4 期；复印报刊资料《逻辑》1990 年第 9 期。

14. 张忠义：《"彼""此""是"与逻辑变项》,《宁夏党校学刊》1990 年第 1 期。

15. 周云之：《孔子是先秦名辩逻辑的重要启蒙思想家》,《孔子研究》1990 年第 3 期；复印报刊资料《逻辑》1990 年第 11 期。

16. 李廉：《〈易经〉的辩证"多值逻辑"》,《中州学刊》1990 年第 5 期；复印报刊资料《逻辑》1990 年第 11 期。

17. 《金岳霖的〈逻辑〉对逻辑学的主要贡献》,《逻辑与语言学习》1990 年第 5 期；复印报刊资料《逻辑》1990 年第 11 期。

18. 颜华东：《论王充关于论证基本法则的逻辑思想》,《湖北师范学院学报》1990 年第 4 期；复印报刊资料《逻辑》1990 年第 12 期。

19. 陈敏秋：《中西方悖论的差异及深层的文化背景》,《上海教育学院学报》1990 年第 3 期；复印报刊资料《逻辑》1990 年第 12 期。

371

20. 杨俊光：《辩者二十事选释》，《南京大学学报》1990 年第 2 期。

21. 俞宣孟：《意义、符号与周易》，《学术季刊》1990 年第 4 期；复印报刊资料《中国哲学史》1991 年第 2 期。

22. 杨国荣：《孔墨老与先秦名实之辩》，《学术界》1990 年第 6 期；复印报刊资料《中国哲学史》1991 年第 1 期。

23. 任明纲：《孟子辩论术析微》，《贵州师专学报》1990 年第 1 期。

24. 奕皓：《论〈黄帝内经〉取象比类的方法》，《湖南师范大学社会科学学报》1990 年第 4 期；复印报刊资料《中国哲学史》1990 年第 8 期。

25. 周云武：《〈墨辩〉逻辑消亡的历史原因》，《湖湘论坛》1990 年第 4 期；复印报刊资料《中国哲学史》1990 年第 8 期。

26. 刘培育：《东汉后期思想家对古代名辩学的贡献》，《内蒙古师大学报》1990 年第 4 期；复印报刊资料《中国哲学史》1990 年第 8 期。

27. 张忠义：《关于"侔"的几种解释述评》，《佳木斯师专学报》1990 年第 2 期。

28. 葛晋荣：《先秦"名实"概念的历史演变》，《江淮论坛》1990 年第 5 期；复印报刊资料《中国哲学史》1990 年第 11 期。

29. 李廉：《〈易传〉中的逻辑学范畴》，《河南大学学报》1990 年第 6 期；复印报刊资料《逻辑》1991 年第 1 期。

30. 吴志雄：《中国传统文化对逻辑的包容与排斥》，《广东社会科学》1990 年第 4 期；复印报刊资料《逻辑》1991 年第 1 期。

31. 马全智：《邵雍象数逻辑初探》，《洛阳师专学报》1990 年第 4 期；复印报刊资料《逻辑》1991 年第 2 期。

32. 李卒：《先秦逻辑史上有关"名"的谬误的探究》，《广西师范大学学报》1990 年第 4 期；复印报刊资料《逻辑》1991 年第 3 期。

33. 王兴尚：《老子逻辑论——从一个新角度解释〈老子〉》，《宝鸡师院学报》1990 年第 4 期；复印报刊资料《逻辑》1991 年第 4 期。

34. 林杰、段一平：《因明思想起源初探》，《南亚研究》1990 年第 2 期。

35. 黄志强：《再论因三相》，《南亚研究》1990 年第 4 期；复印报刊资料《逻辑》1990 年第 11 期。

36. 姚南强：《因明论争之我见》，《宁波师范学院学报》1990 年第 4 期；复印报刊资料《逻辑》1990 年第 12 期。

37. 孙中原：《日本学者末木刚博对因明的比较研究》，《逻辑与语言学习》1990 年第 3 期。

38. 缪元全：《世间现量与出世间现量之分歧》，《北京大学研究生学刊》1990 年第 1 期。

39. 阿旺丹增：《藏传因明的发展特点及其现状》，《西藏研究》1990 年第 3 期。

40. 楼宇烈：《熊十力"量论"杂谈（三则）》，《玄圃论学集——熊十力生平与学术》，生活·读书·新知三联书店 1990 年版。

41. 姚南强：《因明研究几题》，冯契主编：《社会科学争鸣大系·哲学卷》，上海人民出版社 1990 年版。

42. 郑伟宏：《因明概论》，《复旦学报》1990 年第 3 期。

43. 法尊：《法称因明学中"心明"差别略说》，《法尊法师佛学论文集》，中国佛教文化研究所 1990 年版。

44. 姚南强：《论陈那三支式的逻辑本质——兼与郑伟宏同志商榷》，《复旦学报》1990 年第 6 期。

1991

1. 姜宝昌：《〈墨经〉的逻辑理论与实践总说》，张知寒主编：《墨子研究论丛》（一），山东大学出版社 1991 年版。

2. 高崇会：《墨家学派对谬误和诡辩论的批判》，《内蒙古师大学报》1991 年第 1 期；复印报刊资料《逻辑》1991 年第 4 期。

3. 刘良琼：《毛泽东的归纳逻辑思想初探》，《邵阳师专学报》1991 年第 1 期；复印报刊资料《逻辑》1991 年第 4 期。

4. 陈克守：《孟子的演绎推理简析》，《齐鲁学刊》1991 年第 2 期；复印报刊资料《逻辑》1991 年第 6 期。

5. 林邦瑾：《韩非定律》，《思维与实践》1991 年第 1 期；复印报刊资料《逻辑》1991 年第 6 期。

6. 周云之：《再论中国逻辑史研究的对象和方法》，《哲学研究》1991 年第 6 期；复印报刊资料《逻辑》1991 年第 7 期。

7. 张忠义：《中国先秦对关系逻辑思想的研究》，《佳木斯师专学报》1991 年第 2 期；复印报刊资料《逻辑》1991 年第 7 期。

8. 孙中原：《王充论证逻辑简析》，《学术论丛》1991 年第 2 期；复印报刊资料《逻辑》1991 年第 7 期。

9. 李守恬、于春海：《论〈周易〉中比附推论的逻辑方法》，《延边教育学院学报》1991 年第 1—2 期；复印报刊资料《逻辑》1991 年第 7 期。

10. 龚家淮：《诡辩终归为诡辩——与主张"白马非马"不是诡辩命题的同志商榷》，《内蒙古师大学报》1991 年第 2 期。

11. 孙中原：《日本学者末木刚博论〈易经〉逻辑》，《逻辑与语言学习》1991 年第 3 期。

12. 徐仪明：《论〈易经〉与先秦逻辑思维的关系》，《学术月刊》1991 年第 4 期；复印报刊资料《逻辑》1991 年第 8 期。

13. 陈孟麟：《墨辩逻辑学的特点及其历史命运》，《中国社会科学》1991 年第 5 期；复印报刊资料《逻辑》1991 年第 9 期。

14. 傅坚：《王充的"效验论证"试析》，《华南师范大学学报》
1991 年第 3 期；复印报刊资料《逻辑》1991 年第 9 期。

15. 尹智全：《断卦的逻辑方法初探》，《邵阳师专学报》1991 年
第 2 期。

16. 吴俊明：《论〈墨经〉的不矛盾律思想》，《安徽师大学报》
1991 年第 3 期；复印报刊资料《逻辑》1991 年第 10 期。

17. 彭漪涟：《中国近代中外逻辑思想对比研究的成就与不足》，
《江淮论坛》1991 年第 5 期；复印报刊资料《逻辑》1991 年
第 11 期。

18. 黄滨：《素朴辩证逻辑的发达与中国古代科学的繁荣》，《广
西师院学报》1991 年第 3 期；复印报刊资料《逻辑》1991
年第 11 期。

19. 王心铭：《"白马非马"是关于概念论的逻辑命题》，《运城高
专学报》1991 年第 3 期。

20. 秦豪：《毛泽东同志对我国逻辑研究和普及的主要贡献》，
《吴中学刊》1991 年 3 月；复印报刊资料《逻辑》1991 年第
12 期。

21. 刘培育：《庄子名辩论》，《哲学研究》1991 年第 8 期；复印
报刊资料《中国哲学史》1991 年第 10 期。

22. 诸葛殷同：《关于中国逻辑史研究的几点看法》，《哲学研究》
1991 年第 11 期；复印报刊资料《逻辑》1991 年第 12 期。

23. 周云之：《第三次全国〈墨经〉研讨会在合肥召开》，《哲学
研究》1991 年第 12 期；复印报刊资料《中国哲学史》1992
年第 1 期。

24. 何应灿：《〈易经〉逻辑思想新探索——评〈易经新论〉》，
《社会科学》1991 年第 11 期。

25. 陈孟麟：《并不存在公孙龙逻辑思想》，《山东师大学报》

1991 年第 5 期。

26. 尚志英：《试析数理逻辑何以不能在中国产生》，《学术界》1991 年第 1 期；复印报刊资料《逻辑》1991 年第 3 期。

27. 郑立群：《中国古代逻辑中的谬误论》，《逻辑与语言学习》1991 年第 2 期；复印报刊资料《逻辑》1991 年第 4 期。

28. 徐罗：《江苏的逻辑思想家》，《社科信息》1991 年第 1 期。

29. 陈道德：《〈周易〉——古代中国的符号宇宙》，《湖北大学学报》1991 年第 1 期。

30. 张松辉：《孔子"正名"思想应予肯定》，《湖南师范大学社会科学学报》1991 年第 2 期。

31. 罗翊重：《〈周易〉数理与性质判断矛盾性研究》，《云南学术探索》1991 年第 6 期；复印报刊资料《中国哲学史》1992 年第 3 期。

32. 方频、一民：《惠施的哲学与逻辑探析》，《传统文化》1991 年第 3 期。

33. 朱泽安：《〈通变论〉的方法论思想——〈公孙龙子〉研究》，《重庆教育学院学报》1991 年第 3 期。

34. 于春海、于衍存：《以故生，以理长，以类行——试析〈周易〉的逻辑推理》，《东疆学刊》1991 年第 4 期；复印报刊资料《中国哲学史》1992 年第 1 期。

35. 黄鸿森：《荀子的术语学思想——读〈荀子·正名篇〉》，《百科知识》1991 年第 12 期。

36. 管竹心：《孟子论辩简析》，《芜湖师专学报》1991 年第 1 期。

37. 羊涤生：《庄子"濠梁之辩"与"辩无胜"》，《西北大学学报》1991 年第 2 期。

38. 张忠义：《对新因明逻辑的理解——与日本末木刚博教授商榷》，《南亚研究》1991 年第 2 期。

39. 郑伟宏：《略谈陈那新因明的推理性质——答姚南强同志》，

《复旦学报》1991 年第 5 期。

40. 祁顺来：《浅谈藏传佛教哲学量论》，佟德富、班班多杰编：《藏族哲学思想史论集》，民族出版社 1991 年版。

41. 罗炤：《吕才与玄奘师徒的论争》，《世界宗教研究》1991 年第 2 期。

1992

1. 孙中原：《末木刚博对东西方逻辑和文化的比较研究》，《中国人民大学学报》1992 年第 6 期；复印报刊资料《逻辑》1993 年第 1 期。

2. 曾祥云：《中国近代比较逻辑研究的贡献、局限与启迪》，《福建论坛》1992 年第 6 期；复印报刊资料《逻辑》1993 年第 1 期。

3. 颜华东：《试论墨辩逻辑的特点》，《甘肃理论学刊》1992 年第 6 期；复印报刊资料《逻辑》1993 年第 1 期。

4. 王极：《〈周易〉中假言命题及其逻辑表达式》，《天津师大学报》1992 年第 6 期；复印报刊资料《逻辑》1993 年第 2 期。

5. 宋志明：《阐幽探微　上下求索——记哲学家逻辑学家金岳霖》，《社会科学战线》1992 年第 1 期；刘培育编：《金岳霖的回忆与回忆金岳霖》，四川教育出版社 1995 年版。

6. 朱志凯：《〈周易〉中的逻辑方法论思想探索》，《社会科学》1992 年第 2 期；复印报刊资料《中国哲学史》1992 年第 3 期。

7. 王金玉：《从逻辑哲学看公孙龙的"白马论"》，《复旦学报》1992 年第 1 期。

8. 罗志发：《柳宗元逻辑思想探析》，《逻辑与语言学习》1992 年第 1 期。

9. 张斌峰：《论金岳霖的逻辑范畴思想》，《逻辑与语言学习》

1992 年第 1 期。

10. 周丽萍：《〈墨辩〉与亚里士多德的"类"概念之比较》，《逻辑与语言学习》1992 年第 4 期；复印报刊资料《逻辑》1992 年第 9 期。

11. 赖奕樵、张忠义：《再谈中国逻辑史上没有变项吗》，《佳木斯教育学院学报》1992 年第 1 期；复印报刊资料《逻辑》1992 年第 4 期。

12. 罗慧：《对 80 年代辩证逻辑研究的反思及对 90 年代发展的展望》，《哲学动态》1992 年第 1 期；复印报刊资料《逻辑》1992 年第 4 期。

13. 陈道德：《论卦爻符号的起源及〈周易〉的意义层面》，《哲学研究》1992 年第 11 期。

14. 曾祥云：《我看中国逻辑史研究的对象和方法》，《哲学研究》1992 年第 4 期；复印报刊资料《逻辑》1992 年第 5 期。

15. 向容宪：《略论近、现代中国逻辑科学的发展》，《贵阳师专学报》1992 年第 1 期；复印报刊资料《逻辑》1992 年第 5 期。

16. 曾振宇：《道德与政治——孔子与商鞅的逻辑思维特点》，《烟台大学学报》1992 年第 2 期。

17. 刘强：《"白马非马"包含的逻辑思想》，《昭乌达蒙族师专学报》1992 年第 1 期。

18. 蔡伯铭：《把中国逻辑史的研究提高一步》，《湖北师范学院学报》1992 年第 2 期；复印报刊资料《逻辑》1992 年第 6 期。

19. 何文华：《毛泽东辩证逻辑思想初探》，《社会科学》1992 年第 3 期；复印报刊资料《逻辑》1992 年第 7 期。

20. 孙中原：《论严复的逻辑成就》，《文史哲》1992 年第 3 期；复印报刊资料《逻辑》1992 年第 7 期。

21. 周云之：《〈墨经〉逻辑是中国古代（传统）形式逻辑的杰出代表——评所谓"论辩逻辑"、"非形式逻辑"和"前形式逻辑"说》，《孔子研究》1992 年第 2 期；复印报刊资料《逻辑》1992 年第 8 期。

22. ［韩］南明镇：《中国何以未发展出像西方那样的逻辑学》，《孔子研究》1992 年第 3 期；复印报刊资料《逻辑》1992 年第 5 期。

23. 秦豪：《毛泽东对我国逻辑学研究和普及的重要贡献》，《唯实》1992 年第 2 期；复印报刊资料《逻辑》1992 年第 8 期。

24. 袁野：《中日两国逻辑的交流》，《牡丹江师范学院学报》1992 年第 2 期。

25. 徐阳春：《中国古代逻辑的推论形式——说》，《绍兴师专学报》1992 年第 2 期。

26. 沈剑英：《误难论》，《上海教育学院学报》1992 年第 2 期；复印报刊资料《逻辑》1992 年第 9 期。

27. 刘中树、张富贵：《论鲁迅辩证思维的逻辑系统》，《社会科学战线》1992 年第 3 期。

28. 朱志凯：《〈周易〉的类推思维方法》，《河北学刊》1992 年第 5 期；复印报刊资料《逻辑》1992 年第 10 期。

29. 刘高岑：《〈道德经〉中的辩证逻辑思想》，《南都学坛》1992 年第 4 期；复印报刊资料《逻辑》1992 年第 11 期。

30. 丛铭：《第七次中国逻辑史讨论会主要论点概述》，《哲学动态》1992 年第 10 期；复印报刊资料《逻辑》1992 年第 11 期。

31. 丁家顺：《从〈论持久战〉看辩证逻辑的论证原则》，《贵州师范大学学报》1992 年第 3 期。

32. 姚南强：《墨辩与因明的逻辑比较》，《上海教育学院学报》1992 年第 3 期；复印报刊资料《逻辑》1992 年第 12 期。

379

33. 徐阳春：《先秦名实观散论》，《绍兴师专学报》1992年第4期。

34. 郑坚：《第三次〈墨经〉研讨会在合肥举行》，《自然科学史研究》1992年第1期。

35. 翟延瑨：《孟子在先秦名辩思潮中的地位和作用》，《学术月刊》1992年第7期。

36. 曹飞：《因三相是保证因、喻真实的规则》，《河南师范大学学报》1992年第2期；复印报刊资料《逻辑》1992年第7期。

37. 张忠义：《因明的"合离"与"分离"规则》，《社会科学战线》1992年第3期；复印报刊资料《逻辑》1992年第9期。

38. 苑成存：《西方逻辑和印度因明在中国》，《佳木斯师专学报》1992年第2期。

39. 徐东来：《也谈因三相——与黄志强同志商榷》，《南亚研究》1992年第2期。

40. 徐东来：《论法称与陈那逻辑思想之差异》，沈剑英：《佛家逻辑》，开明出版社1992年版。

41. 沈剑英、姚南强、徐东来：《佛家逻辑的渊源与沿革概观》，沈剑英：《佛家逻辑》，开明出版社1992年版。

42. 沈剑英、姚南强：《陈那逻辑体系简说》，沈剑英：《佛家逻辑》，开明出版社1992年版。

43. 祁顺来：《因明与量学——〈因正理论〉初探》，《青海民族学院学报》1992年第1期。

44. 多识：《谈藏族对因明学的贡献》，《西北民族学院学报》1992年第1期。

380

1993

1. 黄新生：《墨"故"新诂》，张知寒主编：《墨子研究论丛》

（二），山东大学出版社 1993 年版。

2. 杨俊光：《〈墨经〉选诂》，张知寒主编：《墨子研究论丛》（二），山东大学出版社 1993 年版。

3. 刘宗棠：《中国传统思维方式的逻辑哲学》，《贵州社会科学》1993 年第 1 期；复印报刊资料《逻辑》1993 年第 3 期。

4. 刘培育：《名辩学简论》，《长白论丛》1993 年第 1 期；复印报刊资料《逻辑》1993 年第 4 期。

5. 宁莉娜：《试论毛泽东理论思维的逻辑方法》，《学术交流》1993 年第 2 期。

6. 林琼：《试比较韩非的"矛盾之说"与亚里士多德的矛盾律》，《广州社会科学》1993 年第 2 期；复印报刊资料《逻辑》1993 年第 5 期。

7. 向容宪：《王延直〈普通应用论理学〉研究》，《贵阳师专学报》1993 年第 1 期。

8. 丁士峰：《毛泽东逻辑思维形式理论的探讨》，《九江师专学报》1993 年第 2 期；复印报刊资料《逻辑》1993 年第 7 期。

9. 黄朝阳：《〈墨辩〉逻辑的历史命运》，《逻辑与语言学习》1993 年第 3 期。

10. 傅坚：《略论先秦儒家的逻辑思想》，《华南师范大学学报》1993 年第 2 期；复印报刊资料《逻辑》1993 年第 8 期。

11. 周文英：《〈庄子〉的逻辑观》，《江西教育学院学报》1993 年第 2 期；复印报刊资料《逻辑》1993 年第 9 期；复印报刊资料《中国哲学史》1993 年第 9 期。

12. 刘培育：《逻辑学家汪奠基》，《文献》1993 年第 3 期。

13. 徐阳春：《简论中国古代逻辑的命题——辞》，《绍兴师专学报》1993 年第 2 期；复印报刊资料《逻辑》1993 年第 10 期。

14. 李小虎：《毛泽东逻辑思想的主要贡献》，《山东师大学报》

1993 年第 3 期；复印报刊资料《逻辑》1993 年第 10 期。

15. 王克：《毛泽东形式逻辑理论初探》，《徐州师范学院学报》1993 年第 3 期；复印报刊资料《逻辑》1993 年第 10 期。

16. 巫寿康：《三支论式和三段论是互相独立的两种推理形式》，《哲学研究》1993 年第 8 期；复印报刊资料《逻辑》1993 年第 10 期。

17. 孙波：《论"连珠体"的逻辑性质》，《社会科学战线》1993 年第 5 期；复印报刊资料《逻辑》1993 年第 11 期。

18. 王晓兴：《"名辩"与逻辑》，《甘肃社会科学》1993 年第 4 期。

19. 冯必扬：《试论我国古代哲学家未能发现三段论的原因》，《哲学研究》1993 年第 8 期；复印报刊资料《逻辑》1993 年第 12 期。

382

20. 黄朝阳：《〈墨辩〉逻辑的产生和内容特征》，《华侨大学学报》1993 年第 2 期；复印报刊资料《逻辑》1993 年第 12 期。

21. 黄绍汪：《毛泽东对辩证逻辑的伟大贡献》，《广东社会科学》1993 年第 5 期；复印报刊资料《逻辑》1993 年第 12 期。

22. 向容宪：《王延直〈普通应用论理学〉再研究》，《贵阳师专学报》1993 年第 3 期。

23. 林鸿伟：《〈墨辩〉"侔"式推理论新探》，《广东民族学院学报》1993 年第 2 期。

24. ［德］D. R. 斐德烈博士：《〈易经〉的符号逻辑》，《周易研究》1993 年第 1 期；复印报刊资料《中国哲学史》1993 年第 5 期。

25. 马振铎：《论孔子的正名思想》，《河北学刊》1993 年第 1 期。

26. 许艾琼：《荀子正名理论的符号学意义》，《湖北大学学报》1993 年第 6 期；复印报刊资料《中国哲学史》1994 年第 1

期。

27. 周山：《〈易经〉与中国的类比逻辑》，《哲学研究》1993年增刊（逻辑研究专辑）；复印报刊资料《中国哲学史》1994年第6期。

28. 田立刚：《论先秦逻辑史上"故"范畴的产生和确立》，《哲学研究》1993年增刊（逻辑研究专辑）。

29. 张文熊：《吊诡——悖论?》，《哲学研究》1993年增刊（逻辑研究专辑）。

30. 袁正校、张忠义：《从现代逻辑的观点看"侔"式推论》，《哲学研究》1993年增刊（逻辑研究专辑）。

31. 杨书澜：《金岳霖先生前期的逻辑思想》，《哲学研究》1993年增刊（逻辑研究专辑）。

32. 田立刚：《先秦逻辑史上"说"范畴的产生与发展》，《南开学报》1993年第5期；《哲学研究》1993年增刊（逻辑研究专辑）；复印报刊资料《逻辑》1994年第1期。

33. 林鸿伟：《从工具的使用到工具的锻造——中国矛盾律思想的认识进程及主要成就》，《哲学研究》1993年增刊（逻辑研究专辑）。

34. 黄顺基：《毛泽东与逻辑学——兼忆毛泽东对〈教学与研究〉的关注》，《教学与研究》1993年第6期。

35. 曾瑛、王向清：《毛泽东的概念逻辑》，《湖南社会科学》1993年第5期。

36. 秦豪：《论毛泽东关于判断的辩证逻辑思想》，《吴中学刊》1993年第3期。

37. 孙显元：《毛泽东逻辑观念的演变》，《江淮论坛》1993年第6期；复印报刊资料《逻辑》1994年第2期。

38. 崔清田、丁荡新、王建芳：《毛泽东与形式逻辑》，《南开学报》1993年第6期；复印报刊资料《逻辑》1994年第2期。

39. 辛志:《毛泽东辩证逻辑浅探》,《理论探讨》1993年第6期;复印报刊资料《逻辑》1994年第2期。

40. 张传开:《〈矛盾论〉对马克思主义辩证逻辑的贡献》,《安徽师大学报》1993年第4期;复印报刊资料《逻辑》1994年第2期。

41. 吴益民:《毛泽东的逻辑思想探析》,《江西社会科学》1993年第12期。

42. 李焕奇:《毛泽东的问题逻辑》,《湘潭大学学报》1993年第4期。

43. 金建国:《毛泽东对我国逻辑学发展的一个重要贡献——毛泽东论逻辑普及》,《云南师范大学学报》1993年第6期。

44. 高家方、孙立杰:《浅谈毛泽东的逻辑思维艺术》,《吉林师范学院学报》1993年第4期。

45. 王鸣皋:《学习毛泽东辩证逻辑思维》,《审计与经济研究》1993年第4期。

46. 沙青:《毛泽东与辩证哲学的逻辑方法论——纪念毛泽东同志诞辰一百周年》,《河北大学学报》1993年第4期;复印报刊资料《逻辑》1994年第3期。

47. 柳清秀:《试析毛泽东著作中的逻辑推理形式》,《湖北师范学院学报》1993年第5期。

48. 刘良琼:《毛泽东关于形式逻辑的见解及其启示》,《学术界》1993年第6期;复印报刊资料《逻辑》1994年第3期。

49. 谢先仁:《毛泽东对形式逻辑科学的特殊贡献》,《南昌大学学报》1993年第4期。

50. 姚南强:《浅析宗喀巴〈因明七论入门〉的逻辑思想》,《上海教育学院学报》1993年第3期;复印报刊资料《逻辑》1993年第11期。

51. 姚卫群:《印度古代的逻辑理论》,《南亚研究》1993年第2

期。

52. 王溪：《因明三支论式与三段论辨析》，《辽宁教育学院学报》
1993 年第 3 期。

53. 姚南强：《略论藏传量论的逻辑思想》，《西藏民族学院学报》
1993 年第 4 期；复印报刊资料《逻辑》1994 年第 2 期。

54. 姚南强：《藏传因明的逻辑论》，《哲学研究》1993 年增刊
（逻辑研究专辑）。

1994

1. 傅大勇：《毛泽东论辩证逻辑的基本要求》，《理论探讨》1994
年第 2 期。

2. 林铭钧、曾祥云：《中国逻辑史研究中的两个理论问题质疑》，
《中山大学学报》1994 年第 2 期；复印报刊资料《逻辑》1994
年第 6 期。

3. 孙中原：《道的概念与正言若反——论老庄的辩证逻辑思想》，
《中国文化研究》1994 年第 1 期；复印报刊资料《逻辑》1994
年第 6 期。

4. 翟锦程：《比较逻辑研究述介》，《哲学动态》1994 年第 7 期；
复印报刊资料《逻辑》1994 年第 8 期。

5. 刘又知、吴益民：《试述毛泽东的逻辑理论与实践》，《江西教
育学院学报》1994 年第 1 期；复印报刊资料《逻辑》1994 年
第 8 期。

6. 郑日金：《学习邓小平的辩证逻辑思维》，《思想理论教育》
1994 年第 2 期；复印报刊资料《逻辑》1994 年第 8 期。

7. 张斌峰：《读〈墨经校注·今译·研究——墨经逻辑学〉》，
《哲学研究》1994 年第 6 期。

8. 刘宗棠、熊蕴嘉：《学习、继承和发展毛泽东同志的逻辑思
想》，《毕节师专学报》1994 年第 2 期。

9. 钟永玖：《试论毛泽东论辩中的逻辑技巧》，《黔南民族师专学报》1994 年第 2 期；复印报刊资料《逻辑》1994 年第 9 期。

10. 刘学义：《试述毛泽东的军事逻辑思想》，《甘肃理论学刊》1994 年第 4 期；复印报刊资料《逻辑》1994 年第 10 期。

11. 周寅宾：《论东晋玄言诗的抽象思维》，《湖南师范大学社会科学学报》1994 年第 4 期；复印报刊资料《逻辑》1994 年第 10 期。

12. 张清宇：《名辞逻辑》1994 年第 1 期；《中国哲学史》1994 年第 1 期。

13. 林颖：《浅议邓析的"两可"思想》，《宁德师专学报》1994 年第 3 期；复印报刊资料《逻辑》1994 年第 12 期。

14. 颜青山：《〈墨经〉中的语言逻辑》，《自然辩证法研究》1994 年第 2 期；复印报刊资料《逻辑》1994 年第 3 期。

386

15. 陈建中：《〈白马论〉新解——非马之谜》，《陕西师大学报》1994 年第 1 期；复印报刊资料《逻辑》1994 年第 4 期。

16. 郑日金：《学习总设计师的"思想创新学"——试析〈邓小平文选〉第三卷的辩证逻辑思维》，《上饶师专学报》1994 年第 1 期。

17. 康洪武：《探索毛泽东辩证逻辑思想的科学体系》，《晋阳学刊》1994 年第 2 期；复印报刊资料《逻辑》1994 年第 5 期。

18. 张彬、时明德：《试论老子"无名"论中的逻辑思想》，《信阳师范学院学报》1994 年第 4 期。

19. 焦克：《从鲁迅的推理看逻辑、思维与形象思维的结合》，《河南教育学院学报》1994 年第 4 期。

20. 周文英：《〈易〉的符号学的性质》，《哲学动态》1994 年增刊（逻辑学研究专辑）。

21. 张晓芒：《先秦"辩学"界定之探讨》，《哲学动态》1994 年增刊（逻辑学研究专辑）。

22. 翟锦程：《从文化发展角度研究和认识名辩学》，《哲学动态》1994 年增刊（逻辑学研究专辑）。

23. 刘世英：《从毛泽东的一次讲话看辩证逻辑》，《哲学动态》1994 年增刊（逻辑学研究专辑）。

24. 张斌峰：《〈墨辩〉"周延说"质疑》，《哲学动态》1994 年增刊（逻辑学研究专辑）。

25. 杨国荣：《归纳问题——金岳霖的思考》，《学术月刊》1994 年第 12 期；复印报刊资料《逻辑》1995 年第 3 期。

26. 杨韩生：《儒家名家法家与老子的名论辩》，《福建师范大学学报》1994 年第 2 期；复印报刊资料《中国哲学史》1994 年第 5 期。

27. 曾昭式：《墨家对先秦各学派名理论的发展》，《信阳师范学院学报》1994 年第 4 期。

28. 徐锦中：《"白马非马"是一个合理的命题》，《云南师范大学学报》1994 年第 5 期。

29. 王连弟：《孟子与韩愈的论辩艺术浅析》，《齐齐哈尔师范学院学报》1994 年第 2 期；复印报刊资料《中国哲学史》1994 年第 6 期。

30. 张斌峰：《儒学与辩学的互动性及其制约》，《郑州大学学报》1994 年第 4 期；复印报刊资料《中国哲学史》1994 年第 9 期。

31. 林永光：《惠施"今日适越而昔来"新解》，《烟台师范学院学报》1994 年第 2 期。

32. 高正：《〈公孙龙子·指物论〉疏解》，《中国哲学史》1994 年第 1 期。

33. 杨树森：《〈论语〉逻辑思想浅析》，《广东社会科学》1994 年第 6 期；复印报刊资料《中国哲学史》1995 年第 2 期。

34. 杨树森：《论孔子的逻辑思想及其在中国逻辑史上的地位》，

387

《社会科学战线》1994 年第 6 期。

35. 张斌峰：《试论庄子的辩学思想及其影响》，《中国青年政治学院学报》1994 年第 4 期。

36. 陈克守：《论墨家的类比》，《齐鲁学刊》1994 年第 6 期；复印报刊资料《逻辑》1995 年第 1 期。

37. 张忠义、张安虎：《"侔"的"是而然"符合混合关系三段论规则》，《佳木斯教育学院学报》1994 年第 3 期。

38. 康伟：《关于"杀盗，非杀人也"命题分析》，《许昌师专学报》1994 年第 4 期。

39. 杨树森：《孔子"正名"思想的提出及其对中国古代逻辑的影响》，《学术论坛》1994 年第 5 期。

40. 胡军、杨书澜：《金岳霖的归纳理论述评》，《学术交流》1994 年第 6 期。

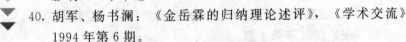

388　41. 杨树森：《"邓析开创中国逻辑思想史"质疑》，《淮北煤师院学报》1994 年第 3 期；《江汉论坛》1994 年第 11 期；复印报刊资料《逻辑》1995 年第 3 期。

42. 姚南强：《论法称对陈那因明的改造和发展》，《南亚研究》1994 年第 3 期；复印报刊资料《逻辑》1995 年第 3 期。

43. 沈剑英：《玄奘是中国逻辑史上的一块里程碑》，《玄奘研究》（首刊号），海燕出版社 1994 年版。

44. 温公颐、崔清田：《纪念玄奘　研究因明》，《玄奘研究》（首刊号），海燕出版社 1994 年版。

45. 孙中原：《印度逻辑与中国、希腊逻辑的比较研究》，刘培育编：《因明研究》，吉林教育出版社 1994 年版。

46. 杨百顺：《印度逻辑论式的演变及其与西方推论式略比》，刘培育编：《因明研究》，吉林教育出版社 1994 年版。

47. 张春波：《玄奘的"真唯识量"》，刘培育编：《因明研究》，吉林教育出版社 1994 年版。

48. 黄心川：《印度正理论的认识论和逻辑思想》，刘培育编：《因明研究》，吉林教育出版社 1994 年版。

49. 李太平：《过论述评》，刘培育编：《因明研究》，吉林教育出版社 1994 年版。

50. 巫寿康：《论〈因明正理门论〉体系内部的矛盾及解决矛盾的新途径》，刘培育编：《因明研究》，吉林教育出版社 1994 年版。

51. 姚南强：《百年来的中国因明学研究》，《中国社会科学》1994 年第 5 期。

52. ［苏联］彻尔巴茨基著，姚南强译：《藏传佛教的逻辑》，《西藏研究》1994 年第 3 期。

53. ［苏联］彻尔巴茨基著，姚南强译：《"中国与日本的佛教逻辑"及"西藏和蒙古的佛教逻辑"》，《世界宗教资料》1994 年第 4 期。

389

54. 曹德铮：《因明演"有"》，刘培育编：《因明研究》，吉林教育出版社 1994 年版。

55. 徐东来：《注重言说的逻辑学——因明》，刘培育编：《因明研究》，吉林教育出版社 1994 年版。

56. 黄广华：《文心雕龙与因明学》，刘培育编：《因明研究》，吉林教育出版社 1994 年版。

57. 巫白慧：《国外因明学研究》，刘培育编：《因明研究》，吉林教育出版社 1994 年版。

58. 元金：《全国藏汉因明学术交流会述评》，刘培育编：《因明研究》，吉林教育出版社 1994 年版。

59. 乐逸欧整理：《四十年因明论著索引》，刘培育编：《因明研究》，吉林教育出版社 1994 年版。

60. 杨化群：《关于法称的〈正理滴论〉》，刘培育编：《因明研究》，吉林教育出版社 1994 年版。

61. 姚南强：《藏传因明的历史发展及其特点》，《佛学研究》1994 年号。

62. 郑伟宏：《陈那新因明是演绎论证吗?》，刘培育编：《因明研究》，吉林教育出版社 1994 年版。

63. 月澄：《"真唯识量"是典型的共比量》，刘培育编：《因明研究》，吉林教育出版社 1994 年版。

64. 刘培育：《藏传因明概论》，刘培育编：《因明研究》，吉林教育出版社 1994 年版。

65. 波米·强巴洛卓著，杨化群、宋晓嵇译：《藏传因明的作用和基本内容——入因明学阶梯》，刘培育编：《因明研究》，吉林教育出版社 1994 年版。

66. 黄明信：《藏传因明的应成论式答辩规矩》，刘培育编：《因明研究》，吉林教育出版社 1994 年版。

390 67. 祁顺来：《试谈量学〈心明论〉中的因明成分》，刘培育编：《因明研究》，吉林教育出版社 1994 年版。

68. 黄志强：《因三相二题》，《广西师院学报》1994 年第 3 期。

69. 徐东来：《论因明的为他、为自》，《华东师范大学学报》1994 年第 6 期；复印报刊资料《逻辑》1995 年第 2 期。

1995

1. 王路：《对象的明确和方法的更新——论有关中国逻辑史研究的几个问题》，《哲学研究》1995 年第 1 期；复印报刊资料《逻辑》1995 年第 4 期。

2. 简言：《形式逻辑和中国逻辑史学术讨论会概述》，《哲学动态》1995 年第 3 期；复印报刊资料《逻辑》1995 年第 4 期。

3. 朱志凯、刘元根：《论毛泽东逻辑思想的贡献——学习毛泽东逻辑思想的体会》，《复旦学报》1995 年第 2 期；复印报刊资料《逻辑》1995 年第 5 期。

4. 黄展骥：《谬误满箩？——晏子与楚王互出"逻辑茅招"!》，《人文杂志》1995 年第 2 期。

5. 李学照：《论毛泽东对马克思主义辩证逻辑的发展》，《石油大学学报》1995 年第 1 期；复印报刊资料《逻辑》1995 年第 6 期。

6. 蒋建民：《邓小平辩证思维方式之逻辑结构初探》，《江苏社会科学》1995 年第 1 期；复印报刊资料《逻辑》1995 年第 6 期。

7. 李国栋：《试谈邓小平讲话的逻辑特色》，《河南社会科学》1995 年第 1 期；复印报刊资料《逻辑》1995 年第 6 期。

8. 王染白：《〈秦晋殽之战〉的逻辑推理特色》，《山西师大学报》1995 年第 2 期；复印报刊资料《逻辑》1995 年第 7 期。

9. 刘跃进：《毛泽东形式逻辑观的转变及其意义》，《国际关系学院学报》1995 年第 1 期；复印报刊资料《逻辑》1995 年第 7 期。

10. 李克坚、撒永平：《毛泽东是如何运用形式逻辑的》，《思维与智慧》1995 年第 2 期。

11. 黄钧基：《邓小平几个著名论断的逻辑分析》，《思维与智慧》1995 年第 2 期。

12. 杨景亮：《毛泽东的形式逻辑观》，《石油大学学报》1995 年第 2 期；复印报刊资料《逻辑》1995 年第 8 期。

13. 张章骏、王四达：《"白马非马"还是诡辩——与李其祥先生商榷》，《华侨大学学报》1995 年第 1 期。

14. 颜华东：《〈周易〉辩证逻辑思想拾零》，《甘肃理论学刊》1995 年第 4 期；复印报刊资料《逻辑》1995 年第 9 期。

15. 林颖：《浅议公孙龙的"白马非马"论》，《宁德师专学报》1995 年第 2 期；复印报刊资料《逻辑》1995 年第 9 期。

16. 杨树厚、张忠义：《关于墨家对矛盾律排中律表述问题》，

391

《佳木斯师专学报》1995年第1期；复印报刊资料《逻辑》1995年第10期。

17. 金邦秋：《毛泽东辩证逻辑思想在抗战时期的运用和发展》，《毛泽东思想论坛》1995年第3期；复印报刊资料《逻辑》1995年第10期。

18. 王朋祥：《近十余年贵州普通逻辑研究概述》，《贵州师范大学学报》1995年第3期；复印报刊资料《逻辑》1995年第11期。

19. 储金生：《庄子的逆反思维与诡辩》，《思维与智慧》1995年第4期。

20. 陈宗明：《易占——古代的预测推理》，《湖北大学学报》1995年第5期；复印报刊资料《逻辑》1995年第12期。

21. 周文英：《孟子的逻辑思想》，《江西教育学院学报》1995年第4期；复印报刊资料《逻辑》1995年第12期。

22. 崔清田：《墨家辩学研究的回顾和思考》，《南开学报》1995年第1期；复印报刊资料《中国哲学史》1995年第4期。

23. 鲁金华：《"时然后言"与"慎于言"——从〈论语〉看孔子的两条言语交际原则》，《理论月刊》1995年第8期。

24. 李先焜：《论先秦名家的符号学》，《湖北大学学报》1995年第5期；复印报刊资料《中国哲学史》1995年第12期。

25. 倪鼎夫：《当代著名哲学家、逻辑学家金岳霖》，刘培育编：《金岳霖的回忆与回忆金岳霖》，四川教育出版社1995年版。

26. 刘培育：《一代宗师金岳霖》，刘培育编：《金岳霖的回忆与回忆金岳霖》，四川教育出版社1995年版。

27. 胡伟希：《金岳霖评传》，刘培育编：《金岳霖的回忆与回忆金岳霖》，四川教育出版社1995年版。

28. 刘培育：《试论金岳霖1949年以后的思想变化》，《哲学研究》1995年增刊（纪念金岳霖百年诞辰专辑）。

29. 杨书澜：《评金岳霖对归纳问题的解决》，《哲学研究》1995年增刊（纪念金岳霖百年诞辰专辑）。

30. 崔清田：《金岳霖先生中、欧哲学比较思想的启示》，《哲学研究》1995年增刊（纪念金岳霖百年诞辰专辑）。

31. 熊立文：《现代归纳逻辑在中国的传播与发展》，《哲学研究》1995年增刊（纪念金岳霖百年诞辰专辑）。

32. 宋文坚：《中国逻辑的历史命运》，《哲学研究》1995年增刊（纪念金岳霖百年诞辰专辑）。

33. 诸葛殷同：《1949年以后金岳霖逻辑思想变中的不变》，《哲学研究》1995年增刊〔纪念金岳霖百年诞辰专辑）。

34. 李先焜：《试论金岳霖的定义理论》，《哲学研究》1995年增刊（纪念金岳霖百年诞辰专辑）。

35. 张建军：《略论金岳霖先生关于"思维三律"的思想》，《哲学研究》1995年增刊（纪念金岳霖百年诞辰专辑）。

36. 董志铁：《20世纪初西方传统逻辑的引进与启示》，《哲学研究》1995年增刊（纪念金岳霖百年诞辰专辑）。

37. 周柏乔：《金岳霖教授在归纳问题上的见地》，《哲学研究》1995年增刊（纪念金岳霖百年诞辰专辑）。

38. 陈晓平：《简评金岳霖先生的归纳思想》，《哲学研究》1995年增刊（纪念金岳霖百年诞辰专辑）。

39. 刘方生：《试论"白马非马"——公孙龙〈指物论〉新解及其现实意义》，《唯实》1995年第3期。

40. 刘玉俊：《"鸡足三"与先秦名辩学派》，《陕西师大学报》1995年第2期；复印报刊资料《中国哲学史》1995年第7期。

41. 张家龙：《沿着金岳霖开辟的逻辑研究现代化道路奋进》，《自然辩证法研究》1995年增刊（逻辑学研究专辑）。

42. 刘培育：《纪念金岳霖　研究金岳霖》，《自然辩证法研究》

1995 年增刊（逻辑学研究专辑）。

43. 林铭钧、曾祥云、吴志雄：《从符号学的观点看先秦名学》，《自然辩证法研究》1995 年增刊（逻辑学研究专辑）。

44. 徐阳春：《从汉语特点看中国古代逻辑》，《自然辩证法研究》1995 年增刊（逻辑学研究专辑）。

45. 张斌峰：《近代〈墨辩〉的"复兴"研究》，《自然辩证法研究》1995 年增刊（逻辑学研究专辑）。

46. 周礼全：《回忆金岳霖师二三事》，中国社会科学院哲学所逻辑室编：《理有固然——纪念金岳霖先生百年诞辰》，社会科学文献出版社 1995 年版。

47. 刘培育：《心香——瓣忆我师》，中国社会科学院哲学所逻辑室编：《理有固然——纪念金岳霖先生百年诞辰》，社会科学文献出版社 1995 年版。

48. 诸葛殷同：《学习毛泽东建国后关于逻辑的思想的一些体会》，中国社会科学院哲学所逻辑室编：《理有固然——纪念金岳霖先生百年诞辰》，社会科学文献出版社 1995 年版。

49. 周云之：《"名辩学"之名的由来及其约定俗成过程》，中国社会科学院哲学所逻辑室编：《理有固然——纪念金岳霖先生百年诞辰》，社会科学文献出版社 1995 年版。

50. 《金岳霖小传》，中国社会科学院哲学所逻辑室编：《理有固然——纪念金岳霖先生百年诞辰》，社会科学文献出版社 1995 年版。

51. 张本一：《〈周易〉开创了中国古代逻辑思维的先河》，《周易研究》1995 年第 4 期。

52. 王立东：《毛泽东对逻辑学的研究与应用》，《毛泽东思想论坛》1995 年第 4 期。

53. 焦克：《谈鲁迅运用复合判断推理的特色》，《殷都学刊》1995 年第 4 期。

394

54. 杨树森：《中国逻辑史的开创者是孔子而不是邓析》，《云南师范大学哲学社会科学学报》1995 年第 6 期；复印报刊资料《逻辑》1996 年第 2 期。

55. 沈跃春：《论金岳霖的悖论思想》，《江淮论坛》1995 年第 6 期。

56. 杨必仪：《明清时期西方逻辑两次传入中国的比较》，《重庆教育学院学报》1995 年第 4 期。

57. 颜华东：《简论因明研究的现代意义》，《甘肃社会科学》1995 年第 3 期；复印报刊资料《逻辑》1995 年第 8 期。

58. 康伟、冯晓民：《因明三支论式和亚里士多德三段论式之比较》，《黄淮学刊》1995 年第 3 期。

59. 沈剑英：《唐玄奘与因明》，黄心川、葛黔君主编：《玄奘研究文集》，中州古籍出版社 1995 年版。

60. 张忠义：《玄奘对因明研究的发展与贡献》，黄心川、葛黔君主编：《玄奘研究文集》，中州古籍出版社 1995 年版。

61. 杨百顺：《玄奘是东方逻辑学的传播者》，黄心川、葛黔君主编：《玄奘研究文集》，中州古籍出版社 1995 年版。

62. 巫白慧：《"因三相"的梵文原文与玄奘的汉译》，黄心川、葛黔君主编：《玄奘研究文集》，中州古籍出版社 1995 年版。

63. 郑伟宏：《略论〈因明正理门论〉的逻辑体系》，黄心川、葛黔君编：《玄奘研究文集》，中州古籍出版社 1995 年版。

64. 刘培育：《玄奘在中国逻辑史上的贡献》，黄心川、葛黔君主编：《玄奘研究文集》，中州古籍出版社 1995 年版；《湖北大学学报》1996 年第 1 期。

65. 马全智：《玄奘与佛教及因明、论辩之关系》，黄心川、葛黔君主编：《玄奘研究文集》，中州古籍出版社 1995 年版。

66. 曾庆福：《因明三支式的逻辑性质尚需探究》，黄心川、葛黔君主编：《玄奘研究文集》，中州古籍出版社 1995 年版。

67. 姚南强：《略论藏传量论"摄类"的哲学意义》，《上海教育学院学报》1995 年第 1 期；复印报刊资料《中国哲学史》1995 年第 5 期。

68. 郑伟宏：《陈那新因明喻体的逻辑形式》，《自然辩证法研究》1995 年增刊（逻辑学研究专辑）。

69. 姚南强：《略论慧沼的因明贡献》，《自然辩证法研究》1995 年增刊（逻辑学研究专辑）。

70. 阮民恕：《因明、佛教逻辑学析疑》，《桂海论丛》1995 年第 6 期。

1996

1. 周云之：《论先秦关于逻辑命题的理论》，《北方论丛》1996 年第 1 期；复印报刊资料《逻辑》1996 年第 3 期。

2. 秦彦士：《墨子与诸子——兼论墨家逻辑思维的历史命运》，《殷都学刊》1996 年第 1 期。

3. 周云之：《中国正名学说中的意义理论》，《哲学研究》1996 年第 4 期。

4. 周文英：《试析墨家逻辑发展之进程》，《江西教育学院学报》1996 年第 1 期。

5. 曾昭式：《后期墨家对先秦名家逻辑思想的批判》，《河南师范大学学报》1996 年第 1 期。

6. 席升阳：《〈墨辩〉逻辑中"辩"的理则》，《学习论坛》1996 年第 1 期。

7. 陈克守：《韩非的归纳逻辑浅论》，《齐鲁学刊》1996 年第 2 期。

8. 彭漪涟：《冯契与逻辑科学——简论作为逻辑学家的冯契》，《华东师范大学学报》1996 年第 2 期。

9. 沙青、张小燕：《潘梓年与逻辑学——潘梓年逻辑思想散论》，

《河北大学学报》1996 年第 1 期。

10. 崔清田、张斌峰：《近代〈墨辩〉比较研究法的回顾与反思》，《湖北大学学报》1996 年第 3 期；复印报刊资料《逻辑》1996 年第 5 期。

11. 王凤琴：《论〈墨经〉的辩证逻辑思想》，《中国文化研究》1996 年第 3 期；复印报刊资料《逻辑》1996 年第 5 期。

12. 彭漪涟：《冯契：我国辩证逻辑研究的先驱者和倡导者——兼论冯契对我国辩证逻辑科学发展的重大贡献》，《学术季刊》1996 年第 2 期；复印报刊资料《逻辑》1996 年第 5 期。

13. 杨树森：《孔子是中国逻辑史的开创者》，《烟台师范学院学报》1996 年第 2 期。

14. 蔡尚枪：《"白马非马"刍议——辩证法与形式逻辑》，《福州大学学报》1996 年第 3 期。

15. 王克喜：《〈淮南子〉，汉代逻辑思想的璀璨明珠——徐州古代逻辑人物系列研究之一》，《徐州师范学院学报》1996 年第 2 期。

16. 崔清田：《中国逻辑史研究世纪谈》，《社会科学战线》1996 年第 4 期；复印报刊资料《逻辑》1996 年第 6 期。

17. 程仲棠：《逻辑要与中国现代文化接轨》，《社会科学战线》1996 年第 4 期；复印报刊资料《逻辑》1996 年第 6 期。

18. 李春泰、张国勤：《中国逻辑学产生的文化背景及其特点》，《社科信息》1996 年第 6 期。

19. 黄朝阳：《墨家对物类关系的认识与〈墨辩〉逻辑的特点》，《华侨大学学报》1996 年第 3 期。

20. 曲玉波：《论"墨经"中"止"的逻辑意义》，《辽宁大学学报》1996 年第 5 期。

21. 秦豪：《毛泽东对形式逻辑本质的认识过程》，《唯实》1996 年第 11 期。

397

22. 孙中原：《墨子归谬类比及其影响》，《枣庄师专学报》1996年增刊。

23. 叶锦明：《对研究中国逻辑的两个基本问题的探讨》，《自然辩证法通讯》1996年第1期；复印报刊资料《逻辑》1996年第3期。

24. 赵继伦：《论墨家辩学的文化特征》，《中国文化研究》1996年第4期；复印报刊资料《中国哲学与哲学史》1996年第1期。

25. 曾昭式：《论因明学之喻与墨辩之理类》，《南都学坛》1996年第1期。

26. 张斌峰：《近代关于〈墨经〉编制的考辨及意义》，《郑州大学学报》1996年第2期；复印报刊资料《中国哲学与哲学史》1996年第5期。

27. 荣伟群、庄国强：《浅析〈墨经〉中的观察实验法》，《管子学刊》1996年第1期。

28. 荣伟群：《〈墨经〉中的比较方法》，《学术界》1996年第2期。

29. 徐阳春：《试谈名家学说论辩之特点》，《绍兴师专学报》1996年第1期。

30. 陈孟麟：《先秦名家之学并非名学》，《文史哲》1996年第3期。

31. 李先焜：《〈墨经〉中的符号学思想》，《湖北大学学报》1996年第3期；复印报刊资料《中国哲学与哲学史》1996年第7期。

32. 陈孟麟：《关于〈墨辩〉作者问题——和台湾师范大学李渔淑教授商榷》，《山东师大学报》1996年第1期。

33. 朱立元、王文英：《试论〈吕氏春秋〉的言意观》，《学术季刊》1996年第2期。

34. 杨俊光：《〈墨经〉选诂》（之四），《南京大学学报》1996 年
第 4 期。

35. 贺善侃：《毛泽东的辩证逻辑思想及其应用》，《自然辩证法
研究》1996 年增刊（逻辑学研究专辑）。

36. 赵永振：《〈论持久战〉辩证逻辑思想述评》，《自然辩证法研
究》1996 年增刊（逻辑学研究专辑）。

37. 赵继伦：《论中国古代逻辑类推的思维特征》，《自然辩证法
研究》1996 年增刊（逻辑学研究专辑）。

38. 陈克守：《墨辩、因明与亚里士多德演绎逻辑比较》，《自然
辩证法研究》1996 年增刊（逻辑学研究专辑）。

39. 曾祥云：《〈指物论〉——中国古代的符号学专论》，《自然辩
证法研究》1996 年增刊（逻辑学研究专辑）。

40. 周文英：《〈公孙龙子〉中的哲学和逻辑思想》，《自然辩证法
研究》1996 年增刊（逻辑学研究专辑）。

41. 王左立：《公孙龙的名实观》，《自然辩证法研究》1996 年增
刊（逻辑学研究专辑）。

42. 张晓芒：《公孙龙的思维法则思想》，《自然辩证法研究》
1996 年增刊（逻辑学研究专辑）。

43. 赵平：《〈公孙龙子·名实论〉中指称观》，《自然辩证法研
究》1996 年增刊（逻辑学研究专辑）。

44. 颜华东：《试析王充关于归纳方法的思想成就》，《自然辩证
法研究》1996 年增刊（逻辑学研究专辑）。

45. 王丽娟：《试论沈有鼎〈墨经逻辑学〉的贡献》，《自然辩证
法研究》1996 年增刊（逻辑学研究专辑）。

46. 翟锦程：《先秦名学研究》，《自然辩证法研究》1996 年增刊
（逻辑学研究专辑）。

47. 许锦云：《中西古典归纳逻辑思想发展的比较研究》，《信阳
师范学院学报》1996 年第 4 期；复印报刊资料《逻辑》1997

年第 1 期。

48. 张晓芒：《〈尚书〉中的思维法则观念》，《江西师范大学学报》1996 年第 3 期。

49. 张金虎、张彬：《简论孙中山与逻辑学》，《中国青年政治学院学报》1996 年第 4 期；复印报刊资料《逻辑》1997 年第 2 期。

50. 帅国文：《"白马非马"是诡辩命题吗？——兼与林颖同志商榷》，《宁德师专学报》1996 年第 4 期。

51. 罗翊重：《从〈易经〉象数学看形式逻辑和辩证逻辑的互补性和完全性》，《昆明社科》1996 年第 6 期。

52. 张斌峰：《墨家逻辑的新探索——评梁周敏的新著〈墨家逻辑论〉》，《学习论坛》1996 年第 6 期。

53. 祁顺来：《浅谈藏传因明的应成推论式》，《青海民族学院学报》1996 年第 2 期。

54. 姚南强：《略论佛家辩学的现实意义》，上海市逻辑学会编：《应用逻辑与逻辑应用》，中国纺织大学出版社 1996 年版。

55. 姚南强：《因明发展史梳理》，《上海教育学院学报》1996 年第 2 期。

56. 胡晓光：《因明概观》，《法音》1996 年第 11 期。

1997

1. 潘明德：《试析名墨逻辑思想之异同》，《复旦学报》1997 年第 1 期；复印报刊资料《逻辑》1997 年第 3 期。

2. 郭桥：《名家辩术思想的超越性品质》，《社会科学辑刊》1997 年第 1 期；复印报刊资料《逻辑》1997 年第 3 期。

3. 彭漪涟：《论概念的理想形态——冯契辩证逻辑思想探索之一》，《华东师范大学学报》1997 年第 1 期。

4. 张小燕、耿昭：《"白马非马"论析》，《北方论丛》1997 年第

1 期。

5. 王克喜：《名学略说——为何中国古代未产生亚里士多德式的传统逻辑》，《徐州师范大学学报》1997 年第 1 期；复印报刊资料《逻辑》1997 年第 4 期。

6. 俞瑾：《中国逻辑史研究之误区》，《江苏教育学院学报》1997 年第 2 期。

7. 崔清田：《逻辑与中国文化的发展与建设》，《理论与现代化》1997 年 5 月。

8. 李廉：《〈易经〉的示范逻辑学》，《南京大学学报》1997 年第 2 期。

9. 王向清：《王延直逻辑思想述要》，《湘潭大学学报》1997 年第 2 期。

10. 桂起权：《毛泽东"矛盾逻辑"思想的新理解——从非经典逻辑观点看》，《中州学刊》1997 年第 2 期。

11. 李明乾：《在归纳问题上，冯契先生超越了他的教师（金岳霖）》，《社科信息》1997 年第 4 期。

12. 颜华东：《析毛泽东逻辑思想之本源》，《毛泽东邓小平理论研究》1997 年第 3 期。

13. 颜华东：《再析毛泽东形式逻辑观的成因》，《甘肃理论学刊》1997 年第 3 期。

14. 李卒：《中国古代逻辑史关于"立辞"谬误之探究》，《广西社会科学》1997 年第 3 期；复印报刊资料《逻辑》1997 年第 6 期。

15. 胡国义、陈孟麟：《邓析不是在讲逻辑》，《山东师大学报》1997 年第 4 期。

16. 刘奋荣：《从数理逻辑的分析方法看"白马非马"——学习〈白马论〉札记》，《山西大学学报》1997 年第 3 期。

17. 陈克守：《三大古典逻辑论辩理论比较》，《齐鲁学刊》1997

年第 1 期。

18. 燕静君：《中国古代逻辑关于"辩"的谬误理论》，《黑龙江教育学院学报》1997 年第 4 期。

19 周文英：《中国逻辑的独立发展和奠基时期》（上、下），《江西教育学院学报》1997 年第 2 期、第 4 期；复印报刊资料《逻辑》1998 年第 1 期。

20. 刘培育：《沈有鼎研究先秦名辩学的原则和方法》，《哲学研究》1997 年第 10 期；复印报刊资料《逻辑》1998 年第 1 期。

21. 刘志华、李树真：《试论中国名辩逻辑的特点与成因》，《山东师范大学学报》1997 年第 5 期。

22. 姜春民：《墨子逻辑推理思想简析》，《辽宁大学学报》1997 年第 1 期。

402   23. 张小燕、沙青：《评周谷城对形式逻辑与辩证法的研究》，《晋阳学刊》1997 年第 5 期。

24. 周建设：《中国先秦论辩史说略》，《湘潭师范学院学报》1997 年第 4 期；复印报刊资料《逻辑》1998 年第 2 期。

25. 郭桥：《名家辩术体系初探》，《社会科学战线》1997 年第 6 期；复印报刊资料《中国哲学史》1998 年第 2 期。

26. 张燕京：《王方名逻辑思想散论》，《河北大学学报》1997 年第 4 期。

27. 何洋：《什么是"侔"与"侔"是什么——论逻辑学界所谈之"侔"与〈墨辩〉之"侔"》，《海南师院学报》1997 年第 4 期。

28. 潘宇：《研究中国逻辑史的新思路——评〈先秦辩学法则史论〉》，《哲学动态》1997 年第 12 期。

29. 崔清田：《论荀况的"谈说之术"》，《河北学刊》1997 年第 2 期。

30. 丁祯彦：《冯契对〈周易〉辩证逻辑思想的研究》，《周易研究》1997年第1期。

31. 崔清田：《名学、辩学与逻辑》，《广东社会科学》1997年第3期；复印报刊资料《中国哲学史》1997年第8期。

32. 李建华：《简论墨辩逻辑的基础》，《船山学刊》1997年第1期。

33. 周山：《关于近现代名家研究的若干思考》，《学术月刊》1997年第6期。

34. 彭自强：《〈列子〉的名实观》，《西南师范大学学报》1997年第5期。

35. 孙民：《荀子的辩论观》，《沈阳教育学院学报》1997年第4期。

36. 张学立：《从逻辑哲学的观点看金岳霖先生的逻辑信条》，《自然辩证法研究》1997年增刊（逻辑学研究专辑）。

37. 张斌峰：《略论近代墨辩"说"的研究》，《自然辩证法研究》1997年增刊（逻辑学研究专辑）。

38. 陈克守：《三大古典逻辑概念论比较》，《自然辩证法研究》1997年增刊（逻辑学研究专辑）。

39. 王丽娟：《沈有鼎论〈墨经〉名辞学说》，《自然辩证法研究》1997年增刊（逻辑学研究专辑）。

40. 董志铁：《台湾逻辑学研究五十年》，《自然辩证法研究》1997年增刊（逻辑学研究专辑）。

41. 徐阳春：《〈公孙龙子〉五范畴辨析》，《自然辩证法研究》1997年增刊（逻辑学研究专辑）。

42. 祁顺来：《藏传因明推论式与形式逻辑"三段论"》，《青海民族研究》1997年第1期。

43. 黄志强：《因三相管见》，《社会科学战线》1997年第6期；复印报刊资料《逻辑》1998年第2期。

403

44. 姚南强：《略论藏传因明的哲学和逻辑》，《中国藏学》1997
    年第 2 期。

1998

1. 陈克守：《墨辩逻辑规律论》，《齐鲁学刊》1998 年第 2 期；复
   印报刊资料《逻辑》1998 年第 3 期。

2. 翟锦程：《先秦有没有逻辑学——〈名学与辩学〉一书的新探
   索》，《人民日报》1998 年 4 月 30 日。

3. 刘壮虎：《传播现代逻辑　建立哲学体系——金岳霖学术生涯
   记略》，《北京大学学报》1998 年第 2 期。

4. 张斌峰：《殷海光逻辑思想述评》，《湖北大学学报》1998 年第
   2 期；复印报刊资料《逻辑》1998 年第 4 期。

5. 资建民：《周谷城与逻辑学大讨论》，《团结报》1998 年 6 月 6
   日。

6. 时明德、曾昭式：《数理逻辑在中国发展滞缓的原因探析》，
   《信阳师范学院学报》1998 年第 2 期。

7. 周文英：《中国传统逻辑在近、现、当代的升华与发展》（上、
   下），《江西教育学院学报》1998 年第 1—2 期；复印报刊资料
   《逻辑》1998 年第 3 期、第 5 期。

8. 王廷洽：《论荀子的逻辑体系》，《上海师范大学学报》1998 年
   第 2 期；复印报刊资料《逻辑》1998 年第 5 期。

9. 刘宗棠：《〈实践论〉、〈矛盾论〉——中国化马克思主义的新
   逻辑学》，《贵阳师专学报》1998 年第 2 期。

10. 王克喜、曾昭式：《逻辑东渐与中国文化》，《社会科学辑刊》
    1998 年第 1 期。

11. 许锦云：《中国古典归纳逻辑思想发展状况初探》，《信阳师
    范学院学报》1998 年第 3 期。

12. 陶伯华：《东方类推逻辑的范畴构架与符号形态》，《哲学译

丛》1998 年增刊；复印报刊资料《逻辑》1998 年第 6 期。

13. 陈筠泉：《〈公孙龙子〉的逻辑正名思想》，《中国社会科学院研究生院学报》1998 年第 5 期；复印报刊资料《逻辑》1998 年第 6 期。

14. 张学立、丁秀菊：《金岳霖与现代逻辑东渐的历史命运》，《齐鲁学刊》1998 年第 5 期。

15. 诸葛殷同：《周谷城先生对中国逻辑学界的宝贵贡献》，《复旦学报》1998 年第 5 期。

16. 楚明锟：《再探冯友兰的类逻辑思想》，《西南师范大学学报》1998 年第 5 期。

17. 王路：《金岳霖的孤独和无奈》，《读书》1998 年第 1 期。

18. 帅国文：《金岳霖的归纳理论述评》，《社会科学辑刊》1998 年第 4 期。

19. 胡国义：《邓析"两可之说"评析》，《温州师范学院学报》1998 年第 4 期；复印报刊资料《逻辑》1999 年第 1 期。

20. 刘邦凡、王静：《中国传统数学的逻辑过程》，《汉中师院学报》1998 年第 4 期；复印报刊资料《逻辑》1998 年第 1 期。

21. 帅国文：《金岳霖论归纳》，《江西教育学院学报》1998 年第 4 期。

22. 沈跃春：《略论〈墨经〉破斥悖论的原则和方法》，《安徽史学》1998 年第 4 期。

23. 曾祥云、杜雄柏：《中西逻辑不平衡发展原因探析》，《湘潭大学学报》1998 年第 5 期；复印报刊资料《逻辑》1999 年第 2 期。

24. 楚明锟：《冯友兰的概念逻辑思想》，《人文杂志》1998 年第 5 期；复印报刊资料《逻辑》1999 年第 2 期。

25. 周文英：《〈淮南子〉的逻辑与方法论》，《江西教育学院学报》1998 年增刊。

405

26. 张学立：《金岳霖的逻辑一元论思想探析》，《人文杂志》1998 年第 5 期。

27. 陈道德：《先秦诸子对名的认识的再认识》，《湖北大学学报》1998 年第 1 期。

28. 陆建华：《老庄论辩》，《安徽大学学报》1998 年第 3 期。

29. 杨俊光：《〈墨经〉选诂——之八》，《南京大学学报》1998 年第 2 期。

30. 黄朝阳：《譬——中国古代思维方法》，《华侨大学学报》1998 年第 2 期。

31. 杜音：《论公孙龙与后期墨家的正名学说》，《北京师范大学学报》1998 年第 3 期。

32. 王柏华：《先秦名实之辩与"不可说"论的起源》，《社会科学战线》1998 年第 4 期。

406

33. 张家龙：《论沈有鼎的"两个公孙龙"假说——纪念沈有鼎先生诞辰 90 周年》，《哲学研究》1998 年第 9 期。

34. 马全智：《略论冯友兰先生的逻辑观》，《郑州大学学报》1998 年第 5 期。

35. 楚明锟：《试析冯友兰"新理学"中的逻辑思维法》，《郑州大学学报》1998 年第 5 期。

36. 尹振环：《先秦诸子论"知言"》，《贵州社会科学》1998 年第 5 期；复印报刊资料《中国哲学》1998 年第 12 期。

37. 刘晓华：《梁启超与墨家逻辑》，《自然辩证法研究》1998 年增刊（逻辑学研究专辑）。

38. 孙中原：《胡适与墨家逻辑》，《自然辩证法研究》1998 年增刊（逻辑学研究专辑）。

39. 杨武金：《沈有鼎与墨家逻辑》，《自然辩证法研究》1998 年增刊（逻辑学研究专辑）。

40. 陈克守：《〈吕氏春秋〉的语言逻辑思想》，《自然辩证法研究》1998 年增刊（逻辑学研究专辑）。

41. 张燕京：《江天骥论真实性和正确性》，《自然辩证法研究》1998 年增刊（逻辑学研究专辑）。

42. 张学立：《简论金岳霖对排中律的认识》，《自然辩证法研究》1998 年增刊（逻辑学研究专辑）。

43. 王左立：《〈公孙龙子〉的语言意义理论》，《自然辩证法研究》1998 年增刊（逻辑学研究专辑）。

44. 王克喜：《古代汉语与中国古代逻辑》，《自然辩证法研究》1998 年增刊（逻辑学研究专辑）。

45. 赵凤珠：《试论因明、墨辩和西方逻辑传统非演绎推理之异同》，《自然辩证法研究》1998 年增刊（逻辑学研究专辑）。

46. 田立刚：《中国古代逻辑思想中的创新思维观》，陶文楼、田宏第编：《企业创新思维与逻辑应用研究》，天津人民出版社1998 年版。

47. 崔清田：《名学、辩学、名辩学析》，《哲学研究》1998 年增刊。

48. 刘培育：《名辩学与中国古代逻辑》，《哲学研究》1998 年增刊。

49. 李先焜：《名辩学、逻辑学与符号学》，《哲学研究》1998 年增刊。

50. 周云之：《名辩学研究与中国逻辑史》，《哲学研究》1998 年增刊。

51. 周山：《近现代名家研究得失谈》，《哲学研究》1998 年增刊。

52. 叶锦明：《论对公孙龙的两种评价》，《哲学研究》1998 年增刊。

53. 田立刚：《关于先秦名辩学中"理"范畴的探讨》，《哲学研究》1998 年增刊。

54. 陈道德：《论"譬"》，《哲学研究》1998 年增刊。

407

55. 韩学本、张林源：《名辩学派的历史定位和"白马非马"论析》，《哲学研究》1998年增刊。

56. 张忠义：《试谈中国名辩学的命题逻辑模式》，《哲学研究》1998年增刊。

57. 张家龙：《论〈墨经〉中"侔"式推理的有效式》，《哲学研究》1998年增刊。

58. 赵继伦：《〈墨经〉所呈现的中国古代思维方式》，《哲学研究》1998年增刊。

59. 周柏乔：《谭戒甫诠释〈大取〉的缺漏与补遗》，《哲学研究》1998年增刊。

60. 孙中原：《论墨家逻辑》，《哲学研究》1998年增刊。

61. 岑庆祺：《中国传统逻辑——道儒的辩证逻辑》，《哲学研究》1998年增刊。

62. 彭漪涟：《略论中国近代对逻辑—方法论探索的成就与不足》，《哲学研究》1998年增刊。

63. 吴志雄：《中国传统文化对逻辑的兼容与拒斥》，《哲学研究》1998年增刊。

64. 张建军：《严格悖论为什么没有在先秦哲学典籍中出现》，《哲学研究》1998年增刊。

65. 诸葛殷同：《金岳霖的逻辑学说》，《哲学研究》1998年增刊。

66. 张尚水：《沈有鼎的数理逻辑工作》，《哲学研究》1998年增刊。

67. 李小五：《沈有鼎论直观与逻辑》，《哲学研究》1998年增刊。

68. 王丽娟：《论沈有鼎对〈公孙龙子〉研究的贡献——对公孙龙其人其书的考证》，《哲学研究》1998年增刊。

69. 张象：《谈温公颐先生的中国逻辑史研究》，《哲学研究》1998年增刊。

70. 刘延寿：《我国近20年的名辩、因明研究——从甘肃人民出

408

版社的有关著作看》，《哲学研究》1998 年增刊。

71. 姚南强：《论因明的"除宗有法"——再与郑伟宏商榷》，《上海教育学院学报》1998 年第 2 期。

72. 阿旺旦增：《关于九句因和因三相的逻辑问题探讨》，《西藏大学学报》1998 年第 2 期；复印报刊资料《逻辑》1998 年第 6 期。

73. 沈海波：《章太炎与因明》，《湖北大学学报》1998 年第 1 期。

74. 阿旺丹增：《陈那新因明的论式支分探究》，《哲学研究》1998 年增刊；《西藏大学学报》1998 年第 12 期。

75. 董志铁：《试论虞愚因明与逻辑的比较研究》，《哲学研究》1998 年增刊。

1999

1. 郭桥：《古代墨家的论辩之道》，《人文与自然》1999 年第 2 期。

2. 郭桥：《严复中国文化建设与逻辑思想探赜》，《洛阳师专学报》1999 年第 1 期。

3. 曾昭式：《"可爱"与"可信"——论王国维关于逻辑学的二难困境》，《人文杂志》1999 年第 1 期。

4. 彭漪涟：《对智慧探索历程的逻辑概括——论冯契建构的逻辑范畴体系》，《华东师范大学学报》1999 年第 2 期；复印报刊资料《逻辑》1999 年第 3 期。

5. 崔清田：《逻辑的共同性与特殊性》，《社会科学》1999 年第 2 期。

6. 曾昭式：《20 世纪 30 年代逻辑界论战试析》，《学术月刊》1999 年第 3 期。

7. 梁庆寅：《冯契对辩证逻辑研究中两个疑难问题的解决》，《华东师范大学学报》1999 年第 2 期。

8. 张万玲：《墨辩对谬误的研究》，《中州学刊》1999 年第 2 期。

9. 韩军喜：《马佩教授逻辑思想概述》，《河南大学学报》1999 年第 2 期；复印报刊资料《逻辑》1999 年第 4 期。

10. 彭漪涟：《论辩证逻辑同哲学与科学的历史联系——冯契辩证逻辑思想探索》，《学术研究》1999 年第 2 期。

11. 孙中原：《古代百家争鸣的一种有效工具——论墨家的矛盾律与归谬类比》，《中国文化研究》1999 年第 2 期。

12. 周文英：《名辩逻辑提纲》（上、下），《江西教育学院学报》1999 年第 2 期、第 4 期；复印报刊资料《逻辑》1999 年第 5 期，2000 年第 2 期。

13. 乔清举：《金岳霖的逻辑哲学观及其方法论研究——兼与维特根斯坦的逻辑哲学观比较》，《北京社会科学》1999 年第 3 期。

410

14. 楚明锟：《试评冯友兰的类逻辑观》，《中州学刊》1999 年第 3 期。

15. 沈跃春：《逻辑东渐及其对中国文化影响》，《安徽史学》1999 年第 3 期。

16. 林鸿伟：《从先秦矛盾律思想的角度看东西方思维方式的差异及其影响》，《哲学动态》1999 年第 3 期；复印报刊资料《中国哲学》1999 年第 5 期。

17. 曾昭式、王克喜：《名学、辩学的文化解读》，《哲学动态》1999 年第 6 期。

18. 宋文坚：《我国现代逻辑研究概括》，《哲学动态》1999 年第 9 期；复印报刊资料《逻辑》1999 年第 6 期。

19. 张燕京：《江天骥逻辑思想研究》，《河北大学学报》1999 年第 2 期；复印报刊资料《逻辑》1999 年第 6 期。

20. 杜音：《近年国内悖论论争之我见》，《湘潭师范学院学报》1999 年第 4 期；复印报刊资料《逻辑》1999 年第 6 期。

21. 张红芸:《略论中国名辩逻辑衰落的原因》,《九江师专学报》
    1999 年第 3 期。

22. 晋荣东:《冯契科学逻辑思想初探》,《上海社会科学院学术
    季刊》1999 年第 3 期。

23. 谭世宝:《从〈小取〉看"仁者爱人"、"白马非马"等命题
    的逻辑》,《哈尔滨师专学报》1999 年第 4 期。

24. 张晓光:《墨辩逻辑与中国传统思维方式》,《辽宁大学学报》
    1999 年第 6 期;复印报刊资料《逻辑》2000 年第 1 期。

25. 贺善侃:《论辩证思维推理的基本原则——读冯契〈逻辑思
    维辩证法〉札记》,《华东师范大学学报》1999 年第 6 期。

26. 张建军:《简论殷海光的逻辑观》,《哲学研究》1999 年第 11
    期;复印报刊资料《逻辑》2000 年第 2 期。

27. 席升阳:《"类"与〈墨辩〉逻辑》,《河南师范大学学报》
    1999 年第 6 期;复印报刊资料《逻辑》2000 年第 2 期。

28. 吴邛:《尹文逻辑思想论》,《渝州大学学报》1999 年第 4 期。

29. 武宏志:《"物极必反"析谬——逃避批判的"经典命题"》,
    《兵团教育学院学报》1999 年第 3 期。

30. 赖志明:《从孟子"好辩"看其逻辑观》,《湛江师范学院学
    报》1999 年第 4 期。

31. 张小燕、刘贵欣:《冯契先生论辩证逻辑》,《北方论丛》
    1999 年第 6 期。

32. 吴家国:《传统逻辑在中国的历史命运和现代化》,《北京航
    空航天大学学报》1999 年第 4 期;复印报刊资料《逻辑》
    2000 年第 4 期。

33. 董志铁:《东西方逻辑三源交汇与比较研究》,《北京航空航
    天大学学报》1999 年第 4 期。

34. 赵总宽:《辩证逻辑在 20 世纪中国的发展》,《北京航空航天
    大学学报》1999 年第 4 期。

411

35. 吴邛：《论"名实相怨"》，《探索》1999 年第 1 期。

36. 曾昭式：《墨家辩学关于"辞"理论的超越性特征》，《信阳师范学院学报》1999 年第 1 期。

37. 曾昭式：《从先秦文化特点看〈墨辩〉的"故、理、类"》，《南都学坛》1999 年第 2 期。

38. 曾祥云：《〈公孙龙子·指物论〉疏解》，《湖南大学学报》1999 年第 1 期。

39. 苟志效：《论张载的易学符号学思想》，《岭南学刊》1999 年第 5 期。

40. 盛新华：《鲁迅笔下"倘"字句的语用推理及情感表达》，《探索与争鸣》1999 年增刊（《符号学和语言逻辑》）。

41. 陈道德：《"墨家"的交际理论初探》，《探索与争鸣》1999 年增刊（《符号学和语言逻辑》）。

412 42. 李永铭：《兼爱——墨家逻辑的语用观》，《探索与争鸣》1999 年增刊（《符号学和语言逻辑》）。

43. 田立刚：《墨家辩学的论辩原则思想初探》，中国逻辑学会编：《逻辑今探》，社会科学文献出版社 1999 年版。

44. 陈道德：《〈墨辩〉中有关"名"的理论新探》，中国逻辑学会编：《逻辑今探》，社会科学文献出版社 1999 年版。

45. 李卒：《立辞谬误探究》，中国逻辑学会编：《逻辑今探》，社会科学文献出版社 1999 年版。

46. 孙波：《譬与譬式推理》，中国逻辑学会编：《逻辑今探》，社会科学文献出版社 1999 年版。

47. 孙中原：《矛盾律、归谬法和归谬类比——论墨家逻辑及其影响》，中国逻辑学会编：《逻辑今探》，社会科学文献出版社 1999 年版。

48. 马全智：《二十世纪〈墨经〉逻辑研究概观》，中国逻辑学会编：《逻辑今探》，社会科学文献出版社 1999 年版。

49. [韩] 黄晟圭：《中国逻辑在韩国》，中国逻辑学会编：《逻辑今探》，社会科学文献出版社1999年版。

50. 陈克守：《孟子的逻辑反驳简析》，中国逻辑学会编：《逻辑今探》，社会科学文献出版社1999年版。

51. 董志铁：《〈公孙龙子·指物论〉解译》，中国逻辑学会编：《逻辑今探》，社会科学文献出版社1999年版。

52. 诸葛殷同：《中国50—60年代的逻辑争论》，中国逻辑学会编：《逻辑今探》，社会科学文献出版社1999年版。

53. 张小燕、沙青：《周谷城十论形式逻辑与辩证法》，中国逻辑学会编：《逻辑今探》，社会科学文献出版社1999年版。

54. 张燕京：《王方名与〈论形式逻辑问题〉》，中国逻辑学会编：《逻辑今探》，社会科学文献出版社1999年版。

55. 徐东来：《义净对因明学的贡献》，《华东师范大学学报》1999年第4期。

56. 沈剑英：《〈遮罗迦本集〉的论议原则》，《探索与争鸣》1999年增刊（《符号学和语言逻辑》）。

57. 郑伟宏：《陈那法称因明逻辑体系之比较》，中国逻辑学会编：《逻辑今探》，社会科学文献出版社1999年版。

413

2000

1. 沈跃春：《论沈有鼎先生的悖论研究》，中国社会科学院哲学研究所逻辑室编：《摹物求比——沈有鼎及其治学之路》，社会科学文献出版社2000年版。

2. 王与田：《从〈周易〉逻辑到墨辩逻辑——应重视周易在逻辑史和中国古代逻辑源流中的地位》，中国社会科学院哲学研究所逻辑室编：《摹物求比——沈有鼎及其治学之路》，社会科学文献出版社2000年版。

3. 孙中原：《墨家逻辑的新生——论沈有鼎〈墨经〉逻辑研究的

成就、方法和意义》，中国社会科学院哲学研究所逻辑室编：《摹物求比——沈有鼎及其治学之路》，社会科学文献出版社 2000 年版。

4. 张忠义：《关于沈有鼎先生〈墨经〉中命题变项与逻辑规律研究的述评》，中国社会科学院哲学研究所逻辑室编：《摹物求比——沈有鼎及其治学之路》，社会科学文献出版社 2000 年版。

5. 董志铁：《沈有鼎〈墨经〉研究特色》，中国社会科学院哲学研究所逻辑室编：《摹物求比——沈有鼎及其治学之路》，社会科学文献出版社 2000 年版。

6. 杨武金：《论沈有鼎研究墨家逻辑的方法》，中国社会科学院哲学研究所逻辑室编：《摹物求比——沈有鼎及其治学之路》，社会科学文献出版社 2000 年版。

7. 王丽娟：《沈有鼎对〈公孙龙子〉的评价》，中国社会科学院哲学研究所逻辑室编：《摹物求比——沈有鼎及其治学之路》，社会科学文献出版社 2000 年版。

8. 冯耀旺：《西方的〈公孙龙子〉研究》，中国社会科学院哲学研究所逻辑室编：《摹物求比——沈有鼎及其治学之路》，社会科学文献出版社 2000 年版。

9. 诸葛殷同：《试说〈白马论〉》，中国社会科学院哲学研究所逻辑室编：《摹物求比——沈有鼎及其治学之路》，社会科学文献出版社 2000 年版。

10. 刘培育：《沈有鼎的贡献》，中国社会科学院哲学研究所逻辑室编：《摹物求比——沈有鼎及其治学之路》，社会科学文献出版社 2000 年版。

11. 周云之：《学习沈有鼎先生科学的治学精神》，中国社会科学院哲学研究所逻辑室编：《摹物求比——沈有鼎及其治学之路》，社会科学文献出版社 2000 年版。

12. 崔清田：《逻辑的共同性与特殊性》，中国社会科学院哲学研究所逻辑室编：《摹物求比——沈有鼎及其治学之路》，社会科学文献出版社 2000 年版。

13. 且大有：《忆沈有鼎先生对于我的辩证逻辑思想的评价》，中国社会科学院哲学研究所逻辑室编：《摹物求比——沈有鼎及其治学之路》，社会科学文献出版社 2000 年版。

14. 金顺福：《对辩证逻辑形式化的一点意见——读沈有鼎的〈论"思维形式"和形式逻辑〉》，中国社会科学院哲学研究所逻辑室编：《摹物求比——沈有鼎及其治学之路》，社会科学文献出版社 2000 年版。

15. 周柏乔：《蒯因论标准逻辑出了什么问题？——读沈有鼎先生〈初基演算〉的体会》，中国社会科学院哲学研究所逻辑室编：《摹物求比——沈有鼎及其治学之路》，社会科学文献出版社 2000 年版。

16. 李小五：《沈有鼎论纯逻辑》，中国社会科学院哲学研究所逻辑室编：《摹物求比——沈有鼎及其治学之路》，社会科学文献出版社 2000 年版。

17. 叶锦明：《悖论十七条——论沈有鼎教授的手稿 A，B，C》，中国社会科学院哲学研究所逻辑室编：《摹物求比——沈有鼎及其治学之路》，社会科学文献出版社 2000 年版。

18. 张家龙：《沈有鼎的广义模态思想》，中国社会科学院哲学研究所逻辑室编：《摹物求比——沈有鼎及其治学之路》，社会科学文献出版社 2000 年版。

19. 王路：《〈墨经〉逻辑研究质疑》，《理性与智慧》上海三联书店 2000 年版。

20. 王路：《中国逻辑史研究的方法》，《理性与智慧》上海三联书店 2000 年版。

21. 赵总宽：《辩证逻辑在中国的三大变革》，《光明日报》2000

415

年 1 月 4 日;复印报刊资料《逻辑》2000 年第 2 期。

22. 宋文坚、熊立文、邹崇理:《我国现代逻辑研究概况》,《哲学动态》2000 年第 3 期;复印报刊资料《逻辑》2000 年第 3 期。

23. 刘培育:《最有成就的逻辑学家——金岳霖》,《光明日报》2000 年 1 月 18 日;复印报刊资料《逻辑》2000 年第 3 期。

24. 孙中原:《中国逻辑史研究百年玄览》,《光明日报》2000 年 6 月 6 日;复印报刊资料《逻辑》2000 年第 4 期。

25. 张京华:《论先秦诸子的三种逻辑思维层次》,《松辽学刊》2000 年第 1 期;复印报刊资料《逻辑》2000 年第 4 期。

26. 王克喜:《论逻辑的个性》,《徐州师范大学学报》2000 年第 1 期;复印报刊资料《逻辑》2000 年第 4 期。

27. 张晓光:《国内类比推理研究综述》,《哲学动态》2000 年第 5 期;复印报刊资料《逻辑》2000 年第 4 期。

28. 宋文坚:《中国数理逻辑八十年》,《北京航空航天大学学报》2000 年第 1 期。

29. 蔡曙山:《逻辑学与现代科学的发展——兼论金岳霖先生的道路》,《中国社会科学》2000 年第 4 期;复印报刊资料《逻辑》2000 年第 5 期。

30. 孔漫春:《孟子谈辩方法摭谈》,《洛阳师范学院学报》2000 年第 3 期。

31. 徐希燕:《墨家关于逻辑之本质的研究》,《贵州大学学报》2000 年第 3 期。

32. 彭自强:《庄子的名辩思想及其意义》,《西南师范大学学报》2000 年第 4 期。

33. 张宝印:《"辩题"理论意义及其逻辑思维功能的探究——析"一尺之棰,日取其半,万世不竭"》,《西安石油学院学报》2000 年第 2 期。

34. 王克喜：《试论汉字对中国古代逻辑理论与思想的影响》，《汉字文化》2000 年第 2 期。

35. 董业明：《晏子说辩的逻辑艺术》，《东岳论丛》2000 年第 3 期。

36. 郭桥：《严复输入西方逻辑探源》，《科学技术与辩证法》2000 年第 3 期。

37. 沙青：《20 世纪中叶中国逻辑思想论争的历史反思——分析性理性与辩证理性之争》，《河北大学学报》2000 年第 3 期。

38. 崔清田、郭桥、曾昭式：《20 世纪逻辑学在中国的影响》，《云南社会科学》2000 年第 4 期；复印报刊资料《逻辑》2000 年第 6 期。

39. 周铁项：《评冯友兰的类逻辑思想》，《孔子研究》2000 年第 4 期；复印报刊资料《逻辑》2000 年第 6 期。

40. 于汝波：《中国古代逻辑思维在战略研究中的运用》，《军事历史研究》2000 年第 2 期；复印报刊资料《逻辑》2000 年第 6 期。

41. 罗集：《追求思想的明晰性——中国社科院哲学所逻辑室研究成果概括》（上、下），《哲学动态》2000 年第 6—7 期；复印报刊资料《逻辑》2000 年第 6 期。

42. 徐希燕：《墨家对于逻辑规律的研究》，《唐都学刊》2000 年第 3 期。

43. 曾昭式：《逻辑学东渐的命运探析》，《社会科学》2000 年第 9 期。

44. 曾昭式：《从梁启超的文化观看其墨家"论理学"思想》，《信阳师范学院学报》2000 年第 3 期。

45. 郭桥：《温公颐中国逻辑史研究试探》，《信阳师范学院学报》2000 年第 3 期。

46. 孙中原：《谬误与诡辩析论》，《道德与文明》2000 年第 3 期。

417

47. 郭桥：《我国的逻辑教学将走向何处》，《哲学动态》2000 年第 10 期；复印报刊资料《逻辑》2001 年第 1 期。

48. 张斌峰：《略论〈墨辩〉"辩"的谬误》，《江汉论坛》2000 年第 11 期。

49. 王克喜：《留学生与逻辑学的东渐》，《徐州师范大学学报》2000 年第 3 期。

50. 赵保国：《张东荪逻辑思想透视》，《社会科学辑刊》2000 年第 5 期。

51. 孙中原：《论中国逻辑史研究中的肯定与否定》，《广西师院学报》2000 年第 4 期；复印报刊资料《逻辑》2001 年第 2 期。

52. 曾祥云：《20 世纪中国逻辑史研究的反思——拒斥"名辩逻辑"》，《江海学刊》2000 年第 6 期；复印报刊资料《逻辑》2001 年第 2 期。

53. 张家龙：《新中国逻辑学 50 年——在新中国哲学 50 年学术研讨会上的讲演》，《自然辩证法研究》2000 年增刊（逻辑学研究专辑）。

54. 赵保国：《试验逻辑及其对传统逻辑的批评与否定》，《信阳师范学院学报》2000 年第 4 期。

55. 张晓芒：《先秦诸子的谬误观及其时代精神》，《中州学刊》2000 年第 6 期。

56. 张斌峰：《略论墨家关于"立辞"的谬误》，《中州学刊》2000 年第 6 期。

57. 郭桥：《墨子比喻论式的逻辑性质》，《中州学刊》2000 年第 6 期。

58. 刘晓华：《梁启超对墨家逻辑诸概念的研究》，《湖南公安高等专科学校学报》2000 年第 6 期。

59. 孙中原：《墨家逻辑是求真工具》，《自然辩证法研究》2000

年增刊（逻辑学研究专辑）。

60. 王心铭：《〈墨经〉论类比》，《自然辩证法研究》2000年增刊（逻辑学研究专辑）。

61. 楚明锟：《冯友兰的类层次思想述评》，《自然辩证法研究》2000年增刊（逻辑学研究专辑）。

62. 杜国平：《金岳霖逻辑观述评》，《自然辩证法研究》2000年增刊（逻辑学研究专辑）。

63. 董志铁：《新中国名辩逻辑研究的回顾与前瞻》，《自然辩证法研究》2000年增刊（逻辑学研究专辑）。

64. 李小五：《目前我国逻辑学研究的几个误区》，《自然辩证法研究》2000年增刊（逻辑学研究专辑）。

65. 颜华东：《孔子"正名"逻辑思考别谈》，《甘肃理论学刊》2000年第1期。

66. 朱炳祥：《名实关系论》，《上海大学学报》2000年第1期。

67. 颜华东：《从"类"浅议墨辩逻辑的特点》，《甘肃社会科学》2000年第1期。

68. 袁振保：《墨家论思维法则》，《东方丛刊》2000年第4期。

69. 邹大海：《"轮不碾地"诸说考评与新解》，《哈尔滨工业大学学报》2000年第4期。

70. 苟志效：《〈易〉的符号学意蕴及其现代价值》，《岭南学刊》2000年第3期。

71. 胡明清：《论孟子的论辩战略》，《徐州师范大学学报》2000年第2期。

72. 程水金：《公孙龙子正名学说发微》，《南昌大学学报》2000年第3期。

73. 张远山：《公孙龙〈指物论〉奥义》，《书屋》2000年第9期。

74. 庞朴：《"鸡三足"说》，《学术月刊》2000年第9期；复印报刊资料《中国哲学》2000年第12期。

75. 秦彦士：《名辩思潮与芝诺悖论的历史命运》，《文史哲》2000 年第 5 期；复印报刊资料《中国哲学》2000 年第 12 期。

76. 陈建中：《〈通变论〉解读——数术和命名》，《天中学刊》2000 年第 6 期；复印报刊资料《中国哲学》2001 年第 1 期。

77. 曾祥云：《"名学"辨析》，《电子科技大学学报》2000 年第 3 期；复印报刊资料《中国哲学》2001 年第 1 期。

78. 徐希燕：《墨家对于概念"名"的研究》，《学术论坛》2000 年第 6 期。

79. 曾昭式：《荀子关于"名"之谬误思想刍议》，《江汉论坛》2000 年第 11 期。

80. 张建军：《简论殷海光的逻辑观》，张斌峰、张晓光编：《殷海光学术思想研究——海峡两岸殷海光学术研讨会论文集》，辽宁大学出版社 2000 年版。

81. 郭桥：《林毓生科学方法和逻辑观初探》，张斌峰、张晓光编：《殷海光学术思想研究——海峡两岸殷海光学术研讨会论文集》，辽宁大学出版社 2000 年版。

82. 张斌峰：《从诠释学看近代〈墨辩〉复兴》，[美]成中英编：《本体与诠释》，生活·读书·新知三联书店 2000 年版。

83. 张斌峰：《殷海光逻辑思想述评》，张斌峰、王中江编：《西方现代自由与中国古典传统》，湖北人民出版社 2000 年版。

84. 崔清田、张学立：《金岳霖、殷海光的逻辑观》，张斌峰、王中江编：《西方现代自由与中国古典传统》，湖北人民出版社 2000 年版。

85. 张建军：《论殷海光先生的逻辑观》，张斌峰、王中江编：《西方现代自由与中国古典传统》，湖北人民出版社 2000 年版。

86. 李永铭：《殷海光的逻辑观与 80 年代中国逻辑界论争》，张斌峰、王中江编：《西方现代自由与中国古典传统》，湖北人民出版社 2000 年版。

87. 曾祥云：《世界古代三支辩学传统之比较》，《华东师范大学学报》2000 年逻辑学专刊。

88. 蒋以璞：《关于墨家逻辑两个论辩原则的思考》，《华东师范大学学报》2000 年逻辑学专刊。

89. 苏尚：《试析〈吕氏春秋〉中的特征推理》，《华东师范大学学报》2000 年逻辑学专刊。

90. 胡满场：《20 世纪中后期我国逻辑教学的改革与发展》，《华东师范大学学报》2000 年逻辑学专刊。

91. 邵强进：《印度逻辑思想产生的历史背景及其一般特征》，《复旦学报》2000 年第 1 期；复印报刊资料《逻辑》2000 年第 3 期。

92. 黄志强：《三支论式规则探析》，《广西师院学报》2000 年第 1 期。

93. 黄志强：《"因明研究"指误》，《广西师院学报》2000 年第 3 期；复印报刊资料《逻辑》2000 年第 6 期。

94. 黄志强：《三支论式蠡测》，《人文杂志》2000 年第 4 期。

95. 姚南强：《因明的历史发展及其贡献》，《华东师范大学学报》2000 年第 6 期；复印报刊资料《逻辑》2001 年第 2 期。

96. 周文英：《陈那的因明体系述略》，《江西教育学院学报》2000 年第 4 期。

97. 曾祥云：《还佛家因明以本来面目——对近 50 年因明研究的反思》，《华东师范大学学报》2000 年逻辑学专刊。

98. 姚南强：《佛家论辩学略介》，《华东师范大学学报》2000 年逻辑学专刊。

2001

1. 孙中原：《中国逻辑研究百年论要》，《东西学术》2001 年第 1 期；复印报刊资料《逻辑》2001 年第 3 期。

2. 刘广志：《浅析邓小平著作中的逻辑特色》，《中共沈阳市委党校学报》2001 年第 1 期；中国逻辑学会编：《逻辑研究文集》，西南师范大学出版社 2001 年版。

3. 林颖：《浅议〈论语〉中的逻辑确定性思想》，《宁德师专学报》2001 年第 1 期。

4. 郭桥：《孟子谈辩中的若干谬误》，《人文杂志》2001 年第 2 期。

5. 郭桥：《墨子谈辩中的逻辑分析方法》，《南都学坛》2001 年第 2 期。

6. 刘晓华：《论〈墨经〉之"辩"》，《长沙电力学院学报》2001 年第 1 期；王裕安主编：《墨子研究论丛》（五），齐鲁书社 2001 年版。

7. 颜华东：《从"类"浅议墨辩逻辑的特点》，《甘肃社会科学》2001 年第 1 期。

8. 关兴丽：《墨家对语用谬误的研究》，《人文杂志》2001 年第 1 期。

9. 张晓光：《墨辩对谬误的辨析》，《社会科学辑刊》2001 年第 1 期。

10. 张晓芒：《儒墨正名辩谬的异同》，《社会科学辑刊》2001 年第 1 期。

11. 关兴丽：《论墨家的批判性思维》，《社会科学辑刊》2001 年第 2 期。

12. 刘培育：《20 世纪名辩与逻辑、因明的比较研究》，《社会科学辑刊》2001 年第 3 期；复印报刊资料《逻辑》2001 年第 4

期。

13. 帅国文：《金岳霖归纳理论的历史比较》，《重庆师院学报》
2001 年第 1 期。

14. 黄展骥：《"以空为实"的诡论——"物极必反"命题辨谬》，
《社会科学辑刊》2001 年第 1 期。

15. 且大有：《辩证逻辑在中国 30 年代的发展》，《内蒙古师大学
报》2001 年第 1 期。

16. 陈波：《休谟问题和金岳霖的回答——兼论归纳的实践必须
性和归纳逻辑的重建》，《中国社会科学》2001 年第 3 期；复
印报刊资料《逻辑》2001 年第 4 期。

17. 孙中原：《沈有鼎的墨家逻辑研究》，《哲学研究》2001 年第
3 期；复印报刊资料《逻辑》2001 年第 4 期。

18. 李朝东：《化理论为方法——冯契对中国近代逻辑思想革命
的总结和超越》，《中国哲学史》2001 年第 1 期；复印报刊资
料《逻辑》2001 年第 4 期。

19. 李卒：《中国逻辑史研究方法的新探索——浅述崔清田教授
的"历史分析与文化诠释"法》，《广州市公安管理干部学院
学报》2001 年第 1 期；中国逻辑学会编：《逻辑研究文集》，
西南师范大学出版社 2001 年版。

20. 孙中原：《墨家逻辑的性质》，《中国人民大学学报》2001 年
第 2 期。

21. 黄克剑：《先秦名家琦辞辨微》，《东南学术》2001 年第 2 期。

22. 翟锦程：《先秦名家论名及其谬误》，《中州学刊》2001 年第
2 期。

23. 曾昭式、崔秀荣：《韩非"名"之谬误思想探析》，《中州学
刊》2001 年第 2 期。

24. 陈洁、解启扬：《西方逻辑的输入与明末文化思潮》，《广西
师院学报》2001 年第 1 期。

25. 刘邦凡：《论我国谬误分析与谬误学研究》，《北方论丛》2001 年第 4 期；复印报刊资料《逻辑》2001 年第 5 期。

26. 李春泰：《论墨子与亚里士多德逻辑学的差别及其意义》，《哈尔滨市经济管理干部学院学报》2001 年第 1 期；复印报刊资料《逻辑》2001 年第 5 期。

27. 杨小青：《孟子的论辩艺术》，《渝州大学学报》2001 年第 2 期。

28. 谷振诣：《论〈墨经〉的"效"》，《北京理工大学学报》2001 年第 1 期。

29. 张晴：《〈墨经〉中所说的"假"》，《广西梧州师范高等专科学校学报》2001 年第 2 期。

30. 何洋：《论〈墨辩〉之辩略》，《海南师范学院学报》2001 年第 3 期。

31. 孙中原：《墨家和荀子逻辑比较研究》，《广西师院学报》2001 年第 2 期。

32. 胡理毅：《论荀子学说中的逻辑学及其认识论意义》，《娄底师专学报》2001 年第 1 期。

33. 郭桥：《温公颐中国逻辑史观初探》，《洛阳师范学院学报》2001 年第 3 期。

34. 张斌峰：《在逻辑与文化之间——张东荪的逻辑文化观》，《安徽史学》2001 年第 2 期。

35. 沈荣兴：《前苏联逻辑学发展对新中国逻辑学发展的影响和启示》，《江海学刊》2001 年第 4 期；复印报刊资料《逻辑》2001 年第 6 期；中国逻辑学会编：《逻辑研究文集》，西南师范大学出版社 2001 年版。

36. 王建芳：《近年国内"解悖"问题研究述论》，《江汉论坛》2001 年第 8 期；复印报刊资料《逻辑》2001 年第 6 期。

37. 孙中原：《墨家逻辑的现代研究——沈有鼎贡献的意义》，

《中国文化研究》2001年第3期。

38. 黄朝阳：《譬的思维》，《晋阳学刊》2001年第4期。

39. 张家龙：《王宪钧教授对中国数理逻辑发展的贡献——纪念王宪钧教授诞辰90周年》，中国逻辑学会编：《逻辑研究文集》，西南师范大学出版社2001年版；复印报刊资料《逻辑》2002年第1期。

40. 崔清田：《逻辑与文化》，《云南社会科学》2001年第5期；复印报刊资料《逻辑》2002年第1期；王路、刘奋荣编：《逻辑、语言与思维——周礼全先生八十寿辰纪念文集》，中国科学文化出版社2002年版。

41. 曾昭式：《逻辑学输入近代中国的社会文化原因探析》，《周口师范高等专科学校学报》2001年第3期。

42. 王心铭：《譬侔援推及其规则》，《运城高等专科学校学报》2001年第5期。

43. 郑立群：《明故知类，有所止而正——中国古代逻辑中关于"说"的谬误》，《襄樊学院学报》2001年第6期。

44. 曾昭式：《胡适"试验论理学"思想及其对逻辑学发展的影响》，《安徽大学学报》2001年第5期。

45. 彭福扬、罗一涛：《墨家逻辑的科技思想根源研究》，《湖南大学学报》2001年第4期。

46. 曾昭式：《冯友兰运用逻辑学建构新理学的反思》，《河南师范大学学报》2001年第5期。

47. 张斌峰：《国内语用逻辑研究回顾与展望》（上、下），《哲学动态》2001年第11—12期。

48. 郑立群：《中国古代逻辑学者的逻辑谬误论》，《武汉理工大学学报》2001年第6期。

49. 谷振诣：《论〈墨经〉的"类"概念》，《中国青年政治学院学报》2001年第1期。

50. 岳国光：《简论中国古代矛盾学说》，《沈阳师范学院学报》
    2001 年第 1 期。

51. 曾祥云：《"坚白石二"立论之谜——〈公孙龙子·坚白论〉
    新探》，《长沙电力学院学报》2001 年第 1 期；复印报刊资料
    《逻辑》2001 年第 5 期。

52. 刘叶涛：《从认知逻辑的观点看邓析"两可思想"》，《内蒙古
    社会科学》2001 年第 6 期。

53. 张长明、曾祥云：《从符号学的观点看〈尹文子〉的名学》，
    《广东社会科学》2001 年第 1 期。

54. 郭桥：《试析墨子谈辩中的"譬"论式》，王裕安主编：《墨
    子研究论丛》（五）齐鲁书社 2001 年版。

55. 曾昭式：《梁启超墨家逻辑思想试析》，王裕安主编：《墨子
    研究论丛》（五），齐鲁书社 2001 年版。

56. 杨武金：《论百年来墨家逻辑研究的方法》，王裕安主编：
    《墨子研究论丛》（五），齐鲁书社 2001 年版。

57. 王煜：《评介英国汉学家格瑞汉〈后期墨家的逻辑、伦理学
    和科学〉》，王裕安主编：《墨子研究论丛》（五），齐鲁书社
    2001 年版。

58. 孙中原：《墨家逻辑研究的回顾与展望》，王裕安主编：《墨
    子研究论丛》（五），齐鲁书社 2001 年版。

59. 陈克守：《墨家的"名"论》，王裕安主编：《墨子研究论丛》
    （五），齐鲁书社 2001 年版。

60. 杨俊光：《〈墨经〉"辩，争彼也。辩胜，当也"校诂》，王裕
    安主编：《墨子研究论丛》（五），齐鲁书社 2001 年版。

61. 关兴丽：《墨家的指称论思想初探》，《社会科学》2001 年第
    4 期。

62. 张晴：《〈墨经〉中"援"、"推"、"辟"、"止"、"效"诸方法
    的性质》，《湖南师范大学社会科学学报》2001 年第 3 期。

63. 曾鹃、刘永湘：《荀子名实观探微》,《湘潭大学社会科学学报》2001 年第 3 期。

64. 杨爱群：《在论战中形成的论辩艺术——谈孟子辩术的形成及其特点》,《赣南师范学院学报》2001 年第 4 期。

65. 杜国平：《形上体系的逻辑构造》,《哲学动态》2001 年增刊。

66. 王左立：《墨家辩学与逻辑》,《哲学动态》2001 年增刊。

67. 杨武金：《论〈墨经〉逻辑的历史意义和现代价值》,《哲学动态》2001 年增刊。

68. 张斌峰：《〈中国逻辑史教程〉读后》,《哲学动态》2001 年增刊。

69. 赵总宽：《辩证逻辑百年回顾与展望》,中国逻辑学会编：《逻辑研究文集》,西南师范大学出版社 2001 年版。

70. 刘培育：《名辩与逻辑、因明的比较研究——百年回顾与思考》,中国逻辑学会编：《逻辑研究文集》,西南师范大学出版社 2001 年版。

71. 孙中原：《中国逻辑史研究疑义论析》,中国逻辑学会编：《逻辑研究文集》,西南师范大学出版社 2001 年版。

72. 董志铁：《疑义相与析——略论中国古代推理的特点》,中国逻辑学会编：《逻辑研究文集》,西南师范大学出版社 2001 年版。

73. 杨武金：《论用现代逻辑研究墨家逻辑》,中国逻辑学会编：《逻辑研究文集》,西南师范大学出版社 2001 年版。

74. 时明德、曾昭式：《逻辑学与中国文化现代化》,中国逻辑学会编：《逻辑研究文集》,西南师范大学出版社 2001 年版。

75. 陈声柏：《先秦名学思想的思维特征——与亚里士多德范畴理论的比较》,中国逻辑学会编：《逻辑研究文集》,西南师范大学出版社 2001 年版。

76. 曾祥云：《"中国古代无逻辑论"——对 20 世纪 "名辩逻辑"

研究的反思》，中国逻辑学会编：《逻辑研究文集》，西南师
范大学出版社 2001 年版。

77. 彭自强：《〈公孙龙子〉中一种特殊的推理形式及其意义》，
    中国逻辑学会编：《逻辑研究文集》，西南师范大学出版社
    2001 年版。

78. 谢元春：《论公孙龙的正名思想——兼议"白马非马"》，中
    国逻辑学会编：《逻辑研究文集》，西南师范大学出版社 2001
    年版。

79. 张燕京：《论五六十年代逻辑论争的历史影响》，中国逻辑学
    会编：《逻辑研究文集》，西南师范大学出版社 2001 年版。

80. 资建民：《周谷城先生逻辑思想述评》，中国逻辑学会编：
    《逻辑研究文集》，西南师范大学出版社 2001 年版。

81. 郭桥：《温公颐研究中国逻辑史的原则和方法》，中国逻辑学
    会编：《逻辑研究文集》，西南师范大学出版社 2001 年版。

82. 孙中原：《墨家逻辑的产生和作用》，北京市逻辑学会编：
    《逻辑·素质·创新》，海洋出版社 2001 年版。

83. 张斌峰、曾昭式：《21 世纪逻辑学研究的新走向》，《信阳师
    范学院学报》2001 年第 4 期；复印报刊资料《逻辑》2002
    年第 2 期。

84. 曾祥云：《在历史中解读，在解读中创新——评郑伟宏的两
    部因明新著》，《世界宗教研究》2001 年第 1 期。

85. 黄志强：《三支论式及其规则初探》，《南亚研究》2001 年第
    1 期；复印报刊资料《逻辑》2001 年第 6 期。

86. 黄志强：《因明概念论》，北京市逻辑学会编：《逻辑·素
    质·创新》，海洋出版社 2001 年版。

2002

1. 张燕京：《二十世纪五六十年代逻辑论争的反思》，《西南师范

大学学报》2002 年第 1 期；复印报刊资料《逻辑》2002 年第 2 期。

2. 关兴丽：《墨家的语境及语用学思想》，《晋阳学刊》2002 年第 1 期；复印报刊资料《逻辑》2002 年第 2 期。

3. 张晓芒：《庄子"辩无胜"的名辩学意义与现代启示》，《晋阳学刊》2002 年第 1 期。

4. 孙中原：《墨家逻辑产生与作用机理探析》，《信阳师范学院学报》2002 年第 1 期；复印报刊资料《逻辑》2002 年第 3 期。

5. 朱前鸿：《公孙龙子〈指物论〉逻辑哲学思想分析》，《学术研究》2002 年第 1 期；复印报刊资料《逻辑》2002 年第 3 期。

6. 何洋：《论〈墨辩〉之"诺"》，《江汉论坛》2002 年 2 期；复印报刊资料《逻辑》2002 年第 3 期。

7. 许锦云：《墨家逻辑的谬误论》，《信阳师范学院学报》2002 年第 1 期。

8. 徐阳春：《公孙龙之"白马非马"辨析》，《江西行政学院学报》2002 年第 1 期。

9. 刘明明：《西方逻辑的传播与中国传统思维方式的变革历程》，《九江师专学报》2002 年第 1 期；复印报刊资料《逻辑》2002 年第 4 期。

10. 曾昭式：《张东荪多元逻辑观试析》，《商丘师范学院学报》2002 年第 1 期。

11. 张斌峰：《面向生活世界的谬误研究——黄展骥先生的谬误研究评述》，《晋阳学刊》2002 年第 2 期。

12. 刘邦凡：《"千古之谜"的简明消解——黄展骥的"说谎者"悖论研究》，《人文杂志》2002 年第 4 期；复印报刊资料《逻辑》2002 年第 5 期。

13. 曹剑波：《金岳霖与罗素的归纳思想之比较》，《哈尔滨学院学报》2002 年第 1 期；复印报刊资料《逻辑》2002 年第 5

期。

14. 黄顺基：《周礼全是我国自然语言逻辑的开拓者》，王路、刘奋荣编：《逻辑、语言与思维——周礼全先生八十寿辰纪念文集》，中国科学文化出版社 2002 年版。

15. 陈宗明、黄华新：《从符号学看周礼全先生的自然语言逻辑思想》，王路、刘奋荣编：《逻辑、语言与思维——周礼全先生八十寿辰纪念文集》，中国科学文化出版社 2002 年版。

16. 李先焜：《周礼全先生的语用学思想》，王路、刘奋荣编：《逻辑、语言与思维——周礼全先生八十寿辰纪念文集》，中国科学文化出版社 2002 年版。

17. 陈道德：《周礼全先生话语意义理论述评》，王路、刘奋荣编：《逻辑、语言与思维——周礼全先生八十寿辰纪念文集》，中国科学文化出版社 2002 年版。

430　18. 苏天辅：《试说中国古代的逻辑》，王路、刘奋荣编：《逻辑、语言与思维——周礼全先生八十寿辰纪念文集》，中国科学文化出版社 2002 年版。

19. 周云之：《周礼全先生与中国逻辑史研究》，王路、刘奋荣编：《逻辑、语言与思维——周礼全先生八十寿辰纪念文集》，中国科学文化出版社 2002 年版。

20. 孙中原：《论中国逻辑》，王路、刘奋荣编：《逻辑、语言与思维——周礼全先生八十寿辰纪念文集》，中国科学文化出版社 2002 年版。

21. 杨武金：《论〈墨经〉逻辑本质》，王路、刘奋荣编：《逻辑、语言与思维——周礼全先生八十寿辰纪念文集》，中国科学文化出版社 2002 年版。

22. 宋文坚：《亚里士多德〈论辩篇〉和〈墨经〉比较研究》，王路、刘奋荣编：《逻辑、语言与思维——周礼全先生八十寿辰纪念文集》，中国科学文化出版社 2002 年版。

23. 张盛彬：《论周礼全的辩证逻辑思想——兼论逻辑研究中的极左思潮》，《皖西学院学报》2002 年第 3 期；复印报刊资料《逻辑》2002 年第 5 期。

24. 程仲棠：《"墨辩逻辑学"解构——从〈小取〉的逻辑矛盾看墨辩与逻辑学的根本区别》（上、下），《学术研究》2002 年第 6—7 期；复印报刊资料《逻辑》2002 年第 5—6 期。

25. 张晓光：《中国逻辑传统中的类和推类》，《广东社会科学》2002 年第 3 期；复印报刊资料《逻辑》2002 年第 5 期。

26. 周山：《解读〈指物论〉》，《哲学研究》2002 年第 6 期；复印报刊资料《逻辑》2002 年第 5 期。

27. 曾昭式：《从语言与逻辑的关系看古代汉语与中国古代逻辑思想》，《信阳师范学院学报》2002 年第 4 期。

28. 王力钢：《墨家逻辑的独特性》，《荆州师范学院学报》2002 年第 3 期。

29. 张晓光：《墨家的"类推"思想》，《中国哲学史》2002 年第 2 期。

30. 刘国峰：《荀子关于名的逻辑思想及其社会意义》，《广西社会科学》2002 年第 3 期。

31. 郭桥：《沈括的谬误分析方法》，《晋阳学刊》2003 年第 3 期。

32. 曾昭式：《中国逻辑史研究的三种立场》，《哲学动态》2002 年第 8 期；复印报刊资料《逻辑》2002 年第 6 期。

33. 刘培育：《真做学问，做真学问——读〈周文英学术著作自选集〉》，《江西教育学院学报》2002 年第 4 期；复印报刊资料《逻辑》2002 年第 6 期。

34. 杨武金：《从现代逻辑的语言层次观看〈墨经〉逻辑》，《广西师院学报》2002 年第 2 期；复印报刊资料《逻辑》2002 年第 6 期。

35. 王月玲：《刍议墨家逻辑的历史命运及特点》，《理论与现代

431

化》2002 年第 5 期。

36. 许锦云:《墨家与亚里士多德谬误论比较研究》,《南通师范学院学报》2002 年第 3 期。

37. 张斌峰:《中国古代逻辑的新探索与新进展——评〈中国逻辑史教程〉修订本》,《中国出版》2002 年第 1 期;复印报刊资料《逻辑》2002 年第 3 期。

38. 张晓光:《孟子的推类思想》,《信阳师范学院学报》2002 年第 4 期。

39. 何洋:《论〈墨辩〉之"辩"》,《海南师范学院学报》2002 年第 3 期。

40. 曾祥云:《〈墨经〉名学的现代解读——从语词符号的角度》,《长沙电力学院学报》2002 年第 1 期。

41. 孙中原:《中国古代有逻辑论》,《人文杂志》2002 年第 6 期。

42. 王左立:《也谈中国逻辑史研究若干问题——与孙中原教授商榷》,《哲学动态》2002 年第 8 期。

43. 孙中原:《墨家逻辑和认知范畴钩玄》,《船山学刊》2002 年第 4 期。

44. 刘明明:《中国古代"推类"思想的研究进程》,《黔南民族师范学院学报》2002 年第 5 期。

45. 刘永振、俞胜:《浅析〈墨子〉论辩中的非逻辑方法》,《大连理工大学学报》2002 年第 4 期。

46. 田立刚:《墨家辩学的研究对象与逻辑类型》,《自然辩证法研究》2002 年增刊(逻辑学研究专辑)。

47. 陈世昌:《台湾逻辑学的发展系谱与现状》,《自然辩证法研究》2002 年增刊(逻辑学研究专辑)。

48. 李春勇:《诠释学的启示——20 世纪中国逻辑史的一种研究方法》,〔美〕成中英编:《本体诠释学》(第 2 辑),北京大学出版社 2002 年版。

49. 崔清田：《墨家逻辑与亚里士多德逻辑的比较研究》，《南开学报》2002 年第 6 期；复印报刊资料《逻辑》2003 年第 1 期。

50. 袁彩云：《金岳霖逻辑思想研究》，《江汉论坛》2002 年第 3 期；复印报刊资料《逻辑》2003 年第 1 期。

51. 李小虎：《毛泽东逻辑观念的嬗变及其意义》，《理论学刊》2002 年第 6 期；复印报刊资料《逻辑》2003 年第 1 期。

52. 廖怀高、曹照洁、张世萍：《论毛泽东对我国逻辑学发展的贡献》，《四川教育学院学报》2002 年第 7 期；复印报刊资料《逻辑》2003 年第 1 期。

53. 罗龙祥：《先秦名学思想中的逻辑内蕴》，《云南社会科学》2002 年第 2 期。

54. 曾祥云：《"名学"究竟是什么——与孙中原先生商榷》，《学术界》2002 年第 5 期。

55. 徐希燕：《墨家关于逻辑学之判断的研究》，《平顶山师专学报》2002 年第 3 期。

56. 曾昭式：《逻辑学东渐与中国现代逻辑史》，《社会科学》2002 年第 8 期；复印报刊资料《逻辑》2003 年第 2 期。

57. 汪海燕：《不应忘却的逻辑应用史——与〈逻辑学百年〉的作者们商榷》，《白城师范高等专科学校学报》2002 年第 2 期；复印报刊资料《逻辑》2003 年第 2 期。

58. 吴克峰：《易学的推类逻辑》，《周易研究》2002 年第 6 期；复印报刊资料《逻辑》2003 年第 2 期。

59. 黄志强：《评因明研究中的几个误区》，《广西师院学报》2002 年第 1 期；复印报刊资料《逻辑》2002 年第 4 期。

60. 林鸿伟：《"因三相"、"九句因"及诸"过"与因明的实质》，《学术研究》2002 年第 8 期。

61. 林鸿伟：《三支论式及因明学说实质之辨析》，《现代哲学》

2002 年第 3 期。

2003

1. 冯胜利：《从人本到逻辑的学术转型——中国学术从传统走向现代的抉择》，《社会科学论坛》2003 年第 1 期；复印报刊资料《逻辑》2003 年第 2 期。

2. 刘培育：《中国逻辑史研究 50 年概览》，《信阳师范学院学报》2003 年第 2 期；报刊复印资料《逻辑》2003 年第 3 期。

3. 张盛彬：《逻辑学在 20 世纪中国的多舛命运——百年逻辑反思》，《皖西学院学报》2003 年第 1 期；报刊复印资料《逻辑》2003 年第 3 期。

4. 崔清田：《关于中西逻辑的比较研究——由中西文化交汇引发的思考》，《信阳师范学院学报》2003 年第 2 期；报刊复印资料《逻辑》2003 年第 3 期。

5. 曾祥云、刘志生：《跨世纪之辩：名辩与逻辑——当代中国逻辑史研究的检视与反思》，《江海学刊》2003 年第 2 期；报刊复印资料《逻辑》2003 年第 3 期。

6. 崔清田：《不同文化传统与不同逻辑传统——墨家逻辑与亚里士多德逻辑的比较》，《中州学刊》2003 年第 2 期。

7. 王克喜：《逻辑与语言——古代汉语与关联性思维的推类》，《中州学刊》2003 年第 2 期。

8. 葛荃：《逻辑与政治思想——推类逻辑与中国传统政治思维》，《中州学刊》2003 年第 2 期。

9. 吴克峰：《逻辑与伦理思想——〈周易〉逻辑思想对古代伦理观念的影响》，《中州学刊》2003 年第 2 期。

10. 刘邦凡：《逻辑与科学思想——以墨家逻辑对中国传统数学的影响为例》，《中州学刊》2003 年第 2 期。

11. 郭桥：《逻辑与思维方式变革——西方逻辑传播对中国传统

思维方式的影响》,《中州学刊》2003年第2期。

12. 陈声柏:《先秦名学与亚里士多德的范畴》,《兰州大学学报》2003年第2期。

13. 陈克守:《墨家的语境观》,《齐鲁学刊》2003年第1期。

14. 夏国军:《公孙龙的逻辑思想再探》,《内蒙古民族大学学报》2003年第1期。

15. 郭桥:《名家辨名方法探要》,《河南师范大学学报》2003年第1期。

16. 胡理毅:《荀子在名辩思潮中对逻辑认识论的贡献》,《船山学刊》2003年第4期;复印报刊资料《逻辑》2003年第4期。

17. 郭桥:《逻辑理性的融入——近代西方逻辑传播对冯友兰哲学的影响》,《中国哲学史》2003年第2期。

18. 曾昭式:《西方逻辑东渐与中国近代思维方式的嬗变》,《中国哲学史》2003年第2期。

19. 张斌峰:《荀子的"类推思维论"》,《中国哲学史》2003年第2期。

20. 张晓芒:《中国古代的类推思想与中国古代的宗族社会》,《中国哲学史》2003年第2期。

21. 张长明、曾祥云:《论中国名辩研究的方法》,《湖湘论坛》2003年第3期。

22. 许锦云:《论墨经逻辑的价值》,《职大学报》2003年第1期。

23. 吾淳:《古代中国与古代希腊逻辑言说之比较》,《南通师范学院学报》2003年第3期;复印报刊资料《逻辑》2003年第5期。

24. 董志铁:《命运多舛,生机依然——传统逻辑在中国》,《北京师范大学学报》2003年第3期;复印报刊资料《逻辑》2003年第5期。

435

25. 杨蕾：《新世纪中国逻辑史研究述评》，《中州学刊》2003年第3期；复印报刊资料《逻辑》2003年第5期。

26. 李贤军：《孔子的逻辑思想新探》，《贵州民族学院学报》2003年第3期。

27. 俞政：《也论严复的逻辑思想》，《河南师范大学学报》2003年第3期。

28. 刘明明：《"白马非马"论的文化解读》，《社会科学辑刊》2003年第3期。

29. 张长明、曾祥云：《论名学逻辑化研究范式的形成及影响》，《湖南社会科学》2003年第3期。

30. 蔡曙山：《论我国逻辑学的发展和学科建设》，《清华大学学报》2003年第4期；复印报刊资料《逻辑》2003年第6期。

31. 吴家国：《从传统逻辑到普通逻辑》，《西南师范大学学报》2003年第5期；复印报刊资料《逻辑》2003年第6期。

32. 韩伟才：《中国古典逻辑何以成立》，《内蒙古民族大学学报》2003年第4期；复印报刊资料《逻辑》2003年第6期。

33. 崔清田：《中国逻辑与中国传统伦理思想——儒家诚信思想解读》，《山东师范大学学报》2003年第3期。

34. 王月玲：《从墨家逻辑的兴衰看我国普通逻辑的命运》，《天津市政法管理干部学院学报》2003年第3期。

35. 程树铭、张忠义：《也谈公孙龙的"白马非马"》，《佳木斯大学社会科学学报》2003年第4期。

36. 王琼：《孟墨论辩的语言表达和逻辑手段的异同》，《宁德师专学报》2003年第1期。

37. 夏国军：《孔子与公孙龙"正名"思想之比较》，《攀枝花学院学报》2003年第1期。

38. 方尔加：《公孙龙：邯郸人民的骄傲——谈公孙龙论辩的时代根据及价值》，《邯郸师专学报》2003年第1期。

39. 晋荣东：《〈吕氏春秋〉言"辩"的语言哲学审视》，《华东师范大学学报》2003 年第 2 期。

40. 周山：《"同异"、"坚白"之争新解读》，《学术月刊》2003 年第 6 期。

41. 吴新民：《初探〈墨辩〉之"诺"》，《云南师范大学学报》2003 年第 4 期。

42. 王永祥：《关于公孙龙"白马非马"所谓"诡辩论"的质疑》，《邯郸师专学报》2003 年第 2 期。

43. 刘培育：《金岳霖的为学》，《山东师范大学学报》2003 年第 5 期；复印报刊资料《中国哲学》2003 年第 12 期。

44. 郭大海：《〈墨经〉不应为墨子所自著——从詹剑峰先生关于〈墨经〉四篇著作时代的论述说起》，《安徽史学》2003 年第 4 期。

45. 孙中原：《〈墨经〉的逻辑与认知范畴》，《中山大学学报》2003 年增刊（逻辑与认知专刊）。

46. 姬三凤：《研究中国古代逻辑的新维度——评〈人文思维的逻辑——语用学与语用逻辑的维度〉》，《哲学研究》2003 年增刊（逻辑学研究专辑）。

47. 张学立：《金岳霖逻辑哲学思想研究的意义》，《哲学研究》2003 年增刊（逻辑学研究专辑）。

48. 刘邦凡：《研究中国传统数学中逻辑思想与方法的必要性》，《哲学研究》2003 年增刊（逻辑学研究专辑）。

49. 关兴丽：《墨家的言语行为思想和中国古代逻辑》，《哲学研究》2003 年增刊（逻辑学研究专辑）。

50. 陈波：《中国逻辑学的历史审视和前景展望》，《光明日报》2003 年 11 月 4 日；复印报刊资料《逻辑》2004 年第 1 期。

51. 程仲棠：《"侔式推理"解构》，《暨南学报》2003 年第 4 期。

52. 李春勇：《论严复的归纳主义逻辑观》，《淮阴师范学院学报》

2003 年第 6 期。

53. 沈跃春：《一个无法付诸实施的悖论——谈邓析的"两可之说"》，《中国青年报》2003 年 10 月 12 日。

54. 顾涛：《名书〈尔雅〉逻辑思想发微》，《盐城工学院学报》2003 年第 4 期。

55. 且大有：《我国 50、60 年代学术界探索辩证逻辑对象回眸》，《内蒙古师范大学学报》2003 年第 6 期。

56. 李敬国：《周礼全四层次意义理论的方法与特色》，《西北师大学报》2003 年第 5 期；复印报刊资料《逻辑》2004 年第 2 期。

57. 张学立：《索微探赜，引介开新——金岳霖的逻辑历程》，《遵义师范学院学报》2003 年第 4 期。

58. 曾祥云：《中国逻辑史研究的误区》，《长沙电力学院学报》2003 年第 4 期。

59. 王兴国：《牟宗三逻辑二分法思想初探》，《曲靖师范学院学报》2003 年第 2 期。

60. 郑伟宏：《"因三相"正本清源》，《哲学研究》2003 年增刊（逻辑学研究专辑）。

61. 祁顺来：《因明在藏区的传播与发展》，《青海民族学院学报》2003 年第 4 期。

2004

1. 闫晓勇、颜华东：《重议辩证法与形式逻辑——从潘梓年的逻辑观谈起》，《甘肃理论学刊》2004 年第 1 期。

2. 刘良琼：《惠施逻辑思想评析》，《安徽大学学报》2004 年第 1 期。

3. 蔡亦骅：《邓析"两可说"的博弈论分析》，《自然辩证法研究》2004 年第 1 期。

4. 刘元根：《论先秦名学之起始及其引发的思考》，《中州学刊》
　　2004年第1期。

5. 刘元根：《先秦名之本质演绎脉络的解读》，《云南社会科学》
　　2004年第2期。

6. 莫晓红：《荀子的正名逻辑思想及其启示》，《涪陵师范学院学
　　报》2004年第2期。

专著、教材及其他

1. 詹剑峰：《墨家的形式逻辑》，湖北人民出版社1956年版，
　　1979年版。

2. 谭戒甫：《〈公孙龙子〉形名发微》，科学出版社1957年版；
　　中华书局1963年版。

3. 汪奠基：《老子朴素辩证的逻辑思想——无名论》，湖北人民
　　出版社1958年版。

4. 周钟灵：《韩非子的逻辑》，人民出版社1958年版。

5. 谭戒甫：《墨辩发微》，科学出版社1958年版；中华书局1964
　　年版。

6. 高亨：《墨经校诠》，科学出版社1958年版。

7. 汪奠基：《中国逻辑思想史料分析》（第1辑），中华书局1961
　　年版。

8. 高亨：《墨子新笺》，山东人民出版社1961年版。

9. 朱伯崑：《墨子译注》，中华书局1962年版。

10. 朱伯崑：《墨辩译注》，中华书局1962年版。

11. 吴则虞：《墨子译注》，中华书局1964年版。

12. 庞朴：《〈公孙龙子〉译注》，上海人民出版社1974年版。

13. 金岳霖主编：《形式逻辑》，人民出版社1979年版。

14. 周文英：《中国逻辑思想史稿》，人民出版社1979年版。

15. 汪奠基：《中国逻辑思想史》，上海人民出版社1979年版。

16. 陈孟麟：《墨辩逻辑学》，山东人民出版社 1979 年版；齐鲁书社 1983 年版。

17. 沈有鼎：《墨经的逻辑学》，中国社会科学出版社 1980 年版。

18. 刘培育、周云之、董志铁编：《中国逻辑思想论文选（1949—1979）》，生活·读书·新知三联书店 1981 年版。

19. 谭戒甫：《墨经分类译注》，中华书局 1981 年版。

20. 栾星：《公孙龙子长笺》，中州书画社 1982 年版。

21. 周云之、刘培育、沈剑英、周文英：《中国历史上的逻辑家》，人民出版社 1982 年版。

22. 胡适著，先秦名学史翻译组译：《先秦名学史》，学林出版社 1983 年版。

23. 伍非百：《中国古名家言》，中国社会科学出版社 1983 年版。

24. 温公颐：《先秦逻辑史》，上海人民出版社 1983 年版。

25. 中国人民大学哲学系逻辑教研室编：《形式逻辑》，中国人民大学出版社 1984 年版。

26. 陶文楼：《辩证逻辑思想简史》，南开大学出版社 1984 年版。

27. 王焕镳：《墨子校释》，浙江文艺出版社 1984 年版。

28. 周云之、刘培育：《先秦逻辑史》，中国社会科学出版社 1984 年版。

29. 杨俊光：《〈公孙龙子〉蠡测》，齐鲁书社 1986 年版。

30. 王焕镳：《墨子校释商兑》，中国社会科学出版社 1986 年版。

31. 孙中原：《中国逻辑史》（先秦），中国人民大学出版社 1987 年版。

32. 朱志凯：《墨经中的逻辑学说》，四川人民出版社 1988 年版。

33. 温公颐主编：《中国逻辑史教程》，上海人民出版社 1988 年版。

34. 杨芾荪主编：《中国逻辑思想史教程》，甘肃人民出版社 1988 年版。

440

35. 周山：《中国逻辑史论》，辽宁教育出版社1988年版。

36. 杨百顺：《比较逻辑史》，四川人民出版社1989年版。

37. 温公颐：《中国中古逻辑史》，上海人民出版社1989年版。

38. 李匡武主编：《中国逻辑史》（先秦卷），甘肃人民出版社1989年版。

39. 李匡武主编：《中国逻辑史》（两汉魏晋南北朝卷），甘肃人民出版社1989年版。

40. 李匡武主编：《中国逻辑史》（唐明卷），甘肃人民出版社1989年版。

41. 李匡武主编：《中国逻辑史》（近代卷），甘肃人民出版社1989年版。

42. 李匡武主编：《中国逻辑史》（现代卷），甘肃人民出版社1989年版。

43. ［日］末木刚博著，孙中原译：《东方合理思想》，江西人民出版社1990年版。

44. 庞朴译注：《〈公孙龙子〉今译》，巴蜀书社1990年版。

45. 崔清田主编：《今日逻辑科学》，天津教育出版社1990年版。

46. 李匡武、杨芾荪主编：《中国逻辑史资料选》（先秦卷），甘肃人民出版社1991年版。

47. 周文英主编：《中国逻辑史资料选》（汉至明卷），甘肃人民出版社1991年版。

48. 虞愚、杨化群、黄明信主编：《中国逻辑史资料选》（因明卷），甘肃人民出版社1991年版。

49. 李匡武主编：《中国逻辑史资料选》（近代卷），甘肃人民出版社1991年版。

50. 周云之主编：《中国逻辑史资料选》（现代卷），甘肃人民出版社1991年版。

51. 彭漪涟：《中国近代逻辑思想史论》，上海人民出版社1991

年版。

52. 庞朴：《白马非马——中国名辩思潮》，新华出版社 1993 年版。

53. 曾祥云：《中国近代比较逻辑思想研究》，黑龙江教育出版社 1992 年版。

54. 孙中原：《诡辩和逻辑名篇赏析》，中国人民大学出版社 1992 年版。

55. 周云之：《先秦名辩逻辑指要》，四川教育出版社 1993 年版。

56. 温公颐：《中国近古逻辑史》，上海人民出版社 1993 年版。

57. 周云之：《墨经校注·今译·研究——墨经逻辑学》，甘肃人民出版社 1993 年版。

58. 姜宝昌：《墨经训释》，齐鲁书社 1993 年版。

59. 周山：《墨经新论》，辽宁教育出版社 1993 年版。

60. 周山：《智慧的欢歌——先秦名辩思潮》，生活·读书·新知三联书店 1994 年版。

61. 周云之：《公孙龙子正名学说研究——校诠、今译、剖析、总论》，社会科学文献出版社 1994 年版。

62. 李廉：《周易的思维与逻辑》，安徽人民出版社 1994 年版。

63. 周才珠、齐瑞瑞译注：《墨子全译》，贵州人民出版社 1995 年版。

64. 梁周敏：《墨家逻辑论》，河南大学出版社 1995 年版。

65. 张忠义：《中国逻辑史研究》，黑龙江教育出版社 1995 年版。

66. 吴家国：《逻辑散论》，广西师范大学出版社 1996 年版。

67. 张晓芒：《先秦辩学法则史论》，中国人民大学出版社 1996 年版。

68. 周云之：《名辩学论》，辽宁教育出版社 1996 年版。

69. 崔清田主编：《名学与辩学》，山西教育出版社 1997 年版。

70. 周山：《绝学复苏——近现代的先秦名家研究》，辽宁教育出版社 1997 年版。

71. 崔清田：《显学重光——近现代的先秦墨家研究》，辽宁教育出版社 1997 年版。

72. 谭业谦译注：《公孙龙子译注》，中华书局 1997 年版。

73. 董志铁：《名辩艺术与思维逻辑》，中国广播电视出版社 1998 年版。

74. [美] 陈汉生著，周云之、张清宇、崔清田等译：《中国古代的语言和逻辑》，社会科学文献出版社 1998 年版。

75. 俞瑾：《逻辑与语言论稿》，江苏教育出版社 1999 年版。

76. 赵总宽主编：《逻辑学百年》，北京出版社 1999 年版。

77. 张斌峰：《近代墨辩复兴之路》，山西教育出版社 1999 年版。

78. 曾祥云、刘志生：《中国名学——从符号学的观点看》，海风出版社 2000 年版。

79. 林铭钧、曾祥云：《名辩学新探》，中山大学出版社 2000 年版。

80. 王克喜：《古代汉语与中国古代逻辑》，天津人民出版社 2000 年版。

81. 张斌峰：《人文思维的逻辑——语用学与语用逻辑的维度》，天津人民出版社 2001 年版。

82. 温公颐、崔清田主编：《中国逻辑史教程》（修订本），南开大学出版社 2001 年版。

83. 杨俊光：《〈墨经〉研究》，南京大学出版社 2002 年版。

84. 沙青、张小燕、张燕京：《分析性理性与辩证理性的裂变——二十世纪中国逻辑思想论争的历史反思》，河北大学出版社 2002 年版。

85. 辛志凤、蒋玉斌等译注：《墨子译注》，黑龙江人民出版社 2003 年版。

86. 张学立：《金岳霖逻辑哲学思想研究》，贵州人民出版社 2004

年版。

87. 北京大学哲学系逻辑教研室编著：《中国逻辑学史》，未公开出版。

88. 温公颐主编：《〈中国逻辑史教程〉资料选》，未公开出版。

89. 李建钊：《语言逻辑研究自选集》，未公开出版。

90. 栾调甫：《墨子研究论文集》，人民出版社 1957 年版。

91. 杜国庠文集编辑小组编：《杜国庠文集》，人民出版社 1962年版。

92. 庞朴：《公孙龙子研究》，中华书局 1979 年版。

93. 詹剑峰：《墨子的哲学与科学》，人民出版社 1981 年版。

94. 周山：《易经新论》，辽宁教育出版社 1988 年版。

95. 孙中原：《墨子及其后学》，新华出版社 1993 年版。

96. 刘培育主编：《中国古代哲学精华》，甘肃人民出版社 1992年版。

97. 杨俊光：《墨子新论》，江苏教育出版社 1992 年版。

98. 刘培育、张清宇、诸葛殷同编：《沈有鼎文集》，人民出版社 1992 年版。

99. 孙中原：《墨学通论》，辽宁教育出版社 1993 年版。

100. 周山：《周易文化论》，上海社会科学院出版社 1994 年版。

101. 孙中原：《墨学的智慧——墨子说粹》，生活·读书·新知三联书店 1995 年版。

102. 牛鸿恩主编：《古代辩术精粹》，延边大学出版社 1995 年版。

103. 刘培育主编：《金岳霖的回忆与回忆金岳霖》，四川教育出版社 1995 年版。

104. 金岳霖学术基金会学术委员会编：《金岳霖文集》（第 1—4卷），甘肃人民出版社 1995 年版。

105. 《温公颐文集》，山西高校联合出版社 1996 年版。

106. 王宏印：《白话解读〈公孙龙子〉》，三秦出版社 1997 年版。

107. 孙中原主编：《墨学与现代文化》，中国广播电视出版社 1998 年版。

108. 金岳霖著，刘培育编：《哲意的沉思》，百花文艺出版社 2000 年版。

109. 中国社会科学院哲学研究所逻辑室编：《摹物求比——沈有鼎及其治学之路》，社会科学文献出版社 2000 年版。

110. 周礼全：《周礼全集》，中国社会科学出版社 2000 年版。

111. 周山：《解读周易》，上海书店出版社 2002 年版。

112. 谷振诣编：《岫石文集》，华艺出版社 2002 年版。

113. 周文英：《周文英学术著作自选集》，人民出版社 2002 年版。

114. ［日］梶山雄一著，张春波译：《印度逻辑学的基本性质》，商务印书馆 1980 年版。

115. 石村：《因明述要》，中华书局 1981 年版。

116. 毛尔盖·桑木旦：《因明学入门》（藏文），青海民族出版社 1981 年版。

117. 洋增·普居巴罗藏次成木仙巴嘉措：《因明学入门》（藏文），甘肃民族出版社 1982 年版。

118. 法尊译编：《集量论略解》，中国社会科学出版社 1982 年版。

119. 法尊译：《释量论·释量论释》，中国佛协 1982 年印行。

120. 吕澂讲，张春波整理：《因明入正理论讲解》，中华书局 1983 年版。

121. 克主杰·格雷贝桑（班禅额尔德尼一世）：《因明七论除意暗庄严疏》（藏文），民族出版社 1984 年版。

122. 沈剑英：《因明学研究》，中国大百科全书出版社 1985 年版。

445

123. 苏德巴夏噶、色·昂旺札西：《因明学概要及其注释》（藏文），民族出版社 1985 年版。

124. 李建本：《初级辩理概论》（藏文），甘肃民族出版社 1985 年版。

125. 多吉杰博选编：《古印度因明学选编》（一）（藏文），民族出版社 1988 年版。

126. 多吉杰博选编：《古印度因明学选编》（二）（藏文），民族出版社 1988 年版。

127. 格西次旺：《因明七论要点注释》（藏文），西藏人民出版社 1988 年版。

128. 隆务·根敦嘉措：《堪钦摄类学》（藏文），青海民族出版社 1988 年版。

129. 多吉杰博编：《量理宝藏注疏·教理曦论》（藏文），中国藏学出版社 1988 年版。

130. 萨班·贡噶坚赞：《量理论宝藏总则及其注释》（藏文），西藏人民出版社 1989 年版。

131. 多吉杰博选编：《古印度因明学选编》（三）（藏文），民族出版社 1989 年版。

132. 周叔迦讲述，中国佛教文化研究所编：《因明入正理释》，社会科学文献出版社 1989 年版。

133. 杨化群：《藏传因明学》，西藏人民出版社 1990 年版。

134. 沈剑英：《佛家逻辑》，开明出版社 1992 年版。

135. 剧宗林：《藏传佛教因明史略》，民族出版社 1994 年版。

136. 巫寿康：《因明正理门论研究》，生活·读书·新知三联书店 1994 年版。

137. 黄心川、葛黔君主编：《玄奘研究文集》，中州古籍出版社 1995 年版。

138. 郑伟宏：《佛家逻辑通论》，复旦大学出版社 1996 年版。

139. ［俄］舍尔巴茨基著，宋立道、舒晓炜译：《佛教逻辑》，商务印书馆 1997 年版。

140. 图·乌力吉：《阿旺丹德尔因明学》（蒙文），辽宁民族出版社 1997 年版。

141. 郑伟宏：《因明正理门论直解》，复旦大学出版社 1999 年版。

142. 姚南强：《因明学说史纲要》，上海三联书店 2000 年版。

143. 沈剑英主编：《中国佛教逻辑史》，华东师范大学出版社 2001 年版。

144. 刚晓：《汉传因明二论》，宗教文化出版社 2003 年版。

145. 葛黔君：《因明基础理论》，未公开出版。

146. 葛黔君：《因明研究（古印度逻辑）》，未公开出版。

147. 《法尊法师佛学论文集》，中国佛教文化研究所 1990 年印行。

148. 姚卫群编著：《印度哲学》，北京大学出版社 1992 年版。

149. 刘培育主编：《虞愚文集》，甘肃人民出版社 1995 年版。

150. 马佩主编：《玄奘研究》，河南大学出版社 1997 年版。

151. 许地山：《道教、因明及其他》，中国社会科学出版社 1994 年版。

152. 刘培育编：《因明研究》，吉林教育出版社 1994 年版。

153. 刘培育、周云之、董志铁编：《因明论文集》，甘肃人民出版社 1982 年版。

154. 刘培育、崔清田、孙中原编：《因明新探》，甘肃人民出版社 1989 年版。

155. 法尊法师译：《释量论颂》，中国佛协 1982 年印行。

156. 黄心川：《印度哲学史》，商务印书馆 1989 年版。

157. 普觉·强巴著，杨化群译：《因明学启蒙》，未公开出版。

158. ［罗］安东·杜米特留著，李廉主译：《逻辑史》，未公开出

447

版。

159. 巫白慧：《印度哲学——吠陀经探义和奥义书解析》，东方出版社 2000 年版。

160. 姚卫群：《佛学概论》，宗教文化出版社 2002 年版。

161. 姚卫群编译：《古印度六派哲学经典》，商务印书馆 2003 年版。

后　记

　　1996 年秋，我考入南开大学哲学系，师从著名逻辑学家崔清田先生攻读中国逻辑史方向博士学位。奉献给读者的这本书，就是根据我的博士学位论文修改而成的。

　　在南开学习的三年，崔先生无论在学术研究，抑或日常生活方面，都令我终生难忘，永远感激。登高眺远、视野开阔；掌握第一手文献，展开清晰、充分、有新见的论证；正视学术争鸣，把不同的观点作为学术研究进一步开展的动力和参照；既提出一家之言，又在内心深处给不同主张留有广阔的空间……所有这些，既是崔先生对包括我在内的每一个博士生的殷切期望和严格要求，亦是他科研经历的真实状况。日常生活方面，视学生如子女，崔先生和师母高老师一道，把满腔的爱撒向了他的每一个学生。当我把学位论文即将出版以及修改的情况告知他时，崔先生又于繁忙的工作中赐序鼓励。

　　在攻读博士学位期间，我的硕士阶段指导老师、著名逻辑学家马佩先生和葛黔君先生，始终在牵挂着、关心着我的学业和生活。

　　在博士学位论文的写作、评阅、答辩过程中，中国社会科学院研究员刘培育先生、上海社会科学院研究员周山先生、北京师范大学教授董志铁先生、湖北大学教授李先焜先生、华东师范大学教授何应灿先生、湖北师范学院教授蔡伯铭先生，他们给予了我莫大的帮助和支持，提出了许多宝贵而中肯的建议和意见。

　　在南开大学学习的三年里，南开哲学系逻辑教研室的张斌峰博士、王左立博士、田立刚博士、翟锦程博士，给予了我许多具体的帮助和指导。

　　本书在修改过程中，研究生杨红玉、史璟、傅晓、秦波、汪学军、崔晓红，帮助搜集、抄写资料，进行文字校对，尤其是"附录"部分。

　　本书的出版，得到河南省高校青年骨干教师资助计划资助，属于教育部人文社会科学重点研究基地（中山大学逻辑与认知研究所）2002—2003年度重大项目《逻辑学在人文科学中的应用》（02JAZJD720018）成果之一。

　　在学术著作出版异常困难的情况下，人民出版社哲学室肯定并积极推荐本书之选题，责任编辑方国根编审付出了大量具体细致的艰苦劳动。

　　值此书刊行之际，谨向所有关心、帮助过我的各位前辈、朋友、学生，表示诚挚的感谢！谨向为我的求学生涯付出了无私的爱的各位亲人们，表示深深的感谢！

450

　　作者学术水平不足，资料搜集有限，书中疏漏、错误之处，恳请同行专家和学术前辈批评指正。

郭　桥

2005年9月20日于开封

责任编辑:方国根
版式设计:书林瀚海

图书在版编目(CIP)数据

逻辑与文化——中国近代时期西方逻辑传播研究/郭桥著.－北京:
人民出版社,2006.5

ISBN 7-01-005531-9

Ⅰ.逻…　Ⅱ.郭…　Ⅲ.逻辑史－研究－中国－近代　Ⅳ.B81-092

中国版本图书馆 CIP 数据核字(2006)第 038567 号

逻辑与文化

LUOJI YU WENHUA

——中国近代时期西方逻辑传播研究

郭　桥　著

人民出版社出版发行

(100706　北京朝阳门内大街 166 号)

北京新魏印刷厂印刷　新华书店经销

2006 年 5 月第 1 版　2006 年 8 月第 2 次印刷

开本:880 毫米×1230 毫米 1/32　印张:14.375

字数:360 千字　印数:3,001-6,000 册

ISBN 7-01-005531-9　定价:29.00 元

邮购地址　100706　北京朝阳门内大街 166 号

人民东方图书销售中心　电话(010)65250042　65289539